Largo noviembre de Madrid

La tierra será un paraíso

Capital de la gloria

Letras Hispánicas

Juan Eduardo Zúñiga

Largo noviembre de Madrid
La tierra será un paraíso
Capital de la gloria

Edición de Israel Prados

CÁTEDRA

LETRAS HISPÁNICAS

1.ª edición, 2007

Ilustración de cubierta: España. Guerra Civil (31 de marzo de 1939).
Movimiento de población sobre el Puente de Toledo,
tras el fin de la guerra. © AISA

© Juan Eduardo Zúñiga, 2007
© Ediciones Cátedra (Grupo Anaya, S. A.), 2007
Juan Ignacio Luca de Tena, 15. 28027 Madrid
Depósito legal: M-25.955-2007
I.S.B.N.: 978-84-376-2387-0
Printed in Spain
Impreso en Lavel

Índice

Introducción

AUTOR SECRETO

En 1967 se publicó en Madrid, en la editorial Taurus, una antología de los «artículos sociales» de Mariano José de Larra preparada por Juan Eduardo Zúñiga en cuya introducción se podía leer:

> Nos acercamos con mayor interés a una figura de la Historia cuando podemos identificarnos con ella y sentir como propio algún aspecto de su personalidad [...]. El escritor Mariano José de Larra está hoy vivo para sus lectores porque participamos de sus ideas sobre la realidad española [...] parece que nos habla a nosotros mismos por su concepción realista de la vida [...].
>
> Al igual que cualquier escritor de hoy, se debatía en un cúmulo de ideas contradictorias, propias de su clase y de sus contingencias personales. Contradicciones del hombre formado en una sociedad cambiante, que desea cortar con el pasado que aún ama, y en su rebeldía lucha por una libertad que no acaba de aceptar completamente [...].
>
> Pero mientras a un hombre poco lúcido las contradicciones le confunden y paralizan, en él actúan dialécticamente y le hacen evolucionar, dándonos ejemplo de desarrollo, de maduración [...]. Esta distanciación que estableció con su sociedad, esta perspectiva alejada que es precisa para la crítica ecuánime, es lo que posibilita que hoy —cuando la característica típica de la época es la distanciación— muchos españoles se sientan vinculados a una gran parte de sus ideas [...].
>
> Su crítica se dirigía a puntos neurálgicos de la estructura del país, y por este motivo se vio obligado —para que le fuera permitida— a enmascararla [...][1].

---

[1] Juan Eduardo Zúñiga (ed.), *Artículos sociales de Mariano José de Larra*, Madrid, Taurus, 1967, págs. 7-27.

La cita es larga, pero en estas palabras que escribe Juan Eduardo Zúñiga cuando al régimen y a la censura franquistas les quedaba todavía un considerable periodo de vigencia y más de veinte años antes de que viese la luz su libro de cuentos *Flores de plomo*[2], cuyo tema de fondo es precisamente la pervivencia de Larra y de sus ideas en la conciencia de la sociedad, se hayan contenidas en esencia algunas de las principales coordenadas que han orientado su propia percepción del mundo y del hecho literario; por tanto, y porque sirven también para entender mejor las principales causas por las que su obra, una de las más sólidas e importantes de la narrativa española desde la segunda mitad del siglo pasado, no ha comenzado hasta hace muy poco tiempo a recibir el reconocimiento público y crítico que merece[3], conviene detenerse en ellas desde el principio.

Una de esas coordenadas, y no la menos importante, es la que atañe al inagotable grado de vigencia que adquiere el mensaje literario cuando avanza, como en el caso de *Fígaro*, a pesar de las vicisitudes de la Historia y a menudo a su despecho[4]. Con semejante convicción romántica ha ido Juan Eduardo Zúñiga construyendo y desarrollando su obra narra-

---

[2] *Flores de plomo*, Madrid, Alfaguara, 1999.

[3] *Capital de la gloria* se publicó en 2003 y recibió al año siguiente el Premio de la Crítica, el NH Hoteles de Relatos y el Salambó, y ese mismo año se le concedió al escritor la Medalla de Oro del Círculo de Bellas Artes. Por otra parte, coincidiendo con la publicación del libro se le dedicó al autor un número de la revista *Quimera* (Luis Beltrán Almeria [coord.], «Juan Eduardo Zúñiga. Memoria y fábula "homenaje"», en *Quimera*, 227, 2003, págs. 10-43), y apareció un estudio monográfico sobre el autor y su obra (Israel Prados, «De símbolos y batallas», en *Reseña*, 353, 2003, págs. 4-9); ambos se sumaron a los trabajos de Luis Beltrán Almeria, «Las estéticas de Juan Eduardo Zúñiga», en *Anales de la Literatura Española Contemporánea*, 25, 2000, págs. 357-387, y de Ramón Jiménez Madrid, «La obra narrativa breve de Juan Eduardo Zúñiga», en *Montearabí* (Yecla), 14, 1992, págs. 7-22, los dos únicos trabajos de conjunto sobre la obra del escritor que existían hasta ese momento.

[4] Defiende Juan Eduardo Zúñiga en su estudio la tesis de que la leyenda romántica del «suicida por amor» que pronto se forjó en torno a la figura de Larra —«una forma de salvar la responsabilidad que incumbía a toda la sociedad»— ha eclipsado en los estudios posteriores sobre su obra «los aspectos más respetables y extraordinarios del escritor: su contemporaneidad, su proximidad a nosotros, se eluden y muchos sectores de su obra quedan en silencio», Juan Eduardo Zúñiga, *op. cit.*, págs. 6 y 11.

tiva durante más de cincuenta años, siempre desde los márgenes —y siempre a contrapelo— de las tendencias comerciales, estéticas e ideológicas más fungibles; siguiendo como norte más fiel el que orienta la vía de la coherencia antes que el que justifica la senda del aplauso, el escritor ha dejado madurar sus títulos morosamente —siete libros de narrativa publicados a lo largo de más de cincuenta años— al calor de la memoria, verdadera piedra de toque de su escritura. Tal vez gracias a ello sus libros, especialmente los ambientados en la vida y en los conflictos del pasado de España —como el citado *Flores de plomo, Inútiles totales,* la novela alegórica *El coral y las aguas* o *Largo noviembre de Madrid, La tierra será un paraíso* y *Capital de la gloria,* que componen la trilogía sobre la Guerra Civil española y la Posguerra reunida en esta edición—, han podido sortear las contingencias del devenir histórico y poseen ya la impronta de perpetua actualidad que se le exige a toda manifestación artística, convirtiéndose así, frente al falseamiento interesado de la historia o a la institucionalización de la desmemoria, en testimonio revelador de toda una época y en parte sustancial de la memoria histórica de nuestro país. Sin embargo, esa discreción personal y profesional del escritor ha recibido a cambio el olvido de la historiografía literaria, que no ha encontrado ni para él ni para sus obras asiento alguno entre los diversos marbetes que la jalonan. Por eso, quien rastree aún hoy los manuales generales de literatura en busca de información sobre el autor o sobre sus títulos tendrá que resignarse ante el silencio[5] o conformarse con el simple marchamo que, con mimetismo proverbial y en ocasiones también con cierta deferencia, ha confinado al escritor al pago de los «autores secretos».

No obstante, conviene precisar también desde el principio que el adjetivo «secreto» no es del todo inadecuado para

---

[5] A las dificultades de contextualización biográfica y estética del escritor y de su obra que se comentarán más adelante hay que añadir los condicionamientos que provienen de la atávica deficiencia de estudios monográficos sobre la historia del cuento español contemporáneo, género que ha vehiculizado casi toda la obra de nuestro autor. En la bibliografía se recogen algunas excepciones.

calificar la trayectoria de Juan Eduardo Zúñiga, aunque en ningún caso utilizado con la connotación excluyente y *ad hominem* que utilizaría un sociólogo de la literatura, sino aplicado como atributo de un componente ético y estético seminal en su poética.

Se trata, por un lado, de la naturaleza clandestina, hermética[6], propia de esa «perspectiva alejada» que el autor pondera de la actitud de Larra y que «es precisa para la crítica ecuánime». La literatura de Juan Eduardo Zúñiga, en efecto, contrajo desde muy pronto un hondo compromiso con la vida: los materiales de los que parten muchas de sus ficciones pertenecen a la más estricta realidad del mismo modo que los conflictos que en ellas se articulan son patrimonio de seres humanos cuyas conciencias vivieron asediadas en ambientes de intensa perturbación social y a los que el autor otorga voz, humanidad y pensamiento: la indagación en los mecanismos —más o menos visibles— de la vida de los seres humanos conforma la piedra angular de su mundo narrativo. Pero no es menos cierto tampoco que su oficio contrajo también desde el comienzo, y no con menor determinación, la responsabilidad de interpretar y denunciar la auténtica naturaleza de las costumbres, de los factores políticos y de las relaciones sociales que en determinados momentos de la Historia coartaron la libertad y la justicia, la dignidad humana y civil: en este sentido la vocación de su crítica no es sólo testimonial ni social en sentido lato, es también, en buena medida, partisana. Así, como testigo de cargo de su época, el escritor no se ha desvinculado jamás de los avatares de su sociedad y de sus gentes, aunque haya elegido ejercer su profesión desde esa «perspectiva alejada de la realidad» que —conviene subrayarlo— no se erige empero como la cómoda atalaya desde la que escudriña el analista, sino que más bien se instaura como parapeto moral que se autoimpone, por necesidad, el que ha de sancionar lo que más

---

[6] «Hermético es la segunda acepción de romántico» (José Antonio Escrig Aparicio, «Una lectura romántica», en *Quimera, op. cit.,* pág. 26). Sobre el hermetismo estético de Juan Eduardo Zúñiga es fundamental consultar el estudio citado de Luis Beltrán Almería, «Las estéticas de Juan Eduardo Zúñiga».

ama. De este modo, con la actitud del padre antes que con la del predicador, ha evitado Juan Eduardo Zúñiga tanto los aspavientos de la epopeya como la blandura del sentimentalismo fácil, al tiempo que ha conseguido renegar, mediante una constante y compleja relación dialéctica con la realidad de su época, de la imposición maniquea de consignas ideológicas, actitudes que han caracterizado a parte de la narrativa española de intención crítica. Por la clarividencia con la que reflejan el mundo de su tiempo y por su impulso ético y renovador, algunas de sus obras deberían figurar en cualquier estudio sobre narrativa española «comprometida»; por su falta de explicitud y por su ambición estética han quedado relegadas, en cambio, a la nómina poco nutrida —y menos estimada— de los escritores que, ante la tan debatida cuestión de la utilidad del arte, no han querido renunciar a la expresión de mensajes disidentes pero tampoco a las armas de la excelencia artística.

Desde ese punto de vista que concibe estética y moral como términos sinónimos, también el discurso narrativo de Juan Eduardo Zúñiga se puede calificar entonces de «secreto» sin querer significar con ello que esté alejado de la vida ni tan siquiera del realismo artístico. Más bien al contrario, la dimensión simbólica y hermética de su mundo narrativo, la procedencia diversa de sus estímulos literarios o la capacidad de alusión de su prosa se registran en su escritura como resortes imprescindibles para obtener de la realidad, sobre todo de la más sórdida, sus brillos más veraces, cuando no para «enmascarar» —como también escribía sobre Larra— la crítica «con un lenguaje secreto»[7].

Se puede inferir, en consecuencia, que no ha sido sólo la *praxis* concreta —más o menos atenta o relajada— de la historiografía literaria la que contribuido a forjar la imagen de autor secreto de Juan Eduardo Zúñiga, sino también la propia operatividad de los fundamentos teóricos que la han sus-

---

[7] En las palabras preliminares a *El coral y las aguas* escribía el autor: «Con un lenguaje secreto daba noticia de los que habían sido sometidos y de los que fueron insumisos, de su intransigencia y de su incertidumbre» (*El coral y las aguas*, Barcelona, Seix Barral, 1962, pág. 9).

tentando. La escisión simplista y tajante mediante la que, como es sabido, se ha inventariado buena parte de la historia de la literatura española desde la Guerra Civil ha tendido a considerar incompatibles la dimensión simbólica o fantástica de la literatura y la manifestación realista; el cuidado del lenguaje literario y la expresión de mensajes críticos; la visión antinómica de ese antiguo dualismo teórico[8] —que muchos títulos, hay que reconocer, han nutrido y prolongado—, al menos en lo que concierne a la obra de nuestro autor, resulta, como se ha dicho, poco menos que estéril.

Existen, en definitiva, factores de índole sociológica, historiográfica y teórica que condicionan de antemano cualquier estudio sobre la obra de Juan Eduardo Zúñiga; dificultades que en cualquier caso no deberían eximir a la crítica literaria de su responsabilidad de analizar, interpretar y valorar su trayectoria. Porque, por una parte, ante las que obedecen a la voluntad —legítima— del escritor, que ha consentido o buscado por diversas razones su condición secreta, como ha insistido en más de una ocasión el escritor Luis Mateo Díez refiriéndose a él: «[...] los autores secretos pueden resignarse con su destino, pero los lectores cabales tenemos la obligación de no permitírselo»[9]. Por otra parte, tampoco debería suponer un escollo para el estudio de su obra la poca funcionalidad de algunas herramientas convencionales de contextualización y de análisis. Porque tal vez Juan Eduardo Zúñiga sea, en efecto, *rara avis* en el panorama de nuestras letras por hermanar ética y estética, no en un punto equidistante de tibieza, sino desde los extremos que el arte identifica, pero hay que tener en cuenta que, aunque el propio escritor ha reconocido ese carácter dual de la literatura, «Es ésta la gran virtud de la obra literaria: un mensaje aclarador de conciencias que pone íntima luz en senderos subterráneos o en el gran camino real por donde avanza la ca-

---

[8] Nos referimos a esa dualidad del mensaje artístico que al menos desde la *Epístola a los Pisones* de Horacio se ha expresado con los binomios *res* (contenido, asunto)/*verba* (expresión), *docere* (enseñar)/*delectare* (entretener, deleitar), etc.

[9] Luis Mateo Díez, «Unos cuentos de Zúñiga», *El País (Babelia)*, 15/III/2003.

balgata colectiva»[10], la premisa que promueve esa jánica virtud es, como se demuestra en toda su obra, la capacidad *iluminadora* del hecho literario.

VIDA: «CABALGATA COLECTIVA» Y «SENDEROS SUBTERRÁNEOS»

Pocos escritores contemporáneos han driblado con tanta pericia y eficacia como Juan Eduardo Zúñiga las solicitudes que desde distintos foros y con diversos propósitos —a menudo sólo fetichistas— requieren del artista una explicación pública y sumaria de su trabajo y de su vida. Más bien al contrario, ni ha dejado —todavía— una poética explícita sobre su obra ni ha sucumbido ante los brillos del escaparate mediático[11], de tal manera que, siendo escrupuloso con el compromiso ético y estético que se ha comentado arriba, ha conseguido preservar buena parte de su biografía en «senderos subterráneos».

De este modo, como consecuencia de una opción artística y vital nada caprichosa, debe respetarse y entenderse, sin lugar a dudas, que cuando ha sido consultado el autor sobre su fecha de nacimiento haya preferido no hacerla explícita.

Se ha venido dando como fecha «oficial»[12] el año 1929, lo que constituiría una útil coartada para adscribir a Juan Eduardo Zúñiga, conforme al requisito cronológico de las tesis generacionales, a la generación del realismo social, gru-

---

[10] En «Mensaje confidencial», de *El anillo de Pushkin,* Madrid, Alfaguara, 1992, pág. 45.

[11] El propio escritor ha dicho: «El apartamiento de esos brillos es mi exigencia. No se lo aconsejo a nadie, pero es la forma como yo funciono. Tengo, por supuesto, mis afectos, mi visión del país, sigo con intensidad lo que pasa en el mundo. Pero no soy un combatiente en esos círculos de literatos. Ya en la Posguerra descubrí la enorme falta de respeto social que sufrían los escritores, y cómo muchos de ellos no se respetaban a sí mismos. Esa situación, pese a las apariencias, no ha mejorado intrínsecamente. Creo que, para ser respetado, uno debe respetarse, mantener la dignidad» (Miguel Bayón, *El País,* 22/IV/1992).

[12] Entiendo así la que da, por ejemplo, la Agencia Española del ISBN.

po del que además nunca ha renegado pues con sus miembros compartió, como se verá abajo, amistad, ideas e intereses. Pero lo cierto es que, por su parte, escritores, periodistas, críticos y amigos, desde la memoria o el afecto y —lo que es más importante— a partir de la singularidad de sus textos —antes que por la urgencia crítica de la preceptiva etiqueta generacional— han coincidido en adelantar, sin embargo, una década ese año[13].

Resulta imprescindible tener en cuenta esas noticias biográficas, sean obtenidas de terceros o incluso también de las propias palabras —más o menos cifradas— del autor en algunas entrevistas[14], para entender la verdadera originalidad y envergadura de una trayectoria literaria que, al fin y al cabo, se ha nutrido fundamentalmente de la memoria; sólo confrontando y relacionando los episodios más relevantes de su vida y las diversas vicisitudes de la vida política y cultural española se podrán revelar, a la postre, los puntales de un proyecto literario que ha escapado a la fácil identificación[15].

Juan Eduardo Zúñiga nació en Madrid y la capital de la Segunda República vio nacer en su juventud la vocación literaria, la inquietud intelectual y el gusto por el estudio, enfocado desde muy pronto al aprendizaje de lenguas extranjeras. Ya por entonces, junto a las enseñanzas concretas debieron de sedimentar también en su temperamento el hábito mismo de la curiosidad, la conciencia crítica adquirida con el conocimiento y la admiración por otras culturas, por

---

[13] Así, por ejemplo, en Pedro Montoliú, *Madrid en la Guerra Civil.* Vol. II, *Los protagonistas,* Madrid, Sílex, 1999, págs. 493-500, o en la primera edición de *El coral y las aguas.* Por su parte, Ramón Jiménez Madrid ha aclarado: «representante de la Generación del 36 (si consideramos su edad de nacimiento), o de los años 50, la del Medio Siglo (si consideramos la expresión realista de la literatura de su generación, la preocupación ética y los planteamientos morales y psicológicos presentes en su narrativa)» («Juan Eduardo Zúñiga: primicias», en *Quimera, op. cit.,* pág. 14).

[14] Véanse, por ejemplo, Pedro Montoliú, *op. cit.,* o Ignacio Echevarría, «Antonio Ferres y Juan Eduardo Zúñiga», *El País,* 2/11/2002.

[15] En parecidos términos se expresaba el propio Juan Eduardo Zúñiga en su ensayo sobre Iván Turguéniev, *Las inciertas pasiones de Iván Turguéniev,* Madrid, Alfaguara, 1996, pág. 11.

un «mundo ancho pero no ajeno»[16], pues todo ello dejaría en su juicio, a buen seguro, una huella indeleble garante de lucidez y de entereza moral cuando, en tiempos posteriores, las convulsiones sociales o las estrecheces políticas acabaran con aquellos otros de iniciación en el librepensamiento.

De hecho, la sublevación militar que en noviembre de 1936 llevó a Madrid el frente de batalla no sólo no interrumpió sus estudios (siguió «estudiando Francés y Matemáticas» y comenzó «con el Árabe y el Inglés»[17]), sino que acaso le obligaría a explorar y registrar en su personalidad con especial ahínco las experiencias propias de una edad y de un carácter ávidos de conocimiento[18]. Más allá de padecimientos y tribulaciones, de las penurias físicas y mentales inherentes a una población que sufrió cerco hostil durante casi novecientos días, como los personajes de *Largo noviembre de Madrid* o de *Capital de la gloria,* Juan Eduardo Zúñiga —que vivía a escasos metros del frente[19]— anduvo por las calles de la capital sitiada («recorrí Madrid de una manera casi inconsciente»[20]) y de ellas supo recoger el aprendizaje humano y geográfico que se convertiría años después, madurado por la memoria y tamizado por la pericia artística, en el mundo narrativo de muchos de sus cuentos, como se refleja, con mayor transparencia autobiográfica que en obras posteriores, en su *opera prima,* la novela corta *Inútiles totales,* de 1951[21].

---

[16] En Manuel Longares, «Una charla con Juan Eduardo Zúñiga», en *Quimera, op. cit.,* pág. 38.

[17] Pedro Montoliú, *op. cit.,* pág. 498.

[18] «En aquellos años —del 36 al 39— yo era casi un adolescente, y con ello quiero señalar que como tal tenía una gran capacidad de retentiva para todos los acontecimientos extraños y admirables que se producían delante de mis ojos: las calles bombardeadas, los barrios desiertos, el hambre, los peligros del Madrid de entonces; todo constituía una cantera enormemente rica de temas literarios» (en Antonio Núñez, «Encuentro con Juan Eduardo Zúñiga», *Ínsula,* XXXV, 406, IX/1980, pág. 12).

[19] Pedro Montoliú, *op. cit.,* pág. 499.

[20] *Ibídem*, pág. 494.

[21] Sobre el sustrato autobiográfico de la novela, que narra las experiencias de dos jóvenes en edad militar integrantes de la fila de los «inútiles totales»

Tampoco habrían de ser para el escritor los primeros años de la Posguerra, condicionados por el férreo control impuesto sobre las actividades intelectuales y culturales que no fueran complacientes con el discurso triunfalista, tiempos muy propicios para el estudio o para el ejercicio de la vocación literaria, más cuando, por encima de precariedades materiales y de posibles resultas políticas, desde los primeros años cuarenta se entregó al aprendizaje y a la investigación de lenguas y culturas —aún por entonces «perfectamente ignoradas en España»[22]— de países de la Europa oriental[23], oficio y pasión que ya nunca abandonaría; también por entonces frecuentó Filosofía y Letras y Bellas Artes[24].

No obstante, el ejercicio de estas actividades en la intimidad del estudio no confinó a Juan Eduardo Zúñiga a una torre de marfil ni a una vida monacal. Siempre al tanto, como se decía arriba, de los movimientos culturales y sociales de su tiempo, formó parte del grupo de escritores —no lo suficientemente recordado— que se reunió en el «Café de Lisboa» y que estuvo integrado, entre otros, por Francisco García Pavón, José Corrales Egea, Vicente Soto, Antonio Buero Vallejo o Arturo del Hoyo[25]. De este último es el retrato que mejor ayuda a comprender el talante moral y los intereses artísticos de nuestro autor en aquellos años: de su singular personalidad creadora recordaba: «los cuentos de Juan Eduardo Zúñiga se apartaban de los nuestros por su tenuidad brumosa, su fraseo templado y flexible, su aire extraño y extranjero. [...] Y es que su vida no se semejaba a la nuestra. Tenía, buscaba, secretas amistades con teósofos, sefardíes, búlgaros, polacos, rumanos, coránicos [...], gentes

_____

—personas eximidas de ir al frente por causas físicas o psicológicas—, léanse, por ejemplo, las propias palabras del autor en Pedro Montoliú, *op. cit.,* pág. 500.

[22] Son palabras de un discurso de Antonio Machado sobre literatura rusa (cfr. *Los complementarios,* Madrid, Cátedra, 1996, pág. 89) que cita Juan Eduardo Zúñiga en *Las inciertas pasiones de Iván Turguéniev, op. cit.,* pág. 12.

[23] Rumano, búlgaro y ruso, por este orden.

[24] Véase Manuel Longares, *op. cit.,* pág. 37.

[25] Son los escritores que, según Igacio Soldevila, forman «la segunda promoción de la Posguerra», «nacidos entre 1912 y 1922» *(Historia de la novela española (1936-2000),* Madrid, Cátedra, 2001, pág. 499).

todas a la deriva en aquel tiempo»; sobre su afán —constatable en todos sus títulos— por mantener viva la llama de la memoria, amenazada por el silencio organizado impuesto tras la victoria militar de 1939, escribía: «Te invitaba a dar paseos, a primera vista inocentes, hasta que te encontrabas ante las ignoradas tumbas de los brigadistas en el cementerio del pueblo de Fuencarral, o ante los severos, aunque arrogantes, epitafios del Cementerio civil, o bajo los todavía trágicos muñones de la Casa de Campo [...] Sabíamos que visitaba a escritores que no existían para nadie, como Cansinos, depurados y cesados por el régimen [...]»; y de su implicación en el mundo cultural de aquellos años valoraba: «En tiempos en que estar tres juntos en el Ateneo estaba considerado reunión no autorizada, consiguió que cuatro desconocidos —Francisco García Pavón, José Corrales Egea, Vicente Soto y yo mismo—, presididos por el viejo Ruiz Contreras y presentados por Ezequiel González Mas, "nuestro poeta", leyésemos un cuento cada uno en el salón de actos, para sorpresa y espanto de la dirección del Ateneo, completamente lleno. Pocos días después se estrenó *Historia de una escalera*, de Antonio Buero Vallejo, otro de los nuestros. En este caso, también Juan Eduardo Zúñiga movió los hilos para las primeras entrevistas con el desconocido Buero en la prensa y la radio. Una y otra cosa fueron nuestro manifiesto»[26].

Al tiempo que ejercía oficios diversos[27], ya en la década de los años cincuenta, en el mismo ambiente de clandestinidad que nutriría años más tarde la atmósfera política y el marasmo moral de los cuentos de *La tierra será un paraíso*, Juan Eduardo Zúñiga formó parte del grupo socialrealista

---

[26] Arturo del Hoyo, «Un personaje literario», en Eduardo Naval, Arturo del Hoyo y José Fernández Sánchez, «Homenaje a Juan Eduardo Zúñiga», *El Mundo,* 13/V/1990.

[27] No deja de ser representativo de la preponderancia del realismo social del momento que en la contraportada de la primera edición de *El coral y las aguas* se ofreciera información precisa sobre el *curriculum* laboral de Juan Eduardo Zúñiga: «ejerció varias profesiones —repartidor de unos laboratorios, representante, técnico en radio, fotógrafo industrial— [...]. Actualmente trabaja en la publicidad de una empresa industrial».

madrileño que tuvo su punto de reunión en la tertulia del «Café Pelayo»[28].

Con aquellos jóvenes escritores compartió la actitud disidente y la asunción de unos presupuestos ideológicos alentados por la exigencia de libertades que la dictadura negaba, y, también con el mismo aliento, porque «no pudiendo impugnar la sociedad, no queda otro recurso que pintarla»[29], participó de la ambiciosa iniciativa de indagar en nuevas formas de expresión mediante las que remedar esa realidad.

Con todo, pese a la comunión de intereses del grupo, admitida y defendida siempre por el escritor[30], tampoco dejó de salvaguardar entonces sus propias señas de identidad. Peculiaridades de diversa índole que sin duda le otorgarían, como después se comprobó, un lugar «excepcional» dentro del grupo, y a ellas se ha querido referir en sus memorias Antonio Ferres, uno de los más reconocidos miembros de la promoción. Las más notables las achacaba éste a la especial formación cultural de Juan Eduardo Zúñiga: «Parecía una persona culta, que había leído y leía mucho [...]. Descubrí que incluso tenía conocimientos de lengua, arte y literatura rusos y de otros países eslavos. Aunque [...] no estudiaba en ninguna Universidad [...]»; pero también se trataba de diferencias, según el autor de *Memorias de un hombre perdido*, que obedecían a su formación vital: «Siempre me sorprendía comprobar que conociera a tantos intelectuales y artis-

---

[28] Sobre la formación del grupo y de la tertulia, que continuaba la del café «La Estación» de la que también provenía Juan Eduardo Zúñiga, y sobre las relaciones personales del grupo, véase Antonio Ferres, *Memorias de un hombre perdido*, Madrid, Debate, 2002, págs. 154 y ss. Miembros de este grupo son Jesús López Pacheco, Armando López Salinas, Antonio Ferres, José María de Quinto o Juan García Hortelano.

[29] Son palabras de Mariano José de Larra citadas por Juan Eduardo Zúñiga (ed.), *op. cit.*, pág. 10.

[30] «Más que un grupo literario formal nos vinculaba la amistad y el común deseo de escribir, de comentar nuestras lecturas y el rechazo decidido del régimen franquista. No sólo nos unían unas ideas políticas, nuestro proyecto era escribir otra literatura; en el grupo se leía a Faulkner y también a Pratolini y se buscaba dar voz a unos nuevos protagonistas» (en Manuel Longares, *op. cit.*, pág. 39).

tas. No sólo estaba relacionado con ellos porque era mayor que yo. No me cabía duda de que Zúñiga venía de un mundo antiguo y secreto. Sin duda había un oscuro vínculo que unía a todos los supervivientes de la Segunda República [...]»[31].

La singularidad de ambas facetas —artística e ideológica, estética y experiencial—, que tampoco ha ocultado nunca Juan Eduardo Zúñiga[32], son cualidades suficientes para evitar la previsible ecuación que, basándose en concomitancias éticas o afectivas innegables, podrían identificar al escritor como a un narrador más de la promoción del realismo social. De hecho, como se viene insistiendo aquí, son precisamente aquellos aspectos de su obra o de su visión del mundo que se diferencian de las características prototípicas del grupo las que fundamentan la base de su poética. Y prueba de ello es que su trayectoria ha logrado mantener —en contraste con las de casi todos los miembros de la promoción— una evolución muy coherente sin renunciar a sus presupuestos iniciales; de otra parte, que ya por entonces su escritura y su visión del mundo estaban investidas de una original impronta lo demuestra el fracaso de su novela *El coral y las aguas,* publicada en 1962 por Seix Barral cuando la editorial catalana buscó en el grupo madrileño la expresión literaria de unos presupuestos teóricos bien prefijados[33].

---

[31] Antonio Ferres, *op. cit.,* págs. 69 y ss.

[32] Sobre su formación ideológica ha dicho: «[...] cuando llega la Posguerra yo ya llevo sobre mí una considerable carga tanto crítica como analítica...»; sobre sus preferencias estéticas: «Poco a poco me fui distanciando de la opción estética que había representado nuestro grupo, cuyos postulados fui yo el que menos compartí, dada mi inclinación personal hacia una literatura más simbólica» (en Ignacio Echevarría, *op. cit.*), y «Es verdad que el estilo llamado social realista era muy funcional, tendía más a informar, a la defensa de unas ideas, y yo me orientaba en otra dirección» (en Manuel Longares, *op. cit.,* pág. 39).

[33] Como se comentará más adelante, el carácter alegórico y hermético de la novela chocó con la estética, aunque no con la ideología, del realismo social preponderante. Es muy interesante leer la opinión que tienen Juan Eduardo Zúñiga y Antonio Ferres sobre el interés que tuvo la editorial catalana por el grupo madrileño (véase Ignacio Echevarría, *op. cit.*).

Este hecho constituiría para el escritor un traspiés que justifica el silencio que mantuvo hasta la llegada de la democracia, y tal vez explica también su posterior marginación del *continuum* de la historiografía literaria, pero en ningún caso supuso la renuncia a sus convicciones artísticas e ideológicas ni al desarrollo de una vocación forjada en la discreción y en la disciplina del oficio. Hasta la caída de la dictadura Juan Eduardo Zúñiga continuó escribiendo en secreto —dos novelas que no se publicaron—, publicando cuentos en diversas revistas (como *Ínsula, El Urogallo, Índice* o *Acento),* investigando —preparó la antología de los artículos de Larra que se ha citado— y sobre todo traduciendo, y ya en la década de los setenta preparó *Los imposibles afectos de Iván Turguéniev*[34] y *Largo noviembre de Madrid,* que esperaron a ver la luz tras la caída del régimen, en 1977 y 1980, respectivamente.

Sin embargo, los cambios políticos y sociales acaecidos tras la muerte de Franco, el reconocimiento unánime que la crítica ha ido dedicando (puntualmente) a su obra desde la publicación de *Largo noviembre de Madrid* y la reedición casi completa de su obra[35] no han conseguido minar la reserva personal y profesional de Juan Eduardo Zúñiga. Con la misma cautela que durante los años de la Guerra y la Posguerra, el escritor sigue desarrollando su oficio en Madrid —la ciudad donde siempre ha residido y a cuya memoria ha dedicado sus mejores páginas— y con la misma discreción ha ido recibiendo durante los últimos años los premios que han sabido apreciar la coherencia y la excelencia de una larga trayectoria que, como el Guadiana, ha sabido administrar su cauce para cumplir con su destino: el Premio Nacional de Traducción por las *Poesías y prosas selectas* de Antero de Quental[36], el Ramón Gómez de la Serna por *Flores de plomo,* el Pre-

---

[34] Reeditada más tarde como *Las inciertas pasiones de Iván Turguéniev.*

[35] La editorial Alfaguara ha reeditado, como se recoge en la bibliografía, todos sus libros de ficción (con la excepción de *Inútiles totales).*

[36] J. Antonio Llardent y Juan Eduardo Zúñiga (eds. y trads.), *Poesías y prosas selectas de Antero de Quental,* Madrid, Alfaguara, 1986. El Premio se concedió *ex aequo* a los dos traductores: a Juan Eduardo Zúñiga por la traducción de la obra en prosa y a J. Antonio Llardent por la de la obra en verso.

mio de la Crítica, el Salambó y el NH Hoteles de Relatos por *Capital de la gloria*, y la Medalla de Oro del Círculo de Bellas Artes a toda su obra.

OBRA

La obra narrativa

Si el perfil biográfico de Juan Eduardo Zúñiga parece diluirse entre luces y sombras, después de analizar con escrupulosidad el conjunto de su obra narrativa se comprende hasta qué punto ésta ha ido siempre compaginada con su vida[37], como si obedecieran ambas a una misma hoja de ruta, a idéntica visión del mundo y a una forma semejante de estar en él. Compuesta por una *nouvelle*, una novela y cinco libros de cuentos (publicados a lo largo de más de cincuenta años), la relevancia de la producción narrativa del escritor madrileño no radica tanto en su número de páginas como en el carácter que le otorga el ser producto de la discreción. De la prudencia artística, por un lado, de la reserva requerida para respetar los tiempos que exige el ascendente de la memoria como epítome de la imaginación y de la experiencia proviene su impronta de literatura tamizada por el tiempo y la fantasía en el grado máximo de universalización; en la cautela y en la exigencia, por otro lado, para acrisolar esa experiencia en un lenguaje y en un género —el cuento— cada vez más depurado y hermoso, capaz de hacer convivir simbólicamente las fluctuaciones de la realidad con las certezas del misterio, encuentra su más importante aval estético. Además, observada esta trayectoria en su devenir, no deja de sorprender que, aparte de en su propia evolución interna, la discreción se manifieste sobre todo en el sentido

---

[37] Sobre la solidaridad ética entre vida y obra del escritor, ha escrito Luis Mateo Díez: «La suerte de conocer a Zúñiga se compagina muy bien con la suerte de leerle.[...] Es el escritor que uno podría haber adivinado detrás de sus textos...» (Luis Mateo Díez, «Una imagen de escritor, en *Quimera*, *op. cit.*, págs. 11 y 12).

de la oportunidad con el que Juan Eduardo Zúñiga ha administrado los jalones del diálogo crítico que, como el de toda obra destinada a perdurar, su escritura ha entablado con su siglo.

El primer libro de ficción que el escritor dio a la imprenta fue *Inútiles totales*[38], una novela corta —no reeditada— que se publicó en febrero de 1951 como fruto de una iniciativa nacida entre los contertulios del Café Lisboa[39]. Como ocurre con la primera obra de un escritor consagrado conviene considerarla con detenimiento —más allá o más acá de la valoración de su calidad literaria en contraste con otros títulos del autor— no sólo para constatar los principios germinales que conformarán con el tiempo un mundo narrativo personal y homogéneo, sino también para analizar los componentes que sufrirán los efectos de la depuración o de la elipsis, acciones que resultan de especial relevancia en este caso pues entre la primicia y las obras con las que dialoga por similitud de espacio, de tiempo y, en parte, de significado, median al menos tres décadas y una maduración clara en la expresión de algunos de esos elementos comunes.

Como los cuentos de *Largo noviembre de Madrid* (1980) y de *Capital de la gloria* (2003), *Inútiles totales* se ambienta, en efecto, en el Madrid sitiado de la Guerra Civil. La acción transcurre pocos meses antes de que el ejército de Franco ocupe la ciudad, cuya población ha sufrido ya el cerco durante casi novecientos días. Sin embargo, desde la primera página queda claro que la acción bélica y sus consecuencias materiales no constituyen el centro de interés de la novela, pues en las escasas ocasiones en las que se alude al conflicto armado éste es visto como una fuerza periférica y latente: «Un cañoneo lejano fue acercándose y el horizonte pareció retemblar en un estampido constante» (pág. 7); de hecho, lo más cercano a la actividad marcial lo cons-

---

[38] Anteriormente había publicado dos libros de historia: «*La historia y la política de Bulgaria*», Madrid, Pace, 1944, y *Hungría y Rumanía en el Danubio: las luchas históricas en Transilvania y Besarabia*, Madrid, Pace, 1944.

[39] Véase Manuel Longares, *op. cit.,* pág. 37.

tituye la tropa de los «inútiles totales», grupo de personas en edad militar a los que por su condición física o mental se les impedía combatir en los frentes de batalla[40] y en la que se conocen los dos protagonistas del relato, Carlos y Cosme[41].

En principio, puede resultar paradójico que *Inútiles totales*, más cercana por fecha de publicación y de escritura a los hechos narrados que las obras citadas, elida los detalles más constatables de la contienda, mientras que años más tarde, como veremos, éstos se harán explícitos —aunque sin monopolizar nunca, conviene aclararlo ya, el foco de interés de los cuentos— en forma de balas perdidas, casas derruidas, trincheras o refugios. Pero en realidad no se trata tanto de una paradoja como de una consecuencia lógica del carácter novel de la obra, al menos en dos sentidos. Por una parte, parece claro que la cercanía cronológica de la materia narrativa a la experiencia del escritor no es nunca aval suficiente para su transformación en mensaje literario; es más, que la falta de perspectiva histórica puede ser un lastre para la tamización artística del recuerdo, sobre todo si los materiales de la ficción proceden de una experiencia vital tan devastadora como una guerra, lo demuestran también los cuentos de la Generación del Medio Siglo, que se caracterizan por su tendencia a sortear los detalles palmarios de la conflagración; y en este sentido, conviene al menos reseñar otros rasgos compartidos por aquellos relatos e *Inútiles totales*[42] que irían en consonancia con la procedencia y el significado de esa elipsis, como el final abierto de la narración, la elección de una perspectiva infantil (aquí adolescente) como foco narrativo e incluso el destino del carácter testimonial de los cuentos[43].

---

[40] Cfr. «La psiquiatría en el ejército republicano español», en *La psiquiatría en la guerra*, Buenos Aires, Editorial Médico-Quirúrgica, 1944.

[41] Véase nota 23.

[42] Véase Israel Prados, *op. cit.*

[43] «Como Cela —pero mirando más que mirándose—, un grupo de escritores clava en España su atención [...] Podríamos decir que los escritores españoles de cuentos se cuentan a sí mismos en tercera persona; que España, en sus cuentos, se narra en tercera persona, con fidelidad» (Medardo Fraile,

Por otro lado, como ha señalado Ramón Jiménez Madrid[44], en *Inútiles totales* están aún muy presentes el ascendiente barojiano y la orientación existencialista propia de la mirada noventayochista, y acaso el excesivo celo del escritor novel para no desviarse de los cauces marcados por esa filiación literaria, que sirve de apoyatura a la coloración moral de la historia, constituya otra de las razones por las que se evita hacer de la guerra responsable única de la evolución que experimentan los personajes.

Inútiles totales es, por tanto, y en varios sentidos, una novela de iniciación, por eso su argumento se centra desde las primeras páginas en la evolución de la amistad entablada entre los dos jóvenes que se encuentran cada mañana en la fila de «esos hombres a medias». Unidos por la común afición por los libros y por el estudio, atípicos gustos —sienten ellos— en el Madrid sitiado, consideran su relación como un oasis en medio del desierto[45]. El conflicto surge —porque la literatura de Juan Eduardo Zúñiga no ha renunciado nunca a plantear conflictos— cuando en la librería que frecuentan Carlos y Cosme aparece Maruja, una muchacha de refinado gusto que ha vivido en París y a la que los dos amigos intentan favorecer enseguida; es entonces cuando la afición que los había unido los separa, pues en la lucha por encandilar a la joven mediante sus conocimientos y lecturas se forma un triángulo amoroso que, no pudiendo ser equilátero —como enseña el tópico—, pronto se descompone al quedarse Carlos, después de traicionar a su amigo, con la parte del león.

Pero más que en el desarrollo de la anécdota principal, que tal vez hubiera estado abocado sin remedio a una resolución folletinesca, la narración se centra desde ese punto en el brete moral en que la vida ha dejado a los dos jóvenes. A Cosme porque le hace plantearse la naturaleza del ser hu-

---

«Panorama del cuento contemporáneo en España», *Caravelle*, 17, 1971, pág. 185).

[44] Ramón Jiménez Madrid, «Juan Eduardo Zúñiga: primicias», *op. cit.*

[45] Hay en un dibujo de Juan Eduardo Zúñiga al comienzo del texto que refleja la pobreza de la ciudad, sobre todo la de los barrios humildes como el de Carlos.

mano y la honestidad de sus relaciones con los demás, o como le dice un barojiano librero: «—Nada. El hombre no sabe ser amigo. Cuando más seguro estás de él, te hace la trastada. Hay mucho egoísmo»[46]; a Carlos, porque le muestra el abismo que existe entre la ficción literaria y la realidad[47] y le enseña la complejidad de matices que esconde el alma humana: su modo ingenuo y principiante modo novelesco de acercarse a las personas[48] choca de frente con la compleja y platónica frustración que experimenta en su relación con Maruja[49]. Así, los protagonistas, víctimas del juego amoroso y de la traición, de su natural melancolía[50] y del medio que los condiciona —Maruja es el símbolo de la libertad exterior en el Madrid sitiado—, se encuentran ante un enigma moral que deberán resolver —al igual que ocurre en casi todas las obras posteriores del escritor— como se afronta un rito de paso, aunque eso es algo que la narración no enseña porque su final queda abierto: «Pocos meses después terminó la guerra, los frentes se rompieron, los soldados dejaron de serlo y las personas fueron dispersadas como briznas de paja en un remolino de verano».

---

[46] Ramón Jiménez Madrid señala varias resonancias barojianas, temáticas y estilísticas, en *Inútiles totales*. En efecto, las palabras del librero no son muy distintas de las que se leen, por ejemplo, en *Juventud, Egolatría*: «El hombre es un lobo para el hombre, como dijo Plauto y repetía Hobbes» (*Juventud, Egolatría*, Madrid, Caro Raggio, 1985, pág. 32).

[47] «Caramba, ¿cómo le he dicho eso? Te amo, te amo; pero parece de novela. ¡Qué vulgaridad! Va a pensar que lo tenía preparado» (pág. 42).

[48] «Tenía éste [por Carlos] la obsesión de buscar en todos los hombres su rincón misterioso, aquel que les transforma de triviales en tipos sugestivos; de esta forma se rodeaba de personajes complejos que le hacían vivir en un ambiente de novela. Con curiosidad de coleccionista o frialdad de policía, penetraba en la intimidad de éstos para desvelarla y apoderarse de anécdotas y miserias tenebrosas» (pág. 30).

[49] «No puedo quererla porque es una niña, porque su alma es transparente... pero estaba enamorado de eso mismo, de su candor, de su gracia» (pág. 52).

[50] El escritor ha expresado su admiración por el aliento melancólico de algunas novelas de Pío Baroja: «[entre sus escritores admirados] un lugar preeminente debe ocupar Baroja, especialmente sus novelas madrileñas, con las que me identifiqué desde joven por su tono de radical decepción y melancolía» (en Antonio Núñez, *op. cit.*).

Como casi cualquier *opera prima*, *Inútiles totales* no sólo deja entrever las experiencias vitales y culturales de su autor, sino que explicita también, e incluso tematiza, la poética que la alienta, y desde este punto de vista muestra que, desde sus primeros pasos como escritor, a Juan Eduardo Zúñiga le preocupaba ya la posible compatibilidad estética entre vida y literatura, entre la indagación en el alma de los personajes y el relato de su lucha por la vida, pues no es otro el conflicto principal que plantea —aún en clave romántica— la novela.

En este sentido, hay que reconocer que aún está lejos el escritor de llegar a la síntesis expresiva que resolverá esa lucha dialéctica y que se sustanciará en una suerte de realismo simbólico y hermético, pero eso no es óbice para reconocer que, junto a la presencia de elementos que después serán depurados (como el costumbrismo en la pintura de ciertos ambientes y caracteres o el peculiar estilo alusivo de la prosa) o suprimidos (la presencia explícita de la literatura, por ejemplo, es casi inexistente en su obra de ficción posterior), la escritura de Juan Eduardo Zúñiga, a la altura de 1951, posee la ambición y la determinación necesarias para no renunciar a nada que se relacione con la complejidad del ser humano, radique ésta en la naturaleza misteriosa e insondable del alma o salga a la superficie como resultado de los factores sociales que en momentos determinados dislocan la conciencia.

En 1962 Juan Eduardo Zúñiga publicó *El coral y las aguas* como fruto ya maduro de ese movimiento dialéctico al que se aludía arriba. Dialéctica que ya no sólo se incardina en el planteamiento y en el significado de la obra, sino que también califica de manera inevitable —y esto, hay que insistir, es una constante en la trayectoria del escritor— al papel que representa en el panorama literario de su tiempo.

La novela se publicó en Seix Barral cuando la «literatura social» acaparaba todavía, amparada por presupuestos teóricos como los contenidos en *La hora del lector* o *Problemas de la novela,* buena parte del interés editorial del país y cuando la renovación narrativa que impulsaría *Tiempo de silencio* —publicada ese mismo año— o la línea «europeísta» que luego buscaría, por ejemplo, la editorial citada no había instaurado aún el silencio general —ni el desprecio[51]— en el que poco después descansarían los esfuerzos de la promoción de narradores con la que se relacionaba por entonces Juan Eduardo Zúñiga. En tal situación, *El coral y las aguas* fue acogida con la deferencia que se esgrime a veces como embozo de la confusión o de la ignorancia: presentada por la editorial como libro de cuentos[52], la novela pasó desapercibida para la crítica e incluso fue atacada por su falta de compromiso con la situación social de la época[53].

Nada más lejos de la realidad. Se trata de una novela ambientada en la Grecia clásica que Juan Eduardo Zúñiga plantea y ejecuta, utilizando, por cierto, algunas de las técnicas narrativas que enseguida celebrará la crítica de la obra de Luis Martín-Santos, como una compleja alegoría que alude a la historia de la Guerra Civil española y que entona un canto a la rebeldía de la juventud oprimida y anestesiada por un régimen totalitario.

No deja de resultar sorprendente en este sentido que el horizonte de expectativas de la crítica pudiese obviar —con o sin alevosía— la evidencia, pues a pesar del velo metafórico y hermético con el que se reviste para eludir la censura[54],

---

[51] Sobre la denominación de «generación de la berza» que se aplicó a la promoción y sobre el carácter poco científico de otros argumentos con los que fue desprestigiada la escuela del «realismo social», véase Ignacio Soldevila, *La novela desde 1936*, Madrid, Alhambra, 1980, págs. 221 y 222.

[52] Como se indica en la cabecera del libro, la novela se publicó en la serie «relatos».

[53] Sobre la fortuna de la novela ha dicho el autor: «Pasó sin pena ni gloria, no tuvo ninguna crítica; sólo una, el crítico decía: 'el autor delira' y así quedó certificada la mala suerte de este libro» (en Luis Beltrán Almería, «La fabulación irónica de Juan Eduardo Zúñiga», en *Quimera, op. cit.*, pág. 10). Cuando se reeditó la novela en 1995, el novelista Antonio Muñoz Molina dijo de ella que se trataba de «un libro inesperado, como todos los que nos han llegado del autor, fuente de experiencias inagotables. Es un libro que debe ser leído dos veces y que ha durado más de diez años» (véase Javier Goñi, *El País*, 24/IV/1995).

[54] La primera edición de la obra contenía unas palabras preliminares del autor que explicaban con bastante claridad el carácter alegórico de la novela; por ejemplo: «Como un documento cifrado había escrito este relato en el que son mencionados hechos y hombres que forman un sólo cuerpo con-

33

El coral y las aguas deja ver con bastante claridad los términos reales en los que se sustenta; prescindiendo si se quiere de la interpretación de los símbolos más cifrados, sólo hay que recurrir a la memoria histórica para percibir que el argumento sigue de manera cronológica la sucesión de los hechos que marcaron la evolución de la Guerra Civil y la posterior instauración del régimen franquista[55].

Con todo, la novela no se limita, ni mucho menos, a ser un mero trasunto esteticista de una realidad histórica; la fábula se emplaza en una atmósfera arquetípica, bella y terrible, en la que es la quebradiza dignidad humana la que se pone en juego sobre el tablero de una sociedad coaccionada. Los jóvenes de la isla de Tarsys[56] viven la rigidez moral, la apatía intelectual, la superstición y la esclavitud a las que les encadena el poder de la vecina y boyante Macedonia. En esos momentos de ostracismo moral, Paracata, una de las muchachas isleñas, es testigo de un oráculo a los pies de un manantial, en una caverna: «—La tierra temblará. Todo será

---

migo. Los subterráneos deseos de los otros, son mis deseos y los misteriosos personajes son hombres como yo y lo incomprensible es diáfana claridad» (pág. 9). En adelante, citamos por la edición disponible (Madrid, Alfaguara, 1995), aunque los argumentos, los personajes o los aspectos estructurales y estilísticos que seleccionamos no difieren sustancialmente de los de la primera edición de la novela.

[55] Por ejemplo, en el capítulo tercero, el ciego Tussos relata a un joven el origen y el posterior desarrollo cronológico de la guerra, que coinciden escrupulosamente con los de la Guerra Civil española; en el capítulo segundo no es difícil relacionar a los jóvenes que «transportan una pesada mole, el altar de una divinidad antigua y poderosa, transportan un cadáver gigantesco y cada uno de ellos cree que es su propia vida, lo convierte en su propia alma, tan hondo es su sometimiento» (págs. 74 y 75), con la comitiva que llevó a hombros el féretro de José Antonio desde Alicante hasta El Escorial.

[56] El nombre y el simbolismo de la ciudad parece proceder de la enigmática Tartessos —colonia de los tirsenos del Asia Menor—, primera ciudad comercial y el más antiguo centro cultural de Occidente, que al parecer habría estado situada en la España meridional. Destruida por los cartagineses y sepultada en el olvido, la leyenda de Tartessos, que supone la primera influencia de Oriente sobre Occidente, se enriqueció gracias a Platón, que pudo haberse inspirado en ella para crear la imagen de su utópica Atlántida (cfr. Adolf Schulten, *Tartessos*, Madrid, Espasa-Calpe, 1971). Orientalismo y utopía, dos querencias fundamentales, como se ha visto, de Juan Eduardo Zúñiga, ya están presentes en esta primera novela.

deshecho» (pág. 12), y el pescador Ictio, su novio, que se ha rebelado ante su amo, le regala una ramita de coral[57]. Ambos acontecimientos, privado e inconfesable el de Paracata, cifrado también pero de signo colectivo —ya que el coral y su mensaje van pasando de mano en mano— el de Ictio, son el motor de la trama, en la que irán apareciendo muchos otros personajes, casi todos jóvenes, que en contacto con el coral han sentido de distintos modos la llamada de la disidencia pero que para hacer efectivo ese impulso de corrección del mundo que los rodea no han de lanzarse con furia a la acción, sino que primero deben comprender y descifrar los símbolos que explican el signo de su tiempo y a partir de ellos, fundamentalmente, han de comprenderse y cambiarse a sí mismos para ser dueños de su destino: «—Tú eres como ellos. Quieres librarte de tu alma antigua, y no lo conseguirás sino dejando de ser lo que has sido. Tú también deberás renegar de lo que fuiste [...] no la encontrarás aquí. Regresa a las calles, al mercado, busca allí, anda» (pág. 75), le dice un pastor-oráculo al joven Ipóptevo, que ha escapado de las mazmorras arrastrado por la visión de una mujer.

El coral y las aguas es una novela ambiciosa y singular. Lírica, hermosa y hermética, propone enigmas cuya solución no está encriptada, sin embargo, en un código mistérico que se enseñe desde una posición de privilegio —algo que, como se verá, caracteriza la concepción ética de Juan Eduardo Zúñiga del hermetismo y de los símbolos—, pues cada personaje, como cada ser humano, lleva en sí mismo la llave intransferible de su propio tesoro y el norte de su destino; comprometida con la realidad, rebelde y emotiva, huye en igual me-

---

[57] «[...] las aguas, poderoso enemigo, la rodean y arrojan contra ella su peso y su violencia incansable; sin parar, golpean con fuerza una cosa tan insignificante, pero ésta crece lentamente, triunfa de aquella ciega furia y noche y día levanta sus ramas, las extiende y no abandona una lucha en la que vencerá [...] era un presagio hallar el coral: significaba que todo lo secreto, lo ignorado, vendrá a la superficie, cuanto parecía oscuro e incomprensible quedará entendido y será lo nuevo, la fuerza del futuro» (págs. 55 y 56). No es difícil tampoco ver aquí el simbolismo político del coral, representado por el color rojo de la resistencia antifranquista que «crece lentamente» —el coral se levanta sobre sus propios cadáveres—, y el del mar que lo azota, azul como el color emblemático del régimen de Franco.

dida de la fácil sensiblería emocional y del maniqueísmo ideológico porque cada cual adopta también una actitud distinta ante la vida y distinta ha de ser su íntima metamorfosis: así, el apocado esclavo Zimós, invocando a la noche y a su madre, encuentra en la toma de conciencia de su identidad, como le hubiera gustado a Marsilio Ficino, la más alta dignidad humana, aun a costa de su propia continuidad física; por su parte, el hijo de Asbestes, preboste y cacique de Tarsys, entiende en el hermoso apólogo sobre el príncipe Hylas que le cuenta el viejo Tussos —en esa historia intercalada están, por cierto, algunas de las más bellas páginas escritas por Juan Eduardo Zúñiga— que: «A veces un hombre puede cambiar su destino, pero incendiando todo, ardiendo él mismo, aunque después ya no sea él...» (pág. 111); otros, en cambio, como el atleta Theosum, que se lanza a la batalla de manera inconsciente, fracasan en su intento, porque la victoria no es consecuencia de las acciones sino legado de la dignidad.

La naturaleza de los conflictos que conforman la intriga de la novela es por tanto dialéctica y plural, y así es también la visión del mundo que ofrece —lo cual no sería mérito de poco momento entre la tendencia general de la época a pergeñar novelas de tesis—, aunque todo ello quedaría, por supuesto, en agua de borrajas si no se encontrase avalado por una estructura sólida y por un eficaz manejo de los recursos formales de la narración. En este sentido, es de justicia reconocer que cuando se publicó la novela Juan Eduardo Zúñiga no se encontraba lejos de la vanguardia de la renovación narrativa que sustituyó a la estética del realismo social —acaso porque nunca estuvo en la retaguardia.

Se ha considerado que una de las innovaciones sustanciales de *Tiempo de silencio* es haber rescatado el narrador omnisciente —y con él el subjetivismo— del olvido al que le habían condenado las tesis objetivistas que preponderaron en la novela social de los años cincuenta. Salvando las distancias con la obra de Luis Martín-Santos, que no son pocas[58],

[58] Juan Eduardo Zúñiga ha dicho sobre ella: «Cuando la leí, yo me di cuenta enseguida de que estaba ante una novela importante, pero quedaba

se pueden reconocer en el narrador de *El coral y las aguas* algunas de las características de esa «nueva» instancia narrativa, ya que Juan Eduardo Zúñiga recurre también a esa voz que, como la decimonónica, no tiene pudor en analizar e interpretar los sucesos pero que se distingue de ella en que no se siente obligada a demostrar siempre esa condición y, en consecuencia, se permite a menudo ocultar lo que sabe, adoptando el punto de vista de los personajes o recurriendo al estilo indirecto libre. Esta utilización de la focalización variable —que será recurrente en la producción posterior del autor— encuentra su correlato en la disposición estructural de la novela. El primer capítulo está formado por diez secuencias en las que la voz narrativa acompaña y presenta[59], como en una obertura musical, a los personajes que serán protagonistas o coprotagonistas respectivos de cada uno de los diez siguientes capítulos; la consecuencia natural de este perspectivismo es el desajuste entre el tiempo de la fábula y el del relato, pues la trama se configura atendiendo de nuevo al personaje, otorgándole el protagonismo y el foco de interés, de modo que se repiten los mismos hechos en iguales escenarios pero vistos desde distintos ángulos. Con todo ello, la novela, siendo coherente con su significado, preserva su carácter polifónico sin que por ello cada voz y cada historia pierdan, como en un mosaico, su carácter y su brillo individual.

Dueño total de su oficio, con *El coral y las aguas* ofreció Juan Eduardo Zúñiga en 1962 una novela singular y ambiciosa, una magnífica carta de presentación de las líneas maestras que guiarían su posterior trayectoria narrativa. Por

---

fuera de nuestra línea. Por supuesto que había de todo, pero nosotros teníamos constancia de que había también gente espléndida, de una gran talla moral. Hombres que trabajaban diez horas al día en una obra o en una empresa y luego asistían a reuniones, discutían, repartían octavillas... La visión de Martín-Santos, con todo aquello de las ratas, me resultaba algo cínica. Me molestaba en él su actitud condescendiente hacia los de abajo, su humor a veces despiadado» (en Ignacio Echevarría, *op. cit.*).

[59] Excepto en una de ellas, que es un monólogo interior de Asbestes, y en otra, relacionada con ella, en la que se produce un diálogo de dos esclavos sobre Asbestes.

su contenido, que reivindica la memoria (la individual y la colectiva) como potencia imprescindible para salvaguardar la dignidad humana —estadio imprescindible para alcanzar la dicha[60]—, y por hacerlo mediante una visión dialéctica, en una atmósfera arquetípica que trasciende los referentes propios de la novela histórica pero también aquellos otros en los que se sustenta su carácter alegórico, *El coral y las aguas* se aparta de la tendencia a la información y al partidismo predominante en la época y se constituye como una novela política en el sentido más primigenio y noble de la palabra, al tiempo que por sus recursos formales se sitúa en la vanguardia estética de su época.

El tiempo de silencio —«premeditado»[61]— que guardó el autor tras la publicación de *El coral y las aguas* se rompió en plena Transición democrática con la publicación de *Largo noviembre de Madrid* (1980), a la que se sumó algunos años después la de *La tierra será un paraíso* (1989). De nuevo, y frente la frustración generalizada en la que convergieron todas aquellas expectativas que presumían un cambio narrativo tras la desaparición del régimen franquista, basándose en que se publicarían, por un lado, aquellas obras que habrían esperado guardadas en un cajón el momento oportuno para ver la luz y, por otro lado, aparecerían otras de nuevo cuño que, sin la mordaza ya de la censura, optarían por el revisionismo crítico de la historia reciente del país[62]; frente a la instauración, en definitiva, de la desmemoria que, con la perspectiva del tiempo transcurrido, puede afirmarse que caracterizó al periodo de la Transición democrática en España, con ambos libros de cuentos —a los que se sumó recientemente *Capital de la gloria* (2003) cerrando la trilogía sobre la Guerra Civil y la Posguerra que estudiaremos aparte—, Juan Eduardo Zúñiga, avalado por su propia experien-

---

[60] El final de esta novela expresa ya el mensaje vitalista que, con mayor o menor explicitud, recorre toda la obra de Juan Eduardo Zúñiga.

[61] «La experiencia de *El coral y las aguas* me hizo comprender que no era el momento para un realismo metafórico» (en Manuel Longares, *op. cit.*, pág. 39).

[62] Cfr. Santos Alonso, *La novela española en el fin de siglo 1975-2001*, Madrid, Mare Nostrum, 2003, págs. 52 y 53.

cia, que habría madurado ya en la memoria dando sentido a los pecios sedimentados en el recuerdo, y también por la depuración de las herramientas propias del oficio —no abandonará ya el género cuentístico—, no quiso desaprovechar el momento para continuar con su compromiso personal de mantener viva la llama de la memoria de la «cosa pública».

Sin renunciar a esa misma línea de coherencia ideológica y estética —y marchando de nuevo a contracorriente de las tendencias comerciales del momento[63]— la publicación de *Misterios de las noches y los días* en 1992 supuso, sin embargo, un punto de inflexión en la evolución de la trayectoria narrativa de Juan Eduardo Zúñiga, y así lo han señalado los críticos que se han ocupado de analizarla[64].

Como sugiere el título de la obra, que está formada por cuarenta cuentos breves —algunos de ellos casi microrrelatos—, el volumen se conforma como un compendio que cifra esa dimensión dual —a la que sólo convencionalmente hemos llamado «realista» y «simbólica» y sólo provisionalmente «dual»— que fundamenta la concepción literaria del autor; de manera que el libro, tanto por su planteamiento interno como por el papel que cumple en la evolución que seguirá su obra, puede ser leído desde un punto de vista hermenéutico como un libro-llave o una teoría poética ficcionalizada.

No es otra la orientación de lectura que plantea, en clave hermética, el primero de los cuentos, «La esfinge»[65], que ac-

---

[63] Acertadamente ha escrito el crítico Rafael Conte: «nadie se sorprendió cuando publicó un conjunto de relatos en apariencia fantásticos, *Misterios de las noches y los días*, que también se presentaba como una especie de manifiesto de esa «resistencia» que ofrece siempre la literatura en el fondo frente a todo intento de manipulación que la pueda llegar a amenazar» («Las resistencias de Zúñiga», *El País (Babelia)*, 15/II/2003).

[64] Luis Beltrán Almería, «Las estéticas de Juan Eduardo Zúñiga», *op. cit.;* Ramón Jiménez Madrid, «La obra narrativa breve de Juan Eduado Zúñiga», *op. cit.,* e Israel Prados, *op. cit.*

[65] Para un análisis semiótico de este relato, véase Rita Catrina Imboden, «"La Esfinge" en *Misterios de las noches y los días*, de Juan Eduardo Zúñiga», en José Romera Castillo y Francisco Gutiérrez Carbajo (eds.), *El cuento en la década de los noventa*, Madrid, Visor, 2001, págs. 683-691.

túa, como suele ser habitual en los libros de cuentos de Juan Eduardo Zúñiga, como prólogo del volumen. En él, el narrador protagonista relata el encuentro que, siendo niño, tiene con una esfinge[66], de cuyas enigmáticas proposiciones quieren apartarle su madre y su maestro. A pesar de ello, con el pasar de los años continúa encontrándose con la criatura mitológica en lugares y momentos decisivos de su vida, hasta que al final —de «esa vida»— la solución al mensaje cifrado se resuelve con la metamorfosis del protagonista en esfinge; de ese modo sobreviene también la metamorfosis del relato, pues al cerrarse en forma de anillo fuerza al lector a una nueva lectura sugiriéndole que, para comprender el misterio que se le ha propuesto, no le quedará más remedio que seguir los pasos del narrador protagonista.

Sintetiza este relato, en efecto, la dimensión simbólica y hermética sobre la que descansa la visión del mundo y del hecho literario de Juan Eduardo Zúñiga; una estética que, depurada desde *El coral y las aguas* hasta *Capital de la gloria*, pretende que la línea de flotación que separa la visión onírica y mistérica de la vida de la percepción atenta y crítica de la realidad disipe su estatuto de frontera para generar un inquietante territorio franco.

En este sentido, la motivación del simbolismo en toda la obra de Juan Eduardo Zúñiga no es muy distinta de la del Simbolismo histórico: se trata, en definitiva, de cifrar en ellos aquellas parcelas de la realidad veladas para el *logos* y ocultas bajo el imperio de las convenciones sociales y sus dogmas para iluminar las zonas secretas donde se incardinan las pasiones esenciales del alma humana y los engranajes invisibles del acontecer histórico.

No significa esto —ni mucho menos— que Juan Eduardo Zúñiga siga escrupulosamente —ni en los temas ni en las formas— el credo de un movimiento estético determi-

---

[66] «Enigma por excelencia, la esfinge contiene en su significado un último reducto inexpugnable» *(Diccionario de símbolos,* Juan Eduardo Cirlot, Madrid, Siruela, 2004, 8.ª ed., pág. 195).

nado[67]; por una parte, el origen de sus símbolos se halla a menudo en referentes extraídos de su tiempo y de su experiencia —como se analizará en el estudio de la trilogía—, del limo mismo de lo cotidiano bajo el que la dimensión simbólica se presenta —cada vez más naturalmente— bajo la apariencia del realismo; por otra parte, esa visión mistérica de la vida está muy ligada en su caso, como veremos, a los muy diversos estímulos recibidos por el escritor a lo largo de los años a través de lecturas, traducciones e investigaciones de lenguas y culturas de otros países.

Como en la conocida fábula mística de los «treinta pájaros»[68], en toda la obra de Juan Eduardo Zúñiga el poder del símbolo responde además a una convicción ética —arraigada en todos sus textos y presente también, como se ha visto, en su propia formación vital— cuya función primordial es negar el determinismo biológico y moral[69]. Por eso para los personajes la comprensión de los símbolos (una ramita de coral, la noche, una casa derruida, un reloj, un escritor que se suicida, una ciudad, etc.) no requiere del aprendizaje previo de un lenguaje iniciático que se enseñe desde una po-

---

[67] De hecho, muchas de las traducciones y estudios de Juan Eduardo Zúñiga son de poetas que se hallan a medio camino entre el Romanticismo y el Modernismo, escritores de los que siempre ha acentuado su capacidad para adaptar las convenciones literarias a la realidad de su época. Véase, por ejemplo, Juan Eduardo Zúñiga (ed. y tr.), *Viento de medianoche, antología de poemas de Peiu Yavórov*, Madrid, Ayuso, 1983.

[68] En *Mantiq al-tayr (El coloquio de los pájaros)*, Simurg, el rey de los pájaros, deja caer en el centro de China una pluma; las aves, ante la señal, deciden buscar a su rey. Después de azarosas y arduas peripecias, solamente treinta pájaros llegan a la montaña del Simurg. Cuando al fin lo contemplan perciben que ellos mismos son el Simurg y que el Simurg es cada uno de ellos y todos ellos juntos. Simurg significa «treinta pájaros». Del maestro sufí Farid al-Din Attar (cfr. J. L. Borges, *El acercamiento a Almotásim*, de *El Aleph*).

[69] Recuerda Antonio Ferres en sus memorias que ya en uno de sus primeros encuentros con Juan Eduardo Zúñiga éste le manifestó su interés por el determinismo: «—Entonces… ¿Crees que el ambiente, la sociedad, determinan la conciencia? —me preguntó, como sin darle importancia.

Pero noté en sus ojos que quería saber dónde clasificarme» (Antonio Ferres, *op. cit.*, pág. 69).

sición de privilegio[70], sino el arrojo suficiente para aceptar que la iluminación de conciencia que se produce bajo el influjo de los arcanos promueve una metamorfosis íntima que garantiza (e impone) el libre albedrío. Por tanto, es imprescindible tener muy en cuenta esta concepción «democrática» del símbolo, indisociable de las inquietudes ideológicas y sociales del escritor y de la condición de fábulas morales que poseen todos sus cuentos, cuando se aplica el calificativo de escritor «hermético» a Juan Eduardo Zúñiga.

Los cuentos de *Misterios de las noches y los días* llevan al extremo de la concisión la expresión de ese mensaje hermético («El mensaje», «El talismán», «El reloj», «El secreter» o «La noche» reiteran, como el citado «La esfinge», las claves de esa lectura) y tal vez por ello su autor los ha definido como «una prueba»[71]. Son un reto técnico porque en ellos se pone en juego, al servicio de la tensión que caracteriza al género, el utillaje narrativo y el pulso lírico necesarios para hacer convivir en un todo homogéneo el realismo y el misterio; pero también son un reto para el lector, una propuesta inquietante, porque en muy pocas páginas apuntan a un significado alegórico de carácter universal: la constancia del amor más allá de las convenciones sociales y de la muerte se presenta de forma neoplatónica y fantasmagórica en «El secreto» y en «La novia», órfica en «El quiosco», y en el más hermoso cuento del volumen, «El mensaje»[72] (que relata la relación entre un maestro rural y una alumna), el amor renace con los ropajes de una primavera machadiana. Otros de

---

[70] Como en la fábula mística citada, en muchos textos de Juan Eduardo Zúñiga se expresa la idea —pilar principal también de su poética— de que la más honorable función de cualquier maestro no es requerir la fe ni el culto incondicional, sino provocar que el discípulo encuentre en sí mismo su propio gurú. Se puede ver con mucha claridad en «Camino del Tíbet» (y especialmente en el cuento budista intercalado en él); se trata del cuento central de *La tierra será un paraíso* y uno de los mejores relatos del autor.

[71] «Este libro fue una prueba a la que yo mismo quise someterme, ver si era capaz de crear situaciones realistas pero con un núcleo misterioso que no podía explicar la lógica y que buscaba la complicidad del lector, que debía interpretar las claves secretas» (en Manuel Longares, *op. cit.*, págs. 39 y 40).

[72] El escritor se ha referido a la motivación de este cuento en «De nuevo el azar», *El País (Babelia)*, 30/VI/2001.

los motivos de este libro son las relaciones familiares en torno a la herencia moral («El bisabuelo»), a los odios cainitas («El perdón») y, especialmente, a la figura de la madre como amparo y resorte de la conciencia («El soldado», «El retrato» y «La madre»); la libertad insobornable encarnada en los gitanos («La gitana», «La canción» y «El embrujo») y la insustancialidad del escritor y del arte frente a la vida («La diva», «La venganza» y «La esposa»; éste último puede explicar muy bien la imagen secreta de nuestro escritor).

Por su intención y por su significado, *Misterios de las noches y los días* posee la naturaleza de un conciso y depurado testamento literario que condensa los temas, los símbolos y los motivos más recurrentes de toda la obra de Juan Eduardo Zúñiga, y desde ese mismo punto de vista conviene advertir también que su ambientación romántica, además de remitir como han señalado algunos críticos a los maestros del género fantástico, no está menos motivada por la dimensión mágica y la sensibilidad misteriosa de la literatura eslava que siempre le ha interesado al escritor[73] y que a partir de este título se integra naturalmente —ya no son misterios de las noches y «de» los días— en todas sus ficciones.

Ese carácter testamentario (en cuanto que propone las claves de lectura de toda la obra de Juan Eduardo Zúñiga) e integrador del libro es el que parece descansar también en el fondo de las palabras del autor («una prueba a la que yo mismo quise someterme») y en el origen de la depuración estética que, como anticipábamos, se produce en su escritura a partir de su publicación. Danilo Manera ha sugerido de forma sutil y certera la naturaleza de ese cambio, al apuntar la coincidencia de fechas entre la publicación de este volumen de relatos y «No llegará el sobrino de Praga»[74], uno de los mejores cuentos del autor, «en el cual sus dos pasiones, la eslava y la castellana, se entrecruzaban»[75]. En él se relata la zo-

[73] El lector interesado encontrará en *El anillo de Pushkin* o en *Las inciertas pasiones de Iván Turguéniev* el origen de esta inclinación.

[74] Publicado en la revista madrileña *La capital*, III/1992, y en *De Madrid al cielo*, Barcelona, Muchnik Editores, 2000, págs. 171-178.

[75] Danilo Manera, «Entre Rusia y Madrid», en *Quimera, op. cit.*, pág. 21.

zobra de Alfred Loewy, tío materno de Kafka y director de la Compañía de Ferrocarriles de Madrid, ante la anunciada visita del escritor a la capital, quien habría de descubrir tal vez la relación secreta que mantenía con una mujer y la renuncia a sus orígenes judíos; el sutil contrapunto que se establece entre la descripción de Praga y la de Madrid indica, como apuntaba Danilo Manera, la definitiva integración literaria de esos dos ámbitos estéticos. El último cuento de *Misterios de las noches y los días,* en su calidad de epílogo, puede interpretarse del mismo modo: un pescador acude a un bosque en el que se celebran los festejos de la noche de San Juan. Las jóvenes lo rechazan por su aspecto andrajoso, pero una diosa del río le ofrece sus encantos en el momento mágico y fugaz de la medianoche; entregarse a ella sería un acto peligroso y efímero, pero el pescador no se arredra y la saca del río. La diosa pierde sus galas y su fluorescencia, pero ambos ven aparecer la luz del día abrazados[76]. Desde este momento, también la escritura de Juan Eduardo Zúñiga se hace más diáfana, menos «romántica», pero no por ello deja de salvaguardar bajo la aparente transparencia su dimensión simbólica y mistérica.

Como para consolidar y perfilar definitivamente las líneas maestras de ese cambio estético, publicó Juan Eduardo Zúñiga en marzo de 1999 *Flores de plomo,* acaso su libro más perfecto, como han celebrado críticos y escritores[77], y por el que recibió el Premio Ramón Gómez de la Serna en el año 2000. El moderado viraje promovido por *Misterios de las noches y los días* no supuso, como decíamos, la renuncia a los principios germinales de la visión del mundo y del hecho literario de Juan Eduardo Zúñiga, tan sólo su depuración es-

---

[76] «[...] la noche iba a su fin, pronto amanecería y la cálida luz del sol alejaría con su transparencia todas las transparencias de las tinieblas nocturnas» (pág. 181).

[77] No parece baladí que algunos de los escritores más prestigios del panorama narrativo actual le hayan dedicado a esta obra de Juan Eduardo Zúñiga artículos o ensayos de admiración; así, por ejemplo, Luis Mateo Díez («Flores», en *Balcón de piedra*, Madrid, Ollero y Ramos, 2001); Rafael Chirbes («El eco de un disparo», en *El novelista perplejo*, Barcelona, Anagrama, 2002, pág. 215) o Antonio Martínez Sarrión *(Jazz y días de lluvia*, Madrid Alfaguara, 2002).

tética; y quizás por eso con este libro quiso dar un paso más atrás —y por ende más incisivo— en la revisión crítica de la memoria de España, remontándose al tiempo de Mariano José de Larra para desvelar simbólicamente el origen de los males que más tarde sobrevinieron[78].

El propósito memorístico y la envergadura moral de este libro, su posición epicentral en la trayectoria del autor, pueden comprenderse en su justa medida recordando las palabras con las que ya en 1967 comenzaba éste el prólogo a la antología de «artículos sociales» del escritor romántico: «El suicidio de Mariano José de Larra cayó como una bomba en el Madrid de 1837». Como una bomba —recordaba en su estudio— porque pronto se quiso extender la leyenda romántica de la muerte por amor («una forma de salvar la responsabilidad que incumbía a toda la sociedad»[79]), pero también como una bomba porque la detonación que acababa con su vida —con la de un testigo crítico de su tiempo— daba el pistoletazo de salida a otras no menos contundentes que caerían sobre la misma ciudad —las mismas de *Largo noviembre de Madrid* y de *Capital de la gloria*—, acaso por olvidar, y por tanto repetir, el objeto de sus sanciones.

El aliento que preside los once cuentos que componen *Flores de plomo* es el de orillar el mito romántico al que dieron pábulo razones interesadas, por lo que, siendo coherente con esa desmitificación, la figura del escritor sólo aparece en el primer cuento (el narrador se refiere a él como «el periodista») y, además, lo hace consumando un suicidio que sólo en parte puede ser considerado así[80]. El resto de los

---

[78] La reivindicación de la figura de Larra y de su magisterio moral, que arrancó de la Generación del 98, tiene una línea de continuidad digna de atención en Antonio Buero Vallejo, con *La detonación,* de 1977, y en Juan Eduardo Zúñiga, con *Artículos sociales de Mariano José de Larra,* de 1967, y *Flores de plomo,* de 1999), que fueron, como se dijo, compañeros de tertulia.

[79] Véase nota 4.

[80] «[...] sólo pondría digno final a todo abrir el estuche de las pistolas y empuñar una, decidido, para llevarla a la sien derecha y apuntar a Fernando VII, a su padre, a Juan Bautista Alonso, al astuto Martínez de la Rosa, al ministro Calomarde, a Dolores Armijo, al pretendiente Don Carlos, al edi-

cuentos está protagonizado por diversos personajes que sintieron de manera diferente el influjo de la personalidad de Larra en su sensibilidad o en su conciencia, la mayoría de ellos coetánea a la funesta noche del lunes de Carnaval (personajes reales como Dolores Armijo, Mesonero Romanos, Martínez de la Rosa... y muchos más los inventados) pero también otros localizados en tiempos posteriores, como José Zorrilla (siete años después en «Juzga la mirada») o Felipe Trigo (ya en pleno siglo veinte —1916— poco antes de suicidarse en «Últimas razones íntimas»).

Mariano José de Larra no es el protagonista —en sentido estricto— del libro, pero sí el principal hilo rojo que vertebra este ciclo de cuentos; porque de un ciclo de cuentos se trata y no de una novela[81], como han considerado algunos críticos e incluso la propia editorial[82], en el que cada relato conserva su plena autonomía aunque se enriquezca con el sentido global del conjunto y pueda establecer en ocasiones un diálogo temático y argumental con otras piezas, al desarrollarse las acciones en un mismo espacio (y en ocasiones también en el mismo tiempo) y en torno a un mismo hecho (algunos personajes aparecen en varios cuentos). Es el ascendiente moral que Larra lega *post mortem* el que da continuidad argumental y significativa al volumen, el que actúa, teniendo en cuenta la concepción del símbolo de Juan Eduardo Zúñiga, como un resorte para la conciencia de los personajes, poniéndoles en un brete privado al iluminar sus contradicciones íntimas. A Mesonero Romanos («Doblan las campanas de Santiago» e «Inclinaciones equívocas») le

---

tor Delgado, a toda una amarga patria, y apretar el gatillo sin vacilar» (pág. 24).

[81] El propio escritor ha precisado con modestia este punto: «En general fue considerada como una novela por la unidad del tema y los personajes que actúan en un espacio común, la ciudad de Madrid, que les relaciona a todos ellos. Pero para mí son relatos, como otros libros míos que siempre tienen esa unidad que se atribuye a la novela. Por eso tiene pleno sentido el relato último sobre el suicidio de Felipe Trigo que me permite superponer momentos históricos diferentes» (en Manuel Longares, *op. cit.,* pág. 40). Ese carácter unitario, en efecto, está en todos sus libros de cuentos y se comentará con detenimiento en el estudio de la trilogía.

[82] En contraportada se habla de «esta sobrecogedora narración».

hace ser consciente de su cobardía y de su mediocridad (también él está enamorado de Dolores Armijo), el ministro y vecino José Landero, cuya mujer llora muy amargamente la muerte del autor de *Macías el enamorado*, comprende (en «La mujer del ministro») la insustancialidad de una vida lógicamente planificada; Dolores Armijo, en «Insospechados secretos del corazón», en la cripta donde descansa el difunto siente que «[...] las pesadas coronas, los adornos de cinc y las flores de plomo, sin aroma alguno, sin brillo ni color, querrían ser testimonios de inalterable memoria, pero sus fríos metales, que la lluvia ajaría, anunciaban imparable olvido. Inesperada dualidad desconcertante que, por un momento, la halló dentro de sí [...] y temblaba como un alma perpleja» (págs. 72 y 73).

Quien más quien menos siente en este libro —de vocación dialéctica como todos los de Juan Eduardo Zúñiga— la solicitud de revisar su conciencia tras la muerte de *Fígaro*, debiendo decidir si coge el guante de su disidencia, de su comprensión lúcida de la realidad (así lo entienden la mayoría de las mujeres, por ejemplo, el zapatero republicano de «Aciago día de traiciones» o Felipe Trigo en el citado «Últimas razones íntimas»), o bien opta por el olvido (casi siempre contraproducente y engañoso), como Zorrilla, cuya mujer le recuerda (en «Juzga la mirada»), a propósito de los conocidos versos que dedicó a Larra años después de haberse dado a conocer en su entierro («Broté como una yerba corrompida / al borde de la tumba de un malvado»): «ofendiste a un muerto y esa ofensa te ligó a él y su nombre irá contigo»; o Ramón Roca de Togores (en «Perder las ilusiones»), que tras librarse del crítico implacable que juzgaría su obra pierde también la motivación del esfuerzo: «únicamente otros críticos ineptos sonreirían» (pág. 88).

En todos ellos actúa la continuidad y la necesidad de la memoria, la ceguera —consciente o inconsciente— para comprender la contemporaneidad, que es la que motiva, como en otros libros de Juan Eduardo Zúñiga[83], la instaura-

---

[83] Aparece aquí la misma fórmula lingüística recurrente que veremos en el estudio de la trilogía: «Pasarán años y olvidaremos a Larra...» y «Pasarán

ción del símbolo; la pervivencia a través de él de determinados mensaje críticos es la que lo preña de significado y de trascendencia, y en este sentido *Flores de plomo* manifiesta la consolidación de la depuración estética a la que antes nos referíamos, pues aúna en un todo homogéneo las dimensiones crítica —realista y revisionista— y simbólica. Es algo que se manifiesta, en contraste con los libros anteriores a *Misterios de las noches y los días* —y como veremos al estudiar la trilogía—, en la mayor contención del narrador a la hora de emitir juicios, pero sobre todo en la instauración de una atmósfera arquetípica que cumple ese cometido. Así, los once cuentos que componen el volumen están vertebrados por una serie de metáforas e isotopías continuadas que generan un ambiente romántico cuya función es, además de unificar las piezas, proponer por sí misma una visión crítica de la realidad. Así, por ejemplo, la presencia de la nieve que cubrió las calles de Madrid el 13 de febrero de 1837 y que tiene el poder de arrojar luz sobre tramas y delitos perpetrados con nocturnidad, como en el magistral «Manchados honor y nieve», donde desvela un duelo a muerte —«ahorca a los plebeyos que se baten en duelo, colma de honores a los señores que se baten en duelo, y, en tanto que el pueblo cobra su barato, cobra tú el tuyo, y date prisa!»[84], había escrito Larra —; las fantasmagóricas máscaras de carnaval que, continuando la tradición de Quevedo o de Valle-Inclán, no enmascaran la realidad sino que la muestran, ofreciendo el rostro del atraso, de la hipocresía y de la zafiedad de «[...] este incultísimo país de las Batuecas, en que tuvimos la dicha de nacer, donde tenemos la gloria de vivir y en el cual tendremos la paciencia de morir»[85]; o el barro que ensucia la nieve

---

unos años y Larra será olvidado [...] y no me acordaré de él, mejor si estoy lejos y me voy porque aquí no puedo vivir, irme a París o a América, sí, marcharme y no pensar más en él» (en «Juzga la mirada»); y «Pasarían años y su figura [la de Larra] recortada, viva, audaz, sería recordada y entonces una mancha de tristeza llegó al corazón del señor ministro...» (en «La mujer del ministro»).

[84] «Los barateros, o el desafío y la pena de muerte», *Diario de Madrid* del 15 de abril de 1836.

[85] En *El pobrecito hablador*, 11 de septiembre de 1832.

de los adoquines acompañando sórdidas supersticiones y que sólo en las botas de Larra —«habían pisado las calles de París, la plaza donde se alzó la guillotina» (pág. 119)— encuentra su contrapunto. Estos pocos ejemplos dan cuenta de que Juan Eduardo Zúñiga, como él mismo escribió sobre Larra, ha ido depurando las posibilidades del lenguaje literario para conducir su análisis crítico de la realidad histórica española «hacia capas más profundas de la estructura del país», siguiendo esa «línea evolutiva, dialéctica, que es como una conminación natural que todo escritor recibe de su tiempo»[86], una trayectoria cuyo último jalón, hasta el momento, lo ha marcado *Capital de la gloria,* publicado en 2001, que se comentará aparte.

Traducciones y ensayos: «Origen de un destino»

No suele ser habitual, y quizás tampoco sea pertinente, incluir en una modesta y breve introducción a la obra de un autor con una producción narrativa homogénea un apartado que trate de sus aficiones y gustos literarios, de trabajos extraños a la estricta ficción literaria, más cuando ésta se arraiga de forma mayoritaria en la memoria de España y aquéllos exploran y recrean mundos anchos y ajenos. Ocurre, sin embargo, que como se ha venido comentando en estas páginas, esos referentes lingüísticos y culturales han sido decisivos en la formación vital y artística de Juan Eduardo Zúñiga, forman parte de su sensibilidad y de su conciencia y de su concepción del hecho literario; como él mismo ha expresado:

> He creído siempre que el escritor no puede permanecer a solas con su inspiración, ajeno a lo que le rodea. Creo que debe poseer —y procurársela por todos los medios— la cultura de su siglo, tanto de su país como de los más lejanos, lo que en la mayoría de los casos reportaría un enriquecimiento para su obra. Como la experiencia literaria se forma con tan diversos elementos —ideas

---

[86] Juan Eduardo Zúñiga (ed.), *Artículos sociales de Mariano José de Larra,* *op. cit.,* pág. 27.

49

morales, problemas íntimos, aceptación de estereotipos, oposición a la sociedad, etc.—, ¿por qué no pedirle al escritor un conocimiento del mundo, que sin duda irá acompañado de amor y tolerancia?[87].

Quien esto declara parece estar curado de la postmoderna «ansiedad de la influencia» y tal vez por eso prefiere hablar de «estímulos». Los primeros que recibió, como se dijo, ya en la adolescencia, llegaron con el aprendizaje de lenguas extranjeras y pronto desembocaron, con la pasión del autodidacta, en un estudio más amplio de lenguas y culturas de la Europa oriental, que se cristalizó en algunos libros de historia sobre Rumanía y Bulgaria[88], y sobre todo en traducciones de escritores —rumanos, búlgaros, rusos, portugueses— casi desconocidos en España. Fue ésta, sin duda, una labor decisiva para el sustento —físico y moral— del escritor, un trabajo que ejerció durante los años más duros de la Posguerra y que dice mucho de sus intereses ideológicos pero también de la calidad de su escritura («Considero la traducción un ejercicio de enorme utilidad para agilizar los recursos del idioma»); su traducción de algunas obras de Antero de Quental[89] le valió el Premio Nacional de Traducción en 1987[90].

Capítulo aparte merece el interés de Juan Eduardo Zúñiga por el mundo ruso, al que ha dedicado —además de estudios[91] y numerosas traducciones— dos libros fundamentales, tanto por su intrínseco valor filológico como por constituir para el estudioso de su obra algo similar a una teoría poética. El primero de ellos, *Los imposibles afectos de Iván Turguéniev,* publicado en 1977, es un amplio ensayo

---

[87] En Antonio Núñez, *op. cit.*
[88] Véase nota 39.
[89] Comenta el escritor: «En aquella etapa tenía muy presente Portugal y a los buenos amigos de allí, traduje a algunos de sus valiosos novelistas como Urbano Tavares Rodrígues, Mario Dionisio, Augusto Costa Dias, y eso mucho antes de la revolución de los claveles» (en Manuel Longares, *op. cit.,* pág. 39).
[90] Véase nota 37.
[91] Merece la pena destacar su larga introducción a los *Cuentos completos de A. Chejov,* Madrid, Aguilar, 1962.

biográfico que nace como homenaje y pago de la deuda —«una deuda de amor», diría G. Steiner— contraída por el escritor madrileño con el novelista que le abrió las puertas al conocimiento de la vida y de la cultura de Rusia[92]. La interpretación, por ejemplo, que ofrece de la proclividad de Turguéniev, escritor realista, hacia el misterio, hacia «el eje enigmático en torno al que se produce la acción» en sus textos y que es producto de su «curiosidad por las profundidades de la vida mental»— sintetizada en una oración recurrente en algunas de sus novelas: «El alma ajena es un bosque sombrío»[93]—, es indispensable para entender el componente misterioso de muchas de las ficciones de Juan Eduardo Zúñiga.

Iván Turguéniev es también el protagonista de «Origen de un destino», el capítulo que explica la motivación de *El anillo de Pushkin*, libro misceláneo en el que Juan Eduardo Zúñiga narra episodios relacionados con la vida y la obra de numerosos escritores rusos, breves capítulos que se mueven entre el ensayo y la evocación para iluminar la esencia del alma y de la cultura rusas y que constituyen sendas claves de lectura de su propia obra: sobre el hermetismo y el sentido de los símbolos, acerca de la compatibilidad artística entre el estudio psicológico y el relato social o costumbrista, en torno al carácter de los personajes femeninos, a la literatura social, a la necesidad de la memoria, etc.

Por todo ello, un estudio riguroso de la obra de Juan Eduardo Zúñiga no podría ser ajeno a esos «estímulos» del mismo modo que la historia de la literatura no debería ser ajena —como quiere Claudio Guillén— al concepto goethiano de la «Weltliteratur»[94].

---

[92] En este ensayo relata Juan Eduardo Zúñiga lo que supuso para él el descubrimiento, con trece años, de *Nido de nobles*.

[93] En *Las inciertas pasiones de Iván Turguéniev, op. cit.,* págs. 120 y 121.

[94] Cfr. Darío Villanueva, «Literatura comparada y teoría de la literatura», en D. Villanueva (coord.), *Curso de teoría de la literatura,* Madrid, Taurus, 1994, pág. 118.

«Largo noviembre de Madrid», «La tierra será un paraíso» y «Capital de la gloria»

Un ciclo de cuentos, un ciclo de la memoria:
«Pasarán unos años [...] para que no lo olvides»

En marzo de 1980 se publicó en la editorial Bruguera, en su colección «Narradores de Hoy», *Largo noviembre de Madrid*, con el que Juan Eduardo Zúñiga puso fin al largo periodo de silencio narrativo prolongado desde la aparición de *El coral y las aguas* y con el que pronto llamó la atención de los críticos más avisados, que a pesar de asumir el casi total desconocimiento público del escritor, lo situaron «en la mejor tradición clásica del cuento [...], entre los maestros de esta modalidad literaria tan esquiva»[95]. Ya entonces se le concedió al libro un lugar de privilegio entre las escasas obras que en los primeros tiempos de la Transición democrática, liberadas de las vendas que había impuesto el régimen franquista y de las inherentes a la propia cercanía de los hechos, no habían desaprovechado la oportunidad que les brindaba el cambio de perspectiva histórica para recuperar, con la libertad de la memoria y con la del discurso artístico, el pasado reciente del país[96]; las palabras de un huérfano al comienzo del primer cuento del volumen («Noviembre, la madre, 1936») daban cuenta del enquistamiento de aquella ceguera: «—Pasarán unos años y olvidaremos todo[...]».

---

[95] Carmen Martín Gaite, «La herencia de sobrevivir», *Diario 16*, 19/V/1980.

[96] Tal vez la más destacable de esas obras fue la novela *Días de llamas*, Barcelona, La Gaya Ciencia, 1979 (cfr. Manuel Longares, «Un clásico de la novela novelesca», en *Diario 16*, 16/XI/1987), de Juan Iturralde (pseudónimo de José M.ª Pérez Prat), quien escribió de *Largo noviembre de Madrid:* «Cuando leí por primera vez, en 1980, *Largo noviembre de Madrid,* me asombraron la originalidad y la calidad excepcionales de los diecisiete relatos, muy superiores, en mi modesta opinión de escritor que no de crítico habitual, a las de las novelas innumerables que la tragedia de nuestra Guerra Civil ha inspirado durante cuarenta años» (en *El Sol*, 1990).

Casi una década más tarde, los cuentos de *La tierra será un paraíso* (1989) ratificaron la validez de los elogios y la continuación del proyecto narrativo: forzando al máximo el barroquismo de la prosa, los siete cuentos del volumen recreaban esta vez el marasmo moral de la Posguerra para dar voz a las confesiones secretas de los que vivieron en la clandestinidad.

Por último, en febrero de 2003 se publicó *Capital de la gloria* y al año siguiente se reconoció definitivamente[97] no sólo la calidad excepcional del libro sino también el ya innegable estatuto de obra clásica de la trilogía que con él culminaba[98]; el bucle de la memoria de Juan Eduardo Zúñiga quedaba apuntalado por las palabras que una madre dirige a su hijo tras un bombardeo en «Las enseñanzas» —el último cuento del volumen— instaurando, en diálogo con aquellas inciales de *Largo noviembre de Madrid,* un «marco superior de lectura»[99] desde el que —*finis coronat opus*— contemplar todo el conjunto: «—Esto es la guerra, hijo, para que no lo olvides».

Largo noviembre de Madrid, La tierra será un paraíso y *Capital de la gloria* conforman, en efecto, un ciclo de cuentos[100] sobre la vida en Madrid durante la Guerra Civil y la Posguerra. Un conjunto homogéneo que, preservando la plena

---

[97] Véase nota 5.

[98] «Capital de la gloria es la última narración de lo que yo llamaría una trilogía puesto que la acción de este libro y los que usted cita *[Largo noviembre de Madrid* y *La tierra será un paraíso]* transcurren en el mismo espacio y en una misma etapa histórica. Lentamente he ido escribiendo estos relatos que unen infinidad de rastros que han dejado en mí lo visto, lo escuchado y lo imaginado, aquello que sobrevive en la memoria, ya sea confusa o nítida».

[99] El crítico Ángel García Galiano acaso fue el primero en explicar y justificar narrativamente el carácter orgánico de la trilogía en su reseña de *Capital de la gloria* «Oro en las trincheras», *Revista de Libros,* 78, 2003.

[100] El autor nunca ha hablado exactamente de ciclo de cuentos ni ha dado tampoco un título genérico a los tres volúmenes; pero por lo demás, y como se verá en las páginas siguientes, la trilogía coincide con las características que definen a los «ciclos de cuentos», según Forrest L. Ingram, *Representative Short Story Cycles of the Twentieth Century,* La Haya, Mouton, 1971. En cualquier caso, pensamos que se trata, al fin y al cabo, de una etiqueta de clasificación mecánica que no resta ni añade valor explicativo o hermenéutico a este estudio.

autonomía de cada relato y de cada volumen, posee un sentido global y una atmósfera unitaria que enriquecen todas sus piezas (un sentido unitario que, como se ha visto al repasar su obra, está en todos sus libros de cuentos) y que se manifiesta en una máxima que cifra y compendia el aliento que preside toda la trilogía: «Pasarán unos años [...] para que no lo olvides». Bajo esta aparente paradoja se formula la motivación de los treinta y tres cuentos que la componen, cuyo significado común está promovido por la tensión dialéctica que afecta a sus personajes, quienes se debaten entre la práctica del olvido como añagaza de la supervivencia y el ejercicio de la conciencia para asumir el presente como único aval de la lucidez y de la dignidad. Pero por otra parte, expresa esta máxima un significado estético no menos importante para entender la envergadura de la obra, pues además de hacer referencia a los más de veinte años de su proceso de escritura alude al periodo de tiempo —mucho más dilatado— que requirió el proceso de sedimentación de la materia narrativa en la memoria de Juan Eduardo Zúñiga, un hecho nada baladí que explica la motivación del ciclo al tiempo que advierte, como se verá, de la traza singular de su escritura.

La reunión en un solo volumen de los tres libros, que por vez primera se ofrece en esta edición, permite entender con la debida plenitud el desarrollo y el alcance narrativos de ambos presupuestos. El sentido de unidad argumental y temática se manifiesta, en primer término, en la continuidad de los elementos básicos de la verosimilitud (el tiempo: la Guerra Civil en *Largo noviembre de Madrid* y en *Capital de la gloria* y la Posguerra en *La tierra será un paraíso;* y el espacio: Madrid en los tres libros) y en la recurrencia de determinados argumentos, motivos y símbolos, pero también en la intrincada red de conexiones intratextuales que genera una visión coral y dialéctica del conjunto, pues se trata, en definitiva, de narrar las inciertas fluctuaciones de la vida durante los años más duros de Madrid, de dar un sentido a la intrahistoria de la ciudad.

De otra parte, la consolidación textual de la trilogía en un solo volumen avisa también, como decíamos, de su carácter «monumental» y propone, desde ese punto de vista, dirigir la mirada hacia su autor, porque si la obra ocupa ya un lugar de privilegio en la narrativa española contemporánea, entre los títulos destinados a convertirse en clásicos, no es tanto por la enjundia del tiempo que recrea como por su peculiar germinación. En este sentido, basta hacerla dialogar con algunos de los títulos de indiscutible referencia que se ambientan en el mismo periodo de tiempo y en el mismo espacio para comprender su singularidad (y originalidad no es necesariamente sinónimo de supremacía estética). Restringiéndonos a los años de la Guerra Civil en Madrid, comparte con las novelas o los libros de cuentos de primerísima hora —piénsese, por ejemplo, en *A sangre y fuego,* de Manuel Chaves Nogales, o en *Valor y miedo,* de Arturo Barea— la fidelidad a los hechos, la garantía —narrativa y real— de la *demonstratio ad oculos,* pero matiza mucho más, como veremos, la acechanza de la urgencia cronística[101]; con algunas novelas posteriores, escritas con mayor perspectiva temporal —como algunas de Max Aub, de Ramón J. Sender o de Arturo Barea[102]—, comparte la ambición de totalidad, el afán de proponer vías de explicación histórica y de recrear la intrahistoria de la ciudad, aunque difiere de ellas —en buena parte por los requisitos del género— en determinadas características comunes a las novelas escritas desde el exilio o después de él, como la transparencia autobiográfica o la recreación de los tiempos

---

[101] Manuel Chaves Nogales, *A sangre y fuego: Héroes, bestias y mártires de España. Nueve novelas cortas de la Guerra Civil y la revolución,* Santiago de Chile, Ercilla, 1937. En el prólogo al volumen el autor confiesa haber luchado «por permanecer distante, ajeno, imparcial, escribo estos relatos de la guerra y la revolución que presuntuosamente hubiese querido colocar *sub specie aeternitatis.* No creo haberlo conseguido. Y quizás mejor así».

Valor y miedo fue publicado por Antifascistas Publicaciones de Cataluña, Barcelona, 1938, y no es ajeno a la labor de propagandista de la República de su autor: véase Nigel Towson (ed.), *Cuentos completos de Arturo Barea,* Madrid, Debate, 2001, págs. 7-13.

[102] Podrían servir como ejemplo *Campo abierto,* de Max Aub; *Los términos del presagio,* de Ramón J. Sender, y *La llama,* de Arturo Barea; novelas pertenecientes a los respectivos ciclos *El laberinto mágico, Crónica del alba* y *La forja de un rebelde.*

prebélicos para explicar los orígenes de la contienda. En este sentido, resulta más que pertinente tener en cuenta que si no han sido muchos los escritores que después de sufrir la guerra y la Posguerra escribieron sobre ellas tras observar *in situ* sus consecuencias, son sin duda muchos menos los que esperaron tanto tiempo como Juan Eduardo Zúñiga para esclarecer y dar sentido a todo el *continuum* histórico.

Y no se trata con esto de encontrar subterfugios para injertar aquí el consabido encomio biografista a mayor gloria del escritor (y del crítico), sino de ofrecer algunos datos contextuales que nutren y condicionan la forma y el significado de la trilogía —su «forma interior», diría la crítica estilística— y que son constatables desde el punto de vista narrativo (en la posición del narrador, por ejemplo, y en la figura del autor implícito), en el tratamiento del tiempo y del espacio, en la perspectiva crítica de la historia; en un peculiar tono, al cabo, que uniforma todos los cuentos y que emana de la concepción del hecho literario de Juan Eduardo Zúñiga, pero también, y no en menor medida, de las vicisitudes y contradicciones personales que han afectado al escritor en su calidad de espectador de su tiempo[103], contradicciones que nunca ha eludido sino que le han servido de apoyatura para combinar el análisis crítico de la realidad y la recreación del pasado funesto con la dignificación que el tamiz de la memoria y el crisol de la palabra literaria otorga a esa evocación[104]. De hecho, esa percepción dialéctica del mundo y del mensaje literario y la naturaleza diversa, cambiante, de

---

[103] En sus estudios y ensayos sobre la vida y la obra de distintos escritores ha ponderado siempre Juan Eduardo Zúñiga su visión atenta de la realidad de su época y ha analizado las contradicciones que, por diferentes motivos, cada uno de ellos contrajo con su tiempo y cómo ello influyó en sus obras. Léanse, por ejemplo, sus ediciones arriba citadas de Anton Chejov, Peiu Yavórov, Mariano José de Larra o Antero de Quental.

[104] Ha dicho el escritor: «La memoria se ha considerado como peligrosa por lo que puede entrañar de rencor. Pero no es así. El tiempo lima estos sentimientos vengativos. La memoria debe cultivarse. En España había una intención de eludir un periodo. Ya no, y hay que procurar que siga así. El recuerdo nos mantiene con vida» (en Winston Manrique Sabogal, *El País (Babelia)*, 15/II/2003).

los estadios en los que se detiene la memoria son, junto a la propia evolución estética de la obra del escritor, los que otorgan a cada volumen de cuentos su particular impronta estilística y significativa.

Los dieciséis cuentos de *Largo noviembre de Madrid* recrean la vida de los habitantes de la capital a quienes la guerra asaltó impensadamente y defendieron su ciudad sin intereses partidistas —aunque fueran movilizados por ellos—, militando por su propia integridad física y moral e involucrándose en sus conmociones íntimas más que en el drama colectivo. Las tribulaciones de ese mes señalado con piedra negra en el calendario —en el que el frente de batalla llegó a Madrid— y su larga persistencia en el ánimo durante los casi tres años que duró el sitio de la ciudad son las que afectan a todos los personajes de este libro; por eso, noviembre no se instaura aquí como una fecha —los cuentos cubren los tres años del sitio—, sino como un estado general de conciencia: noviembre simboliza el tiempo de la contingencia, del horror que acecha a la vuelta de cada esquina y ante los cuales algunos ciudadanos se parapetan tras la cobardía o la avaricia mientras otros aprenden a sobrevivir con la extraña —y peligrosa— lucidez que otorga la enfermedad, el hambre o la pobreza. Una diversidad de actitudes que la guerra no causa, pues son universales de la condición humana, sino que acentúa y desenmascara, y que se enriquece con el contrapunto argumental que se establece entre los cuentos a partir de la recurrencia —no monográfica— de algunos motivos: la codicia que nace de la inseguridad o del egoísmo y desemboca en la delación o en el asesinato en el seno mismo de las familias («Nubes de polvo y humo», «Riesgos del atardecer», «Puertas abiertas, puertas cerradas», «Mastican los dientes, muerden», «Joyas, amor, manos, las ambulancias», «Campos de Carabanchel»), el idealismo y la esperanza («Noviembre, la madre, 1936», «Heladas lluvias de febrero», «Las lealtades»), la presencia de augurios como respuesta psicológica a la desolación y al desconcierto («Presagios de la noche»), la imperiosidad del amor y de las pasiones en los tiempos más convulsos («10 de la noche, Cuartel del Conde Duque», «Ventanas de los últimos instantes»), la incomprensión del tiempo («Calle de Ruiz, ojos vacíos», «Un ruido extraño») y la del espacio («Hotel Florida, Plaza del Callao», «Aventura en Madrid»). Contiene este libro un complejo vitalismo que Juan Eduardo Zúñiga articula mediante un ambicioso entramado narrativo y un estilo especialmente alusivo que otorgan a todo el volumen una atmósfera romántica y desconcertante como la del caos que en él se recrea.

El relato de la intrahistoria de Madrid se prolonga en *La tierra será un paraíso* a los tiempos que sobrevinieron tras la victoria militar de 1939, cuando el cerco bélico desapareció entre las ruinas de la ciudad devastada para dejar otro menos palpable pero no menos estrecho para los que vivieron en ella clandestinamente. Los siete cuentos que componen el volumen se ambientan en ese tiempo y en ese espacio en los que «todo era secreto» y están protagonizados por aquellos que padecieron en la sombra un doble lastre: el de la derrota del pasado inmediato y el de la esperanza en un futuro poco menos que incierto. El origen y el destino de sus conflictos se arraigan, por tanto, en esos dos ámbitos cronológicos y su resolución depende de la sigilosa ejecución de gestos en apariencia nimios, simbólicos, y sin embargo determinantes para preservar la dignidad individual y la colectiva: la permanencia en la ciudad vencida («Las ilusiones: el Cerro de las Balas»), la aceptación de las tentaciones oportunistas e inmarcesibles de la codicia («Antiguas pasiones inmutables»), la búsqueda de la felicidad y de la conciencia anestesiadas por una atmósfera asfixiante («Camino del Tíbet»), la lucha activa en la clandestinidad política para superar la vergüenza y la desgracia («Sueños después de la derrota»), para vencer el anonimato y la desmemoria («La dignidad, los papeles, el olvido») y para combatir las injusticias sociales («Interminable espera»), o la preparación de un suicidio hermoso que legue al futuro un mensaje de optimismo y de felicidad («El último día del mundo»). Tal vez sea éste el libro más personal de Juan Eduardo Zúñiga, en la medida en que el argumento y el tono de las ficciones coinciden con algunos puntos básicos de su poética (el hermetismo, la sugerencia y la cautela, la continuidad de la memoria..). y por eso mismo quizás sea también el más ambicioso desde el punto de vista estilístico. La prosa alusiva del autor se tiñe en estos cuentos de un pronunciado barroquismo pues la sintaxis se adapta a la prosodia de una confesión secreta, alargando e imbricando los periodos oracionales para transmitir el curso subterráneo de las conciencias y permitir que el discurso literario ponga su acento en las conversaciones pronunciadas a media voz.

Los diez cuentos de *Capital de la gloria* vuelven a recrear, como los de *Largo noviembre de Madrid,* los tres años del Madrid sitiado, pero manifiestan en relación a éstos un cambio sustancial en la mirada del autor sobre la materia narrativa. El propio título del volumen esconde —amén del homenaje[105]— una ironía[106], pues no alude ya a una ciudad que se defiende sino a una ciudad rendida. El tiempo de la derrota infunde su simbolismo —los cuentos siguen abarcando los tres años de la guerra— en el ánimo de los habitantes y en el de la ciudad, sometida al paulatino desgaste que les impone el cerco. Un deterioro físico y moral que sitúa las acciones de los personajes por encima de la ética, pues aunque el deseo sigue moviendo su ánimo ya no es el miedo por la propia integridad física el que lo provoca (y lo justifica), sino la pura necesidad emocional (justificable desde otros parámetros), de tal modo que, mucho más libres, pero también más inconscientes, dan rienda suelta a unas pasiones que, coartadas irremediablemente por la guerra, les convierten en arquetipos del drama colectivo. Así ocurre con quienes buscan el amor o el erotismo («Los deseos, la noche», «El viaje a París», «El amigo Julio», «Anillo de traición», «Rosa de Madrid»), la seguridad («Las huidas»), el enriquecimiento («Patrulla del amanecer»), la solidaridad y la libertad («Los mensajes perdidos»), la supervivencia («Ruinas, el tra-

---

[105] El título procede de unos versos de Rafael Alberti, de su poema «Madrid por Cataluña», que pertenece al poemario *Capital de la gloria* (1938).
[106] «Hoy este título conlleva cierta ironía si tenemos en cuenta cómo el tiempo ha eclipsado la gloria del heroísmo de aquellos combates en torno a la capital», en Manuel Longares, *op. cit.,* pág. 36.

yecto: Guerda Taro») o el conocimiento («Las enseñanzas»). Como punto de llegada del proceso memorístico de Juan Eduardo Zúñiga y del ciclo narrativo, los cuentos de *Capital de la gloria* revelan una mayor contención expresiva, una depuración estilística y simbólica que no es producto de la falta de ambición o del descuido sino que, más bien al contrario, resulta una consecuencia lógica del magisterio artístico y de la coherencia moral que exigen constatar el tiempo de la derrota con rigor para reivindicar su dignidad sin alharacas.

El tiempo: iluminación y ceguera

Por la vocación memorística de la trilogía y por la singularidad del tiempo en el que se fundamenta la mímesis, pero sobre todo por la compleja manipulación a la que se somete el tiempo narrativo para hacer verosímiles las fábulas y propugnar —*more aristotelico*— su dimensión metafórica y su significación universal, el factor temporal se configura como uno de los principales elementos de cohesión y de análisis de este ciclo narrativo.

Como cualquier ficción ambientada en la realidad histórica, la obra se enfrenta a dos cuestiones de partida en las que conviene reparar con detenimiento: cómo se adecua el referente cronológico a las convenciones y posibilidades del género, por un lado, y cómo se concierta con el tiempo narrativo (especialmente con el tiempo psicológico y con el simbólico), por otro.

Sobre el primer aspecto, el propio autor ha querido significar el desafío que supone para él el cuento: «Para mí es un reto encerrar en unas cuantas páginas el tiempo huidizo, la vida, la atmósfera en la que se debate la memoria»[107]. Un *tour de force* que, considerando la ambición de la obra y la capacidad de desarrollo cronológico que ofrece el cuento si se le compara en este sentido con la novela, sólo puede resolverse, como se hace aquí, mediante un dominio preciso del

---

[107] *Ibídem*, pág. 40.

utillaje narrativo y mediante la creación de un complejo entramado que vertebre las anécdotas con un sentido de continuidad.

En cuanto al segundo aspecto, no es menor el reto que solventa Juan Eduardo Zúñiga al hacer convivir en un todo homogéneo las distintas naturalezas que adopta el tiempo en la trilogía. Es ya un lugar común entre la crítica sobre el autor señalar que casi todos sus libros, y especialmente los que nos ocupan, están recorridos por un *leitmotiv* que cuestiona la comodidad y la validez de la categoría apriorística del tiempo: se trata de una ceguera que impide comprender el presente y que se resuelve lingüísticamente, en boca de algunos personajes, en una fórmula para conjurar el horror: «Pasarán unos años y lo olvidaremos todo». Sin embargo, no hay que olvidar tampoco que, junto a ella, y de forma menos explícita, también se ofrece su antítesis, la que deriva del esfuerzo psicológico y vital necesarios para encontrar en la lucidez los anhelos de la felicidad: «Todo pervivirá: sólo la muerte borrará la persistencia de aquella cabalgata ennegrecida que fueron los años que duró la contienda» («Noviembre, la madre, 1936»)[108]. Una y otra actitud concurren en los relatos de forma dialéctica, dando envergadura al tiempo psicológico y, por ende, contribuyendo al desarrollo de los conflictos que generan las intrigas; además, la resolución de esos conflictos de manera simbólica determina la forma de los cuentos.

Conviene insistir, por tanto, en que la expresión de la naturaleza dramática del tiempo no es fruto aquí de esa conocida operación mediante la que muchas narraciones ambientadas en la Guerra Civil y en la Posguerra suelen promocionar el vicariato de la Historia respecto de la ficción, confiando en el previo conocimiento de aquélla —o en un oportunista documentalismo *ad hoc* en su defecto— la sensación de verdad que debería dimanar de ésta. Muy al contrario, las ficciones de Juan Eduardo Zúñiga, ya desde sus comien-

---

[108] Expresiones similares se encuentran también, por ejemplo, en «Los mensajes perdidos», en «Ruinas, el trayecto: Guerda Taro» o en «Las enseñanzas».

zos como escritor, han estado informadas por la memoria de la vida cotidiana, por la verdad de la intrahistoria que la literatura instaura desde «los caminos afectivos de la Historia»[109].

La primera consecuencia lógica de esta actitud es que los datos testificables de la realidad se transparentan lo suficiente como para respetar las reglas básicas de verosimilitud y jalonar el *continuum* histórico, pero sólo de manera tangencial se ofrecen las coordenadas cronológicas fundamentales (los primeros bombardeos sobre la población civil y sobre algunos edificios emblemáticos, como el Museo del Prado, las luchas entre casadistas y negrinistas en los momentos finales de la guerra, la construcción de los suburbios de la periferia de Madrid tras el asedio, los primeros movimientos de la clandestinidad política, la reconstrucción del núcleo urbano, etc.), datos que permiten hacer corresponder el tiempo de la narración, en el caso de *Largo noviembre de Madrid* y de *Capital de la gloria,* indistintamente, con los casi tres años del Madrid sitiado, desde mediados de noviembre de 1936 en que llega el frente a la ciudad[110] hasta la entrada del ejército franquista a la ciudad después de la capitulación del coronel Casado en marzo de 1939[111], prolongándose en *La tierra será un paraíso* desde los primeros años cuarenta[112] hasta un tiempo —premeditadamente, como veremos— indeterminado.

Pero lo que otorga la singularidad a la trilogía y a cada libro en particular es, como se decía, el complejo tejido del tiempo de la intrahistoria, y éste obedece, en primera instancia, a la naturaleza temporal de las fábulas[113].

---

[109] En Winston Manrique Sabogal, *op. cit.*

[110] Se retrasa, en algunos cuentos de *Capital de la gloria,* al verano en que se produce el alzamiento militar y a tiempos algo más remotos en algunas (pocas) analepsis puntuales no inclusivas. Por otra parte, algunos narradores están instalados en un presente sin determinar.

[111] En «Ruinas, el trayecto: Guerda Taro», por ejemplo, se alude a las luchas intestinas entre los partidarios de Casado y los de Negrín.

[112] En el primer cuento del volumen aparece el escritor búlgaro Dimiter Dimov, que estuvo en España en 1942 y 1943.

[113] Aunque nos servirá también, como veremos más adelante, para referirnos al «género» de los cuentos de Juan Eduardo Zúñiga, utilizamos aquí

Como corresponde al tiempo de la contingencia, las fábulas de los cuentos de *Largo noviembre de Madrid* están condicionadas por la presencia —más o menos latente— de la casualidad, por la implacable intervención de la fatalidad o por la acción inesperada de lo ominoso, de modo que en buena lógica, teniendo en cuenta las leyes de composición de la fábula y la esencialidad propia del género, no son muchos los acontecimientos que pueden desencadenarse, por lo que el tiempo físico narrado no suele sobrepasar en casi ningún cuento los límites de una jornada e incluso se reduce en algunos de ellos a un tiempo mucho menor, como en «Ventanas de los últimos instantes» (los últimos segundos de la vida de un soldado), «Un ruido extraño» (las horas del crepúsculo en una casa misteriosa) o «Las lealtades» (minutos de agonía). No es casual que sólo en los que se narra una traición (con la excepción de «Riesgos del atardecer»), como en «Hotel Florida, Plaza del Callao», en «Mastican los dientes, muerden» o en «Campos de Carabanchel», el tiempo de la acción se extienda durante varios días.

De muy distinto signo son las historias de *La tierra será un paraíso,* no tanto por las dimensiones temporales de las fábulas como por su escaso movimiento dramático. Se trata, al fin y al cabo, del tiempo de la clandestinidad, y en él los sucesos parecen importar más en potencia que en acto[114], según el grado de fidelidad que manifiesten a sus motivaciones originarias o por su influjo en un futurible utópico[115]. Los propios títulos de los cuentos aluden a ese doble arraigo temporal que mitiga las acciones: «Las ilusiones: el Cerro de

---

«fábula» con el sentido que le dan los formalistas rusos: conjunto de acontecimientos que se suceden en su lógica relación causal-temporal. Cfr. Boris Tomasevski, *Teoría de la literatura* (1928), Madrid, Akal, 1982.

[114] En «Interminable espera», por ejemplo, dice el narrador: «[...] esas tareas a las que se prestaban decididos —que en verdad no eran nada sublime pero sí lo más peligroso que en aquella ciudad podía hacerse—, y eran tareas desinteresadas, a favor de miles de personas ignoradas a las que se deseaba algo mejor que sus atenazadas vidas».

[115] En casi todos los cuentos se repite, con ligeras variantes, el título del libro, que son palabras de *La Internacional,* el conocido himno revolucionario escrito por Eugène Portier en 1871 y musicalizado por Pierre Degeyter.

las Balas» (la decisión de quedarse en la patria natal), «Antiguas pasiones inmutables» (la atávica tentación de poseer el tiempo suspendido de la riqueza), «Camino del Tíbet» (la búsqueda de un ascendiente espiritual en medio del marasmo), «Sueños después de la derrota» (la añoranza y la continuidad del tiempo del heroísmo), «La dignidad, los papeles, el olvido» (la recuperación del tiempo de la felicidad y del arrojo), «Interminable espera» (la paciencia necesaria para aguardar un cambio) y «El último día del mundo» (la aniquilación de toda una generación y su perpetuación simbólica).

En comparación con los cuentos de *Largo noviembre de Madrid*, con los que comparten tiempo real de referencia pero dialogan por contraste de tiempo psicológico y simbólico, los de *Capital de la gloria* acentúan mucho más el proceso de desgaste psicológico de la ciudadanía asediada, por ello la mayoría de las historias no focalizan los instantes decisivos de la vida de los personajes, como aquéllas, sino que reflejan el proceso completo de su frustración. Así, en «El viaje a París» una madre ensaya durante varios días su libertad, «Rosa de Madrid» siente cómo la «mordedura» de la guerra va desmantelando al unísono su ciudad y su juventud y en «Patrulla del amanecer» y en «El amigo Julio» las consecuencias de esa laceración, que no quiere ser asumida por quienes la heredan, se prolonga mucho más en el tiempo.

Los cuentos de Juan Eduardo Zúñiga, como se ha visto al repasar su obra, se caracterizan por su intención dialéctica, por su capacidad de ofrecer al lector distintas perspectivas que despierten su juicio crítico, de ahí la estructura polifónica y coral de sus libros. En la construcción de ese retablo la *inventio* —la composición argumental de las fábulas— cumple, como se ha visto, con su papel primordial, pero no menos preponderante es el trabajo que conlleva la *dispositio*, esto es, la disposición estructural de los volúmenes y la configuración de la trama de los cuentos —la forma con la que se presentan los hechos en la narración. Teniendo en cuenta esa ambición y la condensación narrativa del género cuentístico, Juan Eduardo Zúñiga recurre a numerosos fenómenos de *anacronía* y de *anisocronía*[116] (prolepsis, analepsis, sumarios, etc.) para flexibilizar el tiempo narrativo[117].

A esa doble manipulación del tiempo narrativo, y no sólo a la composición argumental de las fábulas, obedece, en efecto, la sensación de vértigo y de desconcierto que se percibe en la primera lectura de *Largo noviembre de Madrid*. De hecho, el recurso formal que más y mejor contribuye a conformar las tramas de los cuentos para que expresen ese desasosiego es la elipsis de los momentos que deciden las acciones: la atención del narrador tiende a omitir casi sistemáticamente esos «tiempos fuertes», a sugerirlos (diluidos en digresiones reflexivas) o a fragmentarlos (mediante anticipaciones o suspensiones temporales), concentrándose en las tensas pausas que median entre ellos y, sobre todo, en la congelación temporal que sucede al desenlace de los conflictos (un ejemplo muy claro es el del crimen de «Hotel Florida, Plaza del Callao»). Pero además, esa vaporización de las anécdotas encuentra su correspondencia y su intensificación en la peculiar orquestación del volumen: su unidad significativa —propiciada por la recurrencia de motivos, como se ha visto— promueve una sensación de continuidad en la sucesión de las acciones; sin embargo, ocurre que la presumible repetición de personajes y situaciones, que llevaría a pensar también en una conexión de las peripecias, no es más que un premeditado espejismo de cohesión estructural (siempre se evita la certeza absoluta de que sean los mismos)[118] que juega con el horizonte de expectativas del

---

[116] Utilizo los términos de la Narratología mediante los que se señalan la no correspondencia del orden temporal entre historia y relato y la no correspondencia entre la duración de ésta y la de aquél, respectivamente. Cfr. G. Genette, *Figuras III* (1972), Barcelona, Lumen, 1989.

[117] Sobre la flexibilidad del tiempo en la obra de Juan Eduardo Zúñiga y su relación con el carácter mítico de sus cuentos, cfr. Beltrán Almería, «El hermetismo de J. E. Zúñiga», *op. cit.*, pág. 30.

[118] No podemos hacer aquí ni tan siquiera un brevísimo resumen de la cantidad ingente de situaciones y personajes que parecen repetirse (no sólo entre los cuentos de este libro, sino entre los tres de la trilogía). El ciego de «Calle de Ruiz, ojos vacíos» «reaparece» en «Nubes de polvo y humo»; la «misma» copa se rompe augurando mal fario en «Aventura en Madrid» y

lector (con el de novelas, sobre todo[119]), para obligarle a *experimentar* tal vez que el infortunio bélico actúa sin criterio y «que las cosas de la guerra, más que otras, están sujetas a continua mudanza»[120].

En *La tierra será un paraíso* ya no es el escamoteo de los hechos el que gobierna la disposición de la trama, sino los mecanismos de desaceleración. Se trata, en definitiva, de reflejar el marasmo del tiempo de la Posguerra, y por eso el relato de las acciones se ralentiza en estos cuentos mediante digresiones reflexivas sobre el presente estancado («Camino del Tíbet» o «Interminable espera») que se bifurcan hacia la expresión de sueños y esperanzas mediante anticipaciones temporales (son siempre prolepsis externas porque la utopía de que la tierra sea un paraíso es también aquí una ucronía) y hacia la recreación de episodios del pasado reciente (las numerosas analepsis insisten en la añoranza del tiempo de la guerra en el que cada acción era determinante). Asimismo, estas suspensiones temporales permiten establecer lazos de continuidad temporal con los otros dos volúmenes de la trilogía, contribuyendo a formar su sentido unitario[121].

Uno de los rasgos que distinguen *Capital de la gloria* de los dos libros precedentes es la mayor contención de la voz narrativa en la expresión de sus opiniones, algo que, como se ha visto, es determinante en la conformación de la trama

en «Presagios de la noche»; parecida maldición en «Riesgos del atardecer» y en «Nubes de polvo y humo»; semejante peripecia en «Nubes de polvo y humo y presagios de la noche», etc.

[119] En este sentido es muy interesante rescatar las palabras del autor comparando el cuento y la novela: «[...] esta época parece más propia para el cuento por la falta de tiempo, pero a la gente también le interesan las novelas. Mientras el cuento te da brotes de pensamiento, en las novelas el lector se sumerge en las aventuras de los personajes; algo positivo, pero desalentador. ¿Acaso en estos tiempos el lector necesita otras motivaciones o aventuras ajenas para vivir?» (en Winston Manrique Sabogal, *op. cit.*).

[120] *El Quijote*, cap. VIII.

[121] Como en nota 118, baste señalar, por ejemplo, algunas similitudes: el mismo enredo amoroso se da en «El amigo Julio» y en «Sueños después de la derrota»; similares son los hermanos de «Noviembre, la madre, 1936», los de «Campos de Carabanchel» y los de «La dignidad, los papeles, el olvido»; el grupo de amigos al que visitaba el ciego de «Calle de Ruiz, ojos vacíos» parece coincidir con el de los teósofos de «Camino del Tíbet», etc.

de aquéllos. Esa mesura del narrador que, como veremos, proviene de su posición en el tiempo y de su identificación con el autor implícito, también se corresponde con la dosificación de la información y con su forma de gobernar la trama, que adopta en consecuencia, en la mayoría los casos, una estructura más —nunca totalmente— lineal, la clásica de planteamiento, nudo y desenlace (son excepciones «El amigo Julio» o «Anillo de traición»). De hecho, es frecuente incluso que el narrador haga sumarios y explicite los jalones del devenir cronológico (se ve muy claro en «Rosa de Madrid» o en «El viaje a París», por ejemplo), de ahí la transparencia de este libro en contraste con la atmósfera misteriosa de *Largo noviembre de Madrid*.

Se puede deducir de todo lo anterior que el trabajo de Juan Eduardo Zúñiga con el tiempo narrativo en la trilogía responde al «reto» que supone para él «encerrar en muy pocas páginas el tiempo huidizo, la vida, la atmósfera en la que se debate la memoria». Pero además, esa elaboración está supeditada a la expresión, como se ha ido viendo, del tiempo psicológico de los personajes. Aunque se abundará más adelante en este aspecto, conviene al menos detenerse en un cuento que explica con claridad la compleja y difusa percepción del tiempo que afecta a casi todos los personajes. El cuento es «Calle de Ruiz, ojos vacíos». Un ciego acude entre los bombardeos a la casa de unos amigos que suelen leerle pasajes de un libro. Ese día el fragmento reza: «De este modo, el ser de un momento pasado ha vivido, pero ya no vive ni vivirá; el ser de un momento futuro vivirá, pero no ha vivido ni vive; el ser de un momento presente vive, pero no ha vivido ni vivirá». El texto, que parece seguir la concepción agustiniana del tiempo, pertenece a un tratado budista del siglo V[122], y contrasta dialécticamente con la opinión del

---

[122] El libro es el *Visuddhimagga (Camino de la Pureza)*, y el extracto recogido en este cuento coincide íntegra y exactamente con el citado por Borges en «Nueva refutación del tiempo» (de *Otras inquisiciones)*. La sombra del escritor argentino es perceptible en este relato (piénsese también que el protagonista es un personaje ciego que en tiempos de guerra se aferra a un libro como única tabla de salvación), un cuento, por otro lado, excepcional en la obra de Juan Eduardo Zúñiga, que no suele recurrir a guiños metaliterarios,

narrador, que al recordar su desencuentro con el ciego piensa: «[...] si nos está negada una brizna de futuro, si estamos, y estábamos en aquella ciudad, aplastados contra un muro, frenéticos, intentando descubrir lo que iría a ocurrir un minuto después [...]», y cree que debería haberle dicho: «Te engañan: no hay presente, tu vida únicamente es el pasado, la ceniza de un tiempo que tú no vives, sino que está ya hecho y tú te encuentras con él en las manos, convertido en recuerdos. No sabrás nunca nada, todo es inútil, deja de buscar ese libro». La importancia de la memoria, la ceguera simbólica de los personajes, la expresión dialéctica del tiempo o la ineficacia de los placebos (el libro) para remediarla son, en efecto, algunos de los aspectos que caracterizan el peculiar tiempo psicológico de la trilogía.

Por último, la trascendencia y el papel narrativo del tiempo simbólico se comentará al analizar la dimensión simbólica de la trilogía.

El Madrid de Juan Eduardo Zúñiga: plaza y emblema

La acción de los treinta y tres cuentos de la trilogía se desarrolla en Madrid, la ciudad en la que nació Juan Eduardo Zúñiga y en la que ha residido durante toda su vida observando con atención sus transformaciones, un lugar cuya memoria ha nutrido casi todos sus libros de ficción (con la única excepción de *Misterios de las noches y los días* si se tiene en cuenta el carácter alegórico de *El coral y las aguas)* y un espacio que desde el punto de vista narrativo y ficcional no es un mero elemento ancilar de las fábulas, sino que además de fundamentar uno de los pilares básicos de la verosimilitud (y por tanto de la coherencia) y conformarse

---

si bien es cierto que en este caso están subordinados al sentido crítico del cuento. Repárese, en este sentido, en la página 163, en la que se recuerda, «desliteraturizándolo», el conocido «ya no leímos más» de la *Divina Comedia* de Dante, o en el irónico comentario del narrador (en la pág. 163) cuando cree que para convencer al ciego debería haberlo llevado a la glorieta de Quevedo (es más que conocida la admiración que profesó J. L. Borges al escritor barroco).

como su más sólido nexo de cohesión estructural (la continuidad del espacio en los tres libros es, como cabe suponer por los títulos, mayor que la del tiempo), constituye una de las principales líneas de fuerza de la dimensión simbólica del ciclo.

El propio escritor ha manifestado la importancia que tiene la topografía en sus cuentos: «[...] es importante para mí porque a través de ella trazo una invisible historia de la ciudad, al igual que los itinerarios de los personajes me sirven para definirlos. Creo también que estos recorridos por calles concretas dan una mayor verosimilitud y pueden lograr un acercamiento del lector a la acción literaria». Una importancia que percibe pronto el lector en la pertinencia de las descripciones y en la cantidad de topónimos: un estudio detallado de la toponimia de la trilogía en este sentido —son muchos los nombres concretos de calles, de barrios o de edificios mencionados pero no menos los que actúan en elipsis— podría abrumar al exégeta de Galdós. No obstante, como éste, pero evitando el detallismo costumbrista[123] (depurado desde *Inútiles totales*), Juan Eduardo Zúñiga rehuye la grandilocuencia descriptiva y la erudición localista gratuita, porque los lugares focalizados en estos cuentos no son los conocidos escenarios donde se dirimió la contienda —la armada de la Guerra Civil y la ideológica de la Posguerra— sino los domésticos reductos —el sustantivo «casa» es el segundo más mencionado, un total de 144 veces, en toda la trilogía— en los que se debatió la vida cotidiana en todos sus frentes[124]. Ya en las páginas iniciales del primer cuento

---

[123] Por ejemplo, el nombre de la mayoría de las calles que se mencionan es el mismo que tenían antes de la guerra y el que conservan en la actualidad, y el narrador en muy pocas ocasiones se refiere explícitamente a edificios que ya no existen. Como se verá más adelante, la renuncia al costumbrismo y al historicismo tiene que ver con una peculiar actitud estética y crítica del escritor ante la materia narrativa y ante la realidad.

[124] El propio escritor ha encarecido la imagen vitalista de la ciudad durante la guerra: «Durante los años del cerco, la capital de España fue un espacio excepcional donde coincidían reporteros gráficos y periodistas extranjeros, traficantes de armas, aventureros, representantes de organizaciones mundiales, miles de refugiados que huían de los combates, soldados que iban y venían a los frentes, cientos de brigadistas venidos de todos los países y toda

de *Largo noviembre de Madrid* la mirada del protagonista recorre el perímetro de la ciudad[125] siguiendo el sentido de las agujas del reloj y concentra todos sus contrastes. Dentro de ese círculo se contiene la diversidad de la capital y de su acontecer diario, los barrios humildes que fueron frente de batalla («Campos de Carabanchel», «Las enseñanzas») y poco después suburbios («Las ilusiones: el Cerro de las Balas», «Sueños después de la derrota»), los dédalos de sombra del núcleo urbano castigados sistemáticamente por los bombardeos[126] («Nubes de polvo y humo», «Noviembre, la madre, 1936», «Presagios de la noche»), el oasis de las zonas residenciales («Puertas abiertas, puertas cerradas», «Antiguas pasiones inmutables», «El último día del mundo», «Las huidas»), algunos edificios emblemáticos que vieron el sufrimiento, el idealismo y la vitalidad («Hotel Florida, Plaza del Callao», «10 de la Noche: Cuartel del Conde Duque», «Interminable espera», «Los deseos, la noche», «Ruinas, el trayecto: Guerda Taro»).

Con todo, la pluralidad y la recurrencia de escenarios no obedecen a una simple operación de *amplificatio* destinada a dotar de una pátina novelesca a los tres volúmenes de cuentos, sino que cobran sentido pleno en la medida en que se articulan, como otros elementos temáticos y estructurales de este ciclo de cuentos, atendiendo a la perspectiva dialéctica que otorga unidad al conjunto. De ese modo y con ese propósito se establece un complejo juego de correspondencias entre los diversos espacios —como con las situaciones

---

esta población, sufriendo las destrucciones, los bombardeos y la carencia de alimentos, y fundido con todo esto un ideal romántico: la búsqueda de la justicia y de la libertad. Como escritor he pretendido contar cómo se vivía en esa ciudad».

[125] «[...] su ciudad natal, pobre y limpia, pequeña, de aires puros y fríos, algunas avenidas, iglesias, ministerios, asentada entre campos yermos, rodeada de arrabales con nombres entrañables para los que vivieron su historia cotidiana: Guindalera, La Elipa, colonia Fritsch, Doña Carlota, Entrevías, La China, Usera, Carabanchel, altos de Extremadura, La Bombilla, Peñagrande, Tetuán, y ya más cerca, Cuatro Caminos [...]».

[126] Muchos personajes viven o pasan por el barrio de Argüelles, que fue castigado sistemáticamente por los bombardeos durante el cerco de Madrid y cuya población fue evacuada.

y los personajes— que fomenta, al servicio del significado de los cuentos y de su movimiento, la continuidad de las anécdotas y el contraste temático. Repárese, por ejemplo, en la coincidencia de la casa bombardeada en «Noviembre, la madre, 1936» y en «Ruinas, el trayecto: Guerda Taro» o en la evolución del barrio residencial de «Las huidas» y de «El último día del mundo». Se ofrece así una visión caleidoscópica y dinámica de Madrid que propicia un efecto de reconocimiento en el lector, quien, como en las novelas de Baroja o de Galdós, experimenta la ilusión artística de que a la ciudad y a sus habitantes se los conoce por la experiencia de la vida antes que por las añagazas de la ficción.

Poco tiene que ver entonces el Madrid de Juan Eduardo Zúñiga con la imagen de la capital creada por algunas novelas objetivistas ambientadas en los tiempos de la guerra o de la Posguerra; más que un terrario cuyo protagonismo es directamente proporcional a la cantidad de personajes despersonalizados que puede albergar[127], la capital es en la obra de nuestro escritor, como en las grandes novelas del siglo XIX, un organismo con vida propia que, como tal, sufre de modo diverso las vicisitudes de la historia: «una ciudad es siempre nutritiva sustancia literaria»[128]. Un Madrid trascendental, en consecuencia, que no sólo traduce el estado de ánimo de los personajes sino que interacciona con ellos preservando su propio carácter. Por eso tal vez la disposición estructural de los tres volúmenes coincide en otorgar un lugar determinado a la expresión del simbolismo de la ciudad. Así, el primer cuento de cada libro, en su calidad de «prólogo», alude al valor simbólico del espacio —en el que nos detendremos más adelante— y calibra el grado de identificación entre los personajes y la ciudad.

En «Noviembre, la madre, 1936» —primer cuento de *Largo noviembre de Madrid*— el propio título custodia entre las

---

[127] Camilo José Cela, verbigracia, en el prólogo a *Mrs. Caldwell habla con su hijo* (Barcelona, Destino, 1953), escribía sobre *La colmena*: «No presto atención sino a tres días de la vida de la ciudad, que es un poco la suma de todas las vidas que bullen en sus páginas, unas vidas grises, vulgares y cotidianas, sin demasiada grandeza, ésa es la verdad».

[128] En *El anillo de Pushkin, op. cit.*, pág. 30.

coordenadas temporales el símbolo de la urbe que ampara a algunos personajes[129], como al protagonista, un adolescente huérfano; en la confusión de los primeros ataques sobre la capital, la ciudad es «para unos sombrío matadero y para otros fortaleza defendida palmo a palmo». En *Capital de la gloria,* en cambio, ciudad y personajes aparecen identificados desde el principio: en «Los deseos, la noche», la pasión abortada de la joven protagonista coincide con el bombardeo del ejército rebelde contra el Museo del Prado; Madrid y sus habitantes aparecen aquí lacerados en igual medida por el cerco. No menos agostada está la ciudad en *La tierra será un paraíso,* en cuyo primer cuento, «Las ilusiones: el Cerro de las Balas», el protagonista busca motivos para permanecer en la capital arruinada por la guerra e identificarse con ella, a pesar de que sus encantos y su destino aparecen encarnados en la figura de una gitana esquiva.

Por otra parte, el penúltimo cuento de cada volumen (el último, en su calidad de epílogo, se centra más en la dimensión moral del conjunto) es una despedida de la ciudad mediante la que se sugiere su posterior evolución y la imagen simbólica que de ella habrá de quedar en la memoria.

«Heladas lluvias de febrero» está protagonizado por un brigadista que no quiere asumir la inminente rendición de la ciudad, porque si bien Madrid fue un reducto de sufrimiento también ofreció su abrazo protector; su trayecto finaliza junto a un cementerio destrozado que antes de desaparecer parece ofrecer una última utilidad a los vivos. Ambos simbolizan el carácter y el destino posterior de una ciudad que se defendió hasta el último momento. El larguísimo periplo del joven miliciano protagonista de «Ruinas, el trayecto: Guerda Taro» es semejante al del brigadista de *Largo noviembre de Madrid,* pues también transcurre cuando el ejército rebelde de Franco está a punto de tomar la ciudad y

---

[129] Como se dijo cuando se analizó *Misterios de las noches y los días,* el símbolo de la madre como «iluminadora de conciencia» es fundamental en la obra de Juan Eduardo Zúñiga. Asimismo, la identificación de la ciudad con una madre se da en otros relatos de la trilogía y en otros textos del autor. Véanse también, por ejemplo, Juan Eduardo Zúñiga, *El anillo de Pushkin, op. cit.,* pág. 29, y Juan Eduardo Zúñiga, *Sofía, op. cit.,* pág. 12.

Eloy (El-hoy) atraviesa con premura la urbe buscando una nueva identidad. Sin embargo, la memoria de este soldado sigue su propio camino evocando la figura de la fotógrafa alemana Gerda Taro, y con ella las imágenes de una ciudad que, pese a su desdicha anunciada, abrigó una extraña vitalidad y un raro heroísmo. En «Interminable espera», en cambio, la despedida de la ciudad no es dinámica, porque se alude a la larga pervivencia que tuvo el Madrid estancado y retroalimentado por los símbolos gloriosos impuestos por los nuevos tiempos, como los que ostentan los edificios que rodean la Plaza de Cibeles en la que dos hombres esperan largamente, sin que nadie lo perciba, la contraseña de una compañera de la lucha clandestina.

Los distintos valores simbólicos de Madrid que descubren los personajes en sus recorridos sirven, por tanto, para desvelar —por simpatía o por contraste— su propio carácter, y el cambio de espacios que con ellos se produce contribuye decisivamente al movimiento narrativo de los cuentos. No obstante, conviene reparar en que los propios trayectos[130] poseen también un valor *per se*, un significado fundamental para el pleno entendimiento del simbolismo de los relatos.

Hay un cuento de Juan Eduardo Zúñiga que no pertenece a la trilogía pero que explica con mucha claridad esto último: «Has de atravesar la ciudad y la noche»[131]. La protagonista es una joven repartidora de pizzas que recibe el encargo de los que prefieren sustituir la seductora invitación vitalista de la noche por un cómodo placebo digestivo. Subida a su moto recorre la ciudad y se pierde por el dédalo de sus calles; pregunta, sin fortuna, a los que esconden sus actos en la im-

[130] Sobre la importancia del camino en la literatura ha escrito el autor: «Así nace la pasión tan rusa de andar y andar. Caminar es una tarea: el ir de un sitio a otro es una penitencia, un gozo, una iniciación, un deber... que se vierte en provecho del que marcha y de los que con el viajero se cruzan...», en *El anillo de Pushkin, op. cit.,* pág. 148. El novelista Manuel Longares ha escrito un hermoso retrato de Juan Eduardo Zúñiga en el que alude a su afición de caminar Madrid: *Zúñiga,* en *El País (Madrid),* 23/II/2003.
[131] En «Madrid. Ciudad literaria», República de las Letras, 8, 2003, págs. 165-174.

punidad de la noche madrileña, hasta que encuentra a dos jóvenes con los que entabla una agradable conversación. Tras despedirse de ellos se desentiende de su ruta, se desprende del porte y hasta de su ropa, y así deja atrás unos edificios con las ventanas cerradas (el Palacio Real) y llega a un altísimo puente (el Viaducto) desde el que se pueden contemplar los barrios de la periferia, su vida «despierta y activa, rebosante de todo lo que alienta alegría, placer y juventud» (y opuesta a la apática sociedad del bienestar del núcleo urbano); ya sabe entonces que conoce «la ciudad, la noche, su tiempo».

El mensaje crítico y vitalista, el carácter de fábulas morales —en el que nos detendremos más adelante— que poseen los cuentos de Juan Eduardo Zúñiga, dependen en gran medida, como en el comentado arriba, de la comprensión simultánea de tiempo y espacio que, tras un trayecto iniciático, se cifra en la imagen simbólica de Madrid (espacio y tiempo aparecen unidos en los títulos de los tres volúmenes, por ejemplo). Y en este punto coincide, sin duda, el papel preponderante que Juan Eduardo Zúñiga otorga en sus cuentos al peregrinar de los personajes por la ciudad y a la dimensión simbólica de la capital con la categoría teórica de «cronotopo» propuesta por Mijaíl Bajtín: «Aquí el tiempo se condensa, se vuelve compacto, visible para todo arte, mientras que el espacio se intensifica, se precipita en el movimiento del tiempo, de la trama, de la Historia. Los índices del tiempo se descubren en el espacio, el cual es percibido y mensurado después del tiempo»[132]. La percepción sincrónica de espacio y tiempo que se da, en efecto, en el cronotopo (el *castillo* en la novela gótica, el *salón* en la novela realista, el *camino* en la novela picaresca o en la de aventuras, las *ventas* en *El Quijote*[133]), dice el teórico ruso, determina también la estructura de la narración[134] y el movimiento psicológico de los personajes; y no de otra manera en los cuentos de Juan Eduardo Zúñiga la percepción simbólica de Madrid y la ilu-

---

[132] M. Bajtín, *Teoría y estética de la novela*, Madrid, Taurus, 1978, págs. 237-238.

[133] Antonio Garrido Domínguez, *El texto narrativo*, Madrid, Síntesis, 1996, pág. 209.

[134] *Ibídem*, pág. 211.

minación moral de los personajes depende de la forma que adoptan esos recorridos: así por ejemplo, en el primer cuento de *Largo noviembre de Madrid* el protagonista atraviesa la ciudad de Norte a Sur y es al llegar al centro neurálgico de la capital (y del país) donde se ilumina su conciencia y siente «el abrazo protector» de una madre; asimismo, el cerco simbólico —y real— que ahoga a la «capital de la gloria» coincide con la ruta circular de la protagonista del primer cuento del volumen[135].

Por último, la topografía en los cuentos de la trilogía es importante porque, como decía el escritor, a través de ella traza «una invisible historia de la ciudad»; una historia secreta al menos en dos sentidos. Por una parte, sus cuentos (la trilogía entera) recrean con ambición (y efecto) de totalidad una de las etapas más importantes de la historia de Madrid, pero jamás se aprecia en ellos una voluntad cronística explícita (las narraciones no se remontan, por ejemplo, a los tiempos anteriores a la guerra para dar cuenta de los detonantes concretos) ni, menos aún, se perciben alardes costumbristas o documentalistas (los personajes reales son pocos y casi todos ellos han sido ignorados por la historia). Y tal vez todo ello responda, además de a razones estéticas, a la mirada crítica del autor de la realidad; como escribía sobre Larra[136], Juan Eduardo Zúñiga no se solaza en la anécdota folklórica o en la descripción del edificio emblemático, pero sí se sirve a menudo de ellos para soterrar una historia crítica de la ciudad.

---

[135] Se puede consultar el estudio sobre la estructura circular de «Puertas abiertas, puertas cerradas», de E. R. Carmona y E. C. García, «Open Reading of a Closed Text: Zúñiga's "Puertas abiertas, puertas cerradas"», en Y. Tobin, (ed.), *From Sign to Text. A Semiotic View of Communication*, Amsterdan y Filadelfia, John Benjamins, 1989, págs. 235-251.

[136] «[...] en Larra no hay pintoresquismo ni anécdotas, ni interés por el *folklore*. A diferencia de Mesonero Romanos, que al hacer sus crónicas madrileñas se vuelve con frecuencia al pasado, Larra es un cronista de la pura actualidad. Parece como si no le interesase la historia de Madrid; él no presenta un cuadro de costumbres, sino que éstas le sirven para referirse a sus causas originales, algo que trasciende la mera crónica local y alcanza el nivel de crítica social» (Juan Eduardo Zúñiga (ed.), *Artículos sociales de Mariano José de Larra, op. cit.*, pág. 10).

Sólo considerando esta renuncia de Juan Eduardo Zúñiga al costumbrismo ostentoso y a la crónica explícita —aún impopulares en ciertos ámbitos— se puede entender que no haya sido valorada en su justa medida la imagen tan rica y trascendental, tan comprensiva y dignificadora de Madrid que su obra ha legado a la memoria histórica de la ciudad.

Dimensión simbólica y perspectiva crítica

Como recordaba Arturo del Hoyo, ya desde sus inicios la escritura de Juan Eduardo Zúñiga se distinguía por una «tenuidad brumosa», por su tendencia a bordonear parcelas secretas de la realidad que, opacas a la luz de la razón o triviales a juicio del entendimiento, la memoria confina al tacho de lo prescindible. Como se ha visto en páginas precedentes, seguir la trayectoria de Juan Eduardo Zúñiga es asistir al paulatino y creciente asedio de esas regiones herméticas en las que se incardinan las pasiones inciertas del alma humana y los no menos recónditos mecanismos que rigen las convenciones sociales y políticas; zonas enigmáticas que se han sustanciado en sus textos bajo una dimensión simbólica tanto más trascendente cuanto más ha ido disipando sus fronteras con el realismo en el que se integra[137].

Los símbolos de Juan Eduardo Zúñiga, como cualquier arcano, conectan con valores estéticos y significativos de alcance universal pero responden también a la visión del mundo del escritor y revelan la realidad de su época de forma polivalente. La función gnoseológica que todo símbolo comporta, en la medida en que sirve para salvaguardar la continuidad de los significados de las contingencias del

---

[137] El escritor ha dicho: «No veo mucha diferencia entre la imaginación y la vida real, porque la fantasía también se nutre de los datos que llamamos comprobados» (en Miguel Bayón, *op. cit.*), y «Para mí la percepción de la realidad no es totalmente diáfana, transparente. Todos estamos abrazando una especie de camino dificultoso, de niebla, que va poco a poco abriéndose según progresa el hombre, con un gran esfuerzo intelectual e incluso científico» (en Javier Goñi, *op. cit.*).

tiempo, se orienta en su obra a la reivindicación de la memoria histórica —así, por ejemplo, la pervivencia simbólica de Larra en *Flores de plomo*— y de ese valor cognitivo se deduce siempre y necesariamente un valor pedagógico y crítico (político y moral) —la ramita de coral como símbolo de la disidencia en *El coral y las aguas*— en cuanto que esos valores atemporales ponen en evidencia determinados descalabros de la historia y sacan a la luz las máscaras que en ciertos momentos embozan las conciencias. Desde este punto de vista, ya se dijo, todos sus cuentos pueden y deben ser leídos como fábulas morales[138], enseñanzas —sin moraleja explícita[139]— de cuyo significado simbólico se deriva también un efecto terapéutico para algunos personajes (y para el lector) relacionado con la comprensión del destino.

La singularidad de la obra de Juan Eduardo Zúñiga —la «rareza» en la que insisten proverbialmente los críticos— se fundamenta en su capacidad de promover esa dimensión mistérica de la vida no ya sin asumir el divorcio de realismo y fantasía que —en mayor o menor medida— caracteriza al cuento de corte fantástico, sino por no tener que renunciar siquiera, adscribiéndose al ámbito de la fábula moderna en la que ambas dimensiones conviven sin estridencias, al realismo más estricto —el nutrido por la memoria y por la visión crítica de la realidad—, y los cuentos de la trilogía son la mejor prueba de ello. Asimismo, *Capital de la gloria* representa —de momento— el último hito de una línea evolutiva que, sin renunciar a unos parámetros fijos, está marcada por la forma de articular ambas dimensiones.

En los cuentos de *Largo noviembre de Madrid* se pueden percibir con cierta nitidez las fronteras de ambos territorios: los misterios de las «noches» contrastan con las certezas de los «días», lo que otorga al volumen una pátina de realismo mágico que ya sorprendió a la crítica en el momento de su

---

[138] Este subtítulo llevan algunos artículos que el escritor ha ido publicando en *El País*.

[139] Sobre la ausencia de moraleja explícita en las fábulas modernas, cfr. Enrique Turpin (ed.), *Fabula rasa*, Madrid, Alfaguara, 2006.

publicación[140]. De hecho, el propio simbolismo del tiempo reserva para la noche y el sueño —a la manera de Fray Luis o de San Juan— los valores de paz y de sosiego —la oportunidad, también, para el desarrollo de las pasiones— que mitigan los infortunios cotidianos y descargan la conciencia de su alienación diurna[141]. Y parecido desdoblamiento afecta al espacio, pues de la noche a la mañana la ciudad se ha transformado en un lugar de simbolismo ambivalente: Madrid es un «laberinto» que encierra la destrucción y la muerte, pero también una «fortaleza» que cobija con el abrazo protector de una «madre». En este punto resultaría muy iluminador observar el simbolismo de las casas —el espacio de referencia de la intrahistoria— al hilo de las teorías de Gaston Bachelard[142]. En muchos cuentos se percibe, por ejemplo, la «maternidad de la casa» («Noviembre, la madre, 1936»), la «rivalidad dinámica de la casa y el universo» —las casas bombardeadas de «Ruinas, el trayecto: Guerda Taro» o de «Nubes de polvo y humo»—, en muchas otras se niega el valor del «nido» y se produce el parricidio o la traición; los refugios adquieren casi siempre los valores del «sótano» (que cobija las pasiones primarias), e incluso hay casas «universo», como la de «Un ruido extraño», que cifra la naturaleza trágica de la Guerra Civil que asoló a todo el país.

Pero tal vez los motivos simbólicos que más contribuyen a evidenciar esa aparente dualidad de *Largo noviembre de*

---

[140] Antonio Muñoz Molina, por ejemplo, ha recordado que «eran de los pocos relatos españoles [los de *Largo noviembre de Madrid*] que podían compararse con los que tanto nos gustaban entonces de la literatura hispanoamericana».

[141] «Hay que dormir, dormir, dejar que los párpados se cierren para olvidar los horrores de aquel tiempo, la pasión de matar y la sed inextinguible de riquezas» (en «Nubes de polvo y humo») o «el sueño fue entregando a cada uno su fabulosa felicidad; una gota en cada ojo daba fin a las furiosas pasiones, a los estremecedores presagios que a todos oprimían, y remansaba las rígidas decisiones y un estado de pureza se posesionaba de los oficiales en sus catres, de los soldados en sus jergones, y les mudaba en otros hombres, más sinceros y de mayor benévola comprensión» (en «10 de la noche, Cuartel del Conde Duque»).

[142] Gaston Bachelard, *La poética del espacio* (1957), México, Fondo de Cultura Económica, 2000.

Madrid sean los augurios, cuya recurrencia conforma uno de los principales motivos del libro. Son muchos los personajes que buscan en determinados objetos (en una copa rota, en una esquirla de un obús, en un arcano del tarot, en una dentadura[143], etc.) presagios que les muestren el signo de su tiempo y los amparen así de la azarosa fatalidad. A la postre, esos anuncios pueden ser indicios espurios, meros placebos, pero la propia aparición de esas percepciones constituye *per se* uno de los primordiales símbolos del volumen, pues representa la incertidumbre del futuro que define el estado de conciencia[144] de casi todos los personajes, quienes, por su desolación y por su desconcierto, se confían a una lógica rayana en la superstición y se entregan a la vivencia de una atmósfera sombría y misteriosa que contrasta con la severa realidad.

Por último, la misma naturaleza de placebos tienen determinados objetos —recurrentes en toda la trilogía— para algunos personajes, aunque éstos no buscan en ellos, como en los augurios, una explicación racional para combatir su miedo, sino la certeza de la supervivencia a toda costa o la satisfacción de instintos primarios que la guerra saca a la superficie. Así por ejemplo, muchos ansían el oro, las joyas o el dinero, pero éstos, símbolos utilizados atávicamente por la cobardía y la codicia, sólo conducen a la traición o al asesinato.

A primera vista, en *La tierra será un paraíso* la dimensión simbólica no es tan determinante como en *Largo noviembre de Madrid*. Pero se trata sólo de una apariencia. El propio título alude a un símbolo de no poca trascendencia y tradición en el imaginario colectivo: el paraíso es el símbolo de

---

[143] En «Aventura en Madrid» y en «Presagios de la noche»; en «Hotel Florida, Plaza del Callao»; en «Nubes de polvo y humo» y en «Presagios de la noche»; en «Nubes de polvo y humo»; respectivamente.

[144] Ha dicho el autor: «En ciertas épocas nos movemos en un ámbito brumoso que se refleja en la misma incertidumbre de nuestro comportamiento; y los caracteres y rasgos de ese ámbito de la guerra se prestaban, o así lo entendí yo, para dar a los cuentos la peculiar calidad que yo buscaba, una atmósfera lóbrega, un cierto misterio incluso» (en Antonio Núñez, *op. cit.*).

la utopía por excelencia, y sin embargo, muy poco tiene que ver el Edén al que se refiere este libro con las cristalizaciones que de las diversas utopías (cultas o populares) han ofrecido la religión y el arte a lo largo de la historia, ya que el espacio de referencia es aquí un Madrid devastado por la guerra, una ciudad en ruinas que ya no ofrece siquiera la protección de una madre o de una fortaleza, sino que está simbolizada en el primer cuento del volumen («Las ilusiones: el Cerro de las Balas»), en contraste con los brillos de algunas ciudades europeas que invitan al exilio, por la desarrapada figura de una gitana[145], de una gitana esquiva.

Ese carácter huidizo de la ciudad que se transforma corre parejo además a la inminencia del olvido que imponen los nuevos tiempos[146], por eso los personajes que viven en la clandestinidad apenas son capaces de vislumbrar símbolos que les permitan entender su presente[147]. Algunos de ellos, sin embargo, llegan a comprenderlo mediante unas octa-

---

[145] Dice el narrador protagonista: «Ir a la gitana sería el tolerar y amar una patria ruin y pobre, arisca y áspera, [...] y obligar a mi tierra a recibirme tan inhóspita y tan enemiga y establecer un acuerdo de supervivencia». A propósito de la presencia de gitanas en los cuentos de *Misterios de las noches y los días*, que se comentó aquí, el propio autor ha aclarado su valor simbólico: «[...] yo he compartido con los rusos una pasión por los zíngaros. En la posguerra recuerdo una tribu que acampaba por el barrio madrileño de Tetuán de las Victorias, y cómo un amigo y yo los visitábamos fascinados. En Rusia, los zíngaros, su música y su danza, siempre simbolizaron la libertad, y sus mujeres eran acaso menos severas que las gitanas españolas y, por supuesto, que las mujeres integradas en la sociedad. De ahí viene mi deseo de homenajearlas literariamente» (en Antonio Núñez, *op. cit.*). La gitana de este cuento, que simboliza la España de la Posguerra, contrasta con Sofía, también nombre de mujer, que representa para el protagonista la tentación del exilio. A lo largo del cuento numerosos elementos fomentan ese contraste, como el cinc de los tejados de la capital búlgara y el del mostrador de la pobre taberna en la que el protagonista espera a la gitana.

[146] En el hermoso «El último día del mundo» es toda una generación, la de los hijos de familias modestas educados con la Institución Libre de Enseñanza, la que comprende su anacronía.

[147] «Había tanto sigilo que nadie se atrevía a penetrar la esencia escondida de los hechos o de las intenciones, el porqué de unas figuras desgastadas en el frontón de la fachada o qué ocultaba el afán incontenible de dinero o, en las ambiciones de la época, cuánto había de inapelable destino y cuánto de voluntariosa decisión» (en «Antiguas pasiones inmutables»).

villas, esperando al enlace de la resistencia del exilio o buscando un maestro en un grupo de teósofos, porque estos símbolos, aunque de naturaleza leve y precaria, les permiten mantener viva la llama de la memoria, establecer vínculos de continuidad con un tiempo —el de la Guerra Civil— en el que, a pesar de los sufrimientos, alcanzaron su más alta dignidad o simplemente desarrollaron con plenitud sus pasiones; y así, en contacto con ellos, se pueden entregar a la difícil búsqueda de la felicidad[148] y contribuir a la esperanza de la utopía.

La integración de los símbolos en el decurso de los recuerdos o de los sueños es la que parece difuminar aparentemente los contornos del simbolismo en *La tierra será un paraíso;* y sin embargo, tal vez ninguno de los libros de Juan Eduardo Zúñiga explique mejor que éste su particular poética de la ficción; como dice el narrador de «Interminable espera» al recordar a los que sufrieron la clandestinidad, «el sentirse perseguidos les hizo cautelosos y el ser portadores de mensajes reservados a través de una ciudad enemiga, les obligó a hablar con voz mesurada y recubrir de un disfraz alusivo las conversaciones en público para que nadie comprendiera nunca lo acordado [...], y sólo un iniciado, conocedor de los términos habituales, podría atisbar cuál era su auténtico pensar»[149].

Con *Misterios de las noches y los días* ofreció Juan Eduardo Zúñiga las claves de su hermetismo y el código de interpretación de sus símbolos, y tal vez por eso en los dos libros que publicó a continuación, *Flores de plomo* y *Capital de la gloria,* el autor se pudo instalar ya en un territorio franco que disipaba completamente las aristas de ambos territorios. La comparación de *Capital de la gloria* con los otros dos libros que componen la trilogía, sobre todo con *Largo no-*

---

[148] «[...] la felicidad debe buscarse afanosamente, corriendo riesgos, porque nadie vendrá a regalárnosla y tendremos que ir a ella y arrancarle unas migajas de alegría, de seguridad, de satisfacción» (en «Interminable espera»).

[149] Ese contenido hermético, latente en toda la obra de Juan Eduardo Zúñiga, aparece tematizado en casi todos los cuentos de este volumen, especialmente en el relato central, «Camino del Tíbet».

viembre de Madrid, puede ayudar a comprender las consecuencias de esa depuración estética. El primer cuento del volumen, «Los deseos, la noche», sirve de ejemplo. La protagonista camina por la ciudad acuciada por el deseo y amparada en el simbolismo de la noche, «que siempre presintió acogedora del amor», como parece acentuar en sus labios la canción de un «poeta»[150], pero en su periplo recibe la negativa de cuantos hombres solicita, así que, buscando al menos una comprensión fraternal, visita a su tío, pintor y amante no correspondido como ella. Ya en la calle y en plena noche, ambos asisten al bombardeo del Museo del Prado y observan que la luz de los proyectiles blanquea las nubes poniendo un contrapunto cegador a la negrura del cielo. Las diferencias con *Largo noviembre de Madrid* son evidentes: el poder simbólico de la noche ha cambiado (ya no es un territorio distinto del «día», sino que éste se ha integrado en ella cuestionando su señorío), pero sobre todo han cambiado los recursos del escritor para sugerir el simbolismo: apenas una pincelada impresionista le basta —a simple vista— para sugerirle al lector la completa alianza simbólica de personajes, ciudad y tiempo, todos ellos identificados en igual medida por el desgaste al que les somete el cerco[151].

---

[150] Se trata de «La canción de la noche», de F. Nietzsche, que se encuentra en la parte segunda de *Así habló Zaratustra,* y la glosa que allí se hace de la canción sirve mejor que ninguna otra para explicar buena parte de la dimensión trágica de *Capital de la gloria:* «Aun la más honda melancolía de este Dioniso se torna ditirambo; tomo como signo *La canción de la noche,* el inmortal lamento de estar condenado, por la sobreabundancia de luz y de poder, por la propia naturaleza solar, a no amar».

[151] Como sucedía con el «noviembre» de *Largo noviembre de Madrid,* aquí el cerco expresa el tiempo simbólico de la derrota, no el tiempo en el que se ambientan las fábulas, pues algunos cuentos, como el primero, se sitúan en los primeros meses de la guerra. El trayecto circular de la protagonista alude a la influencia de ese círculo opresor. Asimismo, en el largo camino de despedida de la ciudad del protagonista de «Ruinas, el trayecto: Guerda Taro» se recuerda a la fotógrafa y el narrador homenajea a muchos otros fotógrafos. Las reflexiones de Guerda sobre la importancia del arte fotográfico en la guerra tiene muchos puntos en común con el conocido símil que hiciera Julio Cortázar del cuento con la fotografía.

Esa comunión simbólica se percibe con mucha claridad en el valor arquetípico de los personajes. Ya no son seres desvalidos o atemorizados por sus conmociones íntimas que se defienden en una atmósfera romántica buscando espacios, augurios u objetos garantes de la supervivencia, que en este libro, cuando aparecen, no se pueden o no se quieren entender, sino que, mucho más resignados, pero por ello mismo mucho más libres, dan rienda suelta a unas pasiones que, malogradas sin remedio, los convierten en símbolos del drama colectivo. De ahí la notable presencia de brigadistas o de periodistas internacionales que encontraron la muerte en Madrid (Hans Beimler en «Los mensajes perdidos», Julien Bell en «Las huidas» o Gerda Taro en «Ruinas, el trayecto: Guerda Taro») o de los propios madrileños que, desde la retaguardia y sin llegar a entender las causas de la guerra, encarnaron el destino de su ciudad y de su tiempo, como «Rosa de Madrid» o la madre de «El viaje a París». El autor ya no necesita «defender» o «salvar» argumentalmente, como en *Largo noviembre de Madrid,* a los personajes que actúan movidos por causas justas y nobles (como tampoco necesitaba la presencia de Larra en *Flores de plomo* para convertirlo en arquetipo de la disidencia) porque su propio valor simbólico, su «vivir», sobra como prueba de su grandeza: son ellos mismos, con su inmolación desinteresada en aras de la felicidad, los que justifican el verdadero significado emblemático de esta «capital de la gloria».

Como se ha insistido en estas páginas, para Juan Eduardo Zúñiga la obra literaria es «un mensaje iluminador de conciencias», y la dimensión simbólica de sus ficciones, en su calidad de fábulas morales, así lo ratifica. Pero el entendimiento, el juicio, está emparentado (etimológicamente) con la crítica, por eso sus obras no ocultan el punto de vista ideológico ni la visión crítica de la realidad, aunque no sean sólo éstos los que las motiven ni los que calibren su valía estética. En este sentido, el peculiar estilo alusivo del autor, su utilización de la dialéctica en la expresión de determinados contenidos políticos[152] o su mirada crítica pero comprensiva —cervantina— hacia

---

[152] Son varios los cuentos en los que el narrador, que se identifica con el autor implícito, como veremos, da cuenta explícita de ciertas contradiccio-

los personajes permiten revertir sobre su *modus operandi* las palabras que él mismo dedicó a Chejov:

> [...] creó, con un estilo sencillo, el método de dar un contenido ideológico sin que éste aplaste la belleza. Tal idea vive latente, sin asomarse nunca a la superficie, y sería digno de estudio si no son ajenas a la utilización de este sistema las condiciones políticas por las que pasaba Rusia en ese momento[153].

Quien se detenga a analizar la obra de Juan Eduardo Zúñiga bajo este prisma podrá percatarse de cómo la manifestación de esos mensajes críticos ha seguido también —dentro de unos parámetros fijos— el camino de la estilización, hasta culminar en una ironía casi imperceptible. *Capital de la gloria,* ya se ha dicho, contiene en el propio título, además de un homenaje, una ironía. Una ironía porque Juan Eduardo Zúñiga, que sin duda suscribe, e incluso acentúa, los versos efusivos de Rafael Alberti, también desmitifica sutilmente —como lo hizo en *Flores de plomo*— la ingenua y frívola imagen épica de la capital sitiada a la que esos versos (y otros muchos), con la perspectiva del tiempo transcurrido, han podido dar pábulo. De ahí, por ejemplo, que en este libro se muestren también las disputas internas de los defensores de la capital[154] y sus excesos[155], o que los homenajes recaigan en héroes olvidados[156]; de ahí también, en definitiva, el tono implacable (y orgulloso) de la advertencia

---

nes ideológicas: véanse, por ejemplo, «Interminable espera» o «Camino del Tíbet».

[153] Juan Eduardo Zúñiga (ed.), *Cuentos completos de A. Chejov, op. cit.,* pág. 5.

[154] En «Ruinas, el trayecto: Guerda Taro»; en el último cuento de *Capital de la gloria,* el niño que entra a una escuela libertaria (anarquista y gratuita) dice, entusiasmado por reconocer en un mapa la referencia de las consignas comunistas que ha oído en la calle: «—Rusia», a lo que el maestro responde: «—No me interesa eso»; poco más tarde los aviones alemanes bombardean la escuela. El cuento se titula «Las enseñanzas».

[155] Como en «Patrullas del amanecer», por ejemplo.

[156] Hans Beimler, por ejemplo, murió por un fallo de intendencia; Julien Bell y Gerda Taro perecieron por accidentes poco acordes con el heroísmo de sus vidas.

de la madre de «Las enseñanzas»: «Esto es la guerra, hijo, para que no lo olvides».

Los personajes y «el cuento de nastraiénie»

La esencialidad propia del cuento, que en principio no favorece la profundización en los caracteres ni el relato de su evolución psicológica, y la recreación de acontecimientos históricos bajo una perspectiva crítica y simbólica podrían generar el falso prejuicio de que los personajes de la trilogía carecen de envergadura psicológica digna de mención. Sin embargo, el interés de Juan Eduardo Zúñiga por sondear los misterios íntimos del ser humano —de la vida— es una obsesión que contienen todos sus escritos[157]. Ha analizado y valorado en sus ensayos la capacidad de los escritores rusos para llegar a esas simas psicológicas y en toda su obra de ficción ha desarrollado esas contradicciones fomentando la interacción de los personajes[158], provocando la dialéctica y el desdoblamiento y, sobre todo, iluminando de manera simbólica y arquetípica lo que se esconde bajo las máscaras[159].

En este sentido, las condiciones extremas de la guerra y de la Posguerra en la vida cotidiana instituyen en los tres libros del ciclo atmósferas propicias para que, dislocada la conciencia y anestesiada la razón, la fragilidad de los personajes muestre sus más reservados sentimientos. Así, y aunque en cada libro el clima moral es distinto y cada personaje es único[160],

---

[157] «Incluso en escritores que narran costumbres o hechos concretos se percibe una propensión a estudiar la psicología de quien ofrece su trémula interioridad a la mirada atenta» (en *El anillo de Pushkin, op. cit.,* pág. 155).

[158] Repárese en los juegos con el punto de vista de «Joyas, amor, las ambulancias» o de «Camino del Tíbet», por ejemplo.

[159] De uno de sus cuentistas admirados, Sherwood Anderson, ha dicho el escritor: «Me dio una norma para situarme ante el cuento, porque no es solamente mirar con ojos comprensivos al que está delante, sino calar en lo más secreto, aquello que nos quiere ocultar. Esto me dio una pauta para mis cuentos» (en Javier Goñi, *op. cit.*).

[160] El valor simbólico o arquetípico de los personajes (hay parejas de hermanos que representan el odio cainita, madres protectoras, soldados,

casi todos ellos comparten una misma voluntad atenazada por la desolación moral que los rodea, por una peculiar melancolía barojiana que infunde a los cuentos, más allá del contenido de las anécdotas, una «forma» peculiar que muestra su parentesco literario. Las propias palabras del escritor sobre los cuentos de Antón Chejov son más que aclaratorias:

> [...] una de las más valiosas cualidades de la obra chejoviana: la de transmitir los sentimientos descritos a los lectores, por diferentes que éstos sean. Es el cuento de *nastraiénie,* palabra rusa de difícil traducción, que expresa el estado de ánimo, la predisposición, una situación especial del espíritu que generalmente es creada por la añoranza o el anhelo, la melancolía y la contemplación de la Naturaleza.
> No es que Chejov sea el único que haya logrado esta calidad psicológica en su obra; otros escritores —y especialmente rusos— la consiguen, y al decir esto no se ha de pensar que es un recurso o ardid literario, pues solo emana de una íntima y singular versión que el escritor da de su sensibilidad [...] Uno de los motivos por los que se ha atribuido a Chejov influencia sobre autores anglosajones —el crítico Manuilov se refiere a Sherwood Anderson, Priestley, Katherine Mansfield— pudiera hallarse en que éstos tienden a análisis psicológicos que crean un clima de *nastraiénie;* es ésta la mayor influencia de Chejov en la literatura moderna[161].

Si como quiere Ricardo Piglia[162] la historia secreta del cuento determina su forma, en los de Juan Eduardo Zúñiga —como en todos los que se adscriben a la tradición moderna del género que inaugura Chejov— es también ese «clima de nastraiénie», que se cifra, como hemos visto, hermética y simbólicamente, el que marca los límites del relato. Por eso los cuentos no acaban cuando termina la peripecia, sino en el momento en que se resuelve el significado moral que informa la fábula.

No debe deducirse de lo dicho que los cuentos de Juan Eduardo Zúñiga —ni siquiera los de la trilogía— promue-

---

ciegos, etc.) no impide que cada cual albergue contradicciones y esperanzas propias; sin duda es sólo un dato anecdótico, pero el sustantivo más repetido en toda la trilogía es «mano» (341 veces).

[161] Juan Eduardo Zúñiga (ed.), *Cuentos completos de A. Chejov, op. cit.,* pág. 14.

[162] Ricardo Piglia, «Tesis sobre el cuento», en *Formas breves,* Barcelona, Anagrama, 2000.

van un mensaje de pesimismo, pese a que al escritor siempre le han interesado los seres humanos desvalidos *(Inútiles totales)*, oprimidos *(El coral y las aguas)*, desconcertados *(Largo noviembre de Madrid)*, idealistas *(La tierra será un paraíso)* o derrotados *(Capital de la gloria)*. Porque si bien algunos de ellos se abandonan al destino, hay muchos otros que se sobreponen a él, aunque no siempre sean conscientes de ello, con la especial lucidez que obtienen de su propia precariedad o al amparo de determinados símbolos —ellos mismos lo son también— que cifran el deseo, el amor, el trabajo, la solidaridad o la memoria. Son éstos, en definitiva, los que encarnan y avalan el mensaje de optimismo y sobre todo de vitalismo —casi siempre extraños, curiosamente, a la narrativa de intención crítica— que, aun en sordina, alienta toda la obra de Juan Eduardo Zúñiga[163], de quien se puede decir ya que no sólo por el cuidado de la expresión literaria, sino también por el contenido de sus mensajes, ha dignificado los principios ideológicos de la desprestigiada «literatura social».

El discurso narrativo

Cuando en páginas precedentes se analizó el tratamiento del tiempo y del espacio narrativos ya se señaló el papel sobresaliente que tiene el discurso narrativo en la configuración las tramas de los cuentos y en la orquestación estructural de la trilogía, pero no por ello conviene olvidar su intrínseco valor estético, que merece una especial atención porque además de que —como quiere la crítica estilística— la forma es el contenido, como bien censura José Antonio Escrig Aparicio[164], siendo para Juan Eduardo Zúñiga la palabra literaria la herramienta más eficaz para iluminar símbolos y misterios y custodiar funestos episodios de la Historia para que la realidad no los repita, la crítica se ha limitado a ponderar la excelencia artística del lenguaje sin explicar su origen ni sus mecanismos.

---

[163] Recuérdese, por ejemplo, el final de *El coral y las aguas*.
[164] José Antonio Escrig Aparicio, *op. cit.*

El propio escritor ha recordado la motivación y la naturaleza de ese estilo —«alusivo más que explicativo»[165]— ya perfilado en *Inútiles totales* y consolidado en *El coral y las aguas*— cuyo rasgo principal es su poder de sugerencia y de evocación, cualidades que lo hermanan con la expresión lírica —un parentesco sustancial al género— y que se manifiesta en una serie de estilemas característicos de la prosa de Juan Eduardo Zúñiga que adquieren especial relevancia en cada uno de los libros de la trilogía. Veamos algunos ejemplos. Una de esas intensificaciones, atribuibles a la renuncia del escritor por los «tiempos fuertes», se puede percibir en *Largo noviembre de Madrid* en relación a la peculiar utilización de las formas verbales en condicional. No son pocas las ocasiones en las que Juan Eduardo Zúñiga juega con el valor de estas formas[166]; por un lado, se sirve del valor temporal del condicional como futuro hipotético, es decir, como expresión de una acción futura con relación al pasado: «No se oía un disparo, ni una voz, ni un auto... El soldado avanzaría por calles desiertas, pegado a la pared, sorteando grandes hoyos en el suelo. En un cruce dirigiría su mirada hacia la izquierda [...]»[167] que propone la continuidad potencial de la acción; pero por otra parte, el contexto sugiere que esa forma verbal es también la que corresponde a la apódosis de una oración condicional (pasaría todo eso si...) cuya prótasis, sin embargo, se elide premeditadamente. En el ejemplo citado hay que llegar hasta el final del cuento para entender

---

[165] «Te contaré que siendo yo muy joven cayó en mis manos un periódico francés en el que se publicaba la necrológica de cierto personaje. El autor cuenta que llega a una casa solitaria, entra en ella y, al recorrerla, va encontrando los rastros de una persona querida, que ya no está allí, pero que dejó sus recuerdos más personales, por los que puede ser identificada. Esta forma tan sutil y bella de comunicar la muerte de alguien fue para mí la súbita invitación a un posible estilo literario que he perseguido a partir de entonces» (en Antonio Núñez, *op. cit.*).

[166] Como decíamos, no es un rasgo estilístico exclusivo de este libro; recuérdese, por ejemplo, como caso igualmente representativo, el del final del primer cuento de *Flores de plomo*.

[167] Un caso extremo de este recurso es el de «Ventanas de los últimos instantes», en el que prácticamente todos los verbos con los que se narra la acción principal están en condicional.

en qué grado esa condición elidida determina el significado de la acción y de la fábula. De este modo tan sutil —y con la ayuda de otros estilemas recurrentes, como el adverbio de duda «acaso»— se sitúa muchas veces el narrador en la frontera difusa que separa la potencialidad de la irrealidad, o lo que es lo mismo, la narración discurre por el filo de la navaja que impone el tiempo de la contingencia, que es en definitiva, como vimos, el tiempo simbólico que inspira la atmósfera de este libro.

En *La tierra será un paraíso* ese modo indirecto de decir alcanza tal vez los límites de su intensificación lingüística, pues recae en la distribución sintáctica y en la expresión perifrástica de la narración la potestad de reproducir el aliento que preside el volumen, el de sustanciar el tiempo oscuro de la clandestinidad y del hermetismo ofreciendo libre el camino a la expresión de las confesiones secretas. La prosa adquiere en este volumen, por tanto, un sentido «orgánico» —conviene recordar que el escritor ha dicho del cuento: «en principio es la medida de mi respiración»— que se manifiesta en la amplitud y en la complejidad de los periodos sintácticos, pero sobre todo en su perfecta adecuación al ritmo de la prosodia del narrador, cuyo discurso explora todos los meandros en los que deriva la memoria y no se arredra, por ejemplo, ante normas ortográficas (la coma entre sujeto y predicado sin que medie cláusula alguna) en aras de otorgar carta de autenticidad a la cadencia confesional. Porque de confesiones se trata, el barroquismo del discurso narrativo no está supeditado al mero atildamiento retórico, sino que obedece al criterio impredecible, pero no arbitrario (se rozan los límites del anacoluto pero nunca se cae en él), que marca la dialéctica entre el tiempo de la memoria y el de la esperanza; solidario con los personajes que sobreviven en un tiempo baldío, luchando por ilusiones y utopías y solicitados por el recuerdo del pasado reciente, el discurso narrativo de Juan Eduardo Zúñiga se flexibiliza en este libro para integrar lingüísticamente esos vaivenes que sufre la conciencia. Repárese, por ejemplo, en que prolepsis y analepsis se integran alternativamente en el presente de la narración dentro de un mismo periodo sintáctico.

A poco que se coteje el discurso narrativo de *Capital de la gloria* y el de *La tierra será un paraíso* se percibirá que Juan Eduardo Zúñiga parece transitar, sin renunciar a las líneas maestras de su estilo, por sendas más transparentes y lineales de expresión. Una simplicidad (que no simplismo) engañosa, pues bajo ella se encubre la presencia del «yo» narrativo al que nos hemos venido refiriendo en páginas precedentes y que es oportuno analizar ahora con más detenimiento.

Como se dijo, Juan Eduardo Zúñiga ha escrito la trilogía desde el recuerdo de lo vivido y desde los diferentes estadios en los que se ha detenido su memoria; la interiorización de la materia narrativa, junto a la naturaleza versátil de la rememoración, otorgan a la trilogía y a cada uno de sus volúmenes su particular impronta estética y significativa. No obstante, es preciso señalar que todo ello no sólo se deduce de datos biográficos o contextuales ajenos a la inmanencia de los textos, sino que también se manifiesta *narrativamente* en la presencia de una serie de voces de las que se induce la sombra del «autor implícito»[168].

Son muchos los cuentos de la trilogía, en efecto, relatados por un narrador omnisciente (entra, por ejemplo, en los sentimientos y en los pensamientos de los personajes) que sin embargo declara —sobre todo al final de los relatos— su condición de testigo de los hechos narrados; asimismo, hay narradores que se presentan desde el principio como testigos de lo narrado pero atestiguan lo que jamás podrían haber sabido como tales[169]. Por tanto, y en virtud del pacto narrativo, la verosimilitud de estos cuentos descansa necesariamente en la identificación de esos narradores con los «autores implícitos representados» de los cuentos; esto es, al no relatar sólo sus vivencias sino que las ofrecen enriqueci-

---

[168] Cfr. José M.ª Pozuelo Yvancos, *Teoría del lenguaje literario,* Madrid, Cátedra, 1994 (4.ª ed.).

[169] Por ejemplo, el narrador de «Calle de Ruiz, ojos vacíos» se presenta como un narrador testigo que recuerda su encuentro con el protagonista. Sin embargo, relata acontecimientos —previos al encuentro o simultáneos en el tiempo pero lejanos en el espacio— que él no ha podido ver ni saber de ningún modo.

das o transformadas por la imaginación o por la información proveniente de otras fuentes, se declaran creadores *de facto* de los cuentos.

Por otra parte, es lógico que de la coincidencia en el tono y en los juicios de esas voces se infiera la existencia de una «voz» única que las gobierna, la del «autor implícito no representado», es decir, la imagen que *del texto* se abstrae del autor real (Juan Eduardo Zúñiga), a la que se asocia en último término la distancia crítica y afectiva y el «telón moral»[170] desde los que se leen todos los cuentos.

Largo noviembre de Madrid está escrito en una época en la que los cambios políticos parecían dejar expedito el camino de la reivindicación de la memoria histórica desde perspectivas críticas diferentes a la visión única de la dictadura, y los juicios y opiniones de los narradores coinciden en querer apresar y justificar el comportamiento de la ciudad que se defendió de los ataques entre el miedo, el desconcierto y el heroísmo.

Tal vez porque ya en los años noventa se pudo ver que esas expectativas no se habían cumplido y la intención de «pasar página» borraría especialmente la memoria del tiempo de la clandestinidad (quizás imprudente políticamente para muchos), en *La tierra será un paraíso* Juan Eduardo Zúñiga delegó en la voz de los personajes la responsabilidad de contar la motivación y la trascendencia de sus utopías; de hecho, los narradores sólo ofrecen en este libro las contradicciones y dificultades de esa lucha en la sombra.

En *Capital de la gloria* apenas hay opiniones o juicios explícitos del narrador sobre los hechos[171]. Acaso porque el libro está escrito en una época en la que se comienza a reivindicar la memoria histórica[172] (y la memoria del autor tiende más a la evocación que a la recapitulación), la voz narrativa se distancia mediante la ironía o la frialdad, recreando sin énfasis aparente el dramatismo y la dignidad de lo narrado,

---

170 Véase Ángel García Galiano, «Oro en las trincheras», *op. cit.*

171 Léanse, por ejemplo, «Los deseos, la noche» o «Rosa de Madrid».

172 «La mirada ausente ha sido reemplazada por una vitalista que estudia los momentos más dramáticos» (en Winston Manrique Sabogal, *op. cit.*).

evitando la épica o la revancha para poner el acento en la autenticidad de la vida y en la del arte —la trilogía toda— que la custodia; no parece responder a otro aliento la doble referencialidad del pronombre deíctico en las citadas palabras de la madre de «Las enseñanzas»: «*Esto* es la guerra, hijo, para que no lo olvides»[173].

---

[173] La cursiva es nuestra.

Esta edición

Desde sus respectivas publicaciones hasta hoy, el autor ha mantenido inalterable los textos de *Largo noviembre de Madrid*, de *La tierra será un paraíso* y de *Capital de la gloria*, y por tanto, no ha introducido nunca variante alguna, ni para corregirlos, ni para ampliarlos o reducirlos. Así pues, esta edición se basa en la primera de Bruguera de 1980 *(Largo noviembre de Madrid)* y en las primeras de Alfaguara de 1989 *(La tierra será un paraíso)* y de 2003 *(Capital de la gloria)*, si bien el autor ha revisado los textos para esta edición y ha corregido las pocas erratas que aquéllas presentaban.

Bibliografía

Obras de Juan Eduardo Zúñiga

Inútiles totales (novela corta), Madrid, Talleres Gráficos de Fernando Martínez, 1951. Con una viñeta del autor.

El coral y las aguas (novela), Barcelona, Seix Barral, 1962; Alfaguara, Madrid, 1995.

Los imposibles afectos de Iván Turguéniev (ensayo), Madrid, Editora Nacional, 1977; *Las inciertas pasiones de Iván Turguéniev,* Madrid, Alfaguara, 1996.

Largo noviembre de Madrid (cuentos), Barcelona, Bruguera, 1980; Madrid, Alfaguara, 1990.

El anillo de Pushkin. Lectura romántica de escritores y paisajes rusos (ensayo), Barcelona, Bruguera, 1983; Alfaguara, Madrid, 1992.

La tierra será un paraíso (cuentos), Madrid, Alfaguara, 1989.

Sofía (libro de viajes), Barcelona, Destino (Las ciudades), 1990.

Misterios de las noches y los días (cuentos), Madrid, Alfaguara, 1992.

Flores de plomo (cuentos), Madrid, Alfaguara, 1999.

Capital de la gloria (cuentos), Madrid, Alfaguara, 2003.

Ediciones de «Largo noviembre de Madrid»,
«La tierra será un paraíso» y «Capital de la gloria»

Largo noviembre de Madrid, Madrid, Bruguera, 1980.

Largo noviembre de Madrid, Madrid, Alfaguara, 1990.

Largo noviembre de Madrid, Barcelona, Círculo de Lectores, 2004.

Lang november i Madrid, Oslo, Gyldendal, 1998. Traducción al noruego de Christian Rugstad.

Long novembre de Madrid, Bruselas, Complexe, 1996. Traducción al francés de Alain Petre.

La tierra será un paraíso, Madrid, Alfaguara, 1989.

La tierra será un paraíso, Barcelona, Círculo de Lectores, 2004.

Pamântul va fi un paradis, Bucarest, Fundatiei Culturale Române, 1995. Traducción al rumano de Ileana Mihaila.

La terra sarà un paradiso, Roma, Biblioteca del Vascello, 1994. Traducción al italiano de Danilo Manera y Tonina Paba.

Capital de la gloria, Madrid, Alfaguara, 2003.

Capital de la gloria, Barcelona, Círculo de Lectores, 2004.

Capital de la gloria, Madrid, Punto de Lectura, 2005.

Estudios sobre Juan Eduardo Zúñiga

Beltrán Almería, Luis, «El hermetismo de J. E. Zúñiga», en *Quimera,* 227, 2003, págs. 27-30.

— «El origen de un destino», en *Riff-raff* (Zaragoza), 2.ª época, 10, primavera de 1999, págs. 103-115.

— «Las estéticas de Juan Eduardo Zúñiga», en *Anales de la Literatura Contemporánea,* 25, 2000, págs. 357-387.

Bértolo, Constantino, «Nuevos acercamientos narrativos al tema de la Guerra Civil: Jarnés, Zúñiga, Iturralde», en *Nueva Estafeta,* 24, XI/1980, págs. 74-75.

Carmona E. R. y García E. C., «Open Reading of a Closed Text: Zúñiga's "Puertas abiertas, puertas cerradas"», en Y. Tovin, ed., *From Sign to Text. A Semiotic View of Communication,* Amsterdam y Filadelfia, John Benjamins, 1989, págs. 235-251.

Chirbes, Rafael, «El eco de un disparo», en *El novelista perplejo,* Barcelona, Anagrama, 2002, págs. 11-115.

Díaz Navarro, Epicteto y González, José Ramón, *El cuento español en el siglo XX,* Madrid, Alianza, 2002, págs. 179-181.

Díez, Luis Mateo, «Una imágen de escritor», en *Quimera,* 227, 2003, págs. 11 y 12.

Escrig, José Antonio, «Una lectura romántica», en *Quimera,* 227, 2003, págs. 22-26.

Ferreira, Lola, «Juan Eduardo Zúñiga: el culto al relato corto», en *Leer,* 60, I/1993, págs. 24-26.

Imboden, Rita Catrina, «"La esfinge" en *Misterios de las noches y los días,* de Juan Eduardo Zúñiga», en José Romera Castillo y Francisco Gutiérrez Carbajo (eds.), *El cuento en la década de los noventa,* Madrid, Visor, 2001, págs. 683-691.

Jiménez Madrid, Ramón, «La obra narrativa breve de Juan Eduardo Zúñiga», en *Montearabí* (Yecla), 14, 1992, págs. 7-22.

Longares, Manuel, «Una charla con Juan Eduardo Zúñiga», en *Quimera,* 227, 2003, págs. 36-40.

Longares, Manuel, *Zúñiga,* en *El País* (Madrid), 23/II/2003.

Manera, Danilo, «Juan Eduardo Zúñiga, entre Rusia y Madrid», en *Quimera,* 227, 2003, págs. 19-21.

Martínez Sarrión, Antonio, *Jazz y días de lluvia,* Madrid, Alfaguara, 2002.

Naval, Eduardo, Hoyo, Arturo del y Fernández Sánchez, José, «Homenaje a Juan Eduardo Zúñiga», en *El Mundo,* 13/V/1990.

Núñez, Antonio, «Encuentro con Juan Eduardo Zúñiga», en *Ínsula,* XXXV, 406, IX/1980, pág. 12.

Percival, Anthony, «El cuento de la Guerra Civil española: del neorrealismo al posmodernismo *(Valor y miedo* de Arturo Barea y *Largo noviembre de Madrid* de Juan Eduardo Zúñiga)», en Roy Bolland y Alan Kenwood (eds.), *War and Revolution in Hispanic Literature,* Melbourne/Madrid, Voz Hispánica, 1990, págs. 143-149.

Prados, Israel, «De símbolos y batallas», *Reseña,* 353, 2003, págs. 4-9.

Soler, Antonio, «Juan Eduardo Zúñiga», en *Quimera,* 227, 2003, pág. 13.

Estudios sobre «Largo noviembre de Madrid», «La tierra será un paraíso» y «Capital de la gloria»

Sobre *Largo noviembre de Madrid*

Alfaya, Javier, «El regreso del primer Zúñiga», en *El Independiente,* 10/V/1990.

Alfaya, Javier, «Zúñiga y Gil de Biedma. Un superviviente, dos maestros», en *La calle,* 107, 8-14/IV/1980, págs. 54 y 55.

Bértolo, Constantino, «Cabalgata ennegrecida», en *El País,* 27/V/1990.

Corbalán, Pablo, «Razón y sueño de un largo noviembre», en *Triunfo,* 906, 7/VI/1980, pág. 47.

Gurméndez, Carlos, «Vivir y pensar o un Madrid trascendental», en *Ínsula,* 404-405, VII-VIII/1980, pág. 24.

Iturralde, Juan, «Un libro excepcional», en *El Mundo,* 13/V/1990.

Martín Bermúdez, Santiago, «¡No pasarán!», en *Reseña,* 207, VI/1990, págs. 48 y 49.

Martín Gaite, Carmen, «La herencia de sobrevivir», en *Diario 16,* 19/V/1980.

Murciano, Carlos, «Aquella cabalgata ennegrecida», en *Nueva Estafeta,* 25, XII/1980, págs. 91 y 92.

Suñén, Luis, «La otra cara del drama», en *El País,* 20/IV/1980.

Tovar, Antonio, «Crónica interior de Madrid en guerra», en *Gaceta Ilustrada*, 28/VII/1980.

Sobre *La tierra será un paraíso*

Alfaya, Javier, «Juan Eduardo Zúñiga: la voz de los vencidos», en *El Independiente*, 31/III/1989.

Basanta, Ángel, reseña de *La tierra será un paraíso*, en *ABC*, 23/IX/1989.

Bértolo, Constantino, «Sobrevivir con autoestima», en *El País*, 2/IV/1989.

Monreal, José Ramón, «Sutiles quimeras», en *Quimera*, 95, 1990, pág. 72.

Naval, Eduardo, reseña de *La tierra será un paraíso*, en *Ínsula*, 517, I/1990.

Navarro, María José, reseña de *La tierra será un paraíso*, en *Reseña*, 197, VII-VIII/1989, pág. 32.

Villanueva, Darío, «Todo era secreto», en *Diario 16*, 3/VIII/1989.

Valls, Fernando, «Historias sobre ciertas esperanzas», en *La Vanguardia*, 15/IX/1989.

Sobre *Capital de la gloria*

Beltrán Almería, Luis, «El regreso al origen de J. E. Zúñiga», en *Heraldo de Aragón*, 13/III/2003.

Conte, Rafael, «Las resistencias de Zúñiga», en *El País (Babelia)*, 15/II/2003.

Díez, Luis Mateo, «Unos cuentos de Zúñiga», en *El País (Babelia)*, 15/III/2003.

García Galiano, Ángel, «Oro en las trincheras», en *Revista de Libros*, 78, 2003.

García-Posada, Miguel, «De la dignidad», en *ABC (Blanco y Negro Cultural)*, 22/II/2003, pág. 11.

Jiménez Madrid, Ramón, «Para no olvidar», en *La Opinión*, 14/III/2003.

Pedregal, Ramón, «Guerreros», en *Lanza*, 5/IV/2003.

Prados, Israel, «El pulso de la resistencia», en *Reseña*, 348, V/2003, pág. 26.

Turpin, Enrique, «La perspectiva del amor», en *El Periódico*, 20/V/2003.

Valls, Fernando, «Capital de la gloria, capital del dolor», en *Quimera*, 227, III/2003, págs. 31-35.

Largo noviembre de Madrid

*Estos cuentos
están dedicados a Felicia.*

Noviembre, la madre, 1936[1]

—Pasarán unos años y olvidaremos todo; se borrarán los embudos de las explosiones, se pavimentarán las calles levantadas, se alzarán casas que fueron destruidas. Cuanto vivimos, parecerá un sueño y nos extrañará los pocos recuerdos que guardamos; acaso las fatigas del hambre, el sordo tambor de los bombardeos, los parapetos de adoquines cerrando las calles solitarias...

Había terminado la alarma y era preferible proseguir en casa las aclaraciones aunque venía a ser lo mismo sentirse rodeado de personas desconocidas que estar en habitaciones heladas, perdida la antigua evocación familiar y los olores templados de las cosas largamente usadas sobre las que ahora se veían los cendales del polvo al haber sido abandonadas por sus dueños pese a que aún los hermanos se movían entre ellas sin querer tocarlas, mientras el mayor gruñía que deseaba ardientemente olvidarlo todo, desagradable asunto que les tenía sujetos, que procuraría resolverlo cuanto antes y por eso era mejor seguir hablando a pesar de los gestos desconfiados de una aversión que no se ocultaban los tres cuando, juntos, su pensamiento coincidía en la separación in-

---

[1] Durante los primeros días de noviembre de 1936, el ejército que se había sublevado el 18 de julio llegó a los confines de Madrid, donde estaba la sede del Gobierno de la República, que el día 7 del mismo mes se trasladó a Valencia. Con el frente de batalla en la ciudad, se constituyó entonces la Junta de Defensa de Madrid, que, con la colaboración casi unánime de la población civil, resistió los primeros ataques de las fuerzas de Franco. Sobre el simbolismo del mes de «noviembre» en este libro, véase la Introducción.

franqueable, tan evidente a la muerte de los padres, en la que aún más les sumían las forzadas esperas en el refugio si había bombardeo, cuando se acrecentaba la tensa expectativa de algo fatal porque no había quedado testamento.

Todas las habitaciones parecían esperar un reparto y estaban en silencio, aunque en el largo pasillo creían a veces escuchar pisadas que en lugar de acercarse y revelar una presencia imposible, se alejaban hacia el fondo de la casa. «¿Qué es ese ruido?», exclamaba alguno, pero no se movía para ir a comprobar la causa de aquellos roces semejantes al paso de unos pies pequeños que discretamente se distanciaron del presente, un presente que sólo dependía del dinero, de los recursos que aun en plena guerra permite el disponer de una fortuna, donde los billetes de banco dan el poder de transformar la dura materia de la vida en vicisitud cordial y halagadora y toda contingencia se transmuta en negocio de fácil solución que sólo requiere entrevistarse, acordar algo, firmar unos papeles, y esto para ellos era norma aprendida y por eso contraían las bocas, se tensaban los pliegues al borde de los ojos, se fustigaban entre sí con el propósito de no volver a verse no bien se terminara aquel asunto.

En medio de la discusión oían las pisadas y uno de ellos reconocía que era un eco de otras, escuchadas mil veces, cuando la madre venía al comedor donde la mesa estaba puesta y todos eran convocados al ritual de reunirse y comentar temas banales bajo sus ojos atentos y distraídos, con gesto parecido al de quien desea huir y está a punto de levantarse y desaparecer, y él era únicamente quien lo percibía cuando ya participó de su secreto deseo que no era estar allí, condenada de por vida al entramado familiar, pendiente de la administración doméstica, sin entrever una forma de escapar porque ya no existía la modesta familia de donde salió, y sí, en cambio, alzar la cabeza en un ensueño de libertad, de decisiones personales, de total independencia de criterio...

Se oían sus breves pasos mientras los tres ventilaban la razón de estar allí juntos, hablando obstinadamente sin sentarse, dos de ellos con los abrigos puestos, el más joven con una cazadora, los tres como huéspedes de una pensión incómoda en la que sólo esperan pagar la cuenta y marcharse porque aquélla no es su casa y quizá va a desplomarse entre explosiones si le cae una bomba y todo el contenido de afecto y desavenencias que es el interior de un hogar se redujera a polvo y cenizas. Cuando llegaban los aviones y las baterías de Tetuán[2] comenzaban a tirar y las sirenas recorrían las calles para que la gente buscase los refugios subterráneos[3], incluso en éstos, polemizaban si se podía hacer un reparto ante notario, para luego marcharse, escapar antes de que fuese demasiado tarde, y el hermano mayor repetía que ojalá llegara el día en que lo vieran todo lejano, como quien cuenta algo que ha oído y no entendió bien, o no puso atención, y cuando quiere reconstruir borrosas figuras de personas o lugares, no le es posible.

Si estaban en el comedor, también por allí cruzaba la figura desvaída y muda del padre, incapaz de distinguirlo entre otros parecidos corredores de fincas, avaro de sus sentimientos, de sus aficiones, de sus proyectos, consciente o no de que dejaba tras sí una estela envenenada que dañaría a los que fueran sus hijos, porque también los dañó el día que se supo que su paternidad la compartía con otra casa, donde había una mujer que él atendía en el mayor de los sigilos, lo que debía imponerle con ellos una distancia, una frialdad, para no confesárselo en un momento de sinceridad, y a su muerte aquella familia desapareció, lo que hacía aún más penoso reconocer que hubo ese silencio toda una vida y ellos, con la otra mujer, sentían un extraño vínculo o inexpresable relación que casi les daba vergüenza reconocer. Y de él poco sabían, en verdad, ni de sus ingresos, ni de sus amistades, porque vivía como huésped en una casa cómoda, donde tenía una familia que le prestigiaba y cuya

---

[2] *Tetuán:* barrio de Madrid, núcleo del actual distrito homónimo. Como se dijo en el prólogo, la toponimia de Madrid en la trilogía es ingente y, en la mayoría de los casos, no difiere de la actual. Por tanto, en adelante evito al lector interrupciones y sólo anoto las calles, barrios o edificios que ya no existen o que han cambiado de nombre, así como los que considero que enriquecen o completan el significado de los cuentos.

[3] *refugios subterráneos:* las estaciones subterráneas del metro de Madrid fueron utilizadas para proteger a la población civil de los bombardeos.

formación había correspondido a una unión artificial, no basada en sentimientos ni en amor, sino en unas razones escuetas y prácticas que estaban ligadas a su mundo, a sus hábitos, a tradiciones penosas pero aceptadas a cambio de un pago en dinero, en consideración, en prestigio social, aunque supusieran también imponer la dura norma sobre otros, sobre los más allegados, que sin piedad deben ser sometidos a los respetos generales.

Nadie se interesa por el sufrir ajeno y aún menos por la dolorosa maduración interior que exige tiempo para ser comprendida, así que ningún familiar se percata de ese tránsito hacia el conocimiento de lo que nos rodea, hacia la verdad del mundo en que vivimos, conocimiento que pone luz en la conciencia e ilumina y descubre una triste cadena de rutinas, de acatamiento a razones estúpidas o malvadas que motivaron llantos y, muy cerca, en la vecindad de la estabilidad burguesa, hizo levantarse manos descarnadas de protesta; y aún más difícil de concebir es que esta certidumbre de haber comprendido se presenta un día de repente y su resplandor trastorna y ya quedamos consagrados a ahondar más y más en los recuerdos o en los refrenados sentimientos para recuperar otro ser que vivió en nosotros, pero fuera de nuestra conciencia, y que se yergue tan sólido como la urbanidad, los prejuicios, los miramientos...

Y esa claridad que había venido a bañar una segunda naturaleza subterránea permitió al hermano menor comprender cómo era la madre y desde entonces relacionarla con su nueva mirada hacia las cosas, aunque todo se olvide fácilmente, incluso algo tan fundamental como su persona en la casa, tan necesaria a las horas de las comidas; pero ya era posible vivir sin que ella estuviera presente porque había afanes y preocupaciones y objetivos que alcanzar, y sólo breves momentos en que estos impulsos se paralizaban y quedaba en blanco el pensamiento, aparecían, como imperceptibles roces en el pasillo, furtivas imágenes de ella, tan ajena a intereses, a compra o venta de fincas, hundida en su postura doméstica, con la espalda cargada por la función materna, junto a la suave luz del balcón que apenas iluminaba aquel lento acabamiento, y como una revelación cierto día había dicho: «Pasarán años y si vivimos, estaremos orgullosos de haber presenciado unos sucesos tan importantes, aunque traigan muchas penas y sean para todos una calamidad».

Los dos hermanos mayores la habían escuchado y no hicieron gesto de comprender; el tercero, el pequeño, prestó atención y entendió cada una de las palabras y a través del tedio de la relación cotidiana, un rayo finísimo comenzó a abrirse camino en dirección a los soterrados dominios de la vida anterior y se extrañó de que ella hablase así, porque era descubrir una conciencia más clara y objetiva de lo que podría suponerse en una mujer absorbida por lo hogareño, ajena, al parecer, a los acontecimientos externos a su prisión. Ninguno pareció haberlo captado porque ya entonces la atención de los tres hombres se dirigía, aún en vida de la madre, a la propiedad del edificio, en la tensión de una situación dejada sin resolver, lo que era lógico en un tiempo de guerra, razonaba él, pero unos minutos después comprendía que no dependía de la guerra, sino de la pasión que habían fomentado en ellos, valoración exclusiva del dinero, de la propiedad privada; no, no eran soldados sobre un parapeto de sacos, golpeándose con las culatas de los fusiles que caen pesadamente en hombros y cabezas ya sin casco, sin protección alguna, idéntico el resuello, idénticos los gestos de dolor: ellos, como hombres de negocios, cruzaban su mirada desafiante a través no ya de meses, sino de muchos años, acaso desde los hábitos que implantó en el país la Regencia[4] con el triunfo de los ricos y sus especulaciones, la fría decisión del lucro pese a todo, que hace que los hermanos dejen de serlo. Y los que estaban en aquel momento parapetados en las calles de Carabanchel o corrían por los desmontes de la Ciudad Universitaria, disparando desde la Facultad de Letras[5], luchaban por algo muy distinto; acaso

---

[4] *la Regencia:* se debe de referir el narrador a la regencia de María Cristina de Habsburgo-Lorena (de 1885 a 1902), un periodo de bonanza económica para el país que alentó a los que acaparaban la riqueza a imitar usos y costumbres de la burguesía europea.

[5] *calles de Carabanchel, desmontes de la Ciudad Universitaria, Facultad de Letras:* zonas del frente de batalla más encarnizado de la batalla de Madrid durante los primeros días de noviembre de 1936.

sin saberlo ellos bien, les movía un impreciso anhelo de no ser medidos con el distante gesto del superior que les juzga según sean capaces de rendir provecho e incrementar su hacienda. Para los hermanos, todas las esperanzas estaban en terminar, que se borrasen del recuerdo aquellos meses de plomo y se abriera una época nueva y así entregarse a todas las quimeras, todos los caprichos que se harían realidad; para el mayor, eran los amores, la cuenta corriente, el mando a lo que tenía derecho por su clase social: los viajes, las aventuras con mujeres extranjeras, los lances de fortuna en el Casino de San Sebastián, las noches del carnaval de Niza, el golf en Puerta de Hierro, las cenas en Lhardy[6]..., y propuso que debían ir a ver la casa, saber cómo estaba, cómo la conservaban los vecinos, si requisaron las tiendas o algún piso, y ya que, de los tres, el joven era quien más seguro podía andar por las calles con su documento militar, él habría de enterarse de lo ocurrido al medio día cuando los aviones dejaron caer bombas en aquel barrio, y para estar tranquilos de que nada había pasado, le convencieron de que fuera, y aunque él creía que era inútil, accedió, como tantas veces por ser el menor, y al salir del portal subió la vista hacia el cielo, donde una columna de humo se elevaba recta en las nubes para extenderse sobre lejanos tejados, buhardillas, chimeneas combatidas por la herrumbre, azoteíllas de ropa colgada y antenas de la radio, una accidentada planicie de tejados, superior a la ciudad, vacía, casi un inframundo de calma y sueño, aunque la realidad abajo fuera otra muy distinta: su ciudad natal, pobre y limpia, pequeña, de aires puros y fríos, algunas avenidas, iglesias, ministerios, asentada entre campos yermos, rodeada de arrabales con nombres entrañables para los que vivieron su historia cotidiana: Guindalera, La Elipa, colonia Fritsch, Doña Car-

---

[6] *Casino de San Sebastián, carnaval de Niza, golf en Puerta de Hierro, cenas en Lhardy:* lugares y actividades de recreo propias de las clases pudientes. San Sebastián, capital de Guipúzcoa, fue residencia veraniega de la regente María Cristina; Niza, ciudad de la Riviera francesa, es famosa por sus fiestas de Carnaval desde 1873; el Real Club de Golf de la Puerta de Hierro, en Madrid, fue patrocinado por el rey Alfonso XIII; Lhardy es un céntrico y lujoso restaurante madrileño que fue muy querido por la regente María Cristina.

lota, Entrevías, La China, Usera, Carabanchel, altos de Extremadura, La Bombilla, Peñagrande, Tetuán, y ya más cerca, Cuatro Caminos[7], extrarradio de casitas con frágiles techos y manchas de humedad en las paredes que albergaban el hambre y el cansancio de los que durante el día dieron su esfuerzo para conducir carros, pavimentar calles, amasar pan, trabajar metales, cocer ladrillos, barrer y fregar suelos, y que la vida fuera —para otros— más placentera, más tolerable y algunos bien vestidos pudieran sentarse a leer *El Imparcial* o *El Sol*[8] en los cafés de la glorieta de Quevedo, por donde cruzaban los tranvías hacia Fuencarral, bordeada esta de tiendas y de luces y a lo largo de la acera izquierda, los tenderetes de baratijas que los niños contemplaban a la altura de sus narices encendidas por el frío, como un sueño de la noche de Reyes, del que eran despertados por las manos rudas de los mayores que les llevaban hacia obligaciones ineludibles calle abajo, dejando a un lado el viejo Hospicio[9], cuya fantástica portada de piedra, columnas, flores, hojarasca, angelotes, estaba ahora cubierta de sacos terreros protegiendo un arte fastuoso tan diferente al triste edificio dentro del que los huérfanos sufrieron rigores de frío y disciplina, bien conocidos de los habitantes de aquel barrio en cuyas profundidades se ocultaba laboriosa y ardua vida en vecindad con tiendas de

---

[7] El narrador, adoptando el punto de vista del personaje y siguiendo el sentido de las agujas del reloj, recorre el extrarradio de Madrid completando un círculo.

[8] *El Imparcial, El Sol:* periódicos de ideología liberal muy populares en la época; *El Imparcial* fue fundado en 1867 por Eduardo Gasset y Artime y fue el primero que utilizó la rotativa en España. De su escisión en 1917 nacieron *El Liberal* y *El Sol,* fundado este último por Nicolás María de Urgoiti y auspiciado intelectualmente por José Ortega y Gasset, quien anunció desde sus páginas el destronamiento de Alfonso XIII y el advenimiento de la Segunda República con el conocido «delenda est monarchia».

[9] *viejo Hospicio:* fue fundado en 1668 en la calle de Santa Isabel para recoger a toda clase de pobres y darles una ocupación. Se trasladó a la calle Alta de Fuencarral en 1674, donde el arquitecto Pedro de Ribera construyó entre 1721 y 1726 un edificio de grandes proporciones en el que destaca la excelsitud de su portada. Fue declarado Monumento Nacional en 1919 y hoy es propiedad del Ayuntamiento de Madrid, que lo utiliza para albergar las dependencias del Museo Municipal.

compraventa que visitaban periódicamente y en cuyos escaparates se mostraban los mantones de Manila[10] o los cubiertos de plata que fueron el lujo de los venidos a menos.

Y en la calle de la Montera se vio a sí mismo de la mano de su madre y la perspectiva hacia Sol estaba ocupada por la figura de ella, fundida con las fachadas y las esquinas conocidas de forma que cada casa ante él era una madre bondadosa, algo reservada, con una sonrisa leve y distante, trayendo a su conciencia la certidumbre de que una ciudad puede ser una madre: pasan los años, estés o no ausente, y un día regresa el pensamiento a sus rincones acogedores, a lugares unidos a momentos de felicidad, de ternura, a las calles familiares por mil peripecias, plazas por las que pasaste temiendo algo o dispuesto a divertirte, desentendido de los barrios desagradables con perfiles inhóspitos que mencionó el hermano mayor cuando, al salir del refugio, echó una mirada que abarcaba todo y maldijo la ciudad que de un momento a otro iba a convertirse en campo de batalla, pero no obstante, por encima de sus palabras y la tragedia del momento, fluían los recuerdos acariciadores de la madre que conduce de la mano por calles seguras, pacíficas e interesantes hacia la Puerta del Sol[11], en la que se sintió identificado con el riguroso destino que ahora se cernía sobre todos, ineludible como era aceptar la verdad de lo que espontáneamente le dijo ella para venir a coincidir ambos en la decisión, tomada en distinto momento pero idéntica, de desechar para siempre la mezquindad de aquella forma de vida, la impronta vergonzosa de lo pasado y mirar de frente otras posibilidades como lo demostró al revelarle su pensamiento, una hora antes de la agonía, con un ligero apretón de dedos cuando la[12] cogía la mano y se inclinaba hacia su cara, y

---

[10] *mantón de Manila:* es de seda y bordado y proviene originariamente de China, aunque llegó a España a través de Filipinas. Su uso se extendió en España durante el periodo de la Regencia y es prenda indispensable del traje folklórico femenino de Madrid.

[11] *Puerta del Sol:* el movimiento anímico del personaje culmina en esta plaza que es el corazón de la ciudad.

[12] El laísmo es un rasgo característico del habla de Madrid; con ese valor dialectal lo utiliza el autor en los cuentos de la trilogía.

ella le preguntó qué noticias había de los frentes y, como él callara, había murmurado en una voz apenas inteligible: «Si toman Madrid, matarán a todos», y al decir esto, con temor y esperanza de que así no ocurriera, dejaba entender que se sentía unida a sus orígenes humildes, aliada aún con los que en su niñez fueron parientes y vecinos y ahora eran desesperados defensores de los frentes, hombres iguales a los que, en grupos oscuros, vio marchar por la Carrera de San Jerónimo, con palas y picos al hombro, bajo la leyenda de los carteles pegados a las paredes «¡Fortificad Madrid!» e indirectamente ella había hecho mención a esas fortificaciones que ahora, con toda urgencia, se hacían para rodearla y defenderla con un círculo de amor, con un abrazo protector.

Atravesar la calle del Príncipe, y la calma de la plaza de Santa Ana, bajar por Atocha ahora sin coches ni tranvías, con personas apresuradas, cargadas de bultos, transmitiendo el miedo de que pudieran volver los aviones precisamente a donde él se encaminaba con la sensación de ir al lugar de un crimen, bordeando inmensos trozos de casas que habían caído sobre las aceras y de los que aún se desprendía olor a polvo; volutas de humo se alzaban de paredes ennegrecidas, de habitaciones cortadas por la mitad que descubrían su interior con muebles y cuadros que atraían el asombro de los ojos horrorizados al comprobar que así era la guerra: destruía, calcinaba y ponía terror en el corazón cuando llegó a Antón Martín, ante la casa, y se encontró con que donde estuvieron los pisos superiores estaba el aire y un gran vacío, y que la puerta la tapaban montones de vigas y de escombros y a través de algunos balcones aún en pie se veía el cielo, como un tejido agujereado por el tiempo y el uso.

De la riqueza que tanto habían esperado no quedaban sino restos inútiles; del orden, la simetría, la estabilidad de un edificio elegante y firme, la guerra sólo dejaba material de derribo sucio y confuso; la guerra únicamente daba caducidad y por años de vida e ilusiones entregaba con usura una experiencia sangrante, una forma de vivir que, vuelta la paz, no serviría para nada: la enseñanza de destruir o de esquivar la destrucción, saber que no se es aún un cadáver y a cambio, el soplo venenoso que para el corazón, asfixia, quiebra promesas y proyectos, pero la enorme hecatombe de la guerra también había servido para hacer posible una revelación que nadie sospechó y sólo un rato antes de empezar la agonía, como el que ya se atreve a todo lo reprimido y deja fluir con el aliento vital lo más hondo de su ser, mostraba que ella estaba identificada, quién sabe cuánto tiempo, con los que lógicamente eran sus iguales, los suyos, que ahora defendían la capital, a mitad fortaleza, a mitad débil organismo tal como fueron sus propios años femeninos.

La guerra también descubría que era un triste remedo de fortuna la posesión de un edificio cuyas viviendas se alquilan a quienes no podrán pagarlas y hay que obligarles con amenazas, y la elegante casa sólo rinde ese tributo mensual a la codicia de sus dueños, unida quizá a la satisfacción de pasearse por delante, echando ojeadas a su blanca fachada, y fumar despacio un cigarro habano, o quedarse inmóvil en la acera de enfrente entre familias desoladas, en las que faltaría algún miembro, y comprender entonces la otra, verdadera ruina de quedar sin hogar, la tortura de no saber dónde guarecerse y pasar las noches, peor que la intranquilidad de no poder pagar el alquiler, la herida de haber presenciado la destrucción de todo, el horror de la explosión y su estruendo y el estremecimiento de sobrevivir a aquella avalancha de muros y fuego en que se convirtieron los previstos ingresos saneados que permitirían una vida regalada por la que ellos se habían detestado y conciliado rencor y pretendido olvidar, lo cual era, ni más ni menos, renegar de sus vínculos, del eje de éstos en la figura materna y en las calles donde habían crecido y madurado, que ahora otros se aprestaban a defender fusil en mano...

Quizá a esta misma hora, cientos de obreros hijos de campesinos, braceros o técnicos industriales, estarían en las trincheras del Parque del Oeste, o al pie del Puente de los Franceses, o en la Casa de Campo[13], pegados a piedras o a débiles tapias desconchadas, inexpertos en el uso de armas, atentos a la muerte que aullaba en las balas invisibles. Como la madre, ellos sabían que su libertad estaba en juego, que siem-

---

[13] *Parque del Oeste, Puente de los Franceses, Casa de Campo:* véase nota 5.

pre les sometieron interminables trabajos repetidos día tras día, de acuerdo con la convención de la obediencia y del salario, sin poder rebelarse ni renegar porque las costumbres, el buen parecer, el orden de una sociedad disciplinada, no se lo autorizaban y ni siquiera les estaba permitido que se expresaran claramente, ya fuese dentro del hogar, ya fuese con la huelga.

Así éramos entonces. Han pasado muchos años y a veces me pregunto si es cierto que todo se olvida; desaparecieron los últimos vestigios, sí, pero en un viejo barrio observo en la fachada de una casa la señal inequívoca del obús que cayó cerca y abrió hondos arañazos que nadie hoy conocería, y me digo: nada se olvida, todo queda y pervive igual que a mi lado aún bisbisea una conversación que sólo se hace perceptible si me hundo por el subterráneo del recuerdo, entre mil restos de cosas vividas y mediante un trabajo tenaz uno datos, recompongo frases, una figura dada por perdida, rehago pacientemente la foto rota en mil pedazos y recorro las calles que fueron caminos ilusionados de la infancia.

Todo pervivirá: sólo la muerte borrará la persistencia de aquella cabalgata ennegrecida que fueron los años que duró la contienda. Como es herencia de las guerras quedar marcados con el inmundo sello que atestigua destrucciones y matanzas, ya para siempre nos acompañará la ignominia y la convicción del heroísmo, la exaltación y la derrota, la necesidad de recordar la ciudad bombardeada y en ella una figura vacilante, frágil, temerosa, que a través de humillación y pesadumbres llegó a hacer suya la razón de la esperanza.

Hotel Florida[14], Plaza del Callao

Fui por la noche al hospital y la conté cómo había llegado el francés, lo que me había parecido, su energía, su corpulencia, su clara sonrisa, pero no le dije nada de cuanto había ocurrido unos minutos antes de que el coche de Valencia[15] se detuviera junto a la acera y bajaran los dos, el representante de las fábricas francesas y el teniente que le acompañaba, a los que saludé sin dar la mano, explicándoles por qué y asegurándoles que la sangre no era mía. Para qué hablarle a ella —a todas horas en el quirófano— de ese líquido de brillante color, bellísimo aunque incómodo, que afortunadamente desaparece con el agua, porque si no ocurriera así, los dedos, las ropas, los muebles, suntuosos o modestos, el umbral de las casas, todo estaría señalado con su mancha imborrable.

Ella se interesó por lo que oía, y también se extrañó de que alguien que llegaba a la capital entonces fuera tan temerario cuando nadie podía prever lo que sería de uno a las pocas horas o si al día siguiente estaría en el quirófano y precisamente ella le pondría la inyección anhelada que da el sueño, la calma, el descanso, hasta que, para bien o para

---

[14] *Hotel Florida:* hoy desaparecido, estaba situado en la céntrica Plaza del Callao de Madrid. Fue uno de los puntos de hospedaje y de reunión más frecuentados durante la Guerra Civil por periodistas extranjeros, corresponsales de guerra, escritores, traficantes de armas, etc.

[15] *El coche de Valencia:* la vía que comunicaba con Valencia (sede del Gobierno de la República) fue la única salida por carretera que tuvo el Madrid sitiado durante la guerra.

mal, todo termina. Y como ése era el destino de los que allí vivíamos, conté a los recién llegados lo que acababa de ocurrir y recogí del suelo un trozo de metralla y mostré, como prueba de lo que decía, el metal gris, de superficie cruzada de arañazos y caras mates; hacia este objeto informe y al parecer inofensivo, el extranjero tendió la mano, lo contempló, lo guardó entre los dedos y volvió a abrirlos para tirarlo, encogiéndose de hombros como indiferente a los riesgos de aquel sitio donde estábamos, gesto idéntico al que hizo cuando le propuse tener las conversaciones sin salir él del hotel, donde estaría seguro, pero no parecía dudar de ser intangible y tras su mueca de indiferencia, la primera entrevista la tuvimos en el despacho del comandante Carranza, repasando éste cifras y datos y escrutando las posibles intenciones ocultas del agente que, como tantos, pretendía ofrecer armas defectuosas, cargamentos que nunca llegarían, precios exorbitantes, hasta que le preguntó abiertamente sobre plazos de entrega. La respuesta inspiraba confianza por la simpatía que irradiaba aquel tipo, un hombre que entra en una ciudad sitiada, baja del coche mirando a todos sitios, divertido, aunque les habían tiroteado al cruzar Vaciamadrid, y propone ir a pie al hotel por la Gran Vía, un cañón soleado[16], tibio pero salpicado hacía unos minutos de explosiones de muerte, y como dos insensatos o unos alegres vividores, echamos a andar hacia Callao para que gozase de todo lo que veía —escaparates rotos y vacíos, letreros luminosos colgando, puertas tapadas con sacos de arena, farolas en el suelo—, muy diferente de lo que él conocía al venir de un país en paz, rico y libre, porque a nosotros algo fatal nos cercaba, pesaba sobre todos una inmensa cuadrícula de rayas invisibles, cruzando tejados, solares, calles, plazas, y cada metro de tierra cubierto de adoquines o ladrillos era un lugar fatídico donde la muerte marcaba y alcanzaba con un trozo

---

[16] *Gran Vía, un cañón soleado:* la Gran Vía es una de las arterias principales del centro de Madrid. La metáfora del «cañón soleado» no sólo se sustenta en la forma de la avenida, sino también en que durante la guerra fue blanco recurrente del fuego atacante; de hecho, era conocida por el pueblo como «la avenida del quince y medio», por ser de tal calibre los obuses que sobre ella se lanzaban.

de plomo derretido, una bala perdida, un casco de obús, un fragmento de cristalera rota, un trozo de cornisa desprendida, una esquirla de hierro rebotada que atraviesa la piel y llega al hueso y allí se queda.

Más tarde él tampoco comprendió lo que iba oyendo a otras personas, comentarios en los sitios donde yo le llevaba, al mostrarle los barrios destruidos por las bombas o las ruinas del Clínico[17] trazadas sobre un cielo irreal por lo transparente; le llevaba de un extremo a otro, del barrio de gitanos de Ventas a las calles de Argüelles obstruidas por hundimientos de casas enteras, de las tapias del Retiro frente a los eriales de Vallecas, a las callejas de Tetuán o a los puestos de libros de Goya, al silencio de las Rondas[18] vacías como un sueño. Por ellas cruzaba Nieves camino de su casa, en ellas la había yo esperado muchas veces y visto avanzar hacia mí, encantadora en sus abrigos viejos o sus modestos vestidos de domingo que camuflaban tesoros que no se imaginaban, y desde lejos sonreía, o reía porque la hacía gracia que la esperase, y ahora, porque aquel tipo francés fuera tan exuberante, tan despreocupado, tan contradictoriamente amistoso cuando vivía de las armas, un hombre al que yo nunca podría imaginarme con una en la mano, e incluso tampoco papeles de oficina, presupuestos, tarifas como las que manejaba hablando con Carranza, queriéndole convencer de que los envíos se harían por barco, que no había posibilidad de incumplimiento, y para afirmarlo alzaba los brazos, gesticulaba. Cambió de postura, se levantó para dar unos pasos y coger un presupuesto, se acercó al balcón y, al mirar por los cristales dándonos la espalda, mientras nosotros seguíamos fumando, dejó esca-

---

[17] *Clínico:* recinto hospitalario construido como parte del proyecto de la Ciudad Universitaria. Sin embargo, durante el mes de noviembre de 1936 el nuevo hospital se convirtió en frente de batalla y en sus habitaciones se disputaron numerosos combates, quedando muy pronto devastado. Entre 1941 y 1946 se reconstruyó el hospital que hoy continúa operativo.

[18] *Rondas:* se conoció así a la circunvalación que formó parte del plan de ensanche de Madrid de 1860; las actuales calle de Raimundo Fernández Villaverde y avenida de la Reina Victoria son consecuencia de dicho proyecto.

par un sonido, un resoplar que bruscamente desvió nuestra atención, y aunque fuera una exclamación de sorpresa por los celajes malva y naranja que se cernían en el cielo a aquellas horas, me levanté y fui a su lado, casi como una deferencia o para recordarle que debía volver a sentarse y discutir.

En la fachada de la casa de enfrente, en su viejo color, en los balcones alineados geométricamente, uno estaba abierto y allí la figura de una mujer se vestía con toda despreocupación y se estiraba las medias a la vez que se la veía hablar con alguien.

Nos reímos o, mejor, carraspeamos siguiendo los movimientos de aquella mujercita empequeñecida, pero capaz de sacudirnos con la llamada de sus breves manchas de carne y el impudor de separar las piernas para ajustarse la braga, con lo que nos tuvo sujetos unos segundos hasta que de pronto volvió la cara hacia nosotros, mientras ejecutaba los conocidos y sugerentes movimientos de todas las mujeres al vestirse, y nos miró como si hubiera recogido el venablo ardiente de las miradas porque con desfachatez nos saludó con la mano y siguió metiéndose la blusa, espectáculo un poco sorprendente pero que para él no era así porque lo creyó propio del clima cálido y de la alocada vida de guerra y cuando quise convencerle, no pude.

No comprendía dónde había venido; hubiera sido conveniente imbuirle la idea de que bastaba trazar un cuadro sobre el plano, con un ángulo en Entrevías, otro en las Sacramentales[19], junto al río, otro en la tapia de la Moncloa y el cuarto en la Guindalera, y lo que allí quedaba encerrado era puro dominio de la muerte incompatible con su osadía tan impropia de nuestra ciudad, ciudad para unos sombrío matadero y para otros fortaleza defendida palmo a palmo, guarnecida de desesperación, arrojo, escasas esperanzas.

---

[19] *Sacramentales, junto al río:* se llamó sacramentales a los cementerios construidos en Madrid por orden de diversas Cofradías y Sacramentales desde principios del siglo XIX. Junto al Manzanares se levantaron el cementerio de la sacramental de San Isidro (1811), el de la de Santa María (1841) y el de la de San Justo (1847).

Un lugar así era el lugar de la cita, el menos oportuno, al que sin falta había de acudir, según la orden de Valencia que indicaba la esquina de la Telefónica[20] y Hortaleza para esperar al coche, sin haberse parado a pensar si acaso sería un vórtice de los que en toda guerra, sumen lo vivo y lo destruyen, parecido a un quirófano, me dijo Nieves cuando se lo conté, y ella sólo tuvo curiosidad por el francés, atraída —tal como pensé más tarde—, por ser lo opuesto a lo que todos éramos en el 38[21], tan opuesto a lo que ella hacía en el hospital, a las esperas en el refugio, a las inciertas perspectivas para el tiempo venidero.

Por eso les presenté cierto día que, con el pretexto de mostrarle un centro sanitario, le hice entrar y ponerse delante de Nieves, que se quedó asombrada de lo bien que pronunciaba el español y de su apretón de manos y con cuánta cordialidad le preguntó por su trabajo y por su vida, que entonces se limitaba a las tareas de enfermera, hasta el punto de que muy contenta nos invitó y nos llevó a las cocinas y habló con una jefa y nos trajeron unas tazas de café, o algo parecido, que nos bebimos los tres saboreándolo, charlando de pie entre los ruidos de fregar las vajillas.

Miraba fijo a las muchachas que iban en el Metro o por la calle; lo mismo parecía comerse a Nieves con los ojos, de la misma manera que se había inclinado hacia las dos chicas la tarde en que llegó, cuando íbamos hacia el hotel Florida y delante de los cines aparecieron dos muchachas jóvenes; paradas en el borde de la acera, reían por algo que se cuchicheaban, ajenas a lo que era un bombardeo, con los vestidillos repletos de carne, de oscilaciones contenidas por la tela, las caras un poco pintadas en un intento candoroso de gustar no sé a qué hombre si no era a nosotros dos

---

[20] *la Telefónica:* se refiere al edificio que fue sede de la Compañía Telefónica Nacional de España, sito en Gran Vía y construido entre 1925 y 1929; con 81 metros, fue el primer edificio de gran altura de la capital. Durante la Guerra Civil la defensa republicana lo utilizó como observatorio militar y puesto de mando y al ejército franquista le sirvió de punto de referencia para sus ataques de artillería. Actualmente alberga el museo de una compañía telefónica.

[21] *38:* se refiere a 1938.

mientras ellas corrían a un portal... Como algo unido estrechamente a un pensamiento suyo o a lo que acabábamos de hacer, al salir del hospital me contó que había descubierto en su hotel una empleada bellísima, que iba a buscar un pretexto para hablarla e incluso proponerla salir juntos u ofrecerle algo y me preguntaba a dónde ir con una mujer y qué regalo hacerle, a lo que no me apresuré a contestar porque estaba pensando en el hotel, en el *hall* donde nos habíamos sentado la tarde de la llegada y habíamos contemplado a los que entraban y salían, periodistas extranjeros, anticuarios, traficantes de armas, reporteros traidores, espías disfrazados de demócratas, falsos amigos a la caza de cuadros valiosos, aves de mal agüero unidas al engaño que es negociar las mil mercancías que son precisas en las guerras. Pensé en ellos y no en el agente ofreciendo flores a una mujer, porque si me hubiese venido esa imagen a la cabeza habría previsto —con la facultad que en aquellos meses teníamos para recelar— algo de lo que él a partir de ese momento me ocultó, aunque no fue sólo él, porque a los dos días, cuando vi a Nieves, ella me habló con elogio del francés, pero no me dijo todo o, concretamente, lo que debía.

Yo no desconfié porque demorase la marcha; unas veces alegó estar preparando los nuevos presupuestos, e incluso vino un día a la oficina para usar la máquina; otras, que iba a consultar con París por teléfono y esperaba la difícil comunicación, agarrándose a esos motivos para que los días pasasen y pudiera estar conmigo o solo, vagando por las calles, según pensé atribuyéndole iguales deseos que yo tendría en una ciudad cercada y en pie de guerra. Otras curiosidades llenaban los días del francés, distraído de la ciudad devastada que a todos los que en ella vivían marcaba no en un hombro, como a los siervos en la antigüedad, sino en el rostro, de forma que éste iba cambiando poco a poco y acababa por extrañar a los que más nos conocían.

Envejecerle la cara, no, pero sí reconcentrar el gesto igual que ante una dificultad, sin que yo supiese cuál era, hasta que un día me confesó que había buscado a la mujer que vimos medio desnuda en el balcón, a lo que sonreí en la confidencia, sobrentendiendo la alusión que hacía, pero incapaz yo de percatarme de que poco después me habría de acordar de aquella aventura suya propia de un tipo audaz y mujeriego, y la tendría presente pese a su insignificancia. Eran meses en que cualquier hecho trivial, pasado cierto tiempo, revelaba su aspecto excepcional que ya no sería olvidado fácilmente. Como Nieves no olvidaría la tarde en que tomamos el café en las cocinas porque cuando me dijeron en el hotel que el francés no había vuelto desde el día anterior, ya había visto en ella señales de inquietud que procuraba disimular, pausas en las que se distraía mirando algo, y la misma movilidad de las manos que, sin quererlo, la noté, como muchos días antes había advertido en las de Hiernaux al coger la esquirla del obús. Luego me había acompañado en recorridos por muchos sitios, vio las casas rajadas, de persianas y balcones reventados, las colas de gente apiñadas a cualquier hora a la espera del racionamiento, los parapetos hechos con adoquines por los que un día saldrían los fusiles, disparando, presenció bombardeos, las manchas de sangre en el suelo, las ambulancias cruzando las calles desiertas, el rumor oscuro del cañoneo lejano, pero nunca nos habíamos vuelto a hablar de aquella tarde, de lo que había ocurrido unos minutos antes de bajar él del coche: un presagio indudable.

Llegó el momento de la partida, resuelto el pedido de las armas, y exactamente la última tarde nos despedíamos delante de los sacos terreros que defendían la entrada del Hotel Florida, nos estrechamos la mano conviniendo que sería muy raro que nos volviéramos a encontrar y me daba las gracias con sus palabras correctas.

Junto a nosotros notamos una sombra, una atracción y al volver los ojos vimos una mujer andando despacio, alta y provocativa, midiéndonos de arriba abajo con desplante de ramera, en la que coincidían las excelencias que el vicio ha acumulado por siglos en quienes a él se consagran; paró a nuestro lado y saludó a Hiernaux y éste me hizo un ademán de excusa porque efectivamente la depravación de la mujer, la suciedad y abandono del vestido y el pelo largo echado por detrás de las orejas requerían casi su excusa: él sólo me dio un golpecito en el brazo y se fue con ella por la calle de Preciados andando despacio, con lo que yo pude admirar el cuerpo magníficamente formado, el equilibrio de los hombros y las caderas terminando en pantorrillas sólidas: en algo recordaba a Nieves, en las proporciones amplias y macizas. Y esa relación que insistentemente establecí arrojó un rayo finísimo de luz en mi cabeza, y mientras que pasaban horas sin que supiéramos del francés, la borrosa imagen de los sentimientos de Nieves iba perfilándose en la única dirección que a mí me importaba: nunca me había querido, porque transigir y aceptar no era querer, y mi obstinación no conseguía cambiar su natural simpatía, su buen humor, en algo más entrañable; no lograba arrebatarla aunque su naturaleza fuese de pasión y entrega.

Extrañado, me fui al Florida y le esperé en el *hall*, pero mis ideas giraban en torno a Nieves; sentado en una butaca, viendo pasar hombres que hablaban idiomas extranjeros y a los que odié como nunca, sólo pensaba en él cuando la carnosidad de Nieves me evocaba su encuentro con la prostituta: estaría con ella, se habría dejado vencer en su decisión de marchar y pasaría horas en alguna alcoba de la vecina calle de la Abada, descuidando compromisos y perdiendo el viaje como fue incuestionable al dar las dos y media de la madrugada y marcharme sin que él apareciera.

Al día siguiente, el teléfono me reveló toda la excitación de Nieves, su intranquilidad cuando le conté la desaparición, su enfado al saber el encuentro con la prostituta, y de pronto estalló contra él, insultándole no como a un hombre que se va con mujeres, sino al que está imposibilitado de gustar de ellas. El hondo instinto que increpaba en el teléfono me ponía en contacto con la intimidad de Nieves mucho más que meses de tratarla, de creer que oía mis confidencias y compenetrarme con ella: era la confirmación absoluta de lo inasequible de su afecto.

Pasaron unos cuantos días sin saber nada de él y sin ir yo tampoco al hospital, sin buscarla, pues todo intento de reparar su revelación no serviría para nada, y hastiado, hundido en incesantes pensamientos, me pasé el tiempo en el despacho sin preocuparme de otra cosa que no fuera fumar y aguardar una llamada del SIM[22] cuando le encontrasen, importándome muy poco lo que ocurriese fuera de aquella habitación, ni guerra ni frentes: todo había perdido su lógica urgencia menos la espera enervante, porque me sentía en dependencia con la suerte de aquel hombre, por conocer yo bien la ciudad alucinante donde había entrado con su maletita y su jovialidad. Aunque dudo de si somos responsables del futuro por captar sutiles presagios destinados a otras personas a las que vemos ir derechas a lo que es sólo augurio nuestro, como aquel del obús que estalló en la fachada de la joyería y extendió su saliva de hierro en torno suyo hasta derribar al hombre cuyos gritos me hicieron acudir y ver que la cara estaba ya borrada por la sangre que fluía y le llegaba a los hombros; le arrastré como pude hasta la entrada del café Gran Vía[23], manchándome las manos igual que si yo hubiera cometido el crimen, y la acera también quedó con trazos de vivo color rojo que irregularmente indicaban de dónde veníamos, y a dónde debía yo volver impregnado de muerte en espera de unas personas a las que contagiaría de aquella epidemia que a todos alcanzaba.

Por eso, cuando me avisaron por teléfono de lo que había ocurrido, no me extrañó, sino que pensé en los destinos cortados en pleno camino y dejados con toda la fuerza de su impulso a que se pierdan como los fragmentos de una granada que no encuentran carne en su trayectoria.

Así fui yo dos días antes por la calle, a tomar el Metro y a procurar aclarar algo con Nieves, pero cuando la telefonista la buscó no la encontró en todo el hospital y se sorprendía, tanto como yo me alarmaba, de que hubiese abandonado el trabajo sin advertirlo, porque nada había dicho en la casa y la madre me miraba sin llegar a entender mi pregunta cuando fui allí por si le había ocurrido una desgracia.

Pese a su furia por teléfono, claudiqué y una tarde, en el vestíbulo del patio, a donde solían entrar las ambulancias,

---

[22] *SIM:* Servicio de Investigación Militar republicano, creado por iniciativa de Indalecio Prieto en agosto de 1937.

[23] *café Gran Vía:* café de la época; su cercanía al Hotel Florida le proporcionaba una gran afluencia de extranjeros.

volví a encontrarla callada, hosca y evasiva; fue suficiente que la preguntase por él para que un movimiento suyo, apenas contenido, con la cabeza, me hiciera insistir buscando las palabras, explicándole que la policía estaba sobre el asunto y que pronto le encontrarían y que pronto se aclararía su desaparición que era sospechosa, o muy natural por su falta de precauciones y su convencimiento de que no había peligro. Acaso él esperaba únicamente los riesgos tradicionales de la guerra y no se guardó de otros; de ésos exactamente yo debí prevenirle: no sólo de los silbidos de las balas perdidas, sino de otras formas de muerte que le acecharían y que una voz nerviosa me anunció por teléfono, sin que yo me asombrase porque sabía lo que me iban a decir, y así fue: le habían encontrado acribillado a puñaladas, en el sitio más inesperado, al borde del Canalillo, por la Prosperidad, ya medio descompuesto, cubierto de moscas e insectos, y ahora los agentes de la comisaría de la calle de Cartagena estaban atónitos, sin entender cómo un extranjero había llegado hasta allí, máxime cuando aún conservaba en los bolsillos el dinero, los documentos, la pluma, lo que era de difícil explicación, pensaba yo según iba al depósito de Santa Isabel[24], si nos veíamos obligados a justificar por qué había muerto, por qué estaba allí extendido, pestilente, del que aparté la mirada en cuanto le reconocí y me detuve en los objetos alineados junto a él. Mientras contaba quién era aquel hombre, reparé en una Cruz Roja nítidamente trazada en un botoncito de solapa que como adorno solía llevar Nieves en el abrigo.

Para mí fue un cuchillo puesto en la garganta. Me callé, pensé en todo aquel desastre que se nos venía encima y ella, en medio del remolino, interrogada, asediada a preguntas, quién sabe si hablaría de paseos por barrios extremos o del bisturí con su funda dorada que como juego llevaba en el bolso... Pese a todo, la quería como a ninguna otra, esquiva, inconquistable; la culpa era de la guerra, que a todos cegaba y arrastraba a la ruina.

---

[24] *depósito de Santa Isabel:* se refiere al depósito judicial de cadáveres que estuvo sito en la calle de Santa Isabel.

10 de la noche,
Cuartel del Conde Duque[25]

El pensamiento se fue hacia el color de la piel iluminada por las llamas, hacia los detalles de aquella hora larga al pie del horno. Sería difícil olvidar todo lo que había aprendido de lo que puede ser el amor: la blandura de la espalda, el roce de los cuellos, la carne fría de las rodillas, el peso de los miembros extendidos sobre el cuerpo, cómo a veces éste parecía transparente e irisado y otras negro y abismal, mancha oscura en la que se habían rastreado con la boca los sitios más suaves, siempre una manera nueva de poner los labios en los hombros o en el mullido cojín del estómago, cuerpo inagotable sobre el que se desfallece a punto de caer muerto y precipitarse en la nada, de donde se resucita para al instante reintegrarse al mundo y a sus quehaceres, en medio de los cuales se presenta súbitamente la imagen del amor y pone su mano caliente en el recuerdo y de allí desciende por los canales más vitales y se extiende en íntimo gozo que hasta puede obligar a una ligera sonrisa o dar a los ojos la mirada suavemente velada por la añoranza. En los

---

[25] *Cuartel del Conde Duque:* es un edificio de grandes proporciones que fue mandado construir por Felipe V en 1717 para Real Cuartel de Guardias de Corps; de su traza y de su característica portada churrigueresca se encargó Pedro de Ribera. En 1869 sufrió un gran incendio que marcó el inicio de su decadencia. Desde 1969, año en que lo adquirió el Ayuntamiento de Madrid, se ha ido rehabilitando y constituye hoy uno de los espacios culturales más importantes de la capital.

lugares más impensados se presenta la fuerza que pervive en el pensamiento, entre otras instancias más ásperas e inocuas, entre triviales objetos o lugares tan ajenos y diferentes a la pasión de las bocas unidas y los cuerpos enredados, pensamientos que llegan en momentos inadecuados, de noche o de día, al encender las bombillas cubiertas por unas pantallas de papel para evitar que su mortecina luz pudiera verse en el exterior, en la calle, de donde había desaparecido, con la llegada de la noche, todo atisbo de iluminación, salvo el esplendor difuso que daba la nieve; entonces se fueron aminorando las conversaciones en el vestíbulo, se redujo el paso de soldados por la escalera, fueron cesando los ruidos en las habitaciones del primer piso; no bien el comedor quedó vacío y los cubiertos, platos y vasos, con su entrechocar estridente, quedaron quietos y lavados en los armarios, y las cocinas, tan visitadas y activas durante el día, durmiendo vacías y oscuras, vibró en el patio un cornetín de órdenes.

Después sobrevino una calma aún mayor y los párpados de los pocos que bajaban las escaleras pesaban como el plomo y, aun cuando se llevaban la mano a la frente y a los ojos, no podían vencer aquel deseo de recostar la cabeza y dejar que todos los pensamientos cayesen y sólo quedase una tierna y serena oscuridad en la mirada para que los miembros agotados se aliviasen de la fatiga que penetraba hasta los huesos.

Cuando los pasos del centinela fueron el único ruido, y el eco aumentaba la amplitud del vestíbulo y parecía que el pesado tiempo con que la noche iba apoderándose del dominio de los hombres y colocando sus dedos en cada objeto para acrecentar su natural sombra y ocupar su dimensión y convertir aquellos contornos en una extensa amalgama en la que sólo se destacaban los pasos del centinela que incansablemente se paseaba de un lado a otro de la puerta, pisando la nieve gris de la acera, entonces un hombre con largo gabán y boina encasquetada hasta los ojos apareció ante la puerta e hizo una seña al centinela, que respondió afirmativamente con la cabeza, tras lo cual el hombre se alejó por la acera escurriéndose en la nieve deshelada, pero no obstante caminó de prisa y dobló la esquina del enorme edificio, ahora cerradas todas sus ventanas, un bloque inerte flanqueado de tapias al comienzo de las cuales se abría un pasadizo por cuya oscuridad pastosa entró.

Chistó y en respuesta oyó unos roces y entre las sombras una persona se acercó a él y le tocó; él también extendió los brazos y sujetó un cuerpo bajo ropas gruesas que daban su peculiar olor, y así agarrados, como dos cojos o ciegos que se quisieran ayudar, salieron a la calle bañada por un resplandor lechoso que subía de la nieve y bajaba del cielo claro a pesar de ser noche cerrada.

Delante de la puerta se detuvieron, el centinela echó una ojeada al vestíbulo y les hizo una señal, con lo que la pareja entró casi corriendo y se dirigieron a una puerta pequeña visible junto a la escalera. Por ella pasaron a una nave y luego fueron a lo largo de un corredor flanqueado por patios, de donde entraba una claridad borrosa que sólo permitía ver las paredes y grandes manchas negras de puertas cerradas. La pareja llegó a una que estaba al final, pasó por ella y encontró una escalera totalmente a oscuras cuyos escalones bajaron tanteando, y por primera vez murmuraron unas exclamaciones sujetándose uno al otro y rozando el suelo con los pies para comprobar dónde terminaba la escalera y empezaba un pasillo estrecho por el que avanzaron hasta una puerta que abrieron con llave y tras la que había habitaciones con ventanucos, gracias a los cuales pudieron ver el camino que debían seguir. Tres escalones les llevaron a una nave en la que brillaban unos puntos rojizos y una suave bocanada de calor y de olor dulce les dio en la cara según se dirigían —pasando entre sacos y leños alineados— hacia los hornos aún encendidos con brasas y rescoldos, cuyas compuertas el hombre abrió para que su luz les iluminase y el calor se esparciera. Cerca, los estantes, las artesas para amasar el pan, las mesas, y encima de una, un gato que les contemplaba con recelo, y montones de retama de las que él cogió unas cuantas para meterlas en los hornos y que se prendieran y las llamas dieran más luz. Entonces se volvió hacia la mujer, la cogió un pellizco en un carrillo y soltó una carcajada. Ella se echó para atrás, también rió y cuando él se quitó el gabán y lo extendió en el suelo, delante del horno, aumentó sus risas y sus gestos y no opuso resistencia al empezar él a desabrocharle el abrigo y luego, aunque las manos no estaban muy seguras, a desatarle un cinturón blanco que cruzaba el color verde del vestido, pero ella, con movimientos metódicos, se quitó éste y como un pez salió de él, y se desprendió de otras prendas de vestir dispuestas de tal forma, por ella o por una técnica generalizada que preveía este momento, que cayeron al suelo acompasadamente. Y así desnuda se acercó a la boca del horno para calentarse y tomar el color rojizo de las llamas que se apoderaban de las retamas con sus diminutos crujidos y chisporroteos, aunque allí estuvo tan sólo unos segundos, porque el hombre la dio unos manotazos y la abrazó y sujetó los labios en su boca, y así quedaron un rato, sacudidos por estremecimientos que estaban a punto de hacerles caer. Pero no caían, sino que parecían sostenerse mutuamente y daban unos pasos vacilantes o se ladeaban y seguían aferrados en un abrazo estrecho que daba su resuello de pechos anhelantes, hasta que en el silencio que les rodeaba oyeron un lamento del gato y se volvieron hacia él y se desprendieron lentamente, aunque se quedaron con las manos sujetándose por los antebrazos y en esa postura, vueltos del fondo de aquella tensión aún con los ojos medio cegados, vieron al gato erizarse, tenso el lomo y los bigotes, bufando con expresión de terror en su pequeño rostro de redondos ojos.

Al verse contemplado, el gato huyó y la pareja regresó a su contacto; esta vez hubo un forcejeo y ambos quedaron arrodillados sobre el abrigo, los cuerpos volvieron a entrechocar y tambalearse bajo el látigo sangriento del fuego cercano que clavaba sus briznas centelleantes en la piel tersa.

De nuevo el gato maulló junto a ellos, pareció amenazarles, acechándoles dispuesto a saltar. El hombre agitó las dos manos, dio una palmada y el animal desapareció entre las mesas, pero su bufido se escuchó aún; la pareja volvió a cogerse y tornaron a su prolongado abrazo, aunque las caras seguían vueltas hacia las zonas de incierta oscuridad por donde había huido el gato. Y sus lastimeros aullidos se oyeron en la profundidad de la nave, teniendo a veces un timbre parecido a la voz de un niño o de una mujer, y ese murmullo llegó a ocupar el espacio tranquilo y fue el eco del lamento de una víctima horrorizada o de una persona perdida y suplicante, al recoger una sorprendente gama de tonalidades. La pareja seguía los movimientos del animal: las caras serias y los ojos atentos a los inesperados saltos o correteos, como si de ellos dependiera su proceder, aunque el gato, desde que maulló la primera vez hasta la última que le oyeron entre las mesas y la oscuridad del fondo de la nave, apenas estuvo presente unos minutos, tiempo escaso para alterar la intimidad y el ardor que parecían asegurados por las precauciones tomadas. Pero la verdad es que aquella vocecilla, ni humana ni completamente animal, había hecho algo que sólo un impulso natural poderoso podía lograr al contrarrestar la tensión, casi desesperada, del amor. Porque esta tensión parece que se pone virtualmente en marcha en el momento que entra en la conciencia la posibilidad de darle satisfacción, y un primer paso de su logro real es saber que habrá, esperando a la pareja, un lugar apartado, solitario, tibio, acogedor donde encuentre refugio y seguridad para aquellos minutos de mutuo abandono y distensión. Y precisamente éstas eran las cualidades que reunía la panadería del cuartel, tal como aquel amigo me había explicado y yo, días después, lo había comprobado, yo mismo para evitar sorpresas, y en verdad que aquel rincón de la ciudad húmeda y helada parecía ser de una comodidad extrema, y mi certidumbre fue tan absoluta que no dudé en planear la cita y paladear el sosiego con que podría entregarme allí al amor en el mismo sitio en que mi amigo estuvo.

Encendí la linterna y con su luz recorrí la nave: las mesas, los estantes, sacos y leños apilados, las ventanas cerradas y al fondo los dos hornos brillando en la pared de ladrillos ennegrecidos. Cerré con llave y ella se volvió hacia la puerta, pero yo la estreché contra mí y la llevé hacia los portillos, donde aún parpadeaban brasas de un rojo claro, cerca de los cuales el frío desaparecía y una corriente de templanza daba en la cara y en las manos. Les eché unos troncos pequeños y en seguida la llama se alzó y prendió otra vez; ante el horno, la claridad aumentó y descubrió las cosas y a ella rígida, atenta al fuego, fija en él. De las heladas naves del cuartel habíamos pasado a una noche de verano, y entonces ella comprendió por qué la llevaba allí y buscaba como aliado el fuego y su templanza enervante, el chasquido de alguna rama, el suave abrazo del ardor, contemplando las llamas que poco a poco iban conquistando los troncos y transformando en otra materia las cortezas rugosas.

Eché mi gabán en el suelo delante de las bocas de los hornos y despacio, con toda suavidad, aparentaba calma; fui a desabrocharla el suyo, pero ella me dio un empujón y se cruzó de brazos dispuesta a no ceder. La sujeté las dos manos y pude comenzar la lenta operación en que muchos hombres han fracasado por precipitación y falta de tenacidad para que un botón salga de su ojal o una cinta pase por donde parece que no puede; todo lo que requiere cinco, diez minutos, el tiempo que sea, y saber esquivar algún golpe traicionero o uñas que avanzan hacia las pupilas. Despacio, la ropa va cayendo al suelo sin que se rompa por completo y las fuerzas de la que lucha desesperadamente van siendo cada vez menores.

Cuando el esplendor de los pechos, en vano cubiertos, fue iluminado por las llamas, me di por compensado de todo y pensé que acaso aquella mujer era la primera que yo deseaba intensamente, por su misma negativa, distinta de las complacientes mujeres que solía buscar en la calle de las Naciones, negativa que venía a retrotraerme a mi adolescencia, en la que soñaba con un ideal maravilloso y subyugante, que no podría explicar con palabras porque nadie lo entendería, aun buscando largamente las palabras y los parecidos. Las buscaría y ninguna daría clara idea de lo que sentí al ver su cuerpo encogido, echado sobre su abrigo como una mancha encarnada y negra a la luz del fuego; no podría decir qué calidad tenía, qué expresión de belleza asombrosa, y a la vez una fisonomía demacrada, con ojos mortecinos y de mirada distraída, como si estuviera pensando en algo que no tuviera relación posible con aquellos minutos, o acaso bien podría ser que hubiera descubierto algo aquella noche, pese a lo insólito de la situación, acaso un contacto más afortunado que para ella fue revelador —como cuando se abrazan los muslos para besar el vientre—, capaz de dar una exaltación que no es exclusivamente física, sino una segunda naturaleza que viniera a invadir todo el cuerpo, porque tú mismo decías que la notaste una distensión a lo largo de las piernas y en el torso, hasta el punto de que toda ella se arqueó en una postura que te parecía muy forzada, casi inaudita, pero de una gran sugerencia, de una belleza arrebatadora que te compensaba de los riesgos y vejaciones que habías sufrido no ya en toda tu vida de amores prohibidos, sino a lo largo del helado corredor y de la escalera maldita que era igual que una trampa, y también del oscuro pasillo y habitaciones inmundas que forzosamente había que atravesar para llegar al lugar deseado, como siempre ocurre, pues cualquier deseo conseguido lo ha sido a costa de sufrimientos y sinsabores, de manera que cuando lo alcanzamos —ya sea dinero o poder o vanidades o sencillamente un cuerpo joven— llega tarde e incluso fatiga por lo que se ha hecho esperar y lo miramos con rencor, y como tú bien dices, las vejaciones son debidas a esta oscura ley de la vida, que nos trastoca los deseos más necesarios y nos retrasa aquello que no sólo nos hará felices en el momento de gozarlo, sino que estimulará beneficiosamente, porque todo placer incrementa a quien lo recibe y le une a la vida y le enriquece. Pero esa ley que impera y se entreteje con las existencias humanas, aunque permita al hombre gozar de algo en su debido momento, le exige a cambio una cantidad desmesurada que debe pagar y esta explotación es causa del odio que brilla en los ojos del que está alcanzando algo querido, motivo más que suficiente para que caminar por los pasillos del inmundo cuartel fuese una interminable serie de patadas, empujones, mutuo desprecio, insultos de los que nunca caen en olvido, vergüenza para ambos, y la mayor vergüenza era que ambos os erais necesarios o casi imprescindibles, a ella porque, al faltarle los señoritos del Casino[26] que la mantenían, sólo te tenía a ti, y a ti porque la necesitabas desesperadamente, pese

---

[26] *Casino:* el Casino de Madrid tiene su sede en un lujoso edificio propio que ocupa los números 13 y 15 de la calle de Alcalá. Durante la Guerra Civil

a su abyección, pese a todo, y no lo olvidemos, pese a que si te descubrían, allí mismo os hubieran pegado un tiro a cada uno, así que era cuestión de vida o muerte, algo muy grave y serio, porque si os encontraban, allí mismo, sin esperar nada, os matan a tiros.

Y eso tú lo sabías y, no obstante, fuiste allí, entrando en un cuartel cuando las vidas de los hombres eran una moneda despreciada, cuando la orden no era el amor, sino la cruel obsesión que da la guerra a los hombres condenados a su servicio. Lo único que contaba a tu favor era la hora: un reloj había dado las diez y el sueño fue entregando a cada uno su fabulosa felicidad; una gota en cada ojo daba fin a las furiosas pasiones, a los estremecedores presagios que a todos oprimían, y remansaba las rígidas decisiones y un estado de pureza se posesionaba de los oficiales en sus catres, de los soldados en sus jergones, y les mudaba en otros hombres, más sinceros y de mayor benévola comprensión.

───────────
se aprovecharon sus instalaciones para albergar un hospital de sangre y para otros fines relacionados con la defensa de la ciudad.

Nubes de polvo y humo

—Los odio, sólo pienso en matarlos, para no verlos más, para no tener que escucharlos, igual me da que sea una bomba que aplaste todo o un veneno, una cocción de hierbas, una mezcla de zumos y cristal machacado que pasa al paladar, fluye en la garganta, baja ya incontenible a donde debe y allí se encarniza y sólo hay que vigilar la palidez del rostro, el sudor de las manos, la voz temblorosa, y no era tan difícil, porque la repugnante cosa que envolvía el pañuelito era un trozo de su cuerpo y bien podía clavarle alfileres, hacerle morder pastillas de sublimado[27] que se renueven cada día según los dientes van tomando un color verdoso que anuncia el final cercano; ella se debilitaría a pesar de médicos y medicinas y un día, porque entre los dientes se ha puesto un papel encarnado con letras negras que dicen «muere», todo habría terminado.

Bajaba la cabeza para hundir su mirada en el suelo igual que si buscara los instrumentos mortales de que hablaba y la tensión de haber bebido mucho o acaso la fiebre entorpecía las últimas palabras, y el soldado aprovechó la pausa para preguntarle a quién quería matar, pero en seguida tuvo la respuesta de que si todos mataban, ¿por qué no iba a poder ella hacerlo? También los soldados, en aquel mismo instante, estaban matando a otros infelices, que ni siquiera co-

---

[27] *pastillas de sublimado:* las de cloruro mercúrico, sustancia venenosa que se emplea en medicina como desinfectante; se conoce también su uso como veneno.

nocían, y eso parecía bien a todo el mundo, matarse como perros, y variando el tono de la voz empezó a decir que ella sabía cómo hacerlo sin que se enterase nadie porque se lo había explicado la curandera de su pueblo, la que le daba un bebedizo para un muchacho que a ella le gustaba y no la hacía caso, y la tranquilidad con que habló contrastaba con la sirena de unas ambulancias y los gritos de una mujer desde un balcón, vociferando entre el polvo espeso que se movía en la calle igual a una gigantesca masa de algodones sucios.

Estaban los dos muy juntos, respirando polvo de ladrillo machacado y cal, tosiendo, con las cabezas agachadas, totalmente ausentes de la última explosión y de lo que ocurría a unos metros de distancia, atentos ambos a la conversación, único centro de interés, pero él la interrumpió para decirle que matar, a quien quiera que fuese, era un castigo muy grande que se imponía, sólo comprensible si ella se odiaba a sí misma mucho.

—He de matarlos, como sea, ya he sufrido bastante, no puedo soportar por más tiempo depender de su mala intención —y súbitamente enfurecida alzó la cabeza altiva y el soldado percibió su belleza y su juventud, hacia cuyos atractivos quiso avanzar, y la replicó que él no gozaba matando, pero que si era soldado tenía el deber de ir al frente, porque se lo habían pedido y no iba a matar expresamente, sino a disparar apuntando lejos, a montones de tierra o parapetos: yo no mato, sólo disparo, y si mi bala destroza una cabeza, será el destino de aquel hombre que yo, ciegamente y sin culpa, estoy cumpliendo.

—Y si tiras una bomba, ¿no es tu mano la que regará de heridas un ancho redondel?

—Yo no quiero matar, quiero que todos vivan, pero, antes que nadie, quiero vivir yo y ser feliz y los míos; por eso deseo que vuelva en seguida la paz —igual que había dicho cuando salió de su casa y, cruzando el patinejo que la separaba de la calle, había alzado los ojos al cielo y vio la columna de humo, recta hasta gran altura, anunciando que la fábrica de velas trabajaba y, por tanto, se dispondría de luz las noches que faltase la corriente, y el corazón se le llenó de

133

alegría como si hubiera acabado la guerra, porque la chimenea daba su humo de trabajo, de productos traídos de lejos, calor de brasas, el ingenio de las mezclas y el esfuerzo de echarlas en los moldes, y eso era luz en las casas cuando al cenar lo poco que hubiese todos se reunían en torno a la mesa, precisamente el lugar donde se había acordado que él fuera al frente, resolución tomada hacía meses y ahora, siguiendo su curso lógico, las botas, la mochila con algo de ropa, la manta enrollada, esperaban en el suelo junto a la puerta, único equipaje de un emigrante que se encamina a la senda de la esperanza y del deber, porque a su espalda yacía, en forma de personas o planes, todo su futuro y debía defenderlo. Acaso abrazaba a los suyos por última vez —quién sabe si una bala venía hacia él, pasando semanas en su veloz carrera hacia el cuerpo hacia el que estaría destinada fatalmente—, y esta noción le hacía apreciar aún más la templanza de la casa, el olor de las ropas usadas, de los guisos que se habían sucedido en el fogón, la vista de objetos y humildes muebles unidos a su vida de niño y de muchacho.

Al terminar las despedidas emprendió la larga caminata hasta el cuartel del Conde Duque, por callejas sin urbanizar, entre solares donde soplaba el frío del invierno y ahora las tolvaneras de los calores de agosto, y cuando entró en el barrio de Vallecas, camino del Metro, le pareció oír a lo lejos la voz del vendedor de periódicos, un grito sin modular que anunciaba que bajo el brazo llevaba los diarios y los ofrecía al pie de las farolas encendidas, pero tal cosa era imposible, porque hacía meses que aquel hombre había muerto en el frente de la sierra, y ahora las farolas no se encendían y, sin embargo, tuvo la sensación de que oía aquella voz conocida tantos años: lo que parecía un augurio mortal fue para él aviso de que alguna vez volverían los días tranquilos y, olvidada aquella guerra cruel, pasearía por calles iluminadas y podría comprar el periódico y cruzar un saludo con el vendedor, todo ello sin relación alguna con las palabras de cólera que estaba escuchando, de reconcentrada furia, dichas como una letanía a un dios vengativo de inerme piedra y ojos de zafiro que exigiera odio, dispuesto al castigo si no llegaba hasta él la salmodia entrecortada:

—Me despierto y dentro de la almohada escucho: ¡máta-los!, y en sueños alguien me lo dice, y durante el día pienso: debo matar, y espero que caigan muertos allí mismo.

—¿Por qué pones esos ojos de loca? Una muchacha joven como tú, ¿por qué hablas de matar? ¿No te das cuenta que todos los que quieren matar lo que de verdad intentan es matarse a sí mismos, matarse para poner fin a venganzas, a miedos, a desesperaciones que no pueden vencer? Engáñate si quieres, pero la verdad es ésa, ¿qué te importan los demás si lo único que te interesa y te angustia eres tú misma?

—¿Por qué voy a resignarme más tiempo? A veces les miro y no les conozco, tan torpes, tan dominantes, sin saber dónde ir porque no tienen nada que hacer, salvo comprar más tierras, con ojos vidriados del que ha terminado de ver, ennegrecidos por el entrecejo de los que cuentan billetes y miran de reojo por encima del hombro en su incontenible desconfianza, que les hace decir que a los hijos no les está permitido tocar el dinero que reunieron, pues no lo han incrementado y deben pagar caro lo que desean y, como nada tienen, se les cobra en libertad, en albedrío, en obediencia.

—¿A quién quieres matar? ¿Quiénes son? ¿Alguien de tu trabajo, o nosotros, los republicanos? —como si los soldados jóvenes que disparaban en los frentes fueran responsables de algo ante aquella mujer a la que sus propios pensamientos exaltaban y la hacían murmurar con altanería la sorda desesperación, la ira contenida en largas noches de rencor.

—Noches y días de sometimiento, de humillación, a la espera de que cayesen muertos, siempre con sus enfermedades, ella no cesa de darme instrucciones de cómo llegar a casa de la echadora[28] —repitiendo lo que debía decirle sobre sus dolores y sobre las hierbas que había de tomar, y para que pudiera predecirlo con seguridad le dio aquello, que envolvió en un pañuelito, y se lo puso en la mano a la vez que la empujaba hacia la escalera por la que tantas veces había subido y bajado resignada.

---

[28] *echadora:* se refiere a una echadora de cartas, persona que adivina el porvenir y otros misterios interpretando los símbolos de los naipes.

La guerra es una maldición, una desgracia para todos, ni uno escapa al estremecimiento de contemplar destrucciones, cuerpos sin vida arrugados en la ropa manchada de un soldado caído de bruces en tierra de nadie que allí espera días y días pudriéndose al sol y a la lluvia, replegándose la piel de la cara y mostrando los dientes aguzados y fríos como dispuesto a morder a quienes le mataron porque los dientes son herramientas de la vida y del ataque y verlos siempre horroriza, aún más saliendo de un fino pañuelo de batista como ella le mostró: una dentadura postiza con largos dientes amarillos sobre encías encarnadas de pasta, extraño objeto que no tenía nada que ver con la joven atractiva que descubrió en el refugio a donde hubo de correr porque, no bien salió del Metro, se le vino encima la sirena de alarma y el estruendo de los aviones y un fragor distante que se acercaba y que hizo brotar gente en las puertas, que se llamaban y cruzaban corriendo hacia un gran letrero que en una fachada se destacaba en blanco, «Refugio», donde también bajó atropelladamente empujado por el miedo a hundimientos, a esquirlas voladoras, a la calle explotando entre relámpagos y trozos de muro desprendidos.

Una insignificante luz colgaba sobre las cabezas que se agitaban mientras los ojos pretendían ver algo, aunque nada había que ver en aquella penumbra, rellena de intranquilidades, impregnada de los posibles e inminentes terrores que en cualquier momento estallaban con un estruendo más cercano o con gritos en la puerta del refugio, y por donde había bajado él, bajaba un grupo de niños que, con rostros llorosos, eran empujados por dos hombres que les tranquilizaban, aunque ellos mismos tartamudeaban y no lograban borrar el miedo de las caras infantiles. Uno de los hombres quedó al lado del soldado y murmuró que era inútil esforzarse en salvarlos, porque un día u otro les matarían, o si no, cuando fuesen jóvenes, en una guerra semejante. Daba igual guarecerse o quedarse en la calle, en el riesgo de lo imprevisible. Por otra parte, lo que se vive aun con gran intensidad resulta que se olvida a los pocos meses, que es una forma de morir.

El soldado le replicó que sólo los que temen morir piensan que cada acontecimiento deja una herencia indeleble

136

que va a llenar un vacío. El otro le contestó que ningún suceso de una guerra puede dar un estigma que enaltezca y aliente; el sufrimiento es inútil, no se logra nada sufriendo y no perduran los rastros de ese pasado precioso que un día encuentras dentro de ti y que te parece una joya.

El soldado le dijo que los acontecimientos pasan rápidos, resbalan y dejan la naturaleza intacta porque nada te hace cambiar ni te perfecciona, aunque sí pueden aumentar la decisión de luchar.

A su lado había una mujer joven que le miraba atentamente y seguía las palabras apenas moduladas que cruzaba con el desconocido sin pensar mucho si le oía, reconcentrado y distante de las razones del otro, pero a ella debía interesarle, porque sostuvo su mirada cuando él la contempló, pero luego no la hizo caso, pues estaba pensando: «Nunca se quiere matar, pero un día ves que es lo único posible, no como venganza, sino para evitar que otros sigan matando, y así acaso colaboro en la vuelta a la paz, aunque alguien pueda decirme que sólo defendemos una fantasía, una quimera». Dijo en voz alta:

—Se mata si es preciso matar.

Ella se le acercó y le miró con ojos dilatados.

—¿Qué te pasa? ¿Por qué pones esos ojos?

Ella tardó en contestarle:

—Tengo ojos para mirar como quiero, con asco, y yo no te pregunto a ti nada.

Un nuevo grupo de personas bajó en tropel al refugio y les separó, pero no pasó mucho tiempo y volvieron a coincidir y se encontraron sus miradas y el soldado, mientras observaba la ceñida blusa blanca con botones verdes, recuperó la conciencia de que había mujeres en torno suyo y eran deseables y acaso complacientes en aquellas semanas en que la muerte rondaba a todos y exaltaba los deseos, y cuando ella se fue hacia la salida, él la siguió, se puso a su lado y caminaron de prisa a lo largo de la calle en la que crepitaba un incendio en los pisos altos de una casa.

De pronto, otra explosión les hizo guarecerse instintivamente en el quicio de una puerta cerrada, con el tiempo justo para evitar que la onda de aire les derribara, y en seguida la nube de polvo les cegó, y aunque se taparon la nariz y la boca con los pañuelos, las gargantas secas les obligaban a toser sin cesar, y encogidos y pegados uno al otro, así permanecieron unos minutos medio ahogados y lagrimeando hasta que pudieron hablar y ella siguió su confesión como largo razonamiento de un proceso que el soldado ya no atendía: —... primero fuimos a campo traviesa y luego por la carretera, con todos los que obligaban a evacuar el pueblo, y esperamos los camiones..., en una cesta habían metido las alhajas y en otra las escrituras de las tierras que me pertenecen porque soy hija única y las necesito ahora, de joven, y no cuando sea una vieja, porque siendo rica podré casarme con quien quiera y están obligados a dármelo ya, sin esperar más.

Sostenía en la palma de la mano la dentadura postiza como la única limosna que le hubieran dado, pero el soldado miraba su pelo cubierto de cal y la cara blanqueada, ahora manchada de las primeras nieblas del atardecer, y un gesto de ella de una total desesperación le enterneció y la echó un brazo por los hombros como para darle un cobijo mientras ella hablaba tan apasionadamente que no se dio cuenta de que la abrazaba, excitada por su misma confesión más que por el miedo, poseída de un delirio, como liberándose de culpas ajenas, haciendo cargos y reconvenciones a alguien cuyos dientes mordían la fina trama del pañuelito mientras él la estrechaba contra sí e imaginaba que los botones de la blusa se abrían y cedían a la presión de los pechos y éstos, como una materia portentosa, de cerámica o piedra pulimentada, se descubrían, con la posibilidad de un contacto enloquecedor, pero un nuevo retumbar de muros que se desploman cerca le hicieron interrumpirla para decir que había que marcharse de allí.

De prisa, en dirección contraria a la última explosión, saltando por encima de bloques de ladrillo y restos de ventanas, huían los dos, pero una persona se interpuso ante ellos, un hombre alto, con la cabeza ligeramente echada para atrás, blanco de cal y un reguero de sangre por la frente y la cara, y cuando estuvo más cerca vieron que tenía los ojos cerrados; tanteando el suelo con un bastón, daba un sollozo ahogado, no podía ir de prisa y tropezaba: así desapareció por una bocacalle entre montones de escombros. La joven cogió de un brazo al soldado y estuvo unos segundos callada mirando hacia aquel sitio.

—Un espectro, manchado de yodo, con algodones pegados, pasaba por ahí, con la boca abierta, quería decirme algo.

Él la tranquilizó diciéndole que también lo había visto, que era un ciego, que la guerra hacía que todos pareciesen fantasmas. Ella dejó que él la cogiese del brazo y se alejaron casi corriendo por calles que comenzaban a estar a oscuras y vacías, donde la basura se arremolinaba delante de tiendas cerradas y portales entreabiertos con el maullido de algún gato en la fresca humedad de los patios abandonados. Al adentrarse por el barrio de Tetuán, él comprendió que la muchacha conocía bien el camino: calles cruzadas por personas rápidas, obreros ensimismados, chiquillos alegres, casitas de una planta entre otras, igualmente modestas, de pisos, delante de una de las cuales se detuvo y se preguntó que por qué iba con ella... pues... para acompañarla, no debía ir sola, era muy tarde y él no tenía prisa hasta las once, en que habría de estar en el cuartel, a lo que ella negó con la cabeza, pero a la vez señaló al portal y murmuró que él no debía subir, y aun así, ambos entraron en la oscuridad de la escalera crujiente y cuando subieron dos pisos él la detuvo y le preguntó si tenía novio, si se había acostado alguna vez con un hombre, pero no obtuvo contestación y la sujetó contra la pared y empezó a acariciarle los hombros y el cuello y estuvieron unos minutos como si fueran a entregarse al amor, y la calma de la escalera les envolvía con su carne confidente mientras él susurraba: —Qué cuerpo tan precioso tienes..., debes de ser muy blanca..., y la besaba las mejillas y las sienes, pero de pronto ella se desprendió de sus manos y subió corriendo la escalera hasta donde brillaba una bombilla cubierta con papel azul, en la buhardilla, donde se detuvo y esperó a que él se la uniera para llamar con los nudillos dos veces en una puertecita, y cuando abrieron dijo: «Vengo a ver a doña Luisa», a la vez que entraban en un pasillo estrecho junto a la sombra de alguien que les cedía el paso y fueron a una habitación de techo bajo y allí encontraron a una anciana detrás de una mesa camilla de la que apenas sobresalían sus hombros y su cabeza inclinada sobre el tapete desgastado, en el que se veían las cartas desparramadas, y allí, aunque ahogaba el denso olor a suciedad y vejez, la joven se sentó y tendió los dedos hacia la baraja.

—Dígame qué va a ser de mí.

La echadora movió las cartas, las tocó, las ordenó y sin variar de postura empezó a murmurar:

—Una mujer, envidian, envidian tu cuerpo, el placer, tu edad. Aquí un hombre, te elige, es pecado...

Se calló y al pedirle la joven que dijese más sólo respondió:

—No veo, no hay nada.

Entonces el pañuelo blanco fue desenvuelto y apareció la dentadura; con un movimiento rápido, la vieja la colocó sobre una carta; con otras fue trazando un círculo y luego las levantó para ponerlas boca arriba.

—No veo a nadie, todo está vacío, estos dientes no son de nadie.

Poco después emprendieron el regreso por las calles del barrio, donde se oían conversaciones a través de las ventanas abiertas, y, junto a las bocas de los portales, había corrillos de vecinos que buscaban el fresco de la noche, todo lo cual animaba al soldado a hablar y a proponerla verse cuando volviera del frente con permiso y ella le preguntaba en qué trabajaba, pero iba pensativa, sin la exaltación que la dominó cuando salieron del refugio, enfriado su oscuro resentimiento, y sólo pareció volver en sí al llegar a la calle de Bravo Murillo, cerca de Estrecho, y escuchar el sordo arrastrar de los cañonazos en el frente, denunciando su presencia e imponiendo una realidad que estaba adherida a sus vidas como a las de tantos hombres y mujeres que aún a aquellas horas viajaban en el vagón trepidante del Metro, mascullando su inquietud, sacudidos por vaivenes, en la atmósfera maloliente de una guerra infecta que envenenaba la respiración de todos y nutría pensamientos de odio, pero ella lo negó y dijo que ya antes detestaba a muchas personas, y él replicó que la guerra no empezó con los tiros, que hacía mucho tiempo todo lo que ocurría en el país era una sorda lucha: la intolerancia, las envidias, la ambición, los abusos del despotismo eran una guerra latente, porque imponer la injusticia origina, tarde o temprano, negras calamidades.

Salieron del Metro y cruzaron calles bajo la claridad difusa de la luna en cuarto creciente, y al llegar a una plazoleta se detuvieron: ante ellos había grupos de personas, unos autos parados junto a la acera, el suelo cruzado de mangas de agua y un esqueleto erguido, iluminado por hogueras interiores, una fachada agujereada por los balcones encendidos de fuego, y al ver lo cual la joven echó a correr y desapareció entre la gente que hablaba con voces cansadas, junto al enorme montón de escombros delante de la casa; aún allí había llamas y penachos de humo que aumentaban el calor de la noche de verano: una casa más destruida, desplomados sus muros no muy sólidos de ladrillo y vigas de madera que ahora la bomba incendiaria convertía en pavesas y (volvió a encontrarse con la muchacha y ésta le gritó algo con expresión de asombro) cuánto esfuerzo, experiencia, caudales de recuerdos se perdían con cada casa calcinada.

Ella llevaba la dentadura en la mano: blandía un símbolo de la época terrible; forzosamente, la guerra había de tener signos enigmáticos que se materializan de pronto y cuyo significado no era posible interpretar y sólo podían ser contemplados con extrañeza, como el oír en la lejanía el grito de un vendedor de periódicos que hace meses ha muerto, o comprobar que el fundamental motivo de las guerras es la codicia de algunos, y que si buen número de manos empuñan los fusiles, otras muchas se curvan sobre joyas y billetes, dando a los rostros un gesto desalmado. Ella se le acercó y le dijo: «¡Ha ardido todo!» Pero el soldado ya daba media vuelta. Sobre las ruinas de la casa había entrevisto una columna de humo que cruzaba el cielo claro y recordó una estela idéntica sobre su barrio, sobre las familias que nada tienen sino trabajo, y a la hora de la cena, una vela encendida, erguida en el gollete de una botella, ilumina la calma nocturna

cuando los ojos empiezan a velarse y la mirada vaga sin fijeza cediendo a la necesidad de descansar porque al día siguiente habrá de volverse a la tarea, al frente, y hay que dormir, dormir, dejar que los párpados se cierren para olvidar
los horrores de aquel tiempo, la pasión de matar y la sed
inextinguible de riquezas.

Riesgos del atardecer

También el sol habría dado en otras caras, habría herido otros ojos y las mejillas de señoras de gesto sufrido con pelo tirante hacia atrás y gargantilla de tul color hueso, y rostros varoniles, unos abotargados por la vida sedentaria muy opípara, otros enjutos con hoscos bigotes sobre el cuello de pajarita, y otros de pelo cuidadosamente pegado con raya sobre frentes estrechas y mirada cansina porque la quietud, la calma, el orden meticuloso de las cajas, daba serenidad a las locas miradas juveniles y cuando el sol entraba cada tarde, los ojos parpadeaban y los dedos les hacían sombra, revelando una sortija de oro, un anillo con piedras engarzadas; ninguna cara faltaba a las citas diarias, a la imperceptible coincidencia en la proximidad de la caja registradora, dejando vagar las miradas por las estanterías alineadas y superpuestas, en las que de haber un hueco hubiera sido descubierto y probablemente recriminado si es que representaba un cambio en el orden, del que él siempre dijo que era la llave del éxito, y con todo cuidado colocaba dentro de la caja un mantón de Manila o una mantilla de blonda y la ponía en su lugar, deseando íntimamente no tener que volverla a tocar, no tener que bajarla para mostrar su contenido a un comprador ignorante o mal educado que venía a pisar el umbral del recinto sagrado y luego a palpar las adquisiciones de laboriosas vidas ejemplares.

Puesto que todos ellos habían pensado que el sol molestaba y podía amarillear los géneros, a él le incumbía cómo evitarlo por medios más generales que no fuera la pantalla de los dedos, ya que en la calle devastada, los dos escaparates resplandecían con numerosos artículos de gran calidad y selección, que si no tanto como pensaba —al colocarlos en las cajas—, que eran marfiles en lechos de terciopelo, sí eran excepcionales junto a los comercios cerrados, las fachadas salpicadas de metralla, el pavimento roto por los obuses y montones de basura junto a la acera. Debía venderlos y para eso estaban, pero bañados de sol atraían la codicia, el deseo no de comprarlos, sino de robárselos de día, violentamente, alegando razones políticas o de guerra, y de noche, saltando los cierres y apoderándose de todo en la oscuridad para echarlo en sacos y a hombros llevarse lo que habría de esperar en los estantes tiempo y tiempo para ganar valor, como joyas en un viejo estuche que se abre para recontarlas y un rayo de luz enciende un rubí como una gota de vino añejo, engarzado en el anillo que brillaba en su dedo y que bajó hacia el mostrador para señalar las manchas de sol que indiscretamente iluminaban todo.

«Entra mucho sol. Baje el cierre de ese escaparate», y cuando estuvo cumplida la orden pensó que las colchas de damasco con tanta luz se destacaban tras las lunas pese a que éstas estaban cruzadas con tiras de papel pegado, y era preferible retirarlas, ponerlas fuera del alcance de las apetencias, de las envidias, lo que tantas veces advertía Eloísa dentro de la trastienda, en el pupitre donde tenía los recibos, los libros, los vales de caja a los que se inclinaba largas horas, en los que apoyaba los nudillos salientes de las manos para afirmar: «Estoy enferma y nadie sabe lo que tengo».

Pero a partir de cierta fecha, cuando decía esto, bajaba la voz y se pasaba los dedos por delante de los ojos, como si algo le hubiera deslumbrado o quisiera retirarse un mechón de pelo invisible, pero quien eso pensara ante gesto tan habitual se equivocaría, como se equivocaban el marido y la hija, porque ella tendía a cubrirse la cara, a cubrir el secreto que llevaba dentro y al que quizá se refería al decir que nadie sabía qué enfermedad era la suya, pese a que el médico de la familia llegaba a media mañana y le tomaba el pulso. Cuántos consejos inútiles había sermoneado el marido a la hora de la cena, y cuántas veces se encogió de hombros la hija que la oía en silencio, sumergida en el estanque antiguo de sus ensueños, mientras la luz de cada mañana rompía peligrosamente las puertas del establecimiento, tal como pensaba él que ocurriría a una mujer bellísima que la claridad viniera a descubrir su cuerpo desnudo, el que había que tapar y proteger, y haciendo los movimientos necesarios, abría y cerraba los brazos: «Sí, vamos a poner unas cortinas de celofán», género sencillo, que se clavaron encima de los escaparates y llegaban hasta el suelo para que quienes mirasen no vieran nada del interior y ellos, desde dentro, sí pudieran ver la calle húmeda del chaparrón reciente, mujeres mal vestidas, niños, algunos hombres uniformados, y en la pared de enfrente unos carteles con dos soldados cruzados por un rótulo: «Ayudad a la defensa de Madrid».

Pero, al llegar la tarde, el sol entre nubes metió sus rayos allí y no sirvieron las cortinas; al contrario, su suave colorido reflejaba en todos sitios e iluminaba más, lo que fue comprobado por él mismo al contemplar desde el centro de la calle el resplandor de oro que tenía así hasta la puerta de la trastienda, color de las catedrales o de un palacio con infinitas luces que hacían tomar a todos los artículos un valor nuevo y magnífico similar al de los encajes ambarinos, que merecían todo esfuerzo, toda dedicación.

Cuando entró, oyó una voz no muy clara, atribuible a algún antepasado: «Sigue dando el sol en la caja de los camisones», y hacia allí dirigió los ojos y, efectivamente, un hilo dorado y luminoso pasaba por encima del mostrador y llegaba hasta el sitio indicado, lugar al que se habrían vuelto los que soñaban con la carne caliente y satinada a que estarían destinadas aquellas prendas algo pecaminosas, inconvenientemente descubiertas por el sol, y entonces, repitiendo el movimiento pudoroso, cerró más las cortinas mientras que, para quitar significación al movimiento, decía a Matías: «Hay mucho género en los escaparates», de lo que en seguida se arrepintió porque la venta podía bajar si no exponían, y su misión en aquella época cruel era salvar el negocio, sobre todo que no lo requisaran, que no lo socializaran.

«Vamos a retirar lo que no sea de temporada», y otra vez con un gesto medido y suficiente de la mano fue señalando prendas: primero, las camisas de mujer, azules camisas «imperio»[29] que entre los dos fueron retirando y colocando en el fondo de una caja donde quedaron arrugadas, en las que coincidieron las miradas de los dos, que se encontraron al levantarse y les produjo un momento de embarazo, de malestar, que desviaron a unos calcetines finos de niño que Matías le iba pasando desde el escaparate y él guardaba hasta que suspendió aquel trabajo y entró en la trastienda.

Vio que su mujer no trabajaba; aunque inclinada sobre las facturas, estaba inmóvil y no leía ni escribía en el diario, ni sumaba mentalmente: una paralización total; dio dos pasos, se le puso delante y ella se sorprendió y fingió estar aplicada en sus cuentas, pero fue evidente que por unos segundos había estado absorta, a lo que él creyó conveniente preguntar: «¿Qué haces?», y oyó la voz de Eloísa: «¿No lo ves?», y siguió haciendo que calculaba, pero estaba atenta a la sombra cercana de él que la miraba exigiéndola algo, reprendiéndola, con una amenaza imprecisa que se refería... ¿a qué? Levantó los ojos para descubrirlo y, al verle fijo en ella, comprendió que la amenazaba sabiamente porque no descubría cuál sería su castigo, sino que lo mantenía pendiente sobre su cabeza días, meses, años.

Se levantó, se puso el abrigo y murmuró: «Voy a ver a mi hermana»; él, sin andar, la siguió con la vista: «Vuelve pronto», y apagó la lamparita que brillaba encima del pupitre.

Salió a la calle abandonando todo, quietud y seguridad de la trastienda, protección de convenciones y costumbres reconocidas y aceptadas, cerrándose bien el abrigo para resguardarse del contacto despiadado del exterior, y al llegar a Noviciado no tomó el camino de casa de su hermana, sino que

---

[29] *azules camisas imperio:* parece que se juega en este sintagma con varios significados. La *camisa imperio* es una prenda (una camisa breve) de lencería femenina; por otro lado, se conoce como *camisas azules* a los miembros de Falange Española (y por extensión a los partidarios de Franco), cuyo ideario político abriga la idea de que España ha de ser un *imperio*.

dobló por Palma, entró en una casa modesta, subió a un piso y saludó a una mujer más joven que ella, alta y fuerte, con gesto decidido; la hizo pasar a un cuartito donde se sentaron a la camilla junto al balcón y donde enhebraron su dialogo íntimo y sincero, a veces doliente y a veces sarcástico, con alusiones ácidas y rencorosas hacia personas distantes e inadvertidas de que dos mujeres canosas, inofensivas, acumulaban la confidencia de su odio y su desprecio sobre sus imágenes evocadas, y mientras ellos cumplían con los ritos del quehacer diario, eran cercados por aquellas palabras de total aversión, mientras él ideaba colgar a cierta altura, en el fondo de los escaparates, batas negras y delantales para tapar todo con aquella pantalla de tela opaca, y cuando lo hicieron, notaron que, efectivamente, la luz dentro había disminuido mucho.

En aquel momento una sombra se interpuso en la puerta por detrás del visillo que hasta la mitad la cubría, y entró un hombre con boina y bufanda.

—Buenas tardes.

—Buenas —respondieron.

—¿Tienen ustedes calcetines de lana?

—No, no tenemos. Hace mucho que se terminaron.

—O de algodón, pero que sean de abrigo.

—No, ya no tenemos.

—Bueno, gracias —dio media vuelta y al abrir la puerta y salir se escuchó un cañoneo lejano.

Matías opinó que no debía de ser un rojo, pero el jefe le replicó que nunca se sabía; a lo mejor, un «mandamás» que se encaprichaba con aquello y lo requisaba, porque la verdad era que en los escaparates seguía habiendo mucho género del que acaso habría que retirar lo más tentador, las prendas de vestir, y un rato estuvieron quitando jerséis y bufandas, sin pensar bien lo que hacían, porque estaba acordándose de que, al dejar las camisas en la caja, se había desdoblado una y movido ella sola y se replegó por un lado, exactamente como si un ser vivo la animase o un cuerpo inmaterial se hubiera deslizado en ella con intención obscena de asustar a Matías, que también la había visto y se había sentido azorado.

En la calle de la Palma, en una casa modesta, las dos mujeres seguían hablando, la una sollozaba y la otra pretendía consolarla, pero su congoja llegaba a tal extremo que su amiga tuvo que acceder y la prometió lo tantas veces ofrecido y otras tantas demorado por las razones que ahora alegaba, pero Eloísa era tan acuciante en su desesperación, tomaba una actitud tan desesperada, que por fin aceptó dárselo aquella tarde, ponérselo en las manos, que cogieron el frasquito y lo encerraron en los guantes negros de punto, o en los de cabritilla o en los encarnados de fantasía que estaban casi rozando el cristal y que retiraron y en su lugar extendieron un felpudo que a nadie atraería y evitaría aquellas entradas tan desagradables, hablar con uno tras otro, salir de la trastienda a despachar, salir de su diálogo con los rostros submarinos de todos los que habían cimentado el comercio, despachar a clientes despreciables, lo que le parecía igual que el comediante al que acaban de atravesar con un puñal de cartón y vuelve a salir al escenario para cantar un aria; una actitud de cantante de ópera tuvieron las dos amigas delante del armario de donde había sacado el frasquito que no bien cogió se quiso marchar, como si pudiera perder la oportunidad de aquella tarde, a una hora determinada, fija desde hacía años y que ella pensaba aprovechar, y su amiga le dio consejos para perfeccionar el efecto y que fuera progresivo, empezando ahora con el fin de que quedara todo pronto terminado, jugada la carta definitiva, arriesgada pero la única salvadora, que para él —lo comentaba con Matías— era impedir la entrada de luz bajando el cierre del escaparate izquierdo, aunque se perdiera visibilidad para los paños de cocina, las batas blancas de médico y los mantelillos de croché sujetos en un cartón, pero cuando lo hicieron comprobaron que habían ganado penumbra y que poco a poco allí dentro había una atmósfera tranquila y opaca como en un mausoleo de ambiciones, de pingües beneficios.

Otra vez en la puerta apareció una persona, pero no entró, se limitó a mirar al interior y con su corpulencia tapaba todo el cristal, en tanto los dos se habían echado para atrás, ansiosos, rígidos, pegados al mostrador, en un silencio en que oían sus respiraciones y el leve chasquido de la carcoma, hundidos en interminables segundos, esperando que la puerta se abriese y ocurriera lo temido, y delante de la puerta del piso Eloísa se inclinó hacia su amiga, la besó y le dijo al oído: «Les odio a todos», y ambas estuvieron unos segundos abrazadas, reconfortándose con su afecto y sus demostraciones al despedirse. Pero aquella persona no llegó a entrar, se fue y ambos se movieron en las palabras de Matías: «Qué susto nos ha dado. ¿Quién sería? A lo mejor un comisario político que venía a incautarse de algo». «Lo que hay aquí más peligroso es la caja registradora: indica que este comercio la necesita, que hace muchas ventas. Habría que quitarla», pero se limitó a toser, a teclear con las uñas en el mostrador, a cimbrear la cabeza aprobando algo que pensaba y que le distanciaba de las personas que pasaban fugazmente por la calle, sin relación responsable con ellas, ajeno a armas y a amenazas, a manos que asesinan, a lugares de perdición en que campea el vicio, sin relación con personas abyectas que bordean la muerte, con desafíos en los barrios extremos o comilonas en el Casino de Madrid, seguidas de bacanales donde cada copa de champán es un paso al delito, cuando toda rigidez se quiebra y es posible dejar de ser lo que se es.

Era Eloísa que volvía; abrió la puerta y sin decir nada, ni un saludo ni un comentario a la oscuridad que encontró y al cañoneo que parecía aumentar y presagiaba una noche de obuses, pasó a la trastienda, fijos en ella los cuatro ojos, severos unos, respetuosos otros, y cuando ya había desaparecido, él levantó la voz para preguntar si había traído el termo con el café y desde dentro Eloísa contestó: «Sí, ahora te lo preparo».

La vio de espaldas, sin hacer nada, sin duda preparando ya la malta[30] con una pastilla de sacarina que todas las tardes tomaba en la trastienda, despacio, saboreándola, con un dedo anular metido en el bolsillo del chaleco, escuchan-

---

[30] *malta:* cebada germinada de manera artificial. Preparada en infusión, se consumió mucho en España durante la Guerra Civil y la Posguerra como sucedáneo del café.

149

do si fuera Matías despachaba. «¿Está ya?», secamente, como enfadado por aquella marcha intempestiva, pero Eloísa tuvo un sobresalto y con la mano derecha le tendió el vasito, que era la tapa del termo, lleno de un líquido oscuro, para que se lo bebiese, pero tenía la cabeza vuelta, sin interesarse de qué forma lo tomaría, lo que él hizo como siempre, chascando la lengua y pasándose el pañuelo por los labios después de devolverle el vaso, y entonces sí encontró las pupilas dilatadas de la mujer fijas en él.

Cuando salió, ella metió en el bolso un frasquito vacío y con movimientos agitados se asomó a la puerta de la trastienda y allí esperó.

La tarde iba declinando y el comercio estaba sumido en la oscuridad, apenas se veía. «Los comercios están ahora muy amenazados», y a aquella hora el aire se adensaba con evocaciones de tiempos anteriores, con rumores que nadie podía producir, pero que eran inconfundibles, incluso crujidos de seda, el fru-fru antes soñado y deseado por clientas distinguidas, casi un zumbido en los oídos, y si se pudiera abrir un rato la puerta para respirar mejor, sentir el pecho lleno de aire, satisfecho de haber terminado el día, uno más, plagado de peligros y unas ráfagas de destellos a la izquierda como si joyas engarzadas de diamantes cruzasen la tranquila atmósfera oscura y templada sin extrañarle, aunque tuvo que apoyarse en el mostrador, porque aquel espacio era el punto de condensación de anhelos, propósitos, esfuerzos de una larga familia, a la que también Eloísa pertenecía, aunque ahora la mente de ésta repasaba el exorcismo, el conjuro: «Los tres primeros días sólo se sienten mal; el cuarto se desmayan».

Puertas abiertas, puertas cerradas

¿Dónde estaría ahora? Acaso por la calle, expuesta a mil peligros, o en casa de una amiga hablando de vestidos, del veraneo en Biarritz[31], de alhajas. Si pudiera tenerla allí delante... con la blusa entreabierta.

Se levantó de la butaca, fue al balcón, miró a través del cristal su propia vida de deseos como un cajón gigantesco donde estuviera arrojada una infame mezcla de tormentos.

Pero ella entonces taconeaba con impaciencia. Mejor no pensar, seguir atentamente la silueta del soldado en el repetido ir y venir ante el recuadro de claridad debilísima de la puerta; escuchar el golpe de los tacones una vez y otra —se alejaban, se acercaban—, hasta verle desaparecer por la derecha; dar una carrera, subir la escalinata y cruzar el gran vestíbulo escasamente iluminado por una bombilla pintada de azul; cerrar tras sí la puerta lateral y adentrarse por el ancho corredor donde no había nadie y donde no se oía ningún ruido.

Las puertas que lo flanqueaban con sus manchas oscuras estaban cerradas y no dejaban ver las oficinas y almacenes que allí habría... Apenas distinguía en la penumbra, yendo hacia el fondo donde estaba la puertecilla cuya llave, apretada en la mano, preparaba para introducirla con firmeza, venciendo los roces previstos, y hacerla girar hasta que el pestillo sonase.

---

[31] *Biarritz:* ciudad francesa situada en la costa del Golfo de Vizcaya, muy frecuentada por la aristocracia y la alta burguesía europeas desde que Napoleón III fijara allí su residencia.

Esperaba que le diera en la cara una bocanada de calor, condensado allí como una sustancia pesada y blanda, pero no fue así. Los hornos estaban apagados y al bajar tres escalones encontró una mayor claridad reflejada por largas filas de formas redondeadas, blanquecinas, a través de las que fue hasta el sitio donde tenía que estar una pila y un grifo. No le oía gotear en el silencio, pero, no obstante, lo vio a la altura de su cara, fijo en la pared, clavado en una cañería que bajaba hacia la oquedad de un fregadero de piedra artificial, ante el que ella abrió el bolso y sacó un rollo de tubo de goma.

Presionando con ambas manos, consiguió enchufarlo en el grifo, dejarlo allí prendido y extenderlo fuera de la pila de manera que hiciera una ligera curva cuyo extremo casi llegaba al suelo, rozándole los zapatos.

Dio el agua y el ruido le anunció que ésta fluía, y cuando borboteaba en el extremo del tubo bajó la vista para vigilar cómo se extendía por el suelo de baldosas encarnadas, y hecho esto se fue rápidamente hacia la puerta, y mientras subía los tres escalones echó una última mirada a los sacos de harina. Volvió a cerrar con llave y salió al vestíbulo.

—Salú[32] —dijo junto al centinela, y por la oscuridad que rodeaba el cuartel[33] caminó hasta la esquina de Amaniel, donde había un coche con los faros apagados, pero en el que retumbaba el ronquido del motor.

Cuando se sentó junto al hombre que estaba al volante, emprendieron la marcha a toda velocidad y salieron a Alberto Aguilera, murmuró:

—Todo bien.

Iba rígida, fija en los suaves destellos de luz que se veían en el cruce de San Bernardo, y sujetaba el bolso sobre las rodillas.

«Igual que Mata-Hari[34]», se dijo, e imaginó su propia cara, tersa y bella, joven aún, echada hacia atrás para que las perlas de una diadema dorada brillaran sobre su frente.

---

[32] *Salú:* apócope popular de «salud», saludo republicano que sustituía al habitual adiós.

[33] Es el Cuartel del Conde Duque; véase nota 25.

[34] *Mata-Hari:* nombre artístico de Margaretha Geertruida Zelle (Leeuwarden, Holanda, 1876-París, Francia, 1917), bailarina y espía que actuó durante la Primera Guerra Mundial al servicio de los alemanes.

—¿Qué has hecho de la llave? —le preguntó. Ella tuvo un imperceptible movimiento de hombros que él no pudo advertir.

Despacio, entre otros coches con las luces apagadas, cruzaron la glorieta de Bilbao, que hormigueaba de siluetas negras entrando y saliendo del Metro; las tiendas descubrían su iluminación interior al abrirse las puertas.

—¿Pudiste cerrar bien? ¿Comprobaste que había agua?

Ella seguía callada; sólo más tarde, al subir por la calle de Serrano, dijo:

—Mi cuñado quiere pasarse[35]. Es una locura. Si fracasa y le cogen, caeremos todos.

El que conducía no hizo ningún comentario. El coche entró en una calle lateral y se detuvo junto a la acera. Rápidamente, la mujer se inclinó hacia el conductor, le apretó un brazo para despedirse y como si de aquella forma quisiera imponerle sigilo; sin embargo, cerró con un golpe la portezuela y se fue pegada a la pared. El hombre la siguió con la mirada desde su sitio en el volante y partió en dirección contraria.

Con pasos apresurados entró en un gran portal sin luz y subió tanteando la escalera, al final de la cual encendió el mechero para abrir una puerta: en ella había un rótulo bien visible: «Protegido por la Embajada de Bélgica»[36].

En la sala abarrotada de muebles y cuadros se detuvo después de haber dado las luces de una araña que colgaba en el centro del techo. Pasó a otra habitación y un hombre joven fue hacia ella.

—¿Has podido hacerlo?

---

[35] *pasarse:* el personaje quiere cruzar el frente de batalla para establecerse en el territorio dominado por el ejército franquista.

[36] *«Protegido por la Embajada de Bélgica»:* durante el sitio de Madrid, no fueron pocos los partidarios de Franco que buscaron el cobijo y la protección de diversas embajadas extranjeras; algunas de ellas fueron utilizadas incluso como centro de operaciones de quintacolumnistas. Se sabe, por ejemplo, que el jesuita José Agustín Pérez del Pulgar (1875-1939), de quien uno de los personajes podría ser trasunto, estuvo refugiado hasta 1937 en la Embajada de Bélgica.

—Estoy cansada —y se dejó caer en una butaca junto a la radio para desde allí sonreírle y complacerse en su curiosidad. Le tenía delante: una figura esbelta, ágil, casi ingenua, aunque no era así y sabía cómo se enfrentaba con los braceros en las fincas de Jaén. A veces le era completamente ajeno, desgastado por ratos de antipatía y ratos de deseo. En otra butaca, la pequeña figura del marido esperaba sin duda que ella contase lo que acababa de hacer, pero no se sentía dispuesta a hacerlo y apenas atendió a sus preguntas o a cómo se levantó apoyándose en los dos bastones y se fue, haciendo sus ruidos característicos, de roces y golpes ligeros que no lograban atenuar la práctica y su contención de inválido. Entonces Jorge se le acercó, la cogió la mano y se la llevó varias veces a los labios.

—Ahora ya estará inundada toda la panadería —condescendió ella a decir, dejando escapar una especie de carcajada; él pasó los ojos a lo largo de su cuerpo, desde los hombros a las piernas, piernas largas, bien modeladas en medias de seda tan tersa como si fuera la misma carne, tirante desde la parte alta, donde aparecían dos broches del liguero, hasta el tobillo que se estrechaba para entrar en el zapato negro con gran tacón y una hebilla dorada.

Un zapato para alfombras mullidas y suelos encerados y no para tantear el pavimento de adoquines desnivelados que encontró al bajar del coche. Hizo un gesto con las cejas a través del cristal al hombre que se quedó dentro, puestas las manos en el volante. El aire le agitó de pronto el pelo y tuvo que sujetárselo, y en esa postura, con el brazo alzado, miró a un lado y a otro y cruzó la calle para acercarse al puesto de control que estaba junto al parapeto de piedras.

Cuatro soldados de pequeña estatura y caras oscurecidas la miraban ávidamente, casi dudando de que hasta allí llegase una mujer rubia y bien vestida, de falda corta, que se aproximaba a ellos con pasos seguros, y en la sorpresa de que había bajado de un coche militar, oyeron una voz clara que preguntaba si podía pasar, a la vez que mostraba el pase en regla, debidamente sellado y firmado, al cual se lanzaron los cuatro hombres para leerlo.

154

Releerlo y volver la vista a ella hasta tener, al fin, que decir que sí y devolvérselo y hacerse a un lado y darle paso por el estrecho hueco que en diagonal atravesaba el parapeto aspillado, coronado de sacos terreros, que cortaba la calle de un lado a otro, cruzado el cual ella pasaba a la zona del frente: una ciudad vacía, barrida por la peste o por nubes venenosas que ahuyentaron a todos, dejando sólo a un oficial que preguntaba si sabía dónde estaba el puesto de mando.

Removido el suelo, levantadas las piedras, que en muchos sitios faltaban, los tacones se hundían en la tierra y la marcha se hacía difícil, pero aun así se esforzó en seguir recta porque sabía que cuatro hombres traspasados de asombro y deseos la estarían mirando hasta que entrara en sus pobres cabezas que debían bajar los ojos, pero el suelo, tan sembrado de objetos de metal y cristales, se movía al poner el pie encima, y había alambres que se enredaban en los finos zapatos y rozaban las medias. La calle se alargaba bordeada de casas en ruinas, fachadas abiertas, con balcones desprendidos y muros agujereados de los que amenazaban caer vigas y bloques de ladrillo que no matarían a nadie, pero cuyo sordo choque repercutiría lejos.

Vio el grupo de soldados que estaban ante el puesto de la División, borrado su aspecto humano por la sucia impedimenta que achataba las figuras. Se limitó a preguntar al centinela, como si fuera el portero de una casa cualquiera, si podía hablar con el capitán Guzmán, y el cabo la acompañó a las oficinas cruzando miradas expresivas con todos los que, al contemplar estupefactos la brillante cabellera y el vestido ceñido, anhelaban morir allí mismo, machacados por el rayo de aquel cuerpo, ahogados en una arena en que se hundían labios y manos. La hizo entrar en un despacho donde estaba el capitán, que se puso de pie junto a la mesa. Al principio se quedaron callados, luego él fue a cerrar la puerta y se volvió.

—¿A qué vienes? ¿Cómo se te ocurre hacer esto? Nos van a descubrir... ¿No te he dicho que me vigilan?

Ella movió la cabeza y respondió a media voz:

—Es mejor aquí. ¿La tienes?

155

El oficial prestó oído a los ruidos en la pieza contigua, sacó del bolsillo una llave y se la entregó.

—Guárdatela —la mujer le miró fija—. Ahora vete ya, en seguida. Les diré que has venido a pedirme dinero: eso lo creerán.

Se encogió de hombros, dio media vuelta y, acompañada por él, cruzó de prisa las oficinas y bajó al patio. Se detuvieron como si fueran a hablar. Ella sabía que varios hombres la estarían observando desde las ventanas, recorriendo su cuerpo, carnoso y alto, buceando por atravesar las ropas, y sonrió.

—Mi cuñado quiere pasarse, me lo ha dicho.

—Tú estás loca y él no sabe lo que hace.

A lo que contestó con un mohín de los labios como si contuviera un beso o una respuesta.

De pronto apareció una mariposa blanca revoloteando aturdida y fue a parársele en la manga: parecía una flor puesta allí expresamente. Él levantó la mano.

—¡No la toques! Me gustan tanto...

Fingiendo enfado, cruzó de prisa el portal, pasó entre los centinelas y rehízo el camino, pero por calles diferentes igualmente vacías, destrozada la alineación de fachadas y farolas, con fortificaciones preparadas.

Al llegar al control de Princesa miró uno a uno a los soldados y cuando descubrió a un sargento le dijo con voz firme:

—Tengo pase. Vengo de ver al teniente Tijeras.

Cruzó el control y taconeando se alejó por los bulevares[37] hacia el otro control, en la esquina de Vallehermoso. Llevaba dentro de la mano la llave y pensó que con ella abriría la puerta, pero antes tendría que aguardar frente al portalón a que el centinela se distrajese, y escuchar en la oscuridad los recios taconazos que iban y venían, esperar, recorrida por algún escalofrío que ahora sentía, apoyada la espalda en el respaldo de la butaca, concentrada en el esfuerzo para encontrar las palabras que disuadieran al joven. Éste se cruzó de brazos.

---

[37] *los bulevares:* la zona de los Bulevares comprendía las calles de Alberto Aguilera, de Carranza, de Sagasta y de Génova.

156

—Está decidido. Me paso. Sea como sea. Lo mejor es atravesar el frente.

—No lo hagas. ¿Vas a dejar solo a tu hermano? ¿Y a mí?

Había cruzado las piernas y al hacer el movimiento la falda se había subido y la parte baja del muslo aparecía con la carnosidad apretada por el borde de la butaca, descubriendo que todo el cuerpo estaba a continuación de aquella zona de carne, bastando sólo acercarse, vaciar la cabeza de lo que no fuera aquel deseo, tener valor de empujarla hasta tenderla en la alfombra, y buscar los botones, los broches, que, ya sueltos, permitirían desembarazarla de ásperas telas... Desvió la mirada, cogió la americana y dijo:

—Voy a ver a los Álvarez. Ellos me ayudarán a pasarme al otro lado.

—Es muy difícil. Si te descubren, te fusilan —exclamó ella.

Con la linterna se ayudó a bajar la escalera, y fue a tomar el Metro. Insistiría para que le dieran la llave y poder escapar, aunque llegar a la meta le costase arrastrarse entre cieno y detritos y ratas y toda clase de porquerías que en la oscuridad le esperaban para rozarle los labios, las mejillas, las manos, pegándose a los pantalones. Les preguntaría insistentemente por la llave. ¿Por qué no dársela? Ya sabía que había una puerta cerrada, adosada a un plano de ladrillos, no en una pared blanca al sol, sino una puerta en medio del campo, entre barrizales y estercoleros, entrada a la alcantarilla por la que tendría que meterse.

Álvarez, con la mujer al lado, decía que no con la cabeza. Había que esperar una semana al menos, estaba muy vigilada la zona, era aconsejable aguardar a que volviera la calma a aquel sector y que retiraran fuerzas; entonces, sí, él mismo la acompañaría.

¿Adónde llevaba la puerta? ¿Al campo, al río? Eso era lo que él quería. La llave, la llave.

La llave no era bastante. Con ella sólo no conseguiría nada, había que conocer el camino, tener la suerte de llegar hasta la alcantarilla sin ser visto.

Pues abriría de una patada: una puertecilla sucia y mohosa, ¡nada! Lo que él necesitaba era escapar del hambre y del miedo, de no hacer nada, escapar del cerco de fortificaciones, de las calles amenazadoras, de las denuncias, de la detención.

Les hablaba despacio, con palabras tan precisas que parecía golpearles la cara de plano, y era tal su firmeza que Álvarez cedió, se metió en la trastienda y salió con una llave brillante, recién hecha, y se alargó en prolijas descripciones de los sitios que había que cruzar hasta llegar a la boca de la alcantarilla.

Cuando tuvo la llave en la mano, dentro del bolsillo de la americana, cambió el tono de voz, bromeó y se sintió fortalecido por la proximidad de la aventura cuyo final era una nueva vida. Había llegado el momento de proponerle irse con él, dejar todo atrás, olvidarlo y pasar a la otra zona, donde se perderían tras el frente; acaso no habría que rogarla mucho ni discutir porque, ¿no estaría dispuesta, harta de aquel inválido, de aquella rémora que condenaba a los tres, hastiada de no tener la actividad con que ella había soñado y cuya sola idea la llenaba de vanidad? Quizá deseaba quedar libre y gozar otras experiencias, lo que él deducía por miradas sostenidas que había sorprendido en ella o por la despreocupación de no bajarse la falda o cerrarse la blusa; algunas tardes de verano, él estaba seguro, había salido de casa para entregarse a un hombre que la acariciaría las piernas largas y bien modeladas, y cuando las manos avanzaban hacia donde terminaban las medias, oyeron que alguien echaba la llave en la puerta del piso. Se volvió uno al otro, preguntándose qué era aquel ruido, y Jorge se irguió y fue casi corriendo al *hall:* la puerta estaba cerrada, efectivamente. Allí mismo llamó a su hermano para saber qué pasaba, pero éste no contestó; fue a su alcoba, abrió las otras habitaciones, recorrió la casa, cada vez más alarmado: todo estaba vacío y tuvo que volver junto a ella.

—Se ha ido. Nos ha dejado encerrados...

—No puede ser. ¿Por qué?

Oscuras sospechas cruzaron su pensamiento, que afanosamente buscaba la explicación, echados de pronto en una mazmorra, en una cárcel incomprensible, sujetos a una grave amenaza que ambos presentían después de que ella abrió su bolso y exclamó:

—Me han quitado las llaves. Sólo tengo ésta —y le mostró una, pequeña y mohosa, que tiró sobre la mesa, al ver lo cual el joven se metió las manos en los bolsillos.

—Yo tampoco tengo las mías... —contemplaba una en la palma de la mano, pero no dijo de dónde era. Los dos se miraban extrañados, fijos en una puerta herméticamente cerrada e infranqueable.

—¿Irá a denunciarnos?

Por la escalera, en el silencio propio del atardecer, se oía alejarse el ruido acompasado de los bastones.

Calle de Ruiz[38], ojos vacíos

Yo no podía saber quién era el ciego, ni a dónde iba ni lo que al llegar a su casa descubriría por el sutil tacto de los dedos que habrían palpado un mundo de cosas, pero nada como aquel hallazgo, red negra y opaca que cae sobre el alma y dura toda la vida.

En una nube de polvo le vi aparecer: la calle aullaba recorrida por la helada estridencia de la sirena y por compactas sacudidas del aire cada vez que el estruendo resonaba sordamente y transmitía su vibración al pavimento y a las fachadas que en cualquier instante podían rajarse de arriba abajo y derramar una cascada de ladrillos, hierros y balcones retorcidos en una gigantesca nube gris y roja, semejante a una sustancia densa, de ligero polvo y humo, que tardaría breves minutos en desvanecerse ante los ojos de los que, horrorizados, la mirasen avanzar.

En una nube parecida vi surgir la figura del ciego andando a bandazos, con la cabeza y los hombros blancos de cal y los ojos blancos, abiertos y dilatados, acaso deseando ver aquella desolación que nos rodeaba y de la que había que huir, aunque él no parecía darse cuenta del peligro porque me agarró el capote.

---

[38] *Calle de Ruiz:* lleva esta calle el apellido de Jacinto Ruiz Mendoza (Ceuta, 1770-Trujillo, 1809), uno de los héroes del Levantamiento de Madrid contra los franceses del 2 de mayo de 1808. La calle recorre parte del terreno que ocupó el Parque de Monteleón, en el que lucharon los célebres Daoíz y Velarde y a quienes, según cuentan las crónicas, unió su espada Jacinto Ruiz, jurando morir en la defensa de la independencia española.

—¡Por favor, por favor!

Le tranquilicé pensando que era un ciego perdido en el bombardeo, alocado por la sirena que recorría el barrio y desgarraba los oídos, y no pude imaginar más. Qué iba yo a saber si nos está negada una brizna de futuro, si estamos, y estábamos en aquella ciudad, aplastados contra un muro, frenéticos, intentando descubrir lo que iría a ocurrir un minuto después, no en lo referente a un negocio, a una cita, a un proyecto cualquiera, sino en lo que hiere nuestra propia vida, y solamente lo que podíamos palpar y contemplar era ya inconmovible pasado y recuerdos que envejecían rápidamente y eran tragados por el olvido, que no devuelve nada, que no ayuda a comprender hacia dónde camina fatalmente una persona, otro ciego que va entre escombros y ruinas. Sólo dije:

—Esté tranquilo. Ahora no pasa nada.

Y él, sin soltarse, me pidió que le cruzase de acera, como si fuera posible en aquellos momentos, en un infierno, pararse a escucharle y no zafarse de él y dejarlo a solas con su suerte como todos los que entonces corrían a meterse en los portales oscuros.

Él estaba ante uno y ella habría estado ante otro, agujero negro lleno de recuerdos dentro del que se reconoció sentada en una silla baja, extendida la falda sobre las rodillas y cosiendo algo, acaso una camisilla de modesta tela blanca en la que entraba la aguja para que el hilo fuese trazando un camino del que no se apartaban sus ojos, aunque charlaba o cantaba quedo con otras tres niñas que, como a ella, sus madres mandaban al portal a aquella hora de las tardes de verano cuando todo quedaba tranquilo y no pasaba un alma ni un coche por el empedrado que desprendía fuego, la misma calle en la que ahora estaba y desde la que miraba, entristecida, la fachada deshecha.

Carmen cogió el brazo de su amiga y entró en el negro agujero, mirando a todos sitios como si el temor real de que les cayese encima un ladrillo o un trozo de estuco fuera recelo de encontrar a una persona en cuyos ojos hubiera reproches, la censura de saberlo todo, como si al volver a la casa entraran en el seno de una madre inflexible que no perdona nada, en el seno de la familia severa, forjada en las privaciones, que ellas despreciaban y pretendían liquidar, aquella construcción de vigas entrelazadas después de que una bomba había resquebrajado lo que parecía más sólido y en su castigo había llegado hasta el sótano; los muros estaban rajados, incapaces ya de sostener el peso de aquel equilibrio a cuya agonía venían ellas a asistir al entrar hasta el fondo del portal pisando con cuidado para subir los primeros escalones cubiertos de escombros.

—Mil veces he pensado si hoy, a aquella mano, la besaría o le clavaría los dientes, esa mano que me dio lo necesario para hacerme mujer.

—Una mano que no te dio dinero.

—Me dio un tesoro. Habré podido reventar de hambre, pero no me ha faltado lo que compensa de todas las miserias. Las limosnas vendrían luego.

—Después, con hombres...

—No es igual; se echan sobre una, te cogen: pueden conseguir a fuerza de trabajo que la vista se vaya, pero las manos de la costurerita no podían compararse a nada.

—¿Aquí precisamente?

—En el portal y en estos escalones nos hicimos amigas. Aquí mi madre me mandaba las tardes de verano y ella también se bajaba para tener más fresco. Se venía con su labor y mientras cosíamos charlábamos y ella me contaba cosas que para mí eran nuevas.

—¿No tenías otras amigas?

—Sí, todas las de la casa, pero cuando ella se interesó por mí ya las otras no importaron.

—¿Y fuisteis amigas?

—Cuando terminó el verano ya no bajamos aquí. Y un día me dijo que subiera a su casa. Vivía sola en un pisito del cuarto. Me acostumbré a ir allí casi todas las tardes. Nos besábamos al entrar y salir y llegué a hacerme a aquellos besos, tan distintos de los que me había dado aquel hombre en el parque; era tan cariñosa y tan buena conmigo que cuando un día me acarició el pecho me pareció natural, y recuerdo que eché los brazos para atrás y la sonreí; al día siguiente lo repitió, yo la acaricié y por encima de la tela noté

162

la dureza de los pezones, porque sólo llevaba la blusa: mirándonos y riendo, nos acariciábamos sin decir palabra y entendí lo que era aquel roce tan delicioso; al día siguiente yo subí a su casa sólo con el vestido puesto y al rato de estar cosiendo dejó la labor y se sentó a mi lado; tampoco ella llevaba nada debajo de su bata, y en silencio nos recorríamos el cuerpo con las manos, ansiosamente, y vi cómo se ponía seria y su respiración se precipitaba y... aquel día no cosimos más[39].

—¿Y nadie lo supo?

—Nadie. ¿Quién podía pensar nada si no éramos un hombre y una mujer?

Levantó la vista hacia los pisos superiores, pero la destrucción había llegado hasta ellos y se veía la barandilla colgando de unas vigas.

—Yo la llamaba desde aquí antes de subir.

Levantó la cabeza y gritó:

—¡Adela! —alargando la última sílaba en un acento lleno de ternura, pero nadie contestó y Carmen se volvió hacia su amiga—. Ya no está, claro. No volveré a verla.

Bruscamente, miró hacia arriba.

—¡Adela! —gritó de nuevo con voz más aguda, y subió ágilmente al rellano y se detuvo allí ante el hundimiento del piso y chilló con toda su fuerza—: ¡Adela!

La escalera se llenó de aquel grito y unos ecos vagos mantuvieron el nombre en los rincones y en los huecos de los ladrillos, pero en seguida el silencio vació todas las ruinas y Carmen miró detenidamente lo que quedaba de la escalera donde había cruzado su secreto con tantas personas, porque se viven años cerca de otros y las vidas se enredan hasta la asfixia y, sin embargo, no nos vemos, no ven el secreto que una mujer delataría en sus gestos o en su forma de andar, y en la escalera miramos a otro lado para no cruzar los ojos ciegos, y en el trabajo o en la calle vamos atentos al suelo

---

[39] *no cosimos más:* teniendo en cuenta el contexto, se puede percibir en esta oración un recuerdo del conocido verso de la *Divina Comedia* de Dante «aquel día ya no leímos más» (Infierno, V, v. 138). Véase nota 122 de la Introducción.

para que no descubran nuestros ojos vacíos, los que se aproximan con sus pupilas clavadas en la penumbra —que borrará nuestra cara y nuestros secretos—del portal por donde entramos y salimos varias veces al día, miles de veces, y siempre lo hacemos solos y furtivamente para no tener que aceptar la ceguera y bajar la mirada hacia los escalones, a los que por fin una fuerza poderosa ha destrozado, y pasados años habrá hecho desaparecer tan totalmente que para nadie existiría allí una escalera, testigo de tanto sufrimiento y quehaceres, parecida a aquella desde donde él la dijo casi cerrando la puerta:

—Voy a salir y vendré muy tarde.

—Cualquier día te matará un coche o un tiro.

Y el ruido de sus propios pasos en los escalones de madera le marcó un redoble que era el anuncio de los soplos de aire templado que le envolvió y le tocó las manos y las mejillas cuando pisó el umbral de piedra y salió a la calle con olor de polvo. El caminar le activó el fluir de la sangre anhelante, tan asidua compañera suya como el bastón, y al suspirar profundamente sintió aplacado el miedo, el hambre, la inseguridad de las piernas, la escucha atenta del menor roce que se acercase, porque andaba a través de una maraña de ruidos ajenos que debía reconocer y sólo el chirrido de la punta metálica del bastón en los adoquines le era familiar. El bastoncillo con su fuerza propia le llevaba sobre las piedras del pavimento y él inclinaba todo su ser hacia aquella materia dura que sabía húmeda o áspera, a la que se confiaba, sonreía a aquel soporte al que le hubiera gustado tocar y bendecir como quien roza la mejilla de una madre, y a la vez que andaba iba calculando las calles que cruzaba, concentrado en su camino de piedras y piedras, como había caminado desde niño, calles que se alargaban y otras que se entrecruzaban bajo sus pisadas y los años también se cruzaban de miles de calles con bordillos que eran una constante sorpresa.

Y cuando ya percibió que había llegado, que estaba en la calle de Ruiz, tanteó la pared y notó la aterciopelada piel de la piedra y se acercó más, y hubiera deseado descansar su cabeza contra ella y permanecer unos minutos entregado al delirio del pensamiento, pero no debía dejarse arrastrar por tal debilidad y entró en el portal, que recorrió con las yemas de los dedos, y subió los tres escalones en la sorda presión de su espacio herméticamente cerrado que daba paso a la escalera conocida por sus crujidos y por sus dimensiones, subida unas veces con vehemencia, otras con el desánimo de lo inalcanzable. También hubiera detenido allí su marcha, su respiración fuerte, para agotar de una vez las posibilidades que pudiera darle expresamente a él. Pero siguió adelante, sintió la puerta, la palpó con toda la mano abierta, gozando en el tacto variadísimo de sus detalles, y con las uñas tamborileó.

Como si le esperasen, la puerta se abrió inmediatamente y una mano le atrajo hacia adentro y al dar unos pasos captó un olor diferente, propio de aquella casa, una sensación íntima que al dejar el bastón le hizo sonreír y sentirse satisfecho y pensar: Como volver de un viaje —mientras le hacían entrar y le hablaban y él contestaba notando la falta de una voz, por lo que preguntó por ella y como respuesta unos dedos le cogieron los suyos y se los pusieron sobre una superficie satinada que enseguida delimitó y acarició ávidamente.

—Sí, lo conozco muy bien, es mi amigo.

—Pero hoy no podemos leerlo.

—¿No vamos a leer nada? ¿Por qué?

—Hoy precisamente no. Han bombardeado mucho, ha habido muchas víctimas... muchos muertos, y no es posible leer palabras justas cuando todo a nuestro alrededor es sufrimiento.

—Precisamente esas palabras fortalecen y son lo que podemos oponer a la maldad.

La respuesta no le llegó en seguida: había cogido el libro y lo tenía en sus manos a la altura de la cara y oía un ruido indefinible que reconoció: era un llanto contenido. Como tantas veces en largos años, en toda su vida, no escuchó respuesta a su pensamiento de extrañeza porque sus ojos no podían preguntar; tuvo que hablar:

—¿Qué os ha ocurrido? ¿Por qué llora Isabel? —esperó igual que cuando niño nadie atendía sus palabras y se distraía en dar palmadas: movió los dedos sobre el libro. Una silla cambió de sitio, alguien se ponía de pie o se sentaba, alguien denotaba su presencia muda y discreta—. Creo que os ha ocurrido una desgracia. Es tan fácil en estos tiempos, pero decídmelo. Vosotros sois para mí la única familia, sois más que hermanos.

—Vivimos calamidades que a todos alcanzan.

—Yo necesito estar aquí con vosotros, que me leáis, es la única ayuda en todo el día...

—Bueno, sea como quieras, un momento nada más.

Le quitaron el libro de las manos y la voz lenta y monótona dijo: «De este modo, el ser de un momento pasado ha vivido, pero ya no vive ni vivirá; el ser de un momento futuro vivirá, pero no ha vivido ni vive; el ser de un momento presente vive, pero no ha vivido ni vivirá»[40]. Bien, ahora ya basta. Otro día leeremos más.

—Es un pensamiento difícil de aceptar, pero lo meditaré. Me hace mucho bien oírte.

—Nuestra época es demasiado terrible para encontrar la verdad.

—Es triste que pase día tras día sin ninguna esperanza, salvo venir a reunirme con vosotros.

—Esta tarde no podemos hablar. Es mejor que te vayas.

—Comprendo que sufrís por algo. Me marcho muy apenado. ¿Qué os ha sucedido? ¿Y el libro? ¿Queda aquí? Dejádmelo hasta mañana...

—Pero ¿por qué te lo vas a llevar? No te dirá una sola palabra.

—¡Dejádmelo!, aunque no pueda leerlo, que venga conmigo y me hará compañía y me protegerá hasta mañana.

—¿Y si lo pierdes? Nos quedaremos sin él. No tenemos más que ése.

—No se separará de mí. Será un trozo de mi cuerpo y no lo perderé.

Tanteó sobre la mesa, lo cogió y lo apretó contra el pecho.

---

[40] Este fragmento del *Visuddhimagga (Camino de la Pureza)*, tratado budista del siglo V, coincide literalmente con el citado por Jorge Luis Borges (cuya sombra planea por todo el relato) en «Nueva refutación del tiempo», de *Otras inquisiciones* (1952).

—Adiós a todos.

Sin oír las palabras que le decían, bajó a la calle muy rápido, como si hubiera cometido un robo y tuviera que huir, pero no bien anduvo unos pasos cuando un grito lejos le hizo detenerse. En seguida el grito se fue haciendo agudo y se transformó en una sirena que se acercaba trayendo su amenaza. Prestó atención más allá de su aullido, pero el temor de la sorda explosión que había oído otras veces le hizo pegarse a la pared. Algunas personas hablaban cerca. Alguien le empujó.

—¿Qué hace usted ahí? ¡Métase en el refugio!

Le arrastraron con fuerza. Bajó unos escalones, fue entre otras personas que hablaban a gritos y descendió una escalera, sintiendo una mano robusta que le sujetaba por un brazo, y al final se estuvo quieto, esperando algo, escuchando estampidos cercanos, entre cuerpos que le apretaban y palabras perdidas que hablaban de los bombardeos, y su paciencia se ejercitó en aquella espera tensa y amenazada, aunque le rodease tranquilidad y calor y sus dedos tantearan el libro en el bolsillo, y cuando pasó el peligro salió fuera y emprendió el camino de su casa sobre un suelo que le habían advertido estaba cubierto de cristales.

Yendo así se llevó la mano al bolsillo y ya no encontró el libro que como un talismán le había protegido hasta entonces y al que su pensamiento se había vuelto en aquellos días como una culminación de sus preocupaciones e ignorancias del mundo que le rodeaba: ahora el bolsillo estaba vacío, igual que sintió súbitamente el centro del cuerpo, y sólo pensó en recuperarlo; con pasos precipitados, regresó al refugio, bajó la escalera y se lo explicó a quienes allí estaban, y ellos le dijeron que no y le aseguraron que no estaba allí ni nadie lo tenía. Presa de una gran inquietud, ya en la calle volvió a hablar con otras personas y todas las respuestas que le daban era de que nadie se interesaba por libros en unos momentos como aquéllos. Tanteó el suelo, aunque inútilmente, y arrastrado por una desesperación profunda fue hacia su casa, aunque todo le decía que allí no podría encontrarlo, que no estaría encima de la mesa y que nada conseguiría encerrándose entre cuatro paredes.

El bastón rebotaba en los adoquines y los pies tropezaban al cruzar las calles sin precaución como nunca las había atravesado: pero no pasaban autos y sólo ruidos lejanos le aseguraban que iba a través de un barrio desierto en el que nadie le prestaría ayuda, pese a que le era muy necesaria, ante todo porque si el libro se le había caído en la puerta del refugio, estaría en el suelo, entre los cascotes y escombros, y sería fácil encontrarlo de tener vista, pero precisamente recurría a una persona que si le aceptaba no le daba otra ayuda salvo lavarle la ropa y hacerle la comida y estar en su cama pasivamente; sin embargo, se encaminaba hacia aquella mujer como única ayuda y al subir la escalera no sabía bien cómo decírselo y cómo explicar lo que era un libro lleno de palabras que para él tenían valor fundamental porque con ellas intentaba arrancarse de delante de los ojos la sombra y la distancia con cada una de las cosas que le rodeaban.

Abrió la puerta y el silencio que encontró detrás le desalentó, pero en seguida un olor intenso que conocía muy bien le extrañó y le produjo alarma; corrió a la cocina y desde la puerta oyó el silbido del escape y ya sin respirar fue a cerrar la llave y abrió la ventana y agitó los brazos para renovar el aire; al salir al pasillo volvió a notar el olor, tan denso que en su cerebro hubo una descarga. Gritó: «¡Carmen!», y al no tener respuesta, fue habitación por habitación tanteando el suelo con pies y manos y llamando, aunque inútilmente: «¡Carmen, Carmen!», a la vez que abría las ventanas y respiraba hondo junto a ellas las ráfagas templadas y puras. Llegó a la alcoba y esta vez la piel de la nuca se erizó al extender las manos hacia la cama y tocar carne, un cuerpo desnudo de mujer que recorrió y reconoció con espanto y que ahora tenía una rigidez desconocida.

Le acarició la cara y le movió los brazos y la cabeza, pero de pronto sus dedos rozaron otro cuerpo y pasó a palpar otra mujer también desnuda que él no podía imaginar quién fuese y que le arrojó a una hondonada de horror aún más incomprensible cuando sus manos llegaron a las piernas y las encontró trenzadas, rígidamente entrelazadas las inefables morbideces que le golpeaban la cabeza como mazas al reconocer que estaban ceñidas a las de Carmen tan fuertemente como raíces o tallos de hiedra[41] o miembros de amantes crispados de pasión.

Sacudió a las dos mujeres, pero los brazos y las manos caían pesadamente al levantarlos. Ya no llamó más y sólo deseó huir, escapar de nuevo a la calle, ir a la de Ruiz, a buscar su libro y apoyar en él la cabeza y que sus palabras consoladoras inundaran de paz su cuerpo helado, del que se desprendían una tras otra las habituales sensaciones, reduciéndose a un único golpeteo en el pecho como el del que anda a saltos y a tropezones entre restos de casas hundidas y nubes de polvo.

Me hubiera bastado haberle cogido del brazo y haberle empujado suavemente hacia la pared para convencerle de que bajara al refugio cercano a la glorieta de Quevedo[42] y allí mantener con él una conversación que habría aceptado, y haberle dicho que todos —no sólo él, sino los que vemos luces y sombras— estamos ciegos, como si anduviésemos con la cabeza vuelta hacia atrás de manera que no podemos sino manejar recuerdos ya inalterables para trazar cálculos y quimeras.

Todo para sustituir al libro perdido, porque acaso cuando yo le encontré ya habría estado en su casa y habría comprendido lo más inesperado para él, o quizá iba hacia allí, y en ambos casos le hubiera podido ayudar si es que él necesitaba que alguien le dijera: «Te engañan: no hay presente, tu vida únicamente es el pasado, la ceniza de un tiempo que tú no vives, sino que está ya hecho y tú te encuentras con él en las manos, convertido en recuerdos. No sabrás nunca nada, todo es inútil, deja de buscar ese libro».

Aunque yo me pregunto: ¿para qué iba a ayudarle? Hice bien en zafarme de él, dejarle solo entre la polvareda y el estrépito de los hundimientos, que corriera a la misma muerte que todas las personas que estaban en la calle.

---

[41] *hiedra:* planta trepadora, símbolo tradicional en la literatura erótica de la pasión ferina.
[42] Véase nota 122 de la Introducción.

Ventanas de los últimos instantes

Dos hombres disparan desde un rincón de muros y cascotes. Invisibles fragmentos de metralla vuelan en torno suyo; les rodea una espesura de balas rebotadas, de ruidos imprecisos, de nieve y lluvia, de truenos de antitanques. De vez en cuando un crujido amenazador, y trozos de tabique se desploman cerca de ellos: un polvo rojo de ladrillos rotos se alza como una gasa ensangrentada. La noche y toda la mañana defienden la posición, un minúsculo cuadrado de tierra bajo sus pies, un suelo encenagado de agua y orines, papeles y restos de comida.

Después del segundo cañoneo hay unos minutos de calma. Se miran.

—Repíteme lo que dijo. Dímelo tú.

—¿Para qué quieres oírlo? ¿No lo sabes?

—... como un siglo que lo he oído. No recuerdo bien.

—Lo recuerdas tan bien como yo, porque no has pensado en otra cosa.

—¿Iba a pensar en eso mientras nos rondaba la muerte?

—Sí, por qué mentir, como yo: los dos no tenemos otro pensamiento desde que ese hombre nos pasó su veneno.

—Lo dijo, sí. Ahora ya no lo dirá más —y hace un gesto hacia uno de los cuerpos que aplastan la cara contra el muro aspillado.

—Qué importa. Lo hablaremos nosotros y no nos lo podremos quitar de la cabeza. Porque yo también...

—Es tan difícil en un barrio vacío, evacuado totalmente, sin agua, sin luz.

—Será un sueño, una mentira: yo prefiero creer que es así.

—Lo explicó bien claro.

Se mete en la boca un trozo de nieve y la masca.

—Hay sueños muy claros.

—En estos meses todo es posible aquí; parecemos locos.

Vuelven a sonar disparos frente a ellos y de nuevo todo el estrépito de un ataque se les viene encima y el suelo tiembla. Unas veces se creen solos y dan voces de miedo y rabia y otras oyen carreras allí cerca y el escape de una ametralladora próxima. A sus lados, encogidos como ropa vieja, hay cuerpos inmóviles. Sobre ellos se inclinan los dos soldados y les van cogiendo de las cartucheras la munición que les falta. Asoman los fusiles por las troneras y apuntan precipitadamente a las arboledas del Parque del Oeste y al terreno donde los morterazos hacen saltar trozos de tierra oscura.

Con el atardecer decrece el ataque y viene un poco de calma. Los dos hombres también se tranquilizan, tosen, se hacen un gesto, se pasan las manos por las mejillas sin afeitar, se rascan debajo del casco.

—¿Tendremos que pasar otra noche?

Suena cerca un silbato. En la posición entran tres soldados y ellos retroceden y se unen a un grupo de la misma brigada. En la penumbra apenas se ven las caras, no se conocen. Tosen, se cierran los capotes y las bufandas en el cuello, encienden cigarrillos. Un oficial con la cabeza vendada les quiere hablar, tartamudea palabras que ninguno entiende.

—¡Qué noche tan fría va a hacer! —exclaman. El grupo parece dispuesto a marchar; se acercan a un boquete en un muro, miran por él, se asoman a su oscuridad esperando algo que les vendrá del lado contrario del combate. Los dos soldados se han quedado los últimos y cruzan sus miradas. El más joven se pone la mano sobre los ojos.

—Me duele la cabeza, igual que un clavo en la frente, pero no obstante... me iría a la casa encarnada —y al decir esto hace una mueca con los labios como una sonrisa. El otro parece pensar, fijo en el suelo.

—Sí, también yo. Lo único que nos compensaría de este terror que vivimos ahora, de este cansancio, si fuese verdad lo que nos contó.

Oyen ruido de cacerolas que traen dos furrieles. Todos se agolpan, dejan los fusiles apoyados en las paredes, tienden los vasos hacia una garrafa que reparte vino, callados, temiendo despertar con sus voces los peligros ahora sosegados. Esperan quietos el rancho.

—Él lo decía con mucha seguridad, parecía convencido.

—Aunque fuera un sueño, me gusta creerlo. ¿Cómo puede mentir un hombre poco antes de morir?

—Nosotros ahora podíamos estar como él y, en cambio, vivimos. Iremos a la casa encarnada y buscaremos.

—Yo puedo ir ahora, luego vas tú. Si no la encuentro, te lo digo.

—¿Y por qué has de ir tú?

—Porque yo... necesito tocar su carne y besarla, es muy bella, él lo dijo y lo creo.

—¿Y yo no? Fue a mí a quien se lo dijo, me hablaba a mí, estábamos cerca y veía que yo le escuchaba y le creía.

—Él hablaba para todos, no se dirigió sólo a uno, quería que lo supiéramos por si eso podía darnos un momento de esperanza y cuando esto acabara nos encontrásemos con ella y supiésemos cómo es una mujer.

Alguien les llama para que se acerquen al grupo y pongan los platos y echarles rancho caliente. Silenciosos, sin mirarse, esperan su turno y luego se apartan y lo toman sorbiendo.

—Me voy, no espero más; aquí estaremos toda la noche, da tiempo de sobra.

—No vayas, quiero ir yo el primero, déjame a mí.

—Espérate, yo veré si es verdad, conozco el sitio, no tardaré nada en llegar.

—El que va soy yo, tú aguardas, primero yo.

—¿Y eso por qué? ¿Qué eres tú más que yo? Los dos una mierda, somos iguales, mañana o pasado habrán terminado con nosotros, de ésta no nos salvamos.

Aumentan los disparos, se ven fogonazos muy próximos y hasta donde están llega una granizada inquietante que golpea las paredes y hace saltar trozos de revoco. Los hombres se agrupan en el fondo de la posición.

—Bueno, pues a suertes, a cara o cruz —saca una moneda, se la pone en la palma de la mano—. Yo, cruz.

—Yo, cara.

La moneda sube en el aire y cae al suelo. Los dos se arrodillan y con la llama de un encendedor la iluminan.

—Cara. Voy yo, ahora mismo, espérame aquí.

Se asomaría a la calle cerrada por montones de escombros, por la caída incesante de los menudos copos. Vacilaría un momento, mirando a un sitio y a otro, pisaría la nieve crujiente, escucharía atento. No se oía un disparo, ni una voz, ni un auto... El soldado avanzaría por calles desiertas, pegado a la pared, sorteando grandes hoyos en el suelo. En un cruce dirigiría su mirada hacia la izquierda: la superficie perforada de una fachada inmensa le haría detenerse, levantar los ojos hasta los últimos pisos: una enorme cuadrícula de ventanas negras, extendida en todas direcciones, dañándole con su igualdad repetida. Por primera vez se fijaría en que balcones y ventanas estaban abiertos, alineados, dispuestos para una visión incomprensible que aumentaría la soledad del barrio deshabitado: se asomaría una mano o una cabeza de alguien inclinado para verle marchar sobre la nieve.

Atento al suelo, seguiría hacia el chalé y junto a éste la casa encarnada, tan alta que se hundía en la niebla. Al llegar frente a ella se encontraría con el portal sombrío y tendría miedo. Cautelosamente, con las manos extendidas y tensas —como un sonámbulo que se obstina en andar a través del sueño—, entraría, bajaría unos escalones tanteando la pared. Echaría la cabeza para atrás y gritaría con fuerza: «¿Dónde estás?»

El grito se perdería por mil sitios y llegaría lejos, pero nadie contestaría. Otros gritos habrían cruzado aquella casa y habrían tenido su respuesta por el hueco de la escalera o detrás de puertas cerradas, pero ahora el soldado no oiría ni una voz lejana ni un susurro cerca de él. Un silencio total.

Daría unos pasos, torcería a la derecha y desembocaría en un patio más sombrío aún que la calle, donde la humedad,

173

las basuras, los restos podridos, precipitaban la noche. «¿Dónde estás?», volvería a gritar.

Al fondo vería un imperceptible punto de luz a ras del suelo. Se aproximaría a él despacio, se agacharía y pasaría su mirada por un ventanuco. Allí arrodillado dejaría de respirar largos segundos; la luz venía de una vela puesta en una mesa. Junto a ella habría una mujer muy vieja que se inclinaba sobre su labor, que las manos, pequeñas y delgadas, hacían con presteza. Vería su cabeza casi blanca y el gesto atento, los ojos bajos rodeados de arrugas y sombras que la vela proyectaba sobre la anciana que cosía en silencio.

«Eh, madre —diría con voz forzada, erizado y sometido a una angustia profunda—. Eh, soy yo» —y con los dedos ateridos tamborilearía en los cristales de la ventana, pero a esa llamada la madre no contestaría ni se daría por enterada y toda su atención sería para el movimiento de la aguja. «¿Qué haces ahí? ¿No me oyes?» Creería que hablaba, pero acaso ni llegaría a pronunciar tales palabras y se sentiría traspasado de aire húmedo y de soledad. Cerraría los ojos, se levantaría y pensaría buscar la puerta de aquella habitación, pero en seguida se daría cuenta que era inútil, que ya nunca podría volver a cruzar la palabra con su madre, ni allí ni en ningún sitio, y rozaría la pared como el único apoyo posible. Daría unos pasos y percibiría otro pequeño resplandor, y volvería a agacharse y a mirar ávidamente: dos mujeres, una frente a otra, charlaban y accionaban en una conversación que no podía oír. Y esta vez estaría allí mucho más tiempo, intentando comprender algo, entender el diálogo de sus dos primas, a las que reconocía claramente, como las viera la última vez, pero hasta él no llegaría nada de su voz y el cristal de la ventana resultaba un muro cerrado. Sí, allí olvidaría las balas cruzando por encima de su cabeza como algo pasado hacía muchos años, y largo rato seguiría la charla automática de las dos mujeres sentadas frente a frente. Sólo el agua de un canalón goteaba en algún sitio del patio.

«¡Casilda, Casilda!», llamaría por oír su propia voz en aquel patio de muerte, aun sabiendo que era inútil llamar a los que no tenían ningún nombre.

Comprendería que debía apartarse de allí y buscar a la otra mujer, por la que había venido, una mujer guapa, carnosa, y con esfuerzo echaría un vistazo alrededor y se acercaría a otro ventanuco herméticamente cerrado y después a otro y a otro, y en el tercero habría una ranura iluminada y por allí sorprendería la figura de una mujer joven que afanosamente peinaba su larga mata de pelo bajándole por los hombros. Un peine pasaba una y otra vez a lo largo de aquel pelo oscuro y la mano blanca, lo único que se destacaba en la penumbra, subía y bajaba incansable en la tarea que él había visto hacer tantos días a su hermana, desde niña, con gestos repetidos mil veces.

Miraría aquella cara apenas perceptible y querría comprender por qué su hermana estaba allí, qué hacía ante él, qué quería decirle, pero aquella noche nada tendría aclaración. Desviaría la mirada, primero hacia la oscuridad de la habitación, luego hacia el cerco de la ventana, a la pared, al suelo de nieve sucia, y pretendería volver a la calle. Pero con toda seguridad no le sería posible encontrar el camino.

El soldado que aún tiene en la mano la peseta murmura:

—¿No querías ir? ¿Por qué no lo haces? Aprovecha.

Pero no tiene contestación. Mueve a su compañero, le coge del capote y percibe el peso del brazo abandonado. Le va a iluminar con el encendedor, pero se contiene: comprende que le ha llegado el turno, él ahora tiene que ir a la casa encarnada, salir por el boquete del muro y asomarse a la calle cerrada por montones de escombros, por la caída incesante de menudos copos de nieve.

Mastican los dientes, muerden

Amanecía entre las opacas oscuridades de la gente encogida en sus abrigos, silenciosa en el descanso interrumpido de los ojos velados que la primera claridad del amanecer iba entreabriendo en la compacta fila de bufandas y pañuelos por las cabezas con que abrigaban aún el sueño, cortado en lo mejor para bajar a la calle y tantear la oscuridad hasta llegar a donde se alineaban mujeres y algún viejo y donde se destacaba la figura más alta, erguida sobre sus miradas. Bastaba una ojeada a la cola para distinguirle; diferente del tamaño, color, locuacidad, educación, de los demás, tapados hasta las orejas, unos medio dormidos y otros charlando incansables.

Llegó la luz de la mañana otoñal, comenzó a pasar gente de prisa, cruzaron coches, algún camión, y los cierres de la tienda colectivizada subieron para anunciar que empezaba la entrega del suministro. En rigurosa fila, apretados contra la pared y contra su mayor enemigo, pecho contra espalda, brazo contra brazo, sosteniendo las miradas desde su sitio, anhelando que aquello terminara y, aún peor, que empezara de nuevo para extender las manos y recoger lo que fuera, a cambio de unas monedas que siempre parecían pocas, tanto valor tenía lo que daban, uno a uno, a los de la larga fila, que peleaban entre sí, se amenazaban o desafiaban en cuestiones referentes al lugar que ocupaban porque eso era lo único que podía hacerles pelear y sacarles de su obstinada meditación sobre la utilidad que darían a unos trozos de bacalao o unos granos de arroz.

El hombre alto estaba atento al movimiento de la cola, atento a los sacos que se veían dentro de la tienda y cuyo contenido, pasadas unas horas, estaría —cocinado y caliente— en el centro de la mesa, sobre el mantel, idea ante la cual sonrió moviendo los lados de la cara y trazando dos arrugas bajo las mejillas. En el comedor se extendía el olor de la comida, todos iban llegando y se sentaban rápidamente en sus sitios.

Tenían bastantes años, pero aún los dientes brillaban al abrir las bocas; relampagueaban cuando, para reír o burlarse, los labios se separaban y dejaban aparecer las dentaduras afiladas, dispuestas a morder en la risa, a desgarrar en las veladas amenazas, a masticar cuando, la boca cerrada, se movían las mandíbulas por los rezos o el mascullar pensamientos privados, contra alguien al que siempre se deseaba devorar.

Las comidas de cada día eran un festín después de una batalla: los modestos alimentos comunes a todos, repetidos hasta la saciedad, eran los despojos de una hecatombe sobre los que la respiración se inclinaba fatigosa y las miradas se movían con prontitud y los dedos se adelantaban a los tenedores y casi el destello de los cuchillos relampagueaba entre el brillo de los dientes aguzados que igual a garras se tendían hacia la comida humeante en el centro de la mesa.

Igual que en una comida funeraria, los rostros en torno, estaban blancos y rígidos, demacrados y tensos, fijos en el centro del círculo mágico que formaban con su hambre, su decepción, su vaga esperanza, atentos al recipiente con un líquido oscuro acaso pastoso, levemente irisado, en el que se hundía el cucharón y parsimoniosamente se iría volcando en cada plato, uno por cabeza, y luego vuelta a empezar hasta que la sopera quedara vacía.

Las cucharas entonces subirían a las bocas con rapidez y, para acortar el camino, las cabezas se inclinarían hacia adelante y los sorbidos que como único idioma se oían parecerían una sarta de maldiciones, de jaculatorias diabólicas contra aquella forzada unión, tan insatisfactoria, en torno a una mesa cuyo centro había quedado ya vacío y así amenazaba continuar hasta que la ira de las miradas entrecruzadas de todos hubieran descubierto que allí no había más esperanza y que, efectivamente, estaban condenados a sentir la desoladora hambre, mirándose unos a otros como máxima insatisfacción.

Solamente la madre sonreía irónicamente. Se levantaba la primera y se iba a la cocina y allí se la oía hacer ruido y mover cacharros y otra vez las miradas se cruzaban, entendiendo el pensamiento común que era la sospecha de que la mano pequeña y blanca de la madre, de debajo de un cacharro habría sacado un pastel o una fruta, o un mantecado, o una rosquilla de pueblo, o uno de esos bollos que a ella le gustaban antes de la guerra, bartolillo, con su crema interior...

La envidia inmovilizaba las caras como camafeos en la oscuridad del comedor, alumbrados por la lámpara central, camafeos antiguos de una época de atrocidades y pasiones, cuando las pelucas blancas y las melenas sobre los hombros enmarcaban los rostros impacientes y crueles recluidos en el marfil que conservaría el recuerdo de aquellos que la guillotina echaba al cesto alto y sangriento.

Ahora pasaba el rencor a un círculo más próximo y los que por alguna razón no querían levantarse de la mesa —que no les daría más— se estudiaban y medían para descubrir cuál de ellos en algún escondrijo de su cuarto ocultaría quién sabe qué deliciosos alimentos. Y como pasaban así en silencio expectante unos minutos, la madre aparecía en la puerta y volvía a sonreír.

Algo les hacía levantarse moviendo las sillas y como distraídos, distantes, cuando la verdad es que estaban allí unidos por cortas ataduras de desconfianza. Sí, la comida había terminado y había que pensar en salir a buscar más, la del día siguiente, y preguntar dónde darían algo, en qué tienda, en qué barrio, en qué economato descargarían unos sacos y los repartirían a los que corrieran a formar fila, con bolsas de hule[43] al brazo.

---

[43] *hule:* tela barnizada por una sola cara, muy útil por su impermeabilidad. Por metonimia, es también el nombre que se le da a los manteles hechos de ese material.

Entre las discusiones, algún empujón, el hombre llegó delante de los empleados que hacían el reparto y abrió la bolsa para recoger aquella compra que más parecía una limosna de las que los conventos daban antiguamente a los pordioseros de la comarca que se alineaban ante una puerta para que un fraile sonriente distribuyera en las escudillas cucharadas de una sopa santa a una cola agitada y procaz, extrañada de ver a un hombre casi en edad militar, correcto y altivo, que extendía su bolsa y recogía doscientos gramos de lentejas a la vez que un empleado cortaba unos cupones de la cartilla de abastecimiento y se la devolvía y recibía el dinero, unas monedas de donde los ojos subirían a la mujer que pesaba las lentejas y largamente mantendría en ella sus miradas, en los hombros, en los brazos, atravesando el modesto jersey, presionándola como con las yemas de los dedos, en todas las zonas más sensibles, aunque estuvieran cubiertas en la mañana de otoño con ropa tupida y bien cerrada.

No en todas las tiendas había una mujer joven, de rostro serio y atento, con un cuerpo bien modelado y apetecible, que hablaba poco y sólo frases precisas mientras manejaba aquellos modestísimos artículos que estaban destinados al suministro, pero que eran antes manipulados generalmente por personas nerviosas, agitadas en cóleras pasajeras, muchas veces inmotivadas y que acababan anidando en los mil rincones de las caras y trazando en ellas unas caretas que lindaban con los rictus del odio.

En todas las tiendas, desde que se anunciaba el reparto del género, había visto un estremecimiento desesperado igual que si aquella operación tan sencilla en apariencia fuese un desgarramiento de las entrañas, que unos a otros se lacerasen con dientes de lobo. Pero la mujer estaba sorprendentemente tranquila, complaciente y a la vez severa, sin caer en el remolino de las pendencias, de los gestos amenazadores, de las discusiones. Y él la sonreía seguro de que algún día ella le separaría de las personas vociferantes y le aislaría entre todos y le distinguiría por su tranquilidad y su educación, intuyendo que la cortesía era un ropaje digno, un uniforme que se ponen sobre los hombros los elegidos para suavizar las costumbres. Como se decía siempre a las horas de comer, insistiendo mucho Ernesto en que las épocas adversas deben demostrar que las personas han sido forjadas en el control que da la urbanidad, control de uno mismo en los momentos peores para diferenciarse de los que son arrastrados por arrebatos o altercados sobre cuál sitio ocupaban en la cola o si les habían empujado o no.

Salió a la calle despacio y contempló aquella fila siniestra y convulsa ante la idea de que los sacos de lentejas se agotaran, para pensar otra vez insistentemente, alucinación que vuelve, gira y atormenta, en que la casa tenía que estar a la fuerza llena de cosas comestibles porque no podía ser de otra manera. Un gran piso, con muchas habitaciones, repletas de muebles, y éstos, antiguos y pesados, con mil cajoncillos y posibles escondrijos donde era fácil guardar hasta una libra de chocolate y nadie la encontraría, porque todo era ocultado para no repartirlo, como pasó con el trozo de queso, que estaba encima del escritorio, sin saber cómo lo había dejado allí, y entró el tío Pepe Luis y lo descubrió y suplicó un trozo y ante la negativa le ofreció su estilográfica, que era de oro, tenía cierto valor, pero en el cambio con aquel pedazo de queso probablemente había salido perdiendo.

Un trozo de queso auténtico que había llegado de la Mancha por caminos tortuosos para cambiarlo no por dinero, sino por algo de ropa o hilos, y que debía de haberlo guardado mejor para que nadie hubiera visto su color blanquecino con los bordes de la corteza que reproducía en relieve la trama del cesto de mimbre donde se formó, ni tampoco el medio de bola que le habían dado las hermanas de García Sancho, con suave cáscara de cera roja tan suculenta al tacto de la palma de la mano puesta francamente en el brazo, sobre la molla del músculo bíceps, el primer día que ella dejó que la acompañase al terminar su trabajo en una oficina del Ayuntamiento empaquetando ropa para Intendencia. Ya no era ninguna niña y, sin embargo, iba un poco azorada, sonriendo e interesada por lo que él la contaba con voz tranquila, buscando los temas que ella conociese, para decir alguna broma y hacerle reír, con todos aquellos líos de las colas y los zipizapes tan frecuentes en que parecían que iban a matarse, tan distintos —pensaba él— de las conversaciones de sus amistades... Esta maldita guerra... Cada rincón de la casa servía para guardar recuerdos, poco a poco esfumados en el fluir lento de los días ociosos y ahora en la alterada corriente de una época imprevisible y dolorosa.

Una parte de la tensión diaria tenía un motivo más para ejercitar la intuición al estilo de las novelas policíacas siguiendo la técnica de los detectives: dividir cada habitación en parcelas y pensar cuidadosamente, intentando abrir cada reloj de pared, cada rincón donde pudiera haber escondido un trozo de salchicha o almendras.

Siempre la busca reservaba una sorpresa, aunque no encontrasen nada, pero sabían que allí había guardado algo comestible, tras un armario cargado de ropa vieja o en la caja de música que no sonaba.

—¿Qué estás buscando?

Una vez y otra la pregunta —burlona o colérica— restallaba en el ropero o en el gabinete.

Allí había mucho que buscar, aunque la eterna contestación fuera el nada que como una mentira insultante dejaba caer fríamente, en especial al tío Pepe Luis o a su padre, que con la diabetes no podía probar el azúcar, y, sin embargo, una mañana de búsqueda dio como resultado encontrar en el revés de una moldura del cuadro más ceremonioso un bollo, verdadera obra de confitería cara que él había guardado, tal como reconoció con furia contenida por el peso de sus ochenta y siete años. Un fantasma que vagaba incansable por la casa vigilando lo que pudiera hacerse sin contar con él, sin tenerle a él en cuenta, que sin entender lo que le hablaban ni oír bien ni poder fijar su atención en nada, con los ojos oscurecidos, exigía que se le siguiera teniendo como eje de la familia, de unas personas que esperaban con indiferencia su necesaria muerte sólo retrasada por una desesperada fijación a todos los caprichos que pudieran darle alguna satisfacción casi vegetativa en su insensibilidad. Y vagaba en la tarea de esconder en sitios extraños lo que el hambre incontenible le aconsejaba.

—¿Qué estás haciendo ahí?

Lo que todos, en pugna por sobrevivir precisamente en contra de los demás, pese a los demás, como el tío contaba de los soldados en la campaña de Melilla[44].

Y lo que se encontraba se devoraba allí mismo, sin pérdida de tiempo, sin preguntar de quién era, ni qué hacía en aquel sitio, porque su dueño tampoco lo reclamaría por no revelarse y sólo se descubriría por la mirada aún más turbia en los breves encuentros en la casa, entre la acumulación de viejos elementos suntuarios que había que bordear para ir de un sitio a otro, canales por los que navegaban afanosamente en busca de algo para comérselo, o usaron cuando niños para jugar y reírse con bromas que se decían, las bromas que se oían a las mujeres de la cola, verdaderas barbaridades que eran pretexto para cogerla del brazo y al soltarlo acariciarlo ligeramente, esforzándose por ser correcto, porque un hombre que había recibido una formación como la suya aun entonces tenía que actuar como un caballero.

Claro que no debía hacerse, no era ni elegante ni justo aprovechando un descuido, por estar allí tan al alcance de la mano, ningún colega suyo lo hubiera aprobado aunque dijese que era en plena guerra y por una mujer de clase muy baja, pero cogió el anillo de la mesita que la madre tenía en su cuarto, él que había ido buscando las pasas que seguramente se había guardado, lo había visto tan a mano que se lo metió en el bolsillo y salió del cuarto silbando.

Como siempre, esperar en la calle oscura era un riesgo no porque estuviera desierta, sino porque pasaban personas y algunas se sorprendían de verle quieto, pegado a la pared, y estaban a punto de iluminarlo con el encendedor y contemplarlo con la dura curiosidad de aquellos meses en que un

---

[44] *campaña de Melilla:* con toda probabilidad se refiere el narrador a la contienda que mantuvo España con Marruecos en 1909 y que desencadenó en todo el país las protestas airadas (que culminaron con la Semana Trágica de Barcelona) de aquellos que se oponían a enviar tropas españolas contra los rifeños. Por otra parte, no sería descabellado pensar (sobre todo en la referencia a la campaña que se encuentra más abajo) que el narrador esté aludiendo también a la sublevación militar del Comandante General Francisco Franco contra el Gobierno de la República que se produjo en Melilla el 17 de julio de 1936.

hombre parado junto a una puerta podía ser los comienzos de un largo drama o el final de una lucha prolongada contra adversidades que nada puede compensar, ni siquiera un amor —como el que estaba cultivando en las esperas largas en calles sin luz— o un regalo de valor que alegra porque podrá ser cambiado —llegado el día— por billetes y monedas, bastando sacárselo del dedo y ofrecerlo al joyero tan fácilmente como antes la mano se tendió y el roce voluptuoso de la sortija entró hasta el fondo y un destello nuevo en la primera falange señaló el regalo.

Ella lo miró echando atrás la cabeza y luego puso la mano delante de la cara de él para que la besase, pero fue ella la que se adelantó y le apretó los labios junto a la boca con un movimiento rápido que no hubiera parecido una señal de afecto si no hubiera ido seguido de palabras a media voz con las que ella le revelaba que nunca había encontrado a un hombre al que pudiera querer tan ciegamente, que todo estaba lleno de él.

Sería verdad sin duda que durante las horas de suministro pensaba en él o mientras llegaba a su casa y estaba un poco con la familia o se lavaba en la cocina, aún más si le veía en la cola esperando con su bolsa, junto a mujeres y chiquillos, y aunque no se hablasen se miraban con insistencia y casi se sonreían: nadie debía descubrir aquellas relaciones admirables en el adusto pasar de meses de hambre y guerra, y aguardaba a que terminase el trabajo para encontrarse y cogerse las manos y pasear tan juntos que se rozaban las caderas, limitados a eso por estar en la calle siempre con testigos, como si fueran dos adolescentes.

Y luego todo se oscurecía para que las parejas buscasen la confidencia de un cine o calles donde la oscuridad permitiera todo, pero el anhelo común era una alcoba discreta donde fuese posible —quizá sólo se sentarían juntos en el borde de la cama—aquello que había pensado por la mañana en la cola, más lenta que otras veces. Cultivaba un amor en medio de alarmas y bombardeos, hasta que todas las cartillas de racionamiento de la casa —eran bastantes— se perdieron y hubo que denunciarlo a la Comisaría, y ella se apresuró a firmar en la declaración jurada para que las dieran de nuevo y las largas explicaciones y la difícil insinuación primera que él la hizo para proponerle aquello fue la situación de su casa. Era peligroso y parecía que lo obtenido no sería proporcional al riesgo, pero a todo se aventuraba por ellos, a los que quería que conociese, antes de lo cual sometió a una lenta preparación, describiendo las cualidades de personas que todo lo esperaban de él dada su incapacidad física y desvalimiento, por ser él el único que podía salir, luchar por conseguir comida.

Y el día que fue a visitarlos, cuando entró en la antigua casa, todos estaban esperándola en la sala: sentadas en butacas cerca del balcón la madre y la hija mayor vestidas de negro, y la prima Carmen de pie, con un brazo apoyado en la consola y con el otro alzando el visillo como si le atrajese lo que se veía en la calle hacia donde inclinaba la cabeza, y a su lado Javier también de pie meciéndose sobre las dos piernas con una chaqueta raída y blancuzca que salió del sastre hacía quince años, y enfrente de él, dando unos paseos, Ernesto, con el cuello vendado, rígida la cabeza, y en una silla, casi tapado por la cortina, el tío Pepe Luis haciendo sus muecas de resignación, solícito en la mirada, esbozando una palabra de humildad, de aceptación, que había tenido desde la campaña de Melilla, y yendo de un lado a otro, arrastrando difícilmente los pies, mirándoles como queriendo saberlo todo, el anciano padre, interrogando el acuerdo en que todos se unían para esperar allí la llegada de una mujer joven acompañada de Alberto, que la presentó dando su nombre.

Estaba convenido: en meses de quiebra de lo más querido había que sobrevivir por encima de toda otra consideración y ceder y aceptar costumbres que siempre habían mirado con desdén. Cuando llegaba una ocasión concreta y el provecho era algo realmente incuestionable y representaba duplicar la ración de lentejas, arroz, boniatos, azúcar, se podía hacer abstracción de la propia estima y tratar como un igual a quien fuese, comprendiendo las razones alegadas por Alberto, que, efectivamente, tenían un peso y eran acertadas.

Ella avanzó tímidamente hasta el centro del grupo, que permanecía callado, cristalizado en el esfuerzo que hacía para ponerse en consonancia con una mujer sencilla que saludaba sonriente.

Después, la vieron siempre con el vestido de flores, el de una criada, aunque no fue a visitarles muchas veces a causa de aquella inspección que hicieron en la tienda, después de llamarla a un interrogatorio que contó a Alberto, tan diferente al empaque de la madre, que, como si fuera una auténtica madre, le tendió las manos y la cogió por los brazos para besarla en ambas mejillas, donde se extendió la palidez del susto, aunque ella, segura, había hablado con pocas palabras, esperando que los funcionarios la dejasen ver qué sospechaban sobre las cartillas, pendientes todos de sus movimientos como si fuera un animal exótico que alguien hubiera traído a la casa para distraerles, y calibraron sus aptitudes o su disposición a ser engañada, según hacía el tío Pepe Luis adelantándose a hablarla, expuesta a una sospecha grave de falsificación que se delataba por sí misma y porque habían aparecido cupones de las cartillas perdidas, con las que ellos podían alimentarse un poco más a su edad, faltos de todo, gracias a Alberto, que iba a las colas, ya que era joven, o el más joven, añadió Javier, aunque allí de pie parecía súbitamente combatido por los años en sus arrugas, su pelo canoso.

Acaso ella era una persona de esas que no necesitan que la cara del que aman tenga tal o cual proporción o, mejor, que no perciben una boca sumida, ni ojos hundidos, ni una excesiva distancia entre nariz y labio superior, porque se volvió hacia él con simpatía, mirándole junto al cuerpo raquítico del padre que avanzaba en su impertinencia, incluso capaz de confiar en los rasgos de su cara, aunque fuesen como las huellas que, al querer ser amables, aparecieron en todos los rostros, al darle la bienvenida y saludarla e interesarse por su trabajo, lo primero que peligraría si descubrían que ella había estado haciendo aquello durante bastantes semanas, lo que oyó Alberto con respiración entrecortada por el esfuerzo de pensar, precisamente cuando planeaba que fuera a casa más a menudo para que se acostumbrasen a verla y un día, inadvertidamente, la metería en su cuarto, a lo que ella habría accedido, pero la mayoría de los familiares lo que querían era atraerla para conseguir algún favor en el suministro, en parte porque no estaban enterados de cómo funcionaba y en parte por la costumbre de cuando su padre fue senador, y ante ellos, fijándose en los muebles y en tan abigarrada decoración, ella estuvo varias tardes allí hablando nimiedades que todos esperaban cortar para decir frases interesantes, pero éstas nunca salían en la expectativa de tomar la palabra y asombrarla.

Un hielo de espanto les clavó entre mesitas de laca y banquetas de caoba cuando supieron que podían pagar muy caro la doble ración de azúcar o de arroz, y Alberto ahora les pedía a ellos una solución de aquel riesgo que le animaron a correr con tanta frivolidad.

Y ella, al escuchar lo que le dijeron en el interrogatorio, decidió pedirle que la ayudase como le fuera posible, realmente cogida de un pánico de animal indefenso, pero ya no pudo hablar con Alberto porque éste no volvió a presentar su alta estatura y prestancia en las colas y sí en la antesala de la Comisaría y en el despacho del comisario, sin recelo alguno porque él sabía expresarse, y le pidió escucharle en la mayor reserva con idéntica seriedad y circunspección que él mantuvo siempre en la fila, y reconocer que él y su familia habían sido víctimas de un abuso de confianza, de una explotación por su desconocimiento de tales cuestiones, y que habían accedido a la propuesta de una conocida, la que con ojos tiernos le veía ir avanzando entre mujeres con capachos. ¿Sería superflua aquella aclaración? Eran responsables, pero también con el atenuante de que los ancianos y enfermos sólo se prestaron a ello, no se habían beneficiado del doble suministro y creían no tener relación con aquel documento que ella, con su mano áspera y caliente, en la que brillaba discreto un anillo, se había apresurado a redactar y avalar. ¿Podían pedir reserva de su deseo de que no trascendiera a ella? Sí, toda la familia asumía la responsabilidad que le incumbía, aunque exculpándose, como era casi un deber. Porque si había culpables, era la empleada del economato.

Que era grave no había duda, el castigo llegaría o no, la interesada hablaría claramente o la retendría alguna razón

—el respeto tal vez—, pero de nuevo en el salón, reunidos en torno a los padres sentados, la espera se prolongó tiempo y tiempo, permitiéndoles hacer toda clase de cábalas, sólo distraídos por ligeros bostezos de apetito contenido, agotando las previsibles consecuencias de aquel desagradable contratiempo de los muchos de una guerra, hasta que a las ocho de la noche sonó el timbre en el lejano vestíbulo.

Las caras se volvieron hacia allá, con una expresión atónita, y todos, sentados y de pie, compusieron el grupo de una fotografía familiar sorprendidos en agradable reunión de balneario cuando los estómagos ahítos reposan en sillones de mimbre y la conversación versa, despreocupada, sobre la campaña de Melilla.

Aventura en Madrid

Muchos perfiles de ciudades, mejicanas, francesas o enormes puertos del Pacífico: perfiles de ciudades que había visto desde el tren, desde las carreteras, sin parecido alguno con el que tenía delante formado de tejados pardorrojizos, cúpulas achatadas, torres, chimeneas, una ciudad pequeña que iban a defender, y al marchar con otros por campos de rastrojos, esperando órdenes para desplegarse, la veía a lo lejos, pegada a la costra seca de la tierra como un cuerpo caído, incomprensible para él, que sólo oyó algo sobre corridas de toros y buscaba ese conocimiento entre los hombres con los que había venido.

Ya en camino, en los primeros momentos de una decisión tomada precipitadamente, alguien le dijo: «Ahora vamos hacia el Sur»; para él, el Sur era la calurosa frontera mejicana, donde beber agua es riesgo seguro de mil enfermedades. Luego, en las estaciones repletas de mujeres y hombres sacudidos por una tensión incontenible, que gritaban y desencajaban los ojos, comprendió a dónde se encaminaba y decidió dormir. Lo consiguió escuchando acentos extranjeros, rodeado de compañeros ya dormidos, con pesada apariencia de estar fatigados y haber caído postrado en los sueños: para unos, una fiesta apenas comenzada; para otros, mujeres; los más, soñarían que se aventuraban por pasillos oscuros. Él se obstinaba en repetir con su amigo Lange una partida de dados, o de naipes.

Aquellos mismos compañeros, a la mañana siguiente, intercambiaban cigarrillos, se daban nombres franceses y alemanes que al momento olvidaban, confundían sus fisonomías severas, miraban el paisaje y aparentaban distraerse de todo lo pasado.

Rodeado de una lengua rapidísima que se rompía en gritos, percibía la imprecisa finalidad de aquel viaje que no podría de ninguna forma convertirle en un soldado que en el patio del cuartel hace los ejercicios. Aunque luego, llegados a una población y cruzadas sus calles, contempló un bombardeo aéreo —casas que se hundían entre polvo que seca la garganta, surtidores de agua en las cañerías rotas, obstinadas mujeres heridas con niños en los brazos— y comprendió lo que nadie había previsto en el acuerdo a que llegó con su vida de París, ni preveían los documentos de filiación con los datos fundamentales de su persona.

La misma mano que los firmó, la misma que en los sueños movía el cubilete de los dados, hizo el ademán de no tener ya remedio y recogió su equipo de tela caqui, áspero material nuevo, como nuevo era el compromiso que había adquirido y que consistía en aventurarse con objetiva frialdad, entre el fragor que arrebataba a la gente de aquel país, pero sin ponerse de su parte, condición que era imprescindible para la buena marcha que hasta entonces le había acompañado y de la que nunca desconfió, salvo cuando vio dos columnas de humo sobre la ciudad y las pesadas nubes sobre torres puntiagudas y edificios que sobresalían del conjunto achatado, casi plano, como si esquivara los riesgos que trae el hecho de vivir, de defenderse.

Lo que habría que hacer era dejarse arrastrar por el proceder de los demás, fundirse en otras suertes, en otras trayectorias que no fueran la suya para sobrellevar la expectativa de lo que ocurriese. Sintió la gran incertidumbre que caía sobre él dispersando su atención, su pensamiento, el equilibrio necesario que requería aquel momento en que el teniente alzaba la voz y lejos oyeron el primer estampido y ante los ojos de todos se abrió el amplio campo libre y pelado que podía compararse con una escena donde iba a representar una historia de paladines, de asaltos a ciudades, de bastiones y fosos ya sólo posibles en una película americana. Un momento tan lejano a aquel otro en que el teléfono había sonado y sonado hasta que tendió la mano pálida, tanteó la mesa de noche y cogió el auricular a la vez que un paquete de cigarrillos caía al suelo mientras la telefonista le pasaba una comunicación con una voz de mujer que anunciaba a su amigo Olivier, que empezó por preguntarle si era verdad lo del viaje loco. ¿Y por qué no iba a serlo? Otras veces se había lanzado así y todo salió bien; no era el primero, y conste que lo decidía sin importarle la ironía de Lange.

—Sí, es un estúpido.

Lo era, pero tenía una energía rara que le contuvo varias veces de abofetearle, a pesar de que cuando estaba bebido, a lo largo de la noche, el alcohol le daba fuerzas colosales que debía aplicar, pero la voz de Lange le doblegaba imperceptiblemente. La curiosidad de Olivier exigía respuesta:

—Claro está que él no me ha obligado a decidir. Es conveniente conocer una guerra, alguna vez, una guerra en Europa; las otras son cacerías.

Eso era lo que hubiera preferido.

—Aquello también parece una selva, pero las aventuras deben realizarse sin meditarlas.

Recogió los cigarrillos, tanteó la suave envoltura, descubrió de pronto el tacto, la sensación fugaz del tejido de aquella ropa, el peso de un fusil cuando se sopesaba en las manos, contacto voluptuoso de rodear y abarcar un muslo y sopesarlo en una cita última en el cuarto de su hotel; ropa, fusil, entrenamientos en unos campos cercanos a una ciudad provinciana, comentarios de sus compañeros con los que comía y dormía, a los que escuchaba con una sonrisa y un balanceo de la cabeza, todos deseosos de integrarse en el frente con su remoto significado y sus estruendos.

Ya rodaban los dados sobre la pulida superficie del mostrador del bar y la sorpresa, renovada a cada instante, rompía la calma del lugar habitual, la sensación de estar en la propia casa aunque el murmullo de voces en las mesas, o alguna palabra del *barman,* les recordaban que no estaban solos y podían formar un grupo, un destacamento llevado en camiones por carreteras frías hacia el sumidero donde convergían planes, órdenes, opiniones; las manos aferradas a los metales del camión se endurecían con el roce cortante y veloz del aire, la suya junto a las de otros, pero la veía accionando en el frío que pasaba entre los dedos muy blancos a la luz de las farolas, mano blanqueada por el aire nocturno y por las madrugadas en blanco.

—¿Y ahora qué? —dijo alguien, y el vaho de la boca se condensaba, aumentando el espesor de la niebla, y luego varias risas rompieron el cristal de la copa, que cayó al suelo, saltando los pedazos entre los pies de todos.

La voz agria y breve se abrió camino en la oscuridad y el frío, dijo que era un payaso y que acabara de una vez: los ojos de ambos sostuvieron fijamente el mutuo desafío, una mirada larga, encendida de alcohol, endurecida por el cansancio y el insomnio.

—¿Quién es aquí el payaso?

La botella de coñac vino a dar en los labios y bebió, distraído por el grupo que salía del local nocturno, y se mezcló con ellos respirando el polvo de agua en el aire helado.

Miraban el interior, desde la puerta, abierta y caliente, cargada de humo de tabaco americano, y en la nostalgia artificiosa, los menos alcoholizados aún recorrían pausadamente las piernas y las caderas de las *vedettes* mientras que los más bebidos buscaban disimuladamente un apoyo en la oscuridad de la calle.

—¿Dónde habéis dejado los coches?

La rubia se volvía a unos y a otros: tenía en la cara todo el desorden de los novatos, la alteración de la trasnochada que aún no había acabado.

—En la plaza Toudouze[45].

Por la cuesta, escurriéndose los zapatos en las piedras mojadas, fueron hacia una figura tendida, casi en el centro, entre los árboles, a la que el alumbrado, la soledad de la noche, el silencio, habían rodeado con su protección: un hombre dormido, echada la cabeza sobre periódicos, caídos pesadamente los miembros en el suelo de tierra. La punta fina de un zapato de charol que había bailado hasta la madrugada y cuyos reflejos recogían la menor luz para devolverla fue a

---

[45] *plaza Toudouze:* plaza de Gustave Toudouze, en París.

darle suavemente en las espaldas, sin conseguir despertarle. La punta charolada se apoyó en el dedo expuesto a todo ataque y apretó, apretó hasta que el hombre murmuró unas palabras entre gruñidos. Todos se desbandaron riendo, con un pretexto para dar una carrera hasta los coches.

—¿Y si hubiera estado muerto?

Otra vez los ojos, irónicos y desconfiados, se miraron, con desprecio, al replicar:

—Hay un sitio donde puedes pisar muertos, pero de verdad.

El guante de cabritilla señalaba un cartel no muy grande, pegado en la pared. Apenas se leía «En Madrid se defiende la libertad del mundo. Acudid al llamamiento de República española».

—¿Y eso qué es?

Ella hablaba desde dentro de un cuello de piel cerrado, del que sobresalía una diadema plateada.

—Un sitio... en el que hace falta mucho valor.

Junto a los faros, ya encendidos, en marcha los motores, el grupo se divertía y bromeaba y las voces fueron ahogadas por los escapes, las llamadas, la distribución de todos en los coches. Plaza Toudouze abajo fueron saliendo ruidosamente, uno tras otro, y al levantar la mirada se encontraron agrupados, aguardando ser llevados a la línea de fuego que de lejos se anunciaba como un ruido, nada más que un ruido.

Era la etapa suprema que ahora exigía olvidarlo todo y consagrarse a ella para enriquecer su experiencia. Allí, los fines personales perderían importancia porque la muerte hacía acto de presencia, era inevitable y acaso se abría ya paso por vericuetos insospechados desde el día en que tomaron la decisión de afrontarla, y les asediaba para rozarles con una esquirla de metralla o una bala silbante. A sus espaldas, la ciudad que venían a defender desesperadamente, a la que acudían procedentes de muchos países para hacer con sus cuerpos el glacis de una fortaleza que se recortaba en las nubes amenazadoras: los huidos de regímenes crueles, los que soñaron un mundo fraterno porque conocieron injusticia, los disciplinados que cumplían órdenes, los quiméricos y los racionalistas estaban allí, avanzando por descampados, alcanzando unas tapias y unas casuchas de suburbio que iban a ser el frente; levantaban parapetos sencillos con adoquines y sacos de tierra, abrían zanjas entre pequeños huertos y basureros, en yermos por donde pasaban corriendo familias harapientas cargadas con bultos y colchones. Contaron los primeros cañonazos, se pegaban a la tierra apenas abierta y miraban recelosos la lejanía ante ellos, mientras hablaban en yidish[46], en italiano, en alemán, y él también se encontró echado a los pies de una ciudad, ahora alta y desafiante, cercada de estallidos y surtidores de tierra seca, y en tanto que apretaba los labios, el breve reborde que eran sus labios, hacia aquel lugar convergían las llamadas de mil agencias telegráficas y la expectativa de eminentes políticos o de personas que nunca estudiaron geografía; pendientes de una capital sin gran importancia estaban los magnates del acero, los financieros apoyados en sus mesas de caoba, los estibadores en los puertos de Holanda y los campesinos pobres búlgaros: el nombre de la ciudad daba a cada cual su exaltación y su esperanza, o un sentimiento parecido al que, algunas noches, en el camastro del acuartelamiento, le había hecho incorporarse, cortando la escena siempre nueva de la mano de Lange jugando con los dedos marfileños que expresaban su convención de signos cargados de antigüedades y significaciones. La decisión estaba tomada, aunque había deseado en más de una ocasión volver el tiempo hacia atrás, aunque ya no hubiese remedio, y por dos veces abandonó el efímero refugio, para ayudar a proteger una ametralladora entre los restos de una cerca de ladrillo, y se echó en una zanja a la vez que seguía con la mirada las nubecillas de humo algodonoso que enfrente de él venían a ser el enemigo. La muerte alcanzaba a unos y a otros y así iban a pasar los días, semanas, interminables noches y rigurosas tareas con rutinarios cometidos junto a hombres enigmáticos o comunicativos: reptaba a campo abierto, oía aproximarse el golpear de sordos balazos, medía distancias que el cruzarlas

---

[46] *yidish:* dialecto alemán de las comunidades judías originarias de Europa central y oriental.

representaba salvarse, aguantaba el frío seco y duro de las heladas hasta el relevo en trincheras pestilentes donde a veces el coñac o un cigarrillo podían evocar vagas imágenes en la nostalgia. Todos vivían lo mismo, pasaban las semanas, iban por los frentes que rodeaban la capital y él participaba de un destino común con la certidumbre de que entonces, por poco tiempo, era uno más, aunque finalmente él se reintegraría a su bar habitual, a las cenas en grupo y a las pastillas de aspirina tomadas, al despertarse, con cierta resignación. Por las noches esperaba acurrucado la llegada del sueño, escuchaba conversaciones inconexas mezcladas con ronquidos, no tan fuertes que impidiesen oír una voz en francés que contaba cómo la había levantado la falda y encontrado una braga de tela fuerte —al oír esto se rieron—, y ella le dio dos puntapiés que no le alcanzaron, pero había podido sujetarla contra la pared, y volvió a oír las risas contenidas. Alzó la cabeza para ver quién era y lo reconoció: un tipo alegre con quien él hablaba a veces; se levantó y de nuevo le contó aquella aventura y le señalaron por encima de los montones de tierra y sacos, asegurándole que no era fantasía: había chicas en un barrio que se vislumbraba a lo lejos, a donde se podía ir fácilmente.

Un disparo les hizo volver la cabeza, siguieron otras explosiones y luego un resplandor muy breve, pero en una fracción de segundo las caras se iluminaron, demacradas pero especialmente bellas, reflejando una pasión desenfrenada; rápidamente volvieron a ser las sombras que se movían en la oscuridad, como figuras lúgubres, y su pensamiento escapó hacia otra cara, cambiada en la luz discreta del *hall* de un hotel. Sentado, acaricia el cuero fino del cubilete dentro del que entrechocan los dados que salen bruscamente y caen sobre la mesa, junto a la mano de su amigo Lange; los contempla atentamente, va poniendo monedas para señalar los tantos, el cubilete pasa a él: tira tres veces, las tres logra mejor juego y se echa a reír. Le parecía que en todos los momentos Lange le ganaba, pero no era rencor, sino admiración y una gran simpatía, aunque le había desafiado a meterse de cabeza en la guerra. Se levantó inquieto, súbitamente descontento de algo, sin llegar a saberlo.

—¡Eh, tú, baja la cabeza!

Tornó a agacharse y deseó comenzar a disparar como en la primera tarde cuando el miedo fluía a la luz de lívidos resplandores y se impacientó, cogido de la desesperación de ser un rígido soldado de plomo que en la torre de un castillo de cartón apunta con una escopeta de la que nunca saldrán fuego ni balas. Le parecía que no se separarían jamás de aquellos suburbios malolientes con infinitos muros taladrados y pobres techos de casas miserables, ni se alejaría de la amenaza de extraviarse en los desiertos barrios, no por rondar en su cerco de trincheras, sino por seguir a una persona; marchar tras ella como si así pudiera explicarse todo, justificarlo, seguir a alguien que camina despacio y en un cruce se pierde: sobrevivirse en una ciudad desconocida, laberinto de calles, de plazas, convertido en caminos divergentes de dos personas que se aman.

Pero lo otro era fácil, se caminaba por unos descampados a la caída de la tarde y bastaba una hora. Regresar, de noche, entre embudos de obuses y las alambradas, para llegar a tiempo y pasar inadvertido a los otros, no tener que explicar nada y recordar zonas de carne tersa que parecen estallar y se deshacen en arruguillas al menor movimiento. Esa fugaz percepción había que pagarla con una caminata, como escapados de algún presidio, un aburrimiento más, pero cualquier cosa era preferible a estar en el fondo de la trinchera, allí tan absurdo todo; había que romper y librarse de aquel pacto y regresar a lo que esperaba en París, en copas brillantes que se llenan una vez y otra y los ojos miden las sonrisas complacientes cuando la respiración se atiene al ardor hiriente del alcohol que hace tórrido y bravamente cansado el jadeo de los pulmones, y el aliento anuncia que la pasión crece hasta el límite y entonces sentir que dentro llevaba otro hombre: teclear en el borde de madera barnizada del bar cuando la mano descansa de su natural tarea de convencer, dispuesta a todo, con sus mechoncillos de pelo en cada falange y la suave encarnadura de la palma, cruzada por enigmáticas rayas que parecen nuevas cada día.

Un morterazo les hizo detenerse, pero la calma de la calleja desierta les animó a seguir entre tapias aplastadas por tejados pardos y el plomo de un silencio total, del sueño profundo en las primeras horas de la noche.

El francés saltó una valla del jardín y él quedó a la espera de su aviso, apoyado en ladrillos desbastados, dispuesto a seguirle en busca de un rato de dudoso goce, más placentero por imprevisible en las cercanías de aquella red de heridas y piojos, no muy seguro de si sería sólo una charla aludiendo a la carne o bien un cuerpo desnudo y ardiente que busca con premura la gran alegría del abrazo y la aventura renovada siempre, otras veces subiendo escaleras de hotel, ahora teniendo que encaramarse en una tapia y orientarse hacia una puerta que negreaba ante él; atravesó la oscuridad guiado por risas contenidas, tanteó ropas tibias y sintió que le cogían la cara, pero aquel roce inesperado le despertó una honda irritación; la repugnancia se apoderó del eje de su estómago y le dio vueltas hasta que las manos —puestas en el cuerpo con olor a sudor fresco que la suerte le deparaba frente a frente— descargaron dos golpes. No las deslizó en el hábito de las caricias repetidas, por flancos, espaldas y caderas, sino que ambas manos empezaron a golpear a ciegas a un odiado enemigo, escondido en parapetos, entre árboles, en casas vacías renegridas de incendios, bares de moda, vestíbulos de cine, comedores de hotel... Unos gritos ahogados se cruzaron con sus golpes, le excitaron aún más y aumentó la fuerza de las bofetadas hasta que sintió patadas en las piernas y en una mano, pinchazos, tan agudos que retrocedió, seguido por acometidas y sollozos.

Cruzó la puerta y corrió hasta la tapia, la saltó con dificultad y, ya al otro lado, el escozor de la mano le hizo mirársela: a la desvaída luminosidad de la noche vio manchas negras, se las llevó a la boca y tuvo que escupir la tibia viscosidad, extrañado de reconocerla como suya.

—Sangre de mujer —se dijo, y un gran desaliento le hundió hacia el suelo. Miró desconfiado en torno suyo la soledad del páramo a donde fue empujado por mortificantes ironías; se sintió solo, en peligro, expulsado de una alta fortaleza, sin el honor de haberla defendido, sin protección de su enorme muralla coronada de fuego y resplandores.

Un ruido extraño

Bajaba aquella tarde por la calle de Benito Gutiérrez[47] camino de la Brigada y con el cuidado de no tropezar en los adoquines sueltos apenas si levantaba los ojos del suelo. Por encima de mí, en el cielo, los resplandores del atardecer madrileño, tan asombroso a veces por sus colores grana y cobalto, contrastaban con la penumbra que empezaba a cubrir las fachadas destrozadas de los edificios.

Atravesaba entre montones de tierra, balcones desprendidos, marcos de ventana, crujientes cristales rotos, ladrillos, tejas, restos de un bombardeo reciente, y en el absoluto silencio del barrio, las botas producían un roce rítmico que yo me entretenía en ir siguiendo.

Calle abajo iba acomodando mi caminar al ritmo de los pasos y mentalmente repetía su compás. Pero al resbalar un pie en un cartucho vacío y pararme y quebrarse aquella música de tambor, me di cuenta que continuaba en un rumor imperceptible que no era el hecho por mí. Creí que el eco —siempre acechándonos desde las casas desiertas— repetía mis pasos. En seguida comprendí que esta vez no era el eco y que venía de la derecha. Miré hacia aquel lado: encontré un palacete rodeado por un jardín que a pesar del invierno conservaba arbustos verdes y grandes enredade-

---

[47] *calle de Benito Gutiérrez:* recuerda esta calle a Benito Gutiérrez (Burgos, 1820-Madrid, 1885), célebre jurisconsulto, catedrático de Derecho Civil y miembro de la Academia de Ciencias Morales y Políticas; colaborador fundamental en la elaboración y redacción del Código Civil de 1889.

ras. Los balcones estaban abiertos y las persianas rotas; una esquina del tejado se había hundido, en la fachada faltaban trozos de cornisa, pero, aun así, tenía un aspecto elegante y lujoso.

Del jardín me llegaba un ruido chirriante y acompasado, ruido metálico como el de las veletas cuando las hace girar el viento. Pero no hacía viento ni había veletas; encima del tejado, las nubes solamente que tomaban colores difícil de describir. No debía extrañarme y me extrañé. Algunas veces subían hasta allí los de la Brigada a buscar una silla o a husmear por las casas vacías, pero aquella tarde presentí algo diferente.

Despacio, sin hacer ruido, me acerqué a la cancela entreabierta y miré dentro del jardín. Estaba cubierto de hierbas, había dos árboles caídos, uno de ellos apoyado sobre la escalinata de piedra blanca que subía hasta una gran puerta, abierta y oscura. Aquello, como era de esperar, estaba vacío y abandonado; recorrí con la mirada todo el jardín, precisé de dónde venía el ruido, y entre las ramas bajas de los arbustos vi dos manos —dos manchas claras en la media luz— que subían y bajaban. Avancé la cabeza, entorné los ojos; sí, ante el brocal de un pozo una persona tiraba de la cuerda y hacía girar la roldana que chirriaba acompasadamente.

—¿Qué hará ése ahí? —me dije, y traspasé la cancela, pero debí hacer ruido con las malditas botas y en un instante las manos desaparecieron y oí cómo chocaba un cacharro de metal en el pozo.

Si hubiera sido un soldado no hubiera huido. Tuve curiosidad y, bordeando la casa, fui hacia allí.

Colgando de la rueda las cuerdas oscilaban aún. Las puntas de los matorrales que crecían alrededor se mecían en el aire y señalaban el sitio por donde había escapado aquella persona: una puerta baja, también abierta, que debía de ser del sótano; la única entrada en aquel lado de la casa.

Aquello era sospechoso y sin pensarlo bien —lo que en realidad debía haber hecho— me metí por ella, bajé unos escalones y en la penumbra distinguí otra puerta. Crucé aquella habitación o lo que fuera y me encontré en un pasillo

aún más oscuro. A su final oí un golpe, como de dos maderas que chocasen.

Fui hacia allá con la mano en la funda de la pistola, intentando descubrir algo, ver en la semi-oscuridad. Subí otros
escalones; empujé la puerta entreabierta y choqué, yo también, contra un mueble, acaso una mesa. No me detuve porque en el marco de una puerta abierta y más iluminada había percibido una sombra que desaparecía.

Entonces fue cuando grité por primera vez. No pensé lo
que hacía, acaso por la costumbre de gritar órdenes, pero al
ver la figura que se esfumaba grité:

—¡Para! ¡Quieto!

Fue un grito tan destemplado que me retumbó dentro de
la cabeza y me hizo daño en los oídos: resonó en toda la
casa y oí cómo se perdía en aquel edificio abandonado y
cómo lo repetían las paredes en lejanas habitaciones. Me es-
tremecí y deseé estar en la calle cuanto antes.

Entré en una pieza amplia, iluminada por dos balcones
que dejaban entrar la luz del atardecer. Allí no había nadie;
solamente muebles grandes y antiguos, algunas butacas caídas por el suelo que, como la calle, como todo el barrio,
como todo el país, estaba cubierto de basuras y escombros.

Lejos, en otra habitación, oí de nuevo un ruido: esta vez
más intenso, más continuado; pensé en alguien que cayese
por una escalera: un ruido que había oído siendo niño y que
fue seguido por los lamentos de mi tía Engracia, que se rompió una pierna. Pero ahora no se oyó voz alguna y todo volvió a quedar en silencio.

A grandes pasos, sin preocuparme de que mis botas re-
tumbasen, corrí hacia allí; atravesé otra pieza, hallé —como
presentía— una escalera espaciosa, subí por ella de dos en
dos y al encontrarme en el piso superior noté más luz —mis
ojos ya se acostumbraban— y fui atravesando habitaciones
que me parecían iguales, con los balcones abiertos y las
puertas igualmente abiertas, cuadros antiguos que ocupaban
las paredes, mesas cubiertas de polvo, vitrinas vacías, sofás y
sillas derribadas por el suelo.

Delante de mí una persona escapaba. Estaba seguro de
que no se había ocultado en ningún escondrijo, sino que iba

corriendo de habitación en habitación, sorteando los muebles, atravesando las puertas entornadas por las que pasaba yo también anhelante, escudriñando los rincones y las grandes zonas de oscuridad y las altas cornucopias[48] sobre las consolas y los amenazadores cortinones que aún colgaban en algunos sitios. Crucé por tantas habitaciones que pensé si estaría dando vueltas y no iba a encontrar la salida cuando quisiera bajar a la calle. Ninguna puerta estaba cerrada y todas cedían a mi paso como si quisieran conducirme a algún sitio.

No me atrevía a gritar. El grito que di antes había sido repetido tan extrañamente por todos los rincones de la casa que no me atreví a dar otro. Además, era absurdo llamar a alguien que no sabía quién era y si podía escucharme.

Tras una puerta encontré otra escalera: distinta de la anterior, no tan ancha y sin la baranda de madera torneada. Terminaba en una oscuridad completa y de aquel pozo sombrío me llegó un olor extraño, desagradable, que quise recordar de otras veces.

Fue entonces cuando vi el primer gato: desvié la mirada y le vi en el borde del primer escalón, con el lomo arqueado y la cola erizada. Miraba hacia abajo y cuando me oyó pasó junto a mí como un relámpago y entró por donde yo salía. Era un gato de color claro, grande, casi demasiado grande, o al menos eso me pareció. Luego vi otros muchos gatos, había allí docenas de ellos, pero ninguno me desagradó como aquél, aquella forma viva, inesperada que encontraba delante.

Pero a quien yo perseguía no era un gato. Era una persona que sacaba agua de un pozo y no quería encontrarse conmigo. Un animal nunca me hubiera dado la sensación penosa de perseguir a un ser humano. Tuve que lanzarme escaleras abajo, a las habitaciones más oscuras del piso primero donde había más objetos, o qué sé yo qué demonios, contra los que tropezaba, y el suelo parecía estar levantado y lleno de inmundicia.

---

[48] *cornucopia:* en este contexto, espejo con marco tallado de cuya parte inferior salen unos apéndices en los que se coloca alguna fuente de luz que ilumina el espejo.

Entré bruscamente en una sala y percibí un movimiento a la derecha; alguien se movía casi frente a mí. Me encontré con un hombre que sacaba de su funda la pistola: era yo mismo reflejado en un espejo, en un enorme espejo que llegaba hasta el techo. Y confusamente me vi en él, con la cara contraída, la bufanda alrededor del cuello, la gorra encasquetada. Era yo con cara de espanto —perseguidor o perseguido— haciendo algo extraño: cazando a alguien en una casa vacía, medio a oscuras, empuñando un arma, contra mí mismo, dispuesto a disparar al menor movimiento que viese.

En vez de tranquilizarme, verme en el espejo me inquietó aún más, me reveló como un ser raro, como un loco o un asesino. Pero ya no podía detenerme ni abandonar aquella aventura, aquella carrera en que chocaba con obstáculos y sombras, huyendo del miedo. Seguí adelante y tuve que dar patadas a las puertas y a las sillas y hacer ruido y estrépito y entonces empezaron los gatos a cruzar ante mí, silenciosos, rápidos, pegados al suelo, pero en cantidades asombrosas; había tres o cuatro en cada habitación. A mi paso escapaban como en un sueño maldito y algunos se detenían, levantaban la cabeza un segundo para desafiarme y luego huir.

Entonces empecé a blasfemar y a dar gritos, a soltar todas las palabrotas imaginables, vociferando como un energúmeno, y a dar puntapiés a diestro y siniestro. Avancé más y ante la escalera sombría no dudé y bajé por ella hacia lo que debía ser el sótano. Tuve que sacar el mechero y encender y levantarlo por encima de mi cabeza. Otra vez noté el olor repulsivo que me entraba por la boca y la nariz, un olor inexplicable. Así, atravesé cocinas cuyos baldosines reflejaban la ligera llamita azulada que a mi alrededor daba una tenue claridad.

Allí encontré la primera puerta cerrada, una puerta corriente de madera pintada, sin pestillo, que me sorprendió, a la que di especial importancia y ante la que quedé parado.

Apoyé en ella un brazo; no se abrió, pero sí me pareció que cedía un poco, igual que si una persona la sujetase con todas sus fuerzas. Esta idea me hizo estremecer y sentí aún más la tensión nerviosa que se contraía en el centro del estómago y a lo largo de las piernas.

Levanté el pie derecho y le di una patada. Retumbó en la pequeña habitación, pero no se abrió violentamente, como debía haber ocurrido, sino que cedió unos centímetros y a través del espacio abierto vi la impenetrable oscuridad.

Allí se ocultaba alguien. Casi podía decir que oía su respiración anhelante, acechando el momento de lanzarse contra mí. Percibí la amenaza tan segura y próxima que instintivamente el dedo índice de la mano derecha se dobló sobre el gatillo de la pistola y la detonación, el fogonazo, la presión del aire en los oídos, la sacudida de todo el cuerpo, el corazón detenido un segundo, me obligaron a parpadear y dar un paso atrás.

Oí en la puerta un roce; se abrió un poco más y cuando esperaba ver la figura humana que había estado persiguiendo tanto tiempo vi salir una rata de gran tamaño que desapareció en seguida. Un instante después aparecieron otras, gigantescas, atropellándose, y detrás de mí sentí los desagradables arañazos que hacían al correr; otras cruzaron en distintas direcciones. Miraba a un sitio y a otro y veía un enjambre de animales pequeños y sucios que yo conocía bien de las noches en las trincheras, con sus chillidos alucinantes. En aquel sótano inmundo debía de haber centenares y el disparo las había espantado.

En el silencio que le siguió percibí detrás de la puerta unos ruidos incomprensibles; durante varios minutos los escuché atentamente, sin entender qué eran. Antes de que aquella situación se transformase en una pesadilla avancé y empujé otra vez la puerta.

Al abrirse completamente, a la luz mortecina del encendedor, vi una escena que no había podido prever, pero que no se diferenciaba de la alocada persecución a través de la casa desierta: tenía delante una mujer vestida de verde, luchando con las ratas que le trepaban por la ropa; daba manotazos, patadas, se sacudía de encima las fieras pequeñas y tenaces que la mordían; como si bailase o tuviera un ataque de locura, se revolvía en las sombras y en el hedor nauseabundo de aquel subterráneo.

Había ido huyendo hasta el fondo del sótano, en donde había encontrado otros enemigos peores que yo. Una figura pequeña, vacilante, con un abrigo verde, que se contorsionaba.

La tenía encañonada, bajo la luz del encendedor y bajo mis ojos. Pero no era una mujer: era un viejo, tenía barba crecida, y un momento en que quedó quieto ante mí y me miró, parpadeando, comprendí que era un hombre joven sin afeitar, con bigote lacio, la piel blanca como la cal y horriblemente delgado.

Vi sus facciones finas, sus orejas casi ocultas por el pelo largo, sus ojos hundidos en terribles ojeras, cegados por el ligero resplandor que yo había llevado a aquel sótano.

Noté que las ratas se me subían por las botas y trepaban por el pantalón, y pensé que tardaría poco en encontrarme como él, sin poder ahuyentarlas.

—¡Fuera, sal de aquí! —grité lo más fuerte que pude, y con el cañón de la pistola le mostré la puerta. Vaciló, pero al fin, encogiéndose, pasó junto a mí sacudiendo sin parar los faldones del abrigo y fue hacia la escalera. Le seguí, pero tuve que guardarme el arma para arrancar de una pierna uno de los animalejos que me había clavado sus dientes en la carne; al cogerle me mordió furiosamente la mano y lo estampé contra la pared. Ya arriba, aún di varios tirones de otro cuerpecillo blando y áspero que se aferraba a la pantorrilla.

Se apagó el encendedor y lo dejé caer. Me orienté por una leve claridad que llegaba de un balcón, y llevando delante a aquel tipo, que andaba torpemente, pero que iba de prisa, conseguí salir al jardín por la puerta central.

Había oscurecido mucho y cuando él se volvió hacia mí su aspecto me pareció aún más sorprendente. Llevaba un abrigo de mujer sujeto con una cinta, el cuello subido, roto en los brazos. Era como un fantasma o un muerto que yo hubiera sacado de la tumba. Me miraba callado y trémulo.

—Vaya carrera, ¿eh? —le dije, midiéndole de arriba abajo, sin levantar la voz.

Oí la suya por primera vez, que tartamudeaba un poco:
—¿Me va a matar?

—No, hombre, ¡qué tontería! —busqué algo que decirle; veía difícilmente su cara entre la oscuridad y la barba crecida, pero me pareció muy asustado—. Hay muchas ratas ahí dentro —se me ocurrió decir.

—Sí, está toda la casa llena.

—Pero los gatos, ¿no las cazan?

Dijo que no con la cabeza.

—Y tú, ¿qué? ¿Eres un emboscao[49]?

No contestó; tenía los ojos fijos en mí y la mandíbula bajó un poco. Luego dirigió su mirada al suelo y ladeó la cabeza como si bruscamente algo le hubiera distraído. Levantó las dos manos y se las miró. Me di cuenta que estaban oscuras, pero en seguida comprendí que eran manchas de sangre. Yo también levanté mi derecha, que goteaba, y sentí el escozor de los desgarrones. Nos mirábamos las manos, pero mi pensamiento fue muy lejos, corrió por todo el país, que goteaba sangre, pasó por campos y caminos, por huertas, olivares y secanos y me pareció que en todos sitios encontraba manos iguales a aquéllas, desgarradas y sangrientas en el atardecer de la guerra.

<hr>

[49] *emboscao:* elipsis popular de «emboscado», el que durante una guerra elude sus responsabilidades militares.

Joyas, manos, amor, las ambulancias

—Daría años de vida por tener muchas alhajas, por llevar las manos cubiertas de sortijas y que me doliera el cuello por el peso de los collares.

Apartó los algodones con las pinzas, los echó en el cubo casi lleno y se quitó el guante de goma de la mano izquierda para colocar las yemas del índice y del pulgar en el cuello del hombre, a ambos lados de la tráquea, y retenerlos allí unos segundos, quieta, sin respirar, apretados los labios por los que antes había salido el aire de las palabras que exaltaban el atractivo de las joyas, sus destellos, el lujoso alarde de la pedrería. No sobre una bata blanca cerrada hasta el cuello, suavizada por los cien lavados con lejía, sino sobre un vestido de noche, escotado, ajustado a las caderas, en el que brilla el oro, los diamantes, el raro platino, la turquesa a la luz matizada de los salones...

La carótida dejó de latir y aunque los dedos apretaron, no percibieron los pequeños movimientos que la denunciaban bajo la piel cubierta de una barba crecida.

—Ya no pongas la venda. No hay nada que hacer.

—¿Y para qué querrías todas esas alhajas? ¿Te las ibas a poner ahora? —la otra enfermera le señaló la manga manchada con redondelitos de un rojo oscuro ya seco, de los que también había en el suelo, en el pasillo, delante de las escaleras y en la puerta del patio donde dejaban las camillas unos minutos, muy poco tiempo, pero el suficiente para que debajo, a veces, se formara una mancha que luego el portero lavaba con cubos de agua.

El médico se quedó un momento mirando lo que hacía éste, cómo el agua espumosa y rojiza corría sobre el cemento hacia un sumidero tapado con una rejilla, parecido a una reja de ventana, como tenían antes los conventos, las cárceles, los hospicios, unas rejas grandes y pesadas a las que se aferraban las manos para medir la dureza del hierro, manos que encendían una cerilla; él levantó despacio la suya hasta la altura de los labios y del pitillo, a cuyo extremo acercó la breve llama amarillenta y móvil, pero ahora no tenía el temblor propio de tan inestable elemento, sino otro más acusado, inconfundible, de vejez. El peso de la enorme reja gravitó en sus entrañas y aspiró el humo para arrojarlo fuera y sentirse más libre, pero inútilmente: la pesadumbre interior seguía allí con su desaliento, ante la evidencia del temblor inesperado, del sueño angustioso.

Dio unos pasos hacia la escalera porque es conveniente hablar de los sueños con alguien, contarlos: el filo del bisturí rajaba las muñecas a la vez que oía: «No te sirven para nada», y precisamente soñar eso tras varias horas de trabajo recomponiendo cuerpos en el quirófano... de donde ahora retiraban uno bajo una sábana y la enfermera levantaba la mano izquierda.

—En éste, un anillo de oro; en el del medio, una piedra verde. Cuando me vistiera bien, me pondría los dos, un vestido blanco, de verano, un poco ceñido, con un collar, sería un sueño.

Un sueño tétrico que le había saltado a la conciencia con su brutal absurdo, pero su compañero apenas le prestó atención, hundido en su fatigada postura, con la silla echada hacia atrás para que los fatigados pies se apoyasen en otra, indiferente a lo que oía o incapaz de levantar su mirada y atravesar con su comprensión el grueso cristal que le separaba de aquel sueño ajeno: «Alguien que yo no veía me cortaba las manos con un bisturí y le oí decir: «No te sirven para nada», y estábamos en un sitio lleno de personas que me miraban pendientes de lo que yo hiciese luego».

Hablaba para tranquilizarse, para eliminar aquella fantasía, fluyendo por su cuerpo hasta el borde de las uñas; se contempló los dedos porque aquel temblor podía muy bien no ser anuncio de otra cosa, sino de mero cansancio, de las horas pasadas en el quirófano, sudando bajo la mascarilla, el gorro, los guantes, y no el primer síntoma de la senectud, de la decadencia, porque muchas veces se produce antes de exámenes, comienzos de un combate, la inminencia del acto sexual: aparece un ligero temblor que si en el hipertiroidismo se limita al anular, en otras ocasiones es de todos los dedos, muy visible al encender el cigarrillo, y si se enciende a otra persona, entonces se revela sin posible disimulo, precisamente cuando las manos se necesitan más seguras y deben tenderse hacia los sitios que atraen por su satinada superficie, por la blandura de sus pliegues o protuberancias elásticas de tacto aterciopelado.

Como otras veces, ella se subiría la falda para quitarse el uniforme con el movimiento procaz aprendido quizá cuando empezaba a ser mujer y que habría repetido mucho no sólo como seducción, sino para satisfacer su vanidad de mostrar súbitamente proporciones de gran tamaño, pero de perfecta armonía, que nadie podría sospechar bajo los pliegues de la bata blanca o del uniforme gris o de los vestidos para salir a la calle y dar un paseo o subir la escalera que nadie usaba nunca e ir a la habitación vacía donde había una cama y un colchón a rayas y en la pared un brazo metálico con su bombilla.

A la plena luz de la bombilla, el paquete de cigarrillos se veía encima de la mesa, pero esta vez contuvo su deseo de fumar uno o, mejor dicho, de encender una cerilla y ponérsela delante de los ojos para comprobar si duraba el temblor, reflejo de una mala postura o del sueño que perturbaba ahora su conciencia de cirujano experto, primero atendiendo a los milicianos heridos en la Sierra, luego a la población civil como un buen operador, tal como quería ser hasta que el sueño sombrío vino a mezclar sus manos a órganos destinados al horno donde irían a parar con pies o trozos de pulmón u otras azuladas vísceras desechadas, si el pulso inseguro en el bisturí era observado por un colega, que acaso se lo indicaría, o bastaría que cruzase miradas con el ayudante.

—Todos tenemos sueños así. Bah, algo que has oído estos días o que has leído.

Se levantó de la silla para estirarse y notar si las piernas y brazos habían recuperado su tonicidad y fue a abrir la puerta para salir y buscarla donde estuviese y acariciarla por encima de la bata y rozarle las mejillas, aunque acaso no habría terminado su turno.

—Son las cuatro y diez. Vuélvete a la cama. En el corredor sin luces siguió el imperceptible resplandor de los baldosines blancos, pasó delante de las ventanas abiertas por las que se oía muy lejano el estampido de los antiaéreos, abiertas como tapices de un negro absoluto extendidos en la pared para trazar en ellos el dibujo deseado, que para él no era otro entonces que la mujer subiéndose la falda con una rodilla ligeramente doblada, e hizo un movimiento con la mano para saludar al enfermero del laboratorio que estaba en la puerta bajo la bombilla encendida toda la noche, dejando caer su luz roja por sus hombros y las arrugas de su cara, convirtiéndole en un espectro iluminado por resplandores de un incendio o un asesino manchado con la sangre de su víctima, aunque al saludar al médico, el gesto revelaba a un hombre adormilado y aburrido que estaría pensando en alguna enfermera, acariciarla en un pasillo o, si estaba en el quirófano sola, podría besarla. Pero cuando entró la vio con una compañera poniendo en orden el instrumental, recogiendo las latas de algodón; le sonrió con una mueca cansada, un mechón de pelo le asomaba por debajo de la toca y la piel de la cara tenía pequeños puntos de brillo donde el esfuerzo se manifestaba algunas tardes de verano cuando habían podido subir al piso que nadie usaba, y allí la respiración se hacía desenfrenada y los latidos del corazón llegaban a un máximo casi doloroso.

—¿Cuándo termina tu turno?

—A las cinco... Tengo unas ganas de descansar...

En su cama, en casa, después de tomar algo caliente que la madre le preparase mientras la oía hablar de cosas sin importancia y decir:

—Pues ¿sabes lo que a mí me hubiese gustado? Ser bailarina, trabajar en un teatro de revista[50], fíjate. Cuando era joven lo pensé muchas veces.

---

[50] *teatro de revista:* opereta en la que predomina y se celebra el baile femenino.

Se reía de su madre, tan mayor, pero se imaginó a sí misma en un escenario adornada con plumas, medio desnuda, sacudiendo las piernas ante la oscuridad repleta de la sala, y algo la intrigó de aquella imagen suya y pensó que no sólo era la satisfacción de llevar collares caros, sino que los demás la contemplasen, él u otro, lo importante era conseguirlo y ser feliz.

—¿Has hablado con tu hermano?

La otra enfermera había salido y aprovecharon para acercarse y ponerle él las manos en las caderas.

—Sí, ya hablé con él.

La lámpara central daba una luz cegadora y se volvió de espaldas, fijándose en que ella tenía la bata muy manchada.

El hermano le contempló fríamente.

—¿Para eso vienes? No nos vemos en tantos meses, ni me llamas ni te importa si me mata un obús, y cuando vienes, ¿es para eso?

—Bueno, se me ha ocurrido preguntártelo.

—Sí, pero lo cierto es que no te acuerdas de que tienes un hermano, ni de que me podías ayudar estando tú en un hospital, y vienes un día y es...

—Tengo mucho trabajo y además tú sabes que yo no puedo hacer nada por ti. Gracias que yo me voy defendiendo.

—No, tú tienes una posición muy buena y te pagan bien, estoy seguro, y ahora me vienes con esa pregunta.

—¿Y qué hay de malo? Yo recuerdo que mamá las tenía.

—¿Qué? ¿A qué te refieres? Mamá no tenía nada, tú lo sabes.

—Sí, ella guardaba algunas de valor.

—No sé por qué dices eso, no tenía nada.

—En el verano que empezó la guerra aún tenía alhajas.

—¿Alhajas? No, hombre, tú sueñas.

—Mamá tenía alhajas, no vas a discutírmelo.

—¿Pero a qué te refieres? ¿A la sortija y a la cadenita? Pero ésas nos las quitaron en un registro. Cómo se ve que tú no has estado aquí. Eso se lo llevaron y no pudimos protestar.

Encontró los ojos de su hermano fijos en él: dos manchas negras que conocía de siempre. Sonrió, hizo una mueca.

—¿Cómo se las llevaron?

—Sencillamente, llevándoselas. Vinieron, amenazaron con los fusiles y se llevaron lo que querían. Ni más ni menos.

—Pero ¿las alhajas? ¿Se llevaron las alhajas? —se levantó y dio un paso hacia la mesa.

—Sí, se las llevaron. Si son unos ladrones estos rojos.

—¿Y cuándo vinieron? ¿A qué hora?

—¿Cuál? ¿Eso? Una mañana. Empezaron a dar golpes en la puerta y hubo que abrir. Ya dentro, nos obligaron a darles todo lo de valor, todo, y nos lo robaron...

—Pero ¿vinieron por qué? ¿Quiénes eran?

—¿Por qué me preguntas eso? ¡Yo qué sé! Te estoy contando que estuve a punto de que me fusilaran..., ¿que quiénes eran? Pues la policía, los comunistas, buscaban dinero.

—Sí, muy bien, ahora dime, ¿dónde están las alhajas de mamá?

—¿Qué dices de alhajas? ¿Es que no me entiendes? ¿No me oyes? —se irguió y le gritó—: ¡Me las han robado los rojos!

—¿Es que no las tenías escondidas?

—No, no pude esconderlas. Y será mejor que no hablemos de ellas. Ya sabes de qué las tenía mamá. Es preferible no acordarse.

El hermano le miraba con los labios sumidos.

—¿Dónde están?

—Yo qué sé. ¿No ves que estoy enfermo y me obligas a hablar más de lo que puedo?

—Dame la mitad: con eso me conformo.

—Yo no las tengo. Las robaron.

—Dime dónde están las alhajas —repitió con voz lenta.

—Ya no las tenemos y tú no las volverás a ver.

—¿Dónde están las alhajas de mamá? —casi le gritó esta vez, porque se vio con las manos llenas de joyas, dejándolas caer sobre el cuerpo ancho y prominente de Nieves, haciéndole cosquillas con los colgantes y las cadenitas doradas.

—No, no me preguntes de esa forma, no tienes derecho. Eres un mal hermano, me ves enfermo y vienes a torturarme.

—Si no todas, dame alguna.

—¡Estúpido! No te digo que aquí no tienes nada que hacer, que no vengas a fastidiarme... Mamá no te dejó nada, no te quería, ni se acordó de ti cuando murió.

—¿Dónde las has guardado?

—¿Pero te atreves a preguntarme...? Eres un miserable. Ahora vienes a arrancarme lo poco que me queda cuando estoy enfermo y solo. Vete de aquí. No me sacarás las alhajas.

—Venga, dámelas.

—No me da la gana, no te daré nada. ¡Canalla! ¡Mal hermano!

La enfermera le miró con un movimiento de cejas.

—¿En qué piensas? ¿Has hablado con él o no?

Tenía las dos manos metidas en la pila y sobre ellas caía el chorro de agua plateada.

—Bah, estaba pensando en un sueño que me ha contado Hidalgo, un disparate como todos los sueños, pero muy raro, casi desagradable, no sé por qué tenía que contármelo... Algo como que cortaba las manos a un muerto, me parece, sería en una tumba, claro está, a un hombre que no había servido para nada y él le daba este castigo.

—Ah, ¿pero eso qué es? ¿Por qué me lo cuentas?

Con cara de asco, como quien ve una rata muerta impregnada de materias de alcantarilla, hizo un ruido con la garganta y al recoger la barbilla tuvo una actitud de rechazo.

—Cosas de sueños, pero vino a contármelo y le tuve que escuchar; me estuvo hablando mucho rato y yo me preguntaba qué tenía que ver con eso, pero comprendí que quería desahogarse.

Dio unos pasos en torno a la mesa de operaciones, mirando al suelo, y al pasar cerca de los ventanales levantó la cabeza y le dijo que abriese alguno, que ventilara la atmósfera casi irrespirable y opresiva, cargada de ácido fénico[51], a lo que ella obedeció, apagó las luces y sólo dejó una sobre las mesas, y al descorrer las cortinas de hule, los cristales cruzados con tiras de papel pegado retemblaron como si desde

---

[51] *ácido fénico:* desinfectante muy enérgico empleado, pese a su mal olor, en los hospitales.

algún sitio les llegasen vibraciones o el zumbido de un motor en la tranquilidad del amanecer que aún dejaba oscuras las ventanas, negras, donde era posible ver una pantalla encendida de pronto, una proyección que saliera de sus propios recuerdos y fuera a poner allí delante la cara de su madre, con su expresión reservada, y la del hermano con grandes ojeras y facciones anchas, enfurecido.

—Bueno, y tu hermano, por fin, ¿qué te ha dicho?

—Que no las tiene, que se las han robado.

Ella hizo un mohín y siguió lavando algo en el chorro del agua hasta que se vio en la escalera de su casa, donde aquel muchacho tan joven como ella la enseñaba de lejos una sortija y se la ofrecía para que ella accediese, que era dar unos pasos y acercarse y aceptar que él la recorriera el cuello con los labios y la descubriese una sensación nueva que se extendía de la nuca a las rodillas y que había sido todo su pago, porque la sortija no se la dio y echó a correr, pero ya le había dado algo muy valioso: saber cómo lograr regalitos, broches, una peinecilla para el pelo, un imperdible con una figurita. Por eso no se enfadó, sino que se limitó a quedarse callada para demostrar que la había contrariado una ilusión, que tenía más importancia porque él la había explicado que alguna era antigua, de mucho valor, con la calidad deslustrada del oro viejo guardado hacía años, que a pesar de estar bien protegido en su estuche puede tomar un aspecto mate como tantas veces él las había visto de niño cuando le pedían a la madre que se las enseñase y ella las sacaba y, sin dejárselas tocar, se las mostraba; otras veces ella salía por la noche y las llevaba puestas con el sello de la elegancia que no se pierde y que incluso en aquella época de guerra le permitiría venderlas bien, y ya lo habría hecho de haberse acordado a los pocos días de haber muerto la madre y haber ido a la casa a hacerse cargo de una parte de lo que dejase, aunque fueran objetos de uso personal, si bien nada le interesaba si no era el contenido del estuche de terciopelo, que, claro está, habría que repartirlo con el hermano.

—Están tirando mucho esta noche por Tetuán. Hasta hay incendios.

Se dio cuenta de que en la lejanía oscura que era el ventanal abierto se oía algo parecido a una tormenta de verano presagiando nuevas ambulancias que llegarían mientras Nieves seguía en el lavabo, inclinada hacia la pregunta, extrañada de que él no la diese más explicaciones de por qué no disponía de las alhajas, poco convencida acaso de aquel robo, aunque ella sabía bien que era lo primero en robarse y, según le había confesado una vez, ella misma no había vacilado en dar todos sus ahorros a un vecino que la ofreció una cadena con un medallón que había sustraído en una joyería, cadena que ella se ponía los domingos sin importarle la procedencia, pero sabiendo que era de mucho valor, que fue su gran alegría cuando la tuvo y se encerró en su cuarto y se la puso y se contempló con ella en el espejo del lavabo y se la probó con todos sus vestidos y hasta —también se lo contó— se había desnudado de medio cuerpo para arriba para admirarla sobre la piel.

Llevó la mirada hacia ella para unirla a la imagen del desnudo sugerente, pero en aquel momento se abrió la puerta y entró una enfermera que empezó a contar algo.

—... estoy rendida de sueño.

También él tenía sueño y deseaba acostarse y dormir como una piedra hasta el mediodía, sin saber nada ni oír nada, si eso era posible en sueños en los que irrumpen tantas tonterías, como le había pasado a Hidalgo.

—Qué sueño tan desagradable es éste que ha tenido Hidalgo.

¿Por qué la habría contado eso? ¿Qué intención tenía al venir a decirla aquello tan raro? Un hombre que no servía para nada..., ¿y a ella qué? Algo quiso decirle, como una advertencia o un consejo, probablemente relacionado con su trabajo, pero ¿qué podían recriminarla? ¿Que no servía para qué? Como si no mereciera las alhajas y tomase ese pretexto para guardárselas, diciéndole que no servía, que estaba muerta.

Fingiendo ir a coger la toalla, le miró de reojo: pálido, demacrado, sin afeitar, contemplaba la oscuridad del ventanal en el que vibró la campana del patio anunciando la llegada de una ambulancia, y el tintineo claro y neto dejó los oídos despiertos para percibir en otros barrios muy distantes los estallidos en serie de las ametralladoras antiaéreas.

Nieves salió al pasillo y tras ella fue el médico y en el rellano de la escalera se detuvieron junto al doctor Hidalgo, que estaba allí escuchando lo que pasaba en el piso bajo, atento a una llamada de ayuda del equipo de guardia al que se esforzaría en demostrar su pericia, la seguridad de las manos, que fuertes y rojizas se tendían hacia las alhajas en su estuche, y pensó en cortar de un hachazo aquellas manos, las de su hermano, sí, otras no: sería una pesadilla terrible si fueran de mujer, yertas, esqueléticas, azuladas, cubiertos los dedos de anillos, por los que ella daría la vida, ponerlos juntos y probárselos delante de un espejo en las manos que tanto se cuidaba, de las que él no podía decir que no sirvieran para nada, y una vez tras otra probaba, extendiendo el brazo y comprobando que no temblaban, que conservaban un pulso perfecto, pese a la mala intención del hermano envidioso que aún le oía gritar: «¡Qué razón tenía madre cuando dijo que no serías más que un medicucho!»; pero ella se las reclamaría porque se las prometió, aunque no comprendiese aquello de «no te sirven para nada», era una maldición ahora ya bordeando la madurez, sin haber logrado la cátedra, en medio de una guerra que le arrollaría con sus compromisos, siempre con el riesgo de que la descubriesen desnuda en la habitación olvidada de todos, esperando una nueva pulsera o un anillo.

El reloj dio las cinco y ellos estaban apoyados en la barandilla, sin advertir que su turno acababa y podían entregarse al descanso, al sueño, al vengativo sueño que si cierra los párpados fatigados abre los ojos a difíciles pesadillas.

Campos de Carabanchel

Todo era muy difícil entonces: reconocer los sitios, las personas, las intenciones, aquel ruido levísimo, saber el preciso momento en que había empezado algo y, tras sus consecuencias, cómo acabaría, pues todo acaba, incluso las guerras, las privaciones: para unos acaban con sus días, para otros cuando se abre la perspectiva jubilosa del dinero. Ése era el ruido que notaba cuando él levantó la cabeza.

—¿Qué ruido es ése?

Apenas perceptible, un tintineo de monedas apiladas en orden, repasadas aprovechando la seguridad que da la noche, cuando el sosiego serena los ánimos cansados y los ojos, perdida su agudeza, desgastada incidentalmente por las tumultuosas evidencias del día, entornan y eclipsan sus destellos, los brillos que proclaman pasión o inteligencia. Ambos atributos, ambos pecados de la naturaleza humana, estaban remansados a la luz dorada de la vela puesta sobre la mesa, dorando los papeles que había encima, las manos y las caras inclinadas hacia ellos, y permitía, pese a las tinieblas de la noche, continuar el repaso del libro de cuentas.

No parecía que hubiese ningún ruido. De día, los estruendos de la guerra; de noche, acallados éstos, sólo disparos. Hacía rato pasó un relevo cantando y sus palabras habían desatado mis recuerdos, pero ningún ruido despertaba mi extrañeza, aunque estuviese al acecho, pendiente de un soplo, de un crujido... De pronto, el entrechocar de monedas al contarlas, inconfundible, diferente a todo lo escuchado

215

en aquellos meses; por eso mi hermano había levantado la cabeza para inquirir: pálido y extraño, reconcentraba las cejas sobre la mirada dura, fuera del círculo luminoso de la vela, y las pupilas dilatadas tendían hacia la habitación contigua: de allí llegaba el ruido, borrado por el menor movimiento de papeles o de las sillas donde nos sentábamos o el escape de un camión que lejos resonaba, por las calles desiertas donde marchaba la patrulla cantando:

> *Si me quieres escribir*
> *ya sabes mi paradero*[52]

canción que había abierto el paisaje del otro lado del río por el que yo me había adentrado: casuchas y solares, ni prados verdes ni campos de labranza, sólo yermos vacíos donde hubo basureros calcinados por el frío y las heladas, y a la vez un río de oro que vendría a mis manos llegado el momento, cuando el acuerdo de abogados y notarios y la conjunción de las estrellas lo quisiese o cuando, con mi voluntad, yo lo impusiera. Un río de monedas, un ruido de monedas en la otra habitación que era la alcoba de nuestro padre, donde él también bajo la vela —muchas noches faltaba la corriente eléctrica— las contaría en secreto, sin que nadie supiera que las guardaba.

Mi hermano me miraba espantado, sorprendido de lo que habíamos descubierto: el raudo vuelo de nuestro pensamiento había coincidido en idéntico punto donde también se cruzarían nuestras intenciones, igual que miles de otros hombres en el amenazador, acerado anillo de la guerra, habrían buscado, existente o soñado, el roce magnético de las monedas, tan necesarias, reparadoras de cualquier carencia, de las que el alma no puede desviarse porque todo lo demás es accesorio y está expuesto, cruzado de balazos, a caer desplomado.

---

[52] Es una de las canciones más populares de las que se cantaron durante la Guerra Civil. Se conocen varios textos para su melodía, que fue entonada por los dos bandos y que ya se conocía en la Guerra de África.

216

Hacía tiempo que yo vigilaba las palabras de mi padre: si hablaba en el comedor yo me acercaba a la luz del balcón no para mirar por los cristales, sino para captar ávidamente la entonación, las pausas, lo que decía entre dientes para no ser entendido, cualquier alusión a herencias, a bancos, a valores, conceptos nada extraños en las conversaciones familiares a horas de comer; al reunirnos en torno a la mesa, o al bajar a la calle en busca de alimentos, analizaba sus palabras.

Difícil es saber —digo— cuándo tuvo su comienzo cada hecho: si es difícil en la vida o en la historia de un pueblo extranjero, aún más difícil es determinar lo que ocurre en una casa, en una habitación donde falta la electricidad y la sustancia espesa e impalpable de las sombras cerca de la llama de una vela pequeña, encendida para alumbrarnos en nuestra obstinación de leer hasta altas horas y alumbrar mi tarea inútil de arrancar por la observación un dato que confirmara mis sospechas de que mi hermano era el elegido. Nadie podría decir si comenzó entonces el duelo a muerte, o acaso el día en que ante mí le dio el dinero, el fugaz reflejo de monedas de plata[53], que ahora él, ya distintamente, contaba en su cuarto, creyendo que todos dormían en la casa.

No cejaba porque sabía bien que todo hay que pagarlo: lo uno con dinero, lo otro con perseverancia y esfuerzo: nada se logra sin dar algo a cambio: da agotamiento el que estudia para sabio, da razón el que estudia la locura; yo daría dignidad porque estudiaba para poderoso: daría atención, tiempo para arrancarles la verdad, y para eso me fijaba en su cara cuando no lo advertían, y en la curva de los labios por si en ellos se pudiera marcar, en fragmentos, la satisfacción de un pensamiento de triunfo; o bien, medía la vivacidad de sus manos al tenderlas hacia un periódico, hacia el lápiz, medía la seguridad de sus dedos, afianzados o no en el tacto de la riqueza. Vigilaba a los dos: al padre, las palabras; a mi hermano, la alegría de sentirse rico.

---

[53] *monedas de plata:* durante la Guerra Civil se acapararon o requisaron las monedas de 1, 2 y 5 pesetas, hechas de plata, por su valor intrínseco.

Sólo al hablar del final de la guerra nuestro padre se alegraba y mencionaba los solares o sus alrededores como las arcas seguras de la fortuna, y esa mención bastaba para llevarnos de la mano por el puente de Toledo y subir hacia los eriales que la patrulla del relevo había recordado:

Si me quieres escribir
ya sabes mi paradero:
campos de Carabanchel,
primera línea de fuego.

Él también me espiaba, con habilidad, con obstinada insistencia, que no se detenía en lo más inesperado, como si todos los canales para llegar, sumergido, a mis secretos fueran válidos, aun los que, al requerir una asiduidad sorprendente, podían descubrirle. Si yo tarareaba algo, él levantaba la cabeza y, atento, me escuchaba; si yo me asomaba al balcón, procuraba seguir mis miradas, procuraba saber qué amigos tenía, procuraba aprender mis proyectos de futuro. Veo a mi hermano huroneando en mis bolsillos, en los cajones de mi mesa, en el asiento donde yo había estado sentado, el papel que dejaba sobre un mueble, la llamada por teléfono que daba, la conversación que tenía con mi padre. Hasta me di cuenta que leía mi cuaderno de pensamientos, un diario en el que yo contaba mi propia vida; extraía de mi existencia lo dudoso y vacilante, y lo dejaba allí, ensartado en líneas, pero a pesar de la llave del armario él lo alcanzó y lo hojeaba para seguir el curso de mis preocupaciones.

Largas horas de pensarlo —mientras pasaban los días angustiosos a la espera de encontrar comida, de una temida movilización general, de que un bombardeo destruyese nuestra casa—, y una tarde encontré cómo convertir en arma mía su curiosidad.

Hasta entonces yo escribía a vuela pluma, con letra diminuta, más pequeña cuanto mayor era la reserva, igual a todos los que escriben sus secretos inclinados sobre renglones confidenciales y cuentan su amargura, ya que en la liberación de este informe privadísimo podemos encontrar el consuelo que nos da otra persona. Así hacía yo hasta que supe la indiscreción de mi hermano y planeé trazar en el papel el esquema de una trampa con letras grandes, claras, cuyos rasgos aguzados abrirían la piel de quien leyese. Escribí:

«La enfermedad de Pablo avanza, la veo marcada en su cara y en la dificultad de concentrar el pensamiento y porque dice a medias las palabras. ¡Pobre hermano! Lo más evidente son las manchas bajo los ojos en cuanto toma alimento caliente, prueba indiscutible de que el mal progresa».

Volví a colocar el cuaderno en el mismo sitio, lo dejé en el armario donde siempre lo tuve y cerré con llave para esperar toda la tarde, y la noche, y la mañana siguiente, y cuando llegó la hora de sentarnos en familia a comer o, mejor dicho, a devorar unos alimentos precarios que eran nuestro único sustento, simulé indiferencia a todo lo que allí había para atender únicamente a lo que hiciera, y al tomar la sopa de agua salada con fragmentos de una verdura, pero cuyo calor parecía equivaler a un plato suculento, vi cómo cogía el vaso y lo miraba, no al vidrio transparente, sino todo lo que reflejaba, deformado en la superficie curva, capaz de devolverle una cara con manchas rojizas bajo los ojos.

Yo atendía a mi cuchara, midiendo las potencias de mi victoria, aunque pensaba cuánto espanta conocer la envidia y querer esquivarla, cuántas veces me habrá herido sin advertirlo, pues la herida de mano envidiosa no revela su daño, sino más tarde por los efectos y las consecuencias, mientras yo buscaba aclaración en su cara circunspecta, igual al que mira a una pared donde alguien escribió algo, o escudriña una foto borrosa, para saber qué mano lo trazó, qué cámara la hizo, espiar su más velado pensamiento, sus planes, los acariciados sueños de sus noches, a los cuales debía lo que era; debía a los sueños lo que era el día siguiente, y por aquel contacto, cada día cambiaba, y yo no podía preverlo, pues del sueño venía con una nueva fuerza, o posiblemente instruido, de tal manera que se reservaba más celosamente. Otros días se levantaba como si le hubiera dado cita o creado un convenio para la noche siguiente, y él no hacía nada sino esperar, absorto en sí mismo, reducido a una espera vacía. Más de una vez pensé que el mundo del sueño era su verdadero país, y que si salía para aquellos viajes de todos los días, le seguía sujetando por unas costumbres y por una lengua peculiar que no le permitía ser de nuestra vida cotidiana. Así era posible comprender su naturaleza fluida que escapaba a toda comparación con primos o amigos y nos dejaba absortos por su misma carencia de modelos conocidos, y buscando el que mejor conviniera, admití que sólo podría determinar sus dimensiones sustrayéndole al sueño, cerrándole las puertas de su patria: y así lo hice. Escribí en el cuaderno:

«Habla de noche, en voz alta cuenta lo que hierve en su constante pesadilla; con palabras sonámbulas se confiesa».

Sólo estas líneas. Aquella noche leyó hasta la madrugada y no se acostó; se echó sobre la mesa, borracho de sueño, y durmió así, aplastada la cara contra los brazos cruzados, o fingió dormir, como yo fingía extrañarme de aquella postura: tuvo que ser su propio centinela, su celador insomne, y el pretexto fue que no estaba dispuesto a bajar al refugio en pijama si empezaba la alarma de un bombardeo, pero el cansancio le exigía su tributo y le vi dormitando en una butaca del comedor, aunque los ruidos del día no le permitían llegar hasta las hondas estancias del sueño y sus bostezos descubrían que ya no contaba con la ayuda del poderoso soberano. Lograr esto quiere decir pagar: ya está dicho; no pasaron muchos días sin que sus aplastadas mejillas estuvieran más demacradas, según mi cuaderno había previsto. Mis aliados eran las hambres propias de toda guerra y una mano de plomo puesta sobre la resistencia de aquel cuerpo minado por una larga enfermedad que anunciaba, como los disparos nocturnos o las sordas explosiones al final de la calle de Cea Bermúdez, una muerte de perro.

No podía esperar más: decidí alcanzar, por los medios más directos, la única solución de aquel dilema, en la forma apropiada al tiempo que vivíamos, al azar de los cascos de metralla, de minas que hacían retemblar los muros y los techos, de la sangría incontenible de gente atravesada en plena calle; pensé: será como una nube oscura que tapa el sol y luego pasa; tras los rumiados cálculos de la lógica y la prisa, llegué a la decisión imprescindible. Entre impresiones triviales de todos los días, escribí en el cuaderno:

220

«Conozco los solares de Carabanchel, muy grandes y hermosos, es bueno haberlos visto para calcular su extensión, y para saber lo que son hay que visitarlos, recorrerlos hasta donde terminan. Estoy contento de haberlos visitado antes de empezar la guerra, de haber pisado su tierra gredosa, para cuando haya que disponer de ellos tener ideas muy claras de su destino. Acaso una tarde volveré a ir, aunque estén cerca de las trincheras».

Ya estaba hecho, la moneda subía en el aire y en la espera yo tarareaba igual que quien regresa de una fiesta:

Campos de Carabanchel,
primera línea de fuego,

vigilando las bolas negras entre los párpados semientornados, disparadas hacia mí, diciéndome que no era mi hermano, sino un rival intransigente dispuesto a herirme con sus armas. Se acercaba el final; que llegase la autenticidad de lo más profundo, pues quien ha sufrido no puede ser fraterno, cuando en la mesa del comedor las rígidas caretas del alejamiento, de la ocultación, marcan la enemistad, la envidia, el pesar por los ajenos merecimientos o la buena suerte de aquel al que se odia, y todos callábamos entregados a un gesto benévolo, mientras yo sorprendía sus preguntas en voz baja, para saber del padre cuál era la línea de tranvías, en dónde terminaba exactamente, si se podía cruzar el río y cuánto se tardaría..., palabras de aparente pura curiosidad que le llevaban lejos, a donde yo le induje y los rumbos de mi porvenir necesitaban.

Llegó la noche y no regresó a casa; dieron las horas de la alta madrugada y estuve seguro que ya no volvería. Me lo imaginé por campos de alambradas buscando su dinero entre embudos de barro y alfombras de basura; como un tonto que va hacia sus errores, le vi alejarse camino de las balas.

Presagios de la noche

Inútil era detenerse a pensar las consecuencias que tendría para todos, o sólo para el soldado que contemplaba inmóvil los restos de la copa, vertido el transparente licor sobre el platillo, cubriendo a medias los fragmentos de cristal cuyas puntas se alzaban amenazadoras hacia la mano mantenida abierta y quieta encima de la asombrosa rotura. No serviría para nada aguzar la vista, cruzar la frente con una arruga mientras la pregunta —no expresada en palabras ni revelada en gestos— fluía velozmente desde la zona más honda del cerebro hacia las salidas naturales de la indagación, pero ni la boca ni los ojos cedieron al imperioso deseo de preguntar al soldado que no sabría nada ni, era seguro, jamás habría establecido relación entre los hechos relacionados con su estúpida vida. Porque la mirada era estúpida ante los restos de la copa, de previsible rotura, era cierto, pero no de aquella manera inmotivada e inexplicable, aunque fue visto por varios, por el mismo camarero, y sólo se les ocurría una justificación rutinaria muy sencilla, si bien insuficiente, porque en aquel momento el local estaba cerrado, nadie había abierto la puerta, no se había producido una corriente de aire y, menos aún, se había acercado al soldado otra persona que hubiese podido traer con ella un aviso de desgracia. La dependencia, si la había, la conexión invisible pero directa, la unión con otro cristal u otra materia cristalina igualmente frágil, que al romperse toma bordes hirientes y afilados, era estrictamente con el soldado, en relación con algo desconocido, entroncado en su más auténtica sustancia, de la que él probablemente nada sabría. Y, en consecuencia, alzó los hombros y se sintió liberado de hallar una explicación, haciendo una mueca de sorpresa al camarero. Pero éste —era un hombre ya maduro, lo que explicaba que estuviera allí y no movilizado— se le quedó mirando atentamente, a él, a la cara, y no al motivo de la sorpresa, a la prueba de que ante ellos había pasado algo extraño pese a la explicación que quisieron darle los que estaban al lado en el mostrador; le miró largamente con un gesto preocupado, de desconfianza o de negativa, negándose a aceptar la escena que acababan de presenciar, y en esta actitud había un destello de sabiduría superior a la conclusión que todos aceptaban. Pero sería inútil decirle algo para entrever si él también había captado el significado de lo ocurrido, si lo relacionaba no con la simple corriente de aire frío, sino con el futuro de aquel soldado, aun sin precisar en qué medida o de qué forma... Él sabía bien que era inútil: nadie sabe nada, nadie ha encontrado el imperceptible hilo que mueve a la vez dos sucesos lejanos y al parecer sin conexión, nadie está en el secreto ni puede acaso afirmar que es una llamada, un aviso, una anticipación de lo que viene, nada, ni lo saben ni lo aceptarían si se les dijese, ni lo reconocerían, sobrecogidos de esa probabilidad estremecedora de que el silbido melancólico y tenue del tren fuese efectivamente algo más, que llevara en sí tanto presagio como una copa que sin tocarla se quiebra, sin darle una ráfaga fría, porque entonces nadie abrió la puerta del bar cuyos cristales estaban pintados de negro para que desde fuera no se viesen las luces, y que tintinearon al cerrarla con mano insegura por la tensión de lo ocurrido.

Fuera, la oscuridad y el frío incrementaban los enigmas de los profundos solares al fondo de la calle, de algunas sombras rápidas que caminaban haciendo oír sus pisadas, de la suave claridad de las nubes que cruzaban el cielo nocturno: pero tampoco allí había respuesta en aquellos elementos indiferentes al hombre que sólo cabe escudriñar en su cerrada superficie, única parte accesible, sobre la que llega volando un silbido lejano, inexplicable de todo punto en aquella época, y, como un secreto de la noche, se percibe, parece aumentar y luego se desvanece en el aire húmedo de noviembre, silbido imposible de ser realidad porque sólo podía venir de una estación y éstas habían sido destruidas y ningún tren salía de ellas y se alejaba por los campos abandonados.

Una alucinación que nadie habría escuchado, de la que no se podría hablar y menos preguntar porque para eso estamos solos y una altísima muralla resiste voces y amores, gestos y anhelos, y el oído al que se destina la angustiosa confesión está cubierto de enormes piedras y los labios ya pueden repetir el rosario de súplicas —siempre lo es una confesión— que no serán oídas, y si a través de las distancias lo fueran, se entendería algo totalmente distinto y si la pregunta fuese acerca de los momentos en que la copa saltó hechas trizas, la respuesta, entre soñadora y evasiva, se referiría a una corriente de aire penetrante como un cuchillo que con su hoja abriera de improviso la materia más dura.

Bajó por la calle de Cartagena, por el escenario de tanta vida cotidiana y tantas frustraciones, reguero de horas para el que esperaba en cualquier día la muerte, inhóspito camino de un gran peso del alma pero ahora el peso gravitó en un brazo y percibió con sentidos diferentes a la vista una presencia que al hablar con voz de quien quisiera hacerse insinuante, desdeña las palabras y sólo profiere entonaciones que supone exquisitas; pero no entendía a aquella sombra y sólo acercándose mucho distinguió una cara ancha y blanquecina junto al mostrador, con un gran espacio entre nariz y boca, un enorme y ensortijado pelo sucio; hablaba con alguien que le volvía las espaldas y en el calor húmedo del bar, insistía en algo a lo que nadie atendía, y ahora, ese peso de plomo le inclinaba hacia ella, forzándole a retroceder en sus pensamientos y prestarle atención en la mezcla de imprecisas sensaciones que había tenido en el bar, tan ajenas a aquélla, un cuerpo redondo y grueso, una mole cilíndrica, informe, que hablaba. Pasados unos segundos se concentró y escuchó: entre las voces masculinas en tono alto con su desesperado fingimiento de fuerza y alegría, encontró la incoherencia de unas fantasías, de un sueño de grandes aven-

224

turas, pero como no daban alivio a su inquietud, dejó de mirarla, y de pronto la hallaba de nuevo a su lado, entreabriendo proposiciones de risas ahogadas, calada hasta los huesos de frío y desamparo.

—Estoy preñada —y los retazos de conversación habían seguido indiferentes aún antes del percance de la copa, y estaba justificado que toda la atención se centrase en los cristales rotos sin haberlos tocado nadie, pero ahora era aconsejable atenderla para liberarse de ella, de su peso colgado del brazo izquierdo, y se vio precisado a bajar un poco la cabeza y mirarla de cerca aunque en la oscuridad poco esperaba ver de sus gestos cuando la dijese que le dejase en paz, que estaba bebida. Pero escuchó lo que decía y le intrigó porque también aquella golfa alcoholizada y medio tonta había visto más allá de la copa rota y lo comentaba exactamente como él había pensado: «Eso trae la mala suerte, no es bueno para el soldado», y se calló, dejando que sus palabras hicieran el efecto que perseguía, acaso atemorizarle o hacerle partícipe del recelo que a ella le había producido, pero en lugar de una palabra de desdén el joven le dijo que no sólo para el soldado, sino quizá para todos los que estaban allí y caían dentro de la onda del maleficio.

—Como una maldición contra alguno —murmuró la mujer y cuando él inquirió si lo creía así, ella afirmó y ya acostumbrados los ojos a la oscuridad pudo ver que aquella cara deshecha por todas las pisadas que marcan una cara de zorra de lo peor tenía una sombra de miedo que coincidía con lo que él había sentido al escuchar el lejano silbido del tren.

—¿Cómo saber si me va a pasar algo malo? También yo tendré que ir, mañana acaso me movilizan, me llevan a que me maten porque yo estaba al lado cuando se rompió la copa, quizá eso era por mí y no por el soldado que se quedó tan tranquilo... —Pero la mujer replicó que también ella estaba cerca si había un maleficio y que también a ella le alcanzaría igual que salpica el aceite hirviendo sin poder evitarlo, y entonces los ojos se le abrieron más, dilatados por una extrañeza que le bajaba por las mejillas, desaliento que a todos alcanzaba en aquella ciudad de muerte, los dos mirándose pero atentos a peligros muy diferentes y a la busca de salvar algo si es que era posible, quietos, uno junto al otro, tan desconocidos entre sí, con riesgos distintos.

—No hay nadie que pueda decirlo, ni ayudarme, nadie puede salvarme de este matadero.

—Yo conozco a una señora que sí puede decirlo.

Entre la desconfianza y la intranquilidad se abrió paso una mujer mayor, de pelo canoso, arrugada, vestida de negro, que avanzó hacia él como alguien conocido que trae la solución de un problema; no libraría de los peligros innumerables, él bien lo sabía, pero sí propondría un plan para zafarse de aquel augurio indisolublemente ligado al silbido del tren lejano.

—¿Quién es? ¿Una señora?

La cara de la prostituta se le aproximó para salvar la distancia que había con la suya, acaso para pegar su boca mal pintada a su oído y traspasarle un secreto que a ella se le antojaba terrible, y así murmuró el nombre de una calle cercana. ¿Qué tenía que ver con su marcha al frente aquella dirección? Muchas veces había pasado por sus aceras mal pavimentadas, junto a sus hotelitos con jardines polvorientos y nunca había observado nada que pudiera relacionar con la mirada anhelante que se alza al firmamento las noches de noviembre, cuando se escucha lejanísimo el silbido triste y prolongado que anuncia lluvias otoñales o acontecimientos imprevisibles. Pero sin otra solución para el temor a ser movilizado ni aclaración exacta de por qué aquella copa saltó en mil pedazos, se dejó llevar por el deseo de confiarse a alguien y buscar un apoyo y se imaginó enfrente de una mujer vieja que le sonreía y le ponía una mano sobre el hombro.

—Pero ¿quién es? —se inclinó desasosegado hacia la cara estúpida de la golfa que decía que sí con la cabeza como también hacía la vieja cuando entró en la habitación, mal alumbrada y de atmósfera enrarecida, y la vio ante él, pequeña y frágil, sentada tras una mesa-camilla, cabeceando como si luchase con el sueño de la vejez y no pudiera mantenerse despierta entre los secretos de la baraja extendida ante ella. Él llevaba secretos al entrar en aquella casa, los temores por su vida futura y la necesidad de descubrir si tenía alguna explicación los imprecisos hechos que sorprendía en torno suyo, anticipando quién sabe qué acontecimientos desoladores, porque no podía prever otra cosa, tan hirientes como los perfiles del cristal roto o los finísimos regueros de sangre que la luz amarillenta de la escalera les permitió ver en las piernas blanquecinas de la mujer cuando ella se subió la falda y los dos se quedaron mirándolos, incapaces de comprender qué era aquello hasta que no lo dijo con voz gutural—. Pero si es sangre... —palabras que le recordaron lo que había oído en el bar: «estoy preñada», y ahora fluía en líneas oscuras a lo largo de las piernas... Ella no dijo más, salió despacio a la calle y desapareció dejándole transido de una sensación de algo inminente, pero él había ido allí para salvarse y nada tenía tanta importancia como las preguntas que llevaba en su pensamiento y por las que había insistido aquella desgraciada que le acompañara, incluso ofreciéndole dinero, para que le abrieran la puerta y le atendieran; mañana podría ser demasiado tarde y le arrastrarían al frente, a los peligros de un tiroteo o un morterazo del que no podría escapar. Ella dijo algo, que no era posible a aquella hora; pero acabó cediendo y colgada de su brazo le condujo por la incierta oscuridad del barrio solitario, probablemente para obtener el pago prometido.

Sin duda un maleficio les había alcanzado y para distanciarse subió rápido la escalera de madera y llamó en la puerta. La vieja le señaló el lado opuesto de la mesa, sin decir una palabra, el sitio donde había una silla y en ella se sentó con un movimiento pausado sin quitar los ojos de las sombras que le cubrían el rostro como una careta y que descendían hasta el tapete de color impreciso sobre el que clareaban las cartas de la baraja.

Las esparció, le dijo que tocara una, que la rozara con los dedos solamente, no que la cogiese, y luego la colocó en el centro de una cruz de cinco cartas que rodeó con un círculo de éstas, una de las cuales levantó y murmuró en voz baja: «Preocupaciones»; alzó otra y esta vez dijo más alto: «Recibirá dinero».

Él avanzó el cuerpo y empezó a hablar contándole que no venía por eso, sino para saber qué hacer y cómo librarse

227

de ir al frente y eludir los mil riesgos que habrían de rodearle allí y que le horrorizaban porque presentía amenazas, lejanas, sí, pero que le aguardaban en los campos desiertos al ponerse el sol y dejar éste una franja de cielo iluminado sobre las montañas distantes, hacia la que parecía correr un tren que únicamente hace oír el silbido de la locomotora como un presagio de muerte o de desgracia. A lo cual la vieja señaló a las cartas: «Aquí está todo: el dinero, el amor, los negocios», y otra vez él la interrumpió para maldecir la guerra a la que no quería ir, costara lo que costase, y lo dijo con tanta vehemencia que la bruja se irguió ligeramente, asustada o desconfiando de quien tenía delante; se sacó del pecho otra baraja y la echó sobre la mesa. En las cartas él vio figuras torpemente dibujadas que no distinguía bien pero que le intrigaron, como todo aquella noche que ojalá terminara pronto con sus imprevistos hechos, personas y ruidos, todo incomprensible, aunque se acercara más a fin de ver lo que podía tener relación con su destino. Las recorrió ávidamente para descubrir cuál era la suya y percibió que todas tenían movimientos levísimos en sus enigmáticas representaciones: en una, un león ahorcado en un árbol; en otra, una pareja cogida de las manos rodeada de una muralla; en otra, un enano empuñando una flecha, y todas se agitaban y cambiaban de posición para ser sustituidas por serpientes coronadas, corazones ardiendo, hombres con la cabeza cortada[54], que aunque se acercase más no le entregaban su secreto, y entró en el ritmo de sus cambios para fijarse en una y otra, por si en ellas estuviera simbolizada su vida, y para comprenderlo debía corresponder a las miradas que creía percibir: princesas y caballos, flores y ranas, todos le miraban, pero desviaban sus ojos y quedaban inmóviles cuando él les interrogaba sobre los acuciantes presagios nocturnos que le habían llevado allí.

A su derecha le atrajo una carta inmóvil, un bloque de piedra donde un hombrecillo cruzaba un puente, en la mano

---

[54] Son algunas de las figuras del tarot; en cada uno de los 78 naipes que forman la baraja se representa un arcano de simbolismo diverso.

un puñal, rígido y desafiante: no era como los otros[55], y preguntó si aquélla sería la suya, pero la vieja no respondió, sino que se pasó la mano por los ojos y suspiró sonoramente y a las preguntas insistentes puso los dedos sobre aquella carta, casi tapándola, y le aseguró que allí estaba él, que la carta hablaba claro de lo que él sería, de lo que iba a ocurrirle.

—El audaz pasa sobre el peligro y no cae.

Tenía miedo de que le matasen, de ir a pasar miserias a las trincheras, hambre los días de ataque, sueños malos echado en el suelo de la chabola, ofensas, heridas, enfermedades con las heladas de enero, pero ¿qué hacer?, porque lo que él quería era un consejo, ¿qué audacia cabía si estaba cercado, como un ratón en su madriguera? Por primera vez pensó si era verdadero miedo a morir o negativa a convertirse en uno de aquellos que formaban los batallones que a veces desfilaban por las calles y que no eran sus iguales: ser un hombre cualquiera, un obrero acaso, un jornalero embrutecido, condenado a pasar la vida en el trabajo.

—Pero ¿qué dice, qué dice sobre mí?

La vieja estuvo un largo rato tocando la carta sin moverse, luego murmuró que no veía bien, que estaba medio ciega, ya no veía más que manchas, tenía muchos años y los ojos se le cerraban y donde veía una sombra decía que era un cuerpo, y donde algo brillaba decía: oro, pero no distinguía, ciega como había estado toda su vida, esforzándose siempre en ver la suerte de los otros, tanteando en una oscuridad de cosas, de personas, pero sólo interpretando y buscando parecidos, segura de que se equivocaba: no podía hacer más. Otros comprenderían mejor que ella y al oír esto el joven la interrumpió para ofrecerle un buen pago, todo lo que pidiese, él tenía dinero y se lo daría.

La carta seguía muda y la vieja suspiraba y entonces una mujer joven entró en la habitación y le rogó que se marchase, era muy tarde y la señora estaba fatigada, sin duda con esa fatiga que quita las ganas de hablar, de tomar cualquier iniciativa que no sea pensar únicamente en el problema tan difícil de aclarar, tan cerrado a toda solución, y la seguridad

---

[55] La carta no coincide, en efecto, con ninguno de los arcanos del tarot.

de que nuestro raciocinio no es bastante para solventarlo, igual que en las calles, la oscuridad de la noche no deja ver el comienzo de las casas y se tropieza, aunque se extiendan las manos, buscando un punto seguro donde apoyarse y poder interpretar no sólo la copa estallada en fragmentos o la sangre que anunciaba muerte de un ser no nacido aún, sino otros avisos como una ventana cerrada de golpe, una luz que se apaga, los crujidos de los muebles, los roces imperceptibles...

La mujer le llevó hasta la puerta y le miró fijamente para decirle que la vieja no trabajaba por dinero, sino para hacer el bien, para ayudar a los demás, pero él tenía miedo y los que tienen miedo no merecen ayuda, menos aún en medio de una guerra, porque en ella todos se jugaban la vida y peleaban valientemente, y los hombres combatían como fieras por defender aquella ciudad que era la suya y no querían perderla; mejor estar dentro de ella y no huir porque un día se avergonzaría de no haber luchado en su defensa y, lo quisiera o no, su recuerdo habría de volver y le parecería un sueño de indignidad y vileza.

Probablemente observó el gesto de angustia del joven y le dijo que no hay tales presagios, que nadie vigila nuestras vidas y estamos solos: escucharás, contendrás el aliento y los ruidos que puedan llegarte no serán un aviso, ni un consejo, porque todos hemos oído en torno nuestro roces inexplicables y, convéncete, nadie anuncia así su presencia y nadie te advertirá que una mano está a punto de estrangularte y no podrás escapar a tu miedo y a tu cobardía.

Bajó a la calle y se metió por ella, pisando charcos y adoquines hundidos, con el temor de que los duros perfiles de una copa rota se apoyaran en su hombro y una voz le gritara algo al echarle a la cara la luz de una linterna para deslumbrarle y que no supiera contestar cuando le preguntaban qué hacía allí, a dónde iba, qué documentación tenía y mientras él alzaba la mano hacia el bolsillo interior de la americana pensaba que los augurios se precipitan en símbolos y anuncian las palpitaciones de los días, por lo que todo habrá de tener su presagio, aunque no lo percibamos y tranquilamente realicemos un acto, como es entrar en un bar y si por casualidad tienen anís, pedir una copa y tomarla y, de pronto, ésta se rompe en mil pedazos sin saber cómo y nos quedamos intrigados hasta que otro hecho cualquiera nos llama y lo contemplamos atentos, con una náusea, con la repugnancia con que se miran los injustificados regueros de sangre que bajan hacia unos zapatos de mujer; y escuchamos infinitamente lejos un aullido que se desvanece y vuelve a aumentar, arrastrado por el viento húmedo y puro de la noche otoñal, una voz doliente de alguien condenado a extinguirse, pero que antes quisiera dejar dicha su última palabra con una modulación única y sobrenatural que presagia la luz de la linterna, gruesos capotes cruzados de correas, un fusil bien bruñido y la orden de ir al cuartel, al frente, a las trincheras donde todo rastro se pierde.

Heladas lluvias de febrero

Oyó cada palabra claramente, pues los dos hombres hablaban a su espalda y no cuidaban de decirlo bajo.

En el refugio no conocía a nadie; de pie, los unos pegados a los otros, entrecruzaban conversaciones banales que se cortaban cuando del exterior llegaban ruidos, a la escucha de que las sirenas determinaran lo que sería de ellos. ¿Cómo era posible hablar así? Mientras ellos estaban bien protegidos del bombardeo, miles de soldados se exponían a la muerte, dormían en el barro, amontonados en chabolas llenas de piojos, ninguno de ellos podía lavarse en muchas semanas y tenían tos, y reuma y el estómago no les aguantaba la comida... Mientras tanto, dos hombres de la retaguardia les maldecían, a ellos y a la guerra...

Fuera hará frío; el aire barrerá las nubes abriendo el helado abismo de las constelaciones, a cuyas figuras alzan sus ojos los que esperan ayudas misteriosas. O acaso vendrán más lluvias y, por encima de las cabezas y los cascos de hierro, las lenguas de cristal murmurarán sus purísimas palabras y bruñirán con su roce las calles de la ciudad silenciosa... Volvió un poco la cabeza y miró severamente a los que hablaban contra la República y contra el Frente Popular[56].

Un viejo le preguntó:

—Usté[57] es extranjero, ¿verdad?

---

[56] *Frente Popular:* coalición electoral de partidos que ganó las elecciones democráticas al Gobierno de la República el 16 de febrero de 1936.

[57] *Usté:* apócope popular de *usted*.

Él ve a todos apretados contra las paredes de cemento, pendientes de los ligeros parpadeos de la bombilla que cuelga del techo, como si esperasen la señal de un mensaje que viniera a salvarlos.

—... para prestar ayuda —dice en voz alta, pero nadie le entiende y a los que le miran se apresura a aclarar—: Sí, soy extranjero.

Los más, tienen un gesto de cansancio, se hacen los distraídos de lo que oyen; los que han querido que él hablase para hacerlo igual a ellos, a pesar de su raro uniforme, le contemplan con curiosidad, pero no dicen ya nada, atraídos por razones personales y urgentes.

El extranjero mira a la mujer callada que lleva la cabeza envuelta en un hermoso pañuelo, se la acerca y murmura que allí no hay peligro alguno, suponiendo que ella comprenderá su intención amistosa de llenar el espeso vacío del refugio, pero la mujer, como si lo hubiera interpretado de forma muy distinta, le responde que ya dura mucho, que todo allí dura demasiado para que al acabar se tengan consideraciones. La escucha y no sabe a qué se refiere; ella bisbisea y baja la cabeza, aunque él la había sonreído abiertamente para impregnar de confianza la lengua clara y diurna que emplea con todos desde que llegó a Madrid. Pero los ojos en ciertos momentos pueden ser un idioma extranjero y así ella le echa una rápida ojeada despreciativa y él no entiende y se queda sorprendido por la aparición de un impulso que le lleva hacia la escalera que da a la calle. Desea salir fuera; el refugio habrá sido una breve espera en casa ajena donde es imposible detenerse y crear amigos y de nuevo se confiará a la fraternidad de las patrullas en los combates al amanecer y en los inciertos golpes de mano, y, sin embargo, allí despierta interés, le reconocen, le han preguntado si era extranjero.

No, ya no era allí extranjero. Se había sentido libre y seguro desde que llegó, únicamente receloso de los rayos translúcidos con que los reflectores recorrían las nubes algunas noches, y sólo entonces volvían los recuerdos de Dresde o de Hamburgo, cuando las manos parecen afilarse y perder vigor, tiemblan ligeramente y nada puede cambiar su tono yerto mientras descansan en el borde de una mesa y los oídos acechan ruidos en la escalera, las botas de los que vendrán a registrar, a incautar papeles, cartas, a detener, a llevar a una larga peregrinación de cárcel en cárcel hasta el matadero bien conocido o entrevisto por la suerte que tuvo algún familiar o algún amigo.

Pero pronto terminará la alarma y volverá a reintegrarse a su unidad, junto a miles de hombres como él, decididos, armados, notando el peso de la pistola en la cadera; no importará el frío de la lluvia al cruzar campos de escasos matorrales donde el viento es el único ser vivo.

—¿Estás de permiso?

La pregunta corta su reflexión y le obliga a planear bruscamente sobre la tela de araña que prende su vida, haciéndole recomponer día a día los restos de la catástrofe que fue su época; para otros, fue una enfermedad, una pequeña herida; para ellos, el riego total, de casi imposible remedio.

«Sólo con la razón comprenderemos lo irracional de esta época», se lo dijo Weiss en el Paseo del Prado, a pleno sol de la tarde invernal, camino de los puestos de libros viejos, atento a su cara demacrada en la que no ve su escueta fisonomía personal, sino una acumulación de rostros con los que se había cruzado desde que huyera del nazismo y que ahora le dijeran: «Tendremos que reconstruir el siglo».

Pero ¿estaría equivocado? Había oído claramente a su espalda: «Ya no cuentan con la ayuda extranjera[58], tendrán que rendirse y entregar esta maldita ciudad de basura y mierda, porque les falta el arroz y las municiones y sin eso no pueden defenderla, sin comida no resistirán, esto se está acabando y no habrá perdón para ninguno de ellos...» Hablaban en voz alta y acaso nadie les oía, porque todos estaban pendientes de que sonara la sirena dando fin a la alarma en el gran engaño de que el peligro iba a terminar y sin

---

[58] En otoño de 1938 el gobierno de Negrín se comprometió ante la Sociedad de Naciones a retirar de forma unilateral a todos los voluntarios de las Brigadas Internacionales que luchaban en su bando; y así se hizo. El cuento se ambienta en febrero de 1939.

más riesgos acabarían las inquietudes y se restablecerían sus rutinas diarias para volver a un feliz tiempo pasado.

Rumiando negros pronósticos, al cabo de una hora está en un bar de luz mortecina y pregunta al tabernero si tiene algo para beber.

—Sólo hay ginebra, muy mala, nadie la quiere.

En el mostrador, otro hombre encogido dentro de una gabardina con señales de mojadura en los hombros, medio tapada la cara con las solapas subidas, bebe el líquido cristalino.

—¿Eres un internacional? ¿Cómo estás tú aquí si todos se han ido?

—En cualquier sitio había enemigos. Las noticias de los periódicos, una carta, todo anunciaba la gran mano que podía cogerme dentro.

—Pero ésta también es una ciudad cercada.

—No había tranquilidad para mí y para otros como yo. Lo mismo en Bruselas que luego en París, nos esperaba ser cazados un día.

—Pero aquí las balas perdidas o los obuses alcanzan a todos. Constantemente cae gente muerta en las calles.

—Llegué y comprendí que era la ciudad donde podía quedarme porque estaba defendida por perseguidos como yo... La única ciudad en la que no temería al sufrimiento, o a algo peor.

—Estamos sitiados, bien lo sabes, y los frentes se debilitan y dentro hay miles de enemigos que esperan para atacarnos por la espalda.

Al oír esto, el extranjero se le acerca y le contempla sin pestañear.

—Pero Madrid es un refugio. Entonces me era preciso encontrar una ciudad para dormir sin miedo, que cada pared fuera como el brazo de un amigo, buscar en los ratos de ocio, en los paseos, el recuerdo de otra donde me sentí confiadamente compañero de todos.

El de la gabardina le sonríe y ambos alzan las copas de cristal blanco y beben de un trago.

—No sabría qué hacer con mi vida si no es quedarme aquí. El hambre, las penalidades, todo es mío.

—Sí, comprendo lo que dices y pienso como tú, pero la guerra está terminando, será cuestión de días, de semanas, y todo habrá acabado.

—He andado libremente por las calles. Cuanto es vida seguía su curso, pese a todo lo que está pasando. Aquí, una parte al menos de mi destino dependía de mi decisión y podía calcularlo a plena luz. ¡Oiga, otra copa!

—Si nos rendimos, no sé qué será de nosotros.

El hombre con gabardina saca del bolsillo un periódico, echa una ojeada al tabernero que está inmóvil, ausente, con la botella de ginebra en la mano, y señala una noticia al extranjero, el cual se inclina, lee y hace una mueca con los labios.

—No es posible. Madrid resistirá.

Vuelven a vaciar las copas y se contemplan.

—La guerra está terminando, camarada, ¿tú qué vas a hacer?

—En el refugio he oído..., pero no, no todos piensan así.

—Son dos años y medio de guerra, un esfuerzo superior a lo que pueden porque son albañiles, panaderos, empleados, sastres, no sabían nada de guerra y han tenido que hacerla, un gran esfuerzo... a vida o muerte.

—Ya es hora de cerrar —gruñe el tabernero, y el hombre de la gabardina murmura:

—Si la guerra termina, tendremos que marcharnos...

El extranjero niega echando unas monedas en el mostrador, reacio a los presagios de aquellas palabras.

Salen. La lluvia fría oscurece todo, araña las mejillas y hace bajar las cabezas acortando la respiración para tomar la actitud amenazadora del que corre entre matorrales, atento al primer disparo, engañado por los ruidos del aguacero, por el crujido de una rama rota que se transforma en el estampido cegador cuyos resplandores enrojecen los troncos de los árboles y duran lo suficiente para disparar a ciegas. El extranjero sale al centro de la calle, tropieza, levanta el puño izquierdo, alto, por encima de la boina, y da voces:

—¡Frente rojo! ¡Frente rojo![59].

---

[59] *Frente rojo:* el protagonista, brigadista internacional, enaltece el frente que en toda Europa estaba luchando contra los movimientos fascistas.

236

Cae la lluvia sin parar y las gotas bajan por la barba hasta el húmedo embozo del capote.

Sentía empapada la gabardina; dos pasos más y se encontró cerca de una oquedad donde podía protegerse del agua, pero a un lado descubrió una figura inmóvil, una persona dormida de pie, un gran saco de ropa parda que le recordó los fardos en las estaciones; cuando avanzó más comprendió que un soldado rígido le contemplaba apoyado en la jamba, resguardado de la lluvia. Se puso a su lado, donde ya no sentía las gotas en la cara, y le miró.

—¡Qué tiempo tan malo!

—Sí, llueve mucho.

La voz del soldado era tranquila y clara, demasiado alta, como si el silencio de la noche lluviosa o su misión de vigilante no le intimidasen, o creyera que el zumbido del agua cayendo por todos sitios le permitía hablar alto.

Observó que el soldado tenía colgado al hombro el fusil con la bayoneta puesta.

—¿Es esto un cuartel? —necesitó preguntar, y oyó con extrañeza:

—Sí, claro.

Se salió de la puerta.

—Entonces no puedo estar aquí.

—¿Por qué no? Está lloviendo tanto...

—... prohibido.

—Bah..., psss —bostezó y se hundió más en el portalón ante el que caían los goterones del tejado. Entonces el hombre se volvió a poner junto a él y miró para arriba como si quisiera descubrir en la oscuridad nocturna el lugar de donde les llegaba tanta agua pulverizada, en impalpables gotas heladas, pero lo que vio en las nubes fueron dos líneas blanquecinas que insistentemente cruzaban de un lado a otro, perdiéndose y reapareciendo como dos espadas gigantescas cruzadas sobre los tejados de los que a veces saltarían reflejos de charol, despertados del sueño que inundaba la ciudad. Pasó un largo rato en que la atención se concentró exclusivamente en aquellas rayas luminosas, de tenue luz.

—Hay alarma esta noche.

—Sí, aviación.

El hombre se ajusta la bufanda al cuello, encogiéndose en la gabardina.

—Acaso haya bombardeo, está muy nublado, es una noche apropiada y precisamente...

Miró al soldado para comprender lo que habría pensado al oír sus palabras, pero, tras el cuello del capote subido y el casco, no distinguió nada.

—Hoy puede haber un ataque, una sorpresa, los cañones comenzarán de pronto y los morteros harán saltar todo con una tierra tan blanda..., ¿no crees?

—Puede ser..., psss.

—No se puede confiar. Hay que estar siempre alerta. Tú también, claro.

Miraron ambos a un lado y a otro de la calle, cerrada por las rejas de la lluvia tenaz. No se oían pasos ni el ruido de ningún coche: sólo el agua respirando sobre las cosas.

—Voy a Ríos Rosas. ¿Sabes hacia dónde cae?

—Ríos Rosas es... la tercera.

—Me voy, no escampa. Salú, compañero.

Echó a andar. El estómago le recordaba que sólo había tomado un plato de lentejas cuando la radio estaba dando el parte del mediodía; había cogido una cuchara y distraídamente la había hundido en el caldo oscuro y la había dejado así unos segundos, porque los movimientos habían suspendido su función para permitir que el pensamiento siguiera las nítidas imágenes de tropas entre ruinas, trincheras abandonadas, hambre. Cuando alzó la cuchara y vio la redondez de las minúsculas moneditas pardas que la llenaban, y de las que llegaba olor a ajo: «Dentro de poco, ni esto quedará», oyó a alguien que se refería acaso a las trincheras, a las municiones o a las lentejas imprescindibles de cada día.

Suspiró y siguió andando en la atmósfera impregnada de agua. Iba despacio, tanteando el suelo, sin verlo apenas por la falta de farolas, de puertas iluminadas, de balcones encendidos, de anuncios luminosos. Miró las fachadas como muros negros de carbón y arqueó los labios renunciando a aquellos recuerdos, precisamente al desembocar en una calle conocida y dirigirse al suave resplandor de unas puertas con cristales tapados con cartones. Entró en un bar, se fue al teléfono, lo manejó varias veces hasta que consiguió comunicación. Con la mano hizo una bocina para concentrar la voz y que no le oyeran varias personas que estaban allí reunidas, que se volvían hacia él y cruzaban miradas con el hombre del mostrador: sobre el cinc había unas copitas de un líquido oscuro y sus ojos se detuvieron en ellas mientras oía los chasquidos de la línea y una voz soñolienta. Entonces habló:

—Oye, Luis, Luis, soy Santiago. Escúchame. ¿Puedes atenderme ahora? Es que quiero hablarte... un momento sólo, muy poco; no me da tiempo de ir a verte, ya sé que sería mejor en persona, pero me es imposible. Grave, sí. Decirte que no puedes renunciar, que no puedes dejarlo, es tu propia vida y no vas a cambiar en unos días... Escúchame, hay que cargar con la responsabilidad, aunque tú no lo quieras estás sujeto a lo que has sido y a como has pensado, es algo fatal, eso está unido a ti, ¿entiendes? Hemos vivido una época muy dura y todos estamos comprometidos, no podemos evitarlo, hagas lo que hagas será tu sombra, como tu sombra, sí, escúchame, escúchame, no puedes renegar de lo que has sido, oye..., Luis, Luis...

Se separó del aparato, volvió a escuchar y tras una vacilación colgó el auricular y pasó a lo largo del mostrador para pagar al viejo camarero, pero su atención se fijó en el contenido de las copas, ahora precipitadamente en las manos de los allí reunidos.

—¿Hay algo para tomar?

—Bueno..., si quiere, aquí, un coñac...

Dijo que sí con la cabeza y cuando se acercó la copita a los labios encontró las caras hoscas de los clientes del bar, fijos en él, vigilantes, siguiendo en silencio el movimiento que hacía para beber, como preparando una réplica a su gesto. Bajó la mano, se sintió rodeado de personas extrañas, de extranjeros que viviesen en otra ciudad, que tuvieran otras costumbres y otro porvenir. En medio de enemigos que esperaban algo diferente a lo que él aguardaba, levantó la copa y dijo con voz no muy segura:

—¡Viva la República!

Y después del trago, echó dinero en el mostrador y salió a la humedad, a la noche obstinada, donde todo aumentaba la impenetrable oscuridad; fue despacio hasta el cruce con Abascal, pisando la acera con pies cautelosos. Se detuvo en un portal cuya puerta aún no estaba cerrada y donde el aire helado parecía atenuarse, y al rato oyó bajar a una persona que se puso a su lado: era una mujer. Ambos se quedaron allí sujetos por los soplos de la lluvia hiriente, ambos cerrándose los cuellos.

—Qué manera de caer. Si no voy a poder salir...

—Está lloviendo mucho.

—Y el frío de mil demonios. Dónde vamos a parar con tanta agua... —hubo unos segundos de silencio. Chascó la lengua—: Y sin comida y sin carbón, todo el día helados de frío, y además los obuses... Son muchos meses, no se puede más. Hay carbón, pero no lo dan. Dicen que es para la industria... Es imposible aguantar más. Si esto no acaba pronto, va a ser la muerte de todos.

El hombre salió del quicio y siguió andando con los ojos entornados para evitar las gotas; apenas los necesitaba en la oscuridad. Las calles se extendían bajo un cielo con nubes claras.

Se detuvo delante de un portalón, enorme espacio vacío, apenas visible, resonante de los taconazos del centinela, y le dijo secamente:

—Necesito hablar al comandante Carranza.

Y para ello le llevaron por una escalera hasta un despacho donde había un oficial de espaldas, inclinado sobre una mesa, hojeando papeles. Se le hubiera podido matar fácilmente si alguien llegase allí con este fin y aprovechara para liquidar a uno de sus más totales enemigos.

—Hola, Carranza.

—¿Qué? —al volverse bruscamente abrió los brazos—. Si eres tú. Qué sorpresa. Me alegro de verte —casi se abrazaron—. ¿Qué pasa? ¿Por qué vienes a estas horas?

—Comprendo que te extrañará, pero no he querido esperar a mañana para hablarte. Tengo que decirte algo.

Se sentaron con la mesa por medio. Frente a él, el oficial grueso, pálido, con pelo entrecano sobre las gafas, le miró sin decir palabra, pero había una gran atención en sus ojos miopes.

—¿Qué quieres?

—Decirte que esto va mal, que no os fiéis de nadie, que dependemos de vosotros.

El oficial asintió con la cabeza; si no fuera por la fijeza de su mirada, parecería un cabeceo de sueño a aquellas horas de la noche.

—Tú lo sabes bien, pero yo quiero repetírtelo: miles de vidas están en vuestras manos, familias enteras.

—Sí..., un gran peligro.

—Y aquí dentro, en las calles, en las casas; habría que aumentar la vigilancia, poner guardia en esquinas y tejados, y también fuera, ahí...

Señaló un mapa que estaba clavado en la pared, entrecruzado de rayas y señales rojas y azules como la red venosa de un gran órgano abierto.

—Todos hablamos de eso —murmuró el comandante.

—¿Del frente?

—De los últimos días.

Quedaron callados y el oficial se puso la mano izquierda sobre los ojos, cegado por la evidencia de lo que decía. Luego parpadeó:

—¿Por qué has venido?

—No sé... Esto está terminado. Una rendición, o rompen el frente en cualquier momento, y entonces...

Volvieron a mirar el recuadro amenazador en la pared, de líneas incomprensibles. En aquella habitación se notaban aislados por el silencio de la hora que se extendía fuera igual que una niebla densa.

—Sólo he querido comentarlo contigo; eres de los pocos en quienes aún tengo confianza. Se levantó y le tendió la mano.

—Yo también, constantemente lo pienso: se aproxima el fin, va a llegar de un momento a otro y, no obstante, hay que seguir actuando como si nada ocurriese.

—Yo noto igual que cuando en sueños quieres gritar y no puedes, y vas a correr y las piernas no te obedecen, una sensación parecida.

—Son días muy malos. No sabemos lo que puede durar...

—Yo tengo muchos años y temo lo desconocido. No me hago idea de lo que va a ocurrirnos.

—Acaso... marcharnos, pero ¿a dónde?

Los dos hombres se habían aproximado y hablaban en un tono bajo como dos confidentes o dos espías transmitiéndose consignas secretas; se miraban a las caras y al movimiento de los labios.

—Sí, es el final. No olvides lo que te he dicho.

Y bajó de prisa los escalones, buscó la salida y se hundió en las cortinas que las tinieblas tendían ante las casas y las frías distancias.

A pocos pasos vio una figura alta que venía a él con pasos inseguros. «Un borracho, sin duda, o un loco», y se dio prisa en alejarse de aquel hombre que decía algo mientras daba traspiés.

Pasados unos minutos, se detuvo, rozó los zapatos en el bordillo de la acera, ausente de los inútiles nombres que cambiaban el aspecto de aquel sitio conocido. Pasarían unas horas y volvería a aparecer una claridad imprecisa que dibujaría de nuevo los perfiles de las fachadas y las rayas oscuras de las farolas desmochadas y los troncos desnudos de acacia; también se iluminarían los solares hacia los descampados de Cea Bermúdez. Volvería la luz y él se encontraría en la oficina de Recuperación, bostezando, soñando con tomar un café auténtico, escuchando las conversaciones de los compañeros, con un peso en las manos, en los ojos, pendientes de la radio, de lo que decía o iba a decir.

Atravesó una zona de vertederos y acortó sus pasos, que el terreno blando hacía inseguros, tropezó varias veces y dejó atrás las ruinas de dos casitas. Subió a una altura; ya no llovía, pero las ráfagas heladas le empujaban. De pronto sonó un morterazo en el frente, extrañamente cercano, y le siguió un tiroteo. Varios resplandores iluminaron el horizonte delante de él y se renovaron las preocupaciones y anhelos del nuevo día; oiría la radio, seguiría atentamente el parte de guerra, se distraería desdoblando un periódico, miraría el conocido sillón de cuero desgastado...

Todo volvió a quedar en silencio. Sólo oyó hablar a una patrulla de soldados que cruzaron el camino por donde él iba; estuvo quieto en espera de que pasaran.

Llegó delante de los muros del cementerio de San Martín[60], aspillados y rotos por bombardeos, sobre una altura, como una fortaleza antigua que hubiera sobrevivido y, cerca del frente, sirviera para detener un ataque y, antes de desaparecer, fuera útil a los vivos.

Se quiso distraer con un ruido distante: el retumbar de un vehículo que aprovechaba la noche para atravesar los últimos solares que lindaban con las trincheras. Pero en seguida regresó el desaliento de haber terminado una tarea, todo estaba acabado, y sin prisa, notando cómo el agua le escurría por el cuello, se abrió la gabardina, palpó el pequeño revólver y lo sacó del bolsillo interior de la chaqueta.

---

[60] *cementerio de San Martín:* construido en 1849, estaba entre la avenida de Filipinas y las calles de Santander, de Juan Vigón y de Jesús Maestro. Fue uno de los cementerios más importantes de Madrid y el más grande de la zona. Recibió orden de cerrar, como todos los cementerios sacramentales, en 1884, pero se siguió enterrando con normalidad hasta 1902, pues su ubicación hizo que fuera el último en desaparecer; durante la Guerra Civil sus nichos se utilizaron como refugios.

Las lealtades

El ruido era de un coche que fue a parar delante de la puerta, negro, pequeño, con mil arañazos y señales de golpes y manchas de barro del que llevaban las ruedas adherido y seco, prueba evidente de haber corrido por caminos enfangados o calles medio levantadas aquellos días de lluvia.

Al alzar la vista vio cómo se abría una portezuela y asomaba la cabeza de un soldado que luego sacó las piernas y despacio pisó la acera mirando al portalón, su oscura profundidad, mientras otro soldado, por el lado opuesto del coche, daba la vuelta y echaba un vistazo a la fachada y se ponía detrás del primero, y entonces ambos le miraron a los ojos, fijamente, con la fijeza del que quiere reconocer a alguien y teme que no podrá porque siempre tendrá ante sí a un desconocido. Ellos también eran desconocidos. El centinela lo comprobó desde el primer momento y permaneció sin moverse en el marco monumental de la puerta de piedra renegrida por el paso de tantas personas y vehículos en aquellos dos siglos últimos. Su capote desgastado se confundía con la penumbra que detrás de él formaba el gran portalón, casi como una cueva en la que pudiera caerse de entrar más allá de donde estaba el centinela.

—Quiero hablar con Julio Palomar —dijo el recién llegado, sin dar un paso, sin un gesto que anunciase que hablaba, sin cambiar la expresión hermética de la cara bajo la gorra de plato.

Entonces el centinela iba a mover los labios, a pronunciar unas rápidas palabras que respondieran de alguna forma a aquella especie de mandato, pero la boca no se abrió y, pasando una inexpresiva mirada sobre el rostro del que tenía delante, retrocedió y dio dos pasos en el vestíbulo, como obedeciendo una orden. No la de aquel soldado, sino otra llegada —aunque muda— desde la puertecilla de cristales que había a la izquierda, pues tal fue el movimiento automático hecho por el centinela, o bien que una costumbre le hacía dirigirse a otra persona —a un superior— en cualquier ocasión que inesperadamente le plantease una contingencia que le exigiera decidir, lo cual le estaba prohibido. Pero cuando esta suposición iba a realizarse y cuando se había aproximado a la puertecilla, resonando sus botas con el roce de los clavos en el pavimento de mármol, el centinela se detuvo según avanzaba un poco inclinado hacia delante, con el fusil en el hombro izquierdo y ambas manos en los bolsillos, y giró hacia la calle igual que si hubiera recordado algo en relación con los dos soldados del coche. Volvió a la puerta y se situó en ella como anteriormente, pero ahora en el conjunto de los rasgos de la cara había una rigidez o una severidad apenas perceptible en el gesto concentrado, propio del centinela que monta guardia a la puerta de un cuartel abandonado, pero acentuada por la presión de los labios y las arrugas en la frente, en la parte que dejaba al descubierto el casco de hierro que achataba su cabeza y casi contribuía a que la expresión nueva que le había aparecido en el breve espacio de tiempo de los dos pasos hacia la puerta se hiciera más adusta.

—No está.

Si hubiera llegado hasta la puertecilla, si hubiese gritado como es costumbre «¡Cabo de guardia!» y si al no recibir inmediata contestación hubiese tendido la mano y cogido el picaporte para abrirla... Si no se hubiera movido de la puerta y desde allí sin retirar los ojos de los soldados hubiera dicho «¡Cabo de guardia!» y acompañando estas palabras con un golpe dado en la hoja de la puerta que tenía al lado y que habría resonado estrepitosamente... Pero no, el centinela sólo había hecho aquel movimiento, dos pasos en el interior del vestíbulo, y aquel desplazamiento casi instintivo fue bruscamente interrumpido para venir a pronunciar la seca exclamación «No está», dicha de forma terminante.

Se contemplaron atentamente, sin que mediaran más aclaraciones, como si no hubieran oído aquella respuesta tan breve, tan lógica, pero a la vez tan ambigua. El primer soldado se metió la mano en un bolsillo de la guerrera y sacó un paquete de cigarrillos y lo abrió con toda tranquilidad; se puso uno en la esquina de los labios para encenderlo con una cerilla. Y al levantar la mano llevaba aún entre los dedos el paquete de papel encarnado con rótulos dorados; lo mostró descuidadamente, sin hacer alarde de aquel tabaco inglés que en nada se podía comparar con la cajetilla de envoltura blanca, dentro de la que se deshacían los cigarrillos que apenas si se podían encender, que llevaba el centinela en el bolsillo del capote.

Encendido el pitillo, el soldado murmuró:

—Necesito ver a Julio Palomar. Es urgente.

Lo dijo con la boca tan cerrada que no dejó salir ni una voluta de humo y sólo el cigarrillo se movió y atrajo la mirada del centinela, que, como si recurriera a silencios para hallar las palabras, se quedó callado, ausente de la escena que ocurría ante él, ajeno a la obligación de escuchar y dar alguna respuesta a lo que se le decía en un tono completamente indiferente, mirando con una atención fría la ceniza del cigarrillo, que formaba un cilindro de aterciopelada materia gris que acabó por desprenderse cuando llegó a cierto tamaño, y caer a lo largo de la guerrera y dejar un rastro en ella que los ojos del centinela contemplaron hasta que se encogió de hombros, dio media vuelta y entró en el vestíbulo y pisó otra vez las losas de mármol medio ocultas bajo la suciedad que cientos de pisadas habían dejado allí.

Se dirigió a la gran escalera de anchas barandas flanqueadas por dos figuras de bronce que sostenían en sus manos, en actitud de tranquila espera, unos pesados mazos que terminaban en globos de cristal, algunos de ellos rotos, y con pasos lentos, poniendo mecánicamente los pies uno tras otro en los escalones de mármol oscurecido, subió. Sólo se detuvo cuando al llegar al primer rellano apoyó la mano izquierda en la baranda y se inclinó hacia delante para ver el vestíbulo desde arriba y las figuras de bronce y la claridad de la puerta de la calle: no había nadie ni tampoco se oía ruido alguno.

Hecho esto, atravesó el arco bordeado de un friso de piedra dorada y entró en un corredor aún bastante iluminado en aquella hora por la fila de ventanales que se sucedían a lo largo de su pared derecha, enfrente de las puertas, altas y negras, de madera trabajada, que llegaban hasta el fondo, donde una zona oscura presagiaba un corte vertical en los propósitos y daba fin a la hilera de ventanales y puertas.

Abrió la primera, no completamente, sino que mantuvo la mano sujetando el pestillo y por el hueco abierto asomó la cabeza y echó un vistazo dentro de la gran habitación donde había mesas y armarios de oficina, pero ni una persona ni señales de ella. Cerró entonces cuidadosamente y tras la segunda puerta encontró otra habitación idéntica, con mesas y máquinas de escribir y papeles tirados por el suelo, e igualmente de hojas de papel estaba cubierto el suelo de la tercera habitación, en la que el aire del balcón abierto movía aquellos papeles desparramados por todos sitios, y ante este abandono, el centinela no hizo nada esta vez para cerrar tras sí la puerta, sino que se limitó a retirarse despacio, como movido por la estremecedora corriente de aire que notaba en las mejillas: ésta fue quien la cerró de golpe, ocultándole los inquietantes roces y los suaves movimientos que allí dentro se producían sin tener ningún testigo.

Salió al centro del corredor y gritó:

—¡Oye!

Luego contempló la cuarta puerta, los arañazos que la cruzaban, las huellas de golpes en los bordes, los agujeros de clavos que a una altura media debía haber clavado una mano torpe, los raspones en el barniz dejando al descubierto la veta clara de la madera, y cuando hubo repasado aquellas señales reveladoras en una puerta se decidió a tocar el pestillo, que se movió desajustado y tardó en girar, y al lograr abrirlo vio otra oficina desordenada. Dos sillas caídas, los armarios abiertos y los cajones de las mesas volcados en el suelo, donde se esparcía el habitual material de oficina que era costumbre conservar ordenadamente en cada cajón y donde era útil cuando se le necesitaba, revuelto y confundido con restos de periódicos y cacharros de cocina que parecían desprender aún su olor característico. El olor le hizo retroceder y cerrar tras sí la hoja de la puerta y afianzar el endeble pestillo, del que retiró la mano tras haberlo sacudido a un lado y a otro para conseguir que cerrara y aquel desorden quedara oculto, como una vergüenza. Lo mismo que una vergüenza hace temblar la mano y ésta se convierte en vacilante cuando tiene que tocar lo que acaso guarda el motivo fundamental de la indignidad, así el centinela dio unos pasos inseguros pegado a la pared, tanteando su superficie con el brazo, y alzó los dedos temblorosos hacia otro picaporte, éste más sólido, con la pretensión de transmitirle su fuerza escasa y lograr que le permitiera pasar y conocer otra realidad que aunque esperada aún le estaba oculta por la alta puerta que, como las otras, permanecía celosamente cerrada. No tanto que cuando la empujó no se abriese con un ligero chirrido de sus goznes y mostrase también allí el desorden y el abandono que había mezclado cuadernos de hule con cajas de plumillas y montones de cuartillas y de oficios escritos a máquina atados con cintas rojas, y dietarios de tapas negras sobre los que se amontonaban tinteros sin usar y manojos de lápices y gomas de borrar, y sobre una silla tendida en el suelo una pierna calzada con bota alta que cubría hasta la rodilla, violentamente doblada, a continuación de la cual se extendía un cuerpo de gran tamaño cuyos brazos abiertos alcanzaban al borde de una cama de campaña y a una mesa derribada, la cual al caer debió tirar una gran cantidad de sobres vacíos que ahora rodeaban los hombros y la cabeza de aquel cuerpo.

El centinela avanzó y se inclinó sobre él y extendió la mano de dedos trémulos con los que rozó la mejilla gris verdosa y quiso imprimir a la cabeza un movimiento, pero ésta no cambió su posición y siguió pesadamente unida al suelo y a sus manchas oscuras, que se alejaban por debajo de la mesa de escritorio en dirección al balcón, del que venía una claridad mortecina aunque suficiente para distinguir el pelo adherido a la mancha uniforme que como una almohada extraña acogía el aparente sueño de la boca entreabierta y los ojos abstraídos en algún remoto pensamiento que tendría o no relación con los sobres blancos y azules que había en el suelo, pero que denotaban una atención concentrada y tranquila, ajena totalmente a la angustia que sintió en la garganta el centinela inclinado sobre él.

—¡Palomar!

No era que le llamase, sino más bien repetir aquel nombre para relacionarlo definitivamente con el recuerdo de su fisonomía, de su corpulencia, del tono de su voz o el tic de la nariz al fumar: la totalidad de la persona auténtica que pertenecía al cuerpo que ahora allí estaba callado, en postura forzada, inutilizado para todo.

No le volvió a tocar; se irguió y contra el capote se frotó los tres dedos con que le había rozado, tras lo cual se llevó las manos a los bolsillos y allí las mantuvo, mientras que con los ojos recorría uno a uno los objetos diseminados en el caos que era el despacho, fijando en su memoria cada detalle por trivial o insólito que pudiera ser, como si previese que algún día tendría que enumerarlos en unas circunstancias parecidas y él tuviera que hablar largamente relatando acontecimientos que hubiese vivido u oído contar, pero que tuvieron trascendencia para todos y para él mismo. No bastaría enumerar los restos, mencionarlos como quien hace un inventario después de un desastre: sintió la necesidad de respetarlos, ya que eran los imprescindibles materiales que sustentan lo heroico, lo audaz, lo generoso, con lo cual volvió a pasar la vista admirada y devotamente por la mezcla de cajas de clips y hojas folio, sellos de caucho con leyendas incomprensibles, y sus correspondientes tampones, carpetas rotuladas y numeradas que lo mismo podían sistematizar destinos humanos que raciones para los regimientos, hacia todo lo cual sintió deferencia y adhesión. Paso a paso, andando para atrás, salió del despacho y miró al fondo del corredor, donde la oscuridad ponía fin a todo, a suelo, puertas y ventanales, proyectos y deseos, en la oscuridad densa que se extiende tanto por la extinción natural de las claridades del día como por la densidad impenetrable que recubre los ánimos y los lugares de un campo de batalla vacío de vida y de su normal estruendo.

Fue hasta la escalera y allí tanteó la baranda con los tres dedos que habían tanteado —como apoyo de otra naturaleza— la mejilla helada y tersa que se extendía con delicadas sinuosidades hasta la sien, encima de la cual la rotura de los tejidos abría un surco bordeado de fragmentos de piel endurecidos que parecían separarse espontáneamente para revelar las esquirlas blanquecinas y, entre ellas, los globulillos translúcidos y venosos de zonas siempre invisibles pero responsabilizadas de elevados cometidos mentales pese a pasajeras obnubilaciones que ponen sombras en la imagen de una derrota o al tantear el apoyo habitual para subir o bajar escalones como aquéllos.

Bajó reconcentrado y hundido en sí mismo, con la cabeza aplastada por el casco, tan ineficaz entonces que el barbuquejo se movía suelto, y la barbilla replegada hacia aquellos labios que debían hablar porque sabían más que nadie en aquel momento en que se hacía ineludible una aclaración a las incógnitas que esperaban en el quicio del portalón. Se acercaba pisando con seguridad, pero muy despacio, como si el tiempo que ganaba demorando el atravesar el vestíbulo estuviese lleno de significado y cargado de todas las experiencias que hubiese acumulado en los últimos tres años y que ahora culminaban en la íntima decisión que le ordenaba adecuarse a la escena que había contemplado arriba, resumen de cientos de peripecias vividas.

Le seguían esperando, no se habían movido, estaban tensos y fijos en el sombrío portalón del que esperaban llegara una respuesta concerniente a Julio Palomar, pero, como una sorpresa casi cómica, lo que de pronto tuvieron de nuevo ante sus ojos fue al centinela hermético, inexpresivo, que volvió a situarse en su sitio y que exclamó con voz clara y enérgica:

—Yo soy Julio Palomar —dicho lo cual sus labios se contrajeron y cerraron tan sólidamente que los dos soldados se enderezaron con una leve sacudida de los hombros para que sus cabezas se alzaran y comprobar con mayor precisión el aspecto del centinela y disipar alguna duda que les hiciera aún vacilar en reconocer como verdaderas las palabras que acababan de escuchar y que si les habían hecho estremecer-

250

se, ahora les devolvían la calma con que bajaron del coche. Uno de ellos volvió a sacar su paquete de tabaco inglés, mostró su envoltura lujosa y elegante, con rótulos dorados de un gran atractivo para cualquier fumador, pero más aún para el que relacionase su placer con una clase social, y comenzó a hacer los movimientos del que va a fumar mientras que el otro soldado dio dos pasos, se puso detrás del centinela y pausadamente llevó su mano derecha a la funda de la pistola que pendía del cinturón; la abrió, la extrajo, y también muy despacio, ya empuñándola, la fue alzando hasta la altura del cuello que se veía entre el capote y el borde del casco, y apuntando allí, sin que la mano tuviera la menor oscilación, el dedo índice apretó a fondo el minúsculo gatillo del arma.

La tierra será un paraíso[61]

---

[61] El título del libro coincide con uno de los lemas contenidos en *La Internacional,* el conocido himno revolucionario escrito por Eugène Portier en 1871 y musicalizado por Pierre Degeyter.

A Felicia.

Las ilusiones: el Cerro de las Balas

El viento agitó la falda y ella se llevó la mano al pelo para sujetarlo, pero el peinado no se descompuso, fijo por dos peinecillas rojas, y la mano bajó por la mejilla y se entretuvo en tocar un pendiente dorado, muy largo, y luego ajustó el pañuelo estampado caído sobre los hombros y que destacaba sobre la blusa negra, y cuando entró en la taberna me debió de ver porque sonrió al saberse mirada, volvió la cabeza hacia un lado fingiendo que algo la distraía y enseguida, marcando en los labios un mohín de desdén, pasó sus ojos rápidamente por los míos y me descubrió que se había dado cuenta de cómo yo la contemplaba, hechizado por mi único deseo entonces y que era su figura esbelta, sucia, con manos delgadas y renegridas, la ropa en el mayor abandono, sin duda oliendo a miseria, pero con ojos y boca seductores, tan atractivos que, como una aparición extraña, se lo conté al doctor Dimov[62] cuando coincidí con él ante el gran ventanal del laboratorio[63], tras cuyos cristales se extendía la masa

---

[62] *Dimov:* el personaje es una recreación de Dimiter Todorov Dimov (Lovèc, 1909-Sofía, 1967), profesor de la Facultad de Veterinaria en la capital búlgara y escritor que en 1943 viajó a España como becario y trabajó en el Instituto Ramón y Cajal. De vuelta en su país natal, publicó en 1944 la novela *Almas condenadas*, ambientada en España, cuyo recuerdo nutrió otras de sus obras. Fue Presidente de la Unión de Escritores de Bulgaria desde 1962.

[63] *laboratorio:* se trata del Laboratorio de Investigaciones Biológicas, perteneciente al Instituto Cajal, que en las fechas en las que se ambienta el cuento tenía su sede en el Cerro de San Blas, dentro del parque de El Retiro, junto al Observatorio.

metálica de la estación del Mediodía[64], con el lento reptar de trenes y densas humaredas entre haces de vías que alejaban su curva hacia un horizonte de llanuras peladas, precisamente a donde él dirigía su mirada mientras fumaba un cigarrillo y yo, casi confuso, le hablaba de la gitana.

Pero ahora ocupa mi memoria todo lo que despertó mi ocasional encuentro con Dimov, qué influencia ejerció en mí, igual que tantas veces una persona apenas conocida atraviesa nuestro rumbo cotidiano y luego se esfuma para siempre pero deja su marca de estímulo o rechazo, y así mi recuerdo gira pertinaz en torno a él, con su bata blanca, su pelo canoso y bien peinado, el grueso perfil de sus gafas sobre el ángulo pronunciado de la nariz y la mejilla hundida, y he aquí que un día Dimov señaló hacia el paisaje que teníamos delante, la mancha herrumbrosa de los barrios obreros, los pequeños tejados rojipardos de Vallecas que yo sabía eran los techos de las hambres y las incertidumbres, del miedo a las cárceles y a lo imprevisto, a no tener trabajo o estar obligados a pagar lo ineludible, y aún comprendiendo yo que era indiscreto, me apresuré a explicar lo que significaban los suburbios, creados después de la Guerra Civil[65], aunque me di cuenta de lo difícil que sería hacerle comprender que bajo aquella claridad deslumbradora de un sol omnipotente, había zonas secretas que un extranjero precisaría años para conocer, pues era lo reservado, de lo que nadie hablaba claro; pese a todo insistí en contarle quiénes y cómo vivían en las barriadas que veíamos lejos, tras lo que me hizo preguntas a las que yo respondí con explicaciones que eran ni más ni menos que las eternas charlas de aquel verano con

---

[64] *estación del Mediodía:* nombre de la primitiva estación de Atocha, la primera de ferrocarriles que tuvo Madrid, inaugurada en 1851.

[65] Finalizada la Guerra Civil, los arrabales de Madrid, que habían sido en su mayoría primera línea del frente de batalla, quedaron especialmente dañados, de modo que para subsanar los graves problemas que afectaban al hábitat de la periferia (y al del resto de la capital) se creó en 1939, entre otros organismos, la Junta de Reconstrucción de Madrid. Con todo, el resultado fue que el cinturón de la ciudad se reconstituyó en los años 40 con suburbios de precaria condición segregados de facto del núcleo urbano.

los amigos —cuando ya fuimos «depurados»[66] y tuvimos en regla la cartilla militar—, y yo aproveché para contarle a Dimov lo que estaba ocurriendo en el país: la persecución a toda idea de libertad y progreso, la destrucción sistemática de la fe en ideales renovadores, y él dejó de mirarme y oí que murmuraba unas palabras, algo así como «será difícil, una ciudad tan grande» pero no le hablé más porque hasta entonces apenas habíamos conversado creyendo tener ante mí sólo un profesor miope, correcto y frío que cualquier día iba a regresar a su país del cual yo no sabía nada, ni me interesaba, salvo cuando él me tendía su cajetilla de cigarrillos y yo veía las extrañas letras de un alfabeto para mí desconocido[67] que debían anunciar aquel tabaco aromático y dulce cuyas ondulantes espirales de humo se interponían ante el distante panorama que veíamos a nuestros pies desde el alto edificio del laboratorio.

Pero a partir de aquel día su actitud pareció cambiar y sus ojos de relieve pronunciado tras las gafas, se dirigieron hacia mí con frecuencia y acabó por hacerme preguntas sobre los episodios y consecuencias de la contienda que tres años antes arrasó España, preguntas que fueron haciéndose más concretas y esta observación mía se la comuniqué a los amigos en uno de nuestros paseos hacia el Cerro, pero no mostraron la mínima curiosidad porque un extranjero que entonces llegase de Europa lo más probable era que fuese un enemigo y siguieron callados, acaso debido a las ráfagas de aire tórrido que nos daban de frente por la carretera desierta y tan luminosa que los ojos se entornaban para protegerse de la despiadada luz que el sol dejaba caer sobre los hombros sólo cubiertos por la tela ligera de las camisas, sobre las cabezas, que tomaban el calor de una alta fiebre, sobre las mejillas quemadas, mientras los pies avanzaban sin prisas con

---

[66] *depurado:* amparado en la «Ley de responsabilidades políticas»; el régimen de Franco sancionó a muchos de sus adversarios con ceses laborales y penas de diverso grado. Algunos otros fueron rehabilitados o indultados tras comprobarse su inocencia; a esto último alude irónicamente el narrador.

[67] Se refiere al alfabeto búlgaro, que es cirílico. La recurrencia del tabaco en este cuento podría ser un homenaje a la gran novela de Dimiter Dimov, *Tabaco*, de 1951.

zapatos desgastados, un poco deslucidos por insistentes caminatas aquel verano que pese a los calores y a la sequía incitaba a andar, ir de un sitio a otro, buscando algo nuevo, lo que despertara de una especie de letargo que sentíamos los tres y que, cuando nos lo confesábamos mutuamente, lo describíamos igual a un peso físico en el centro de la cabeza que nos retuviera las iniciativas, los proyectos, sujetos a un rechazo doloroso de todo lo que en aquellos meses nos rodeaba, excepto el sexo y la sed que reclamaban satisfacción y al quedar frustrados ponían un fuerte deseo de carne inagotable de mujeres complacientes que fuera bebida helada y estimulante, cuya simple idea nos hacía sonreír con un gesto de contenida resignación porque la corriente eléctrica que faltaba todo el día no permitía funcionar los frigoríficos de los bares y al acercar a los labios un líquido casi tibio, se percibía la suciedad del vaso mal lavado por falta de agua muchas horas al día, y en la boca no florecían besos ni chasquidos de la lengua al paladear una cerveza o un vino blanco frío sino que brotaban las palabras del rencor hacia aquella jugada del destino, precisamente en los años juveniles a los que pondría una marca indeleble, como se sella a las reses sometidas.

Debo reconocer la fuerza alentadora de las ilusiones que desató la casualidad de mi encuentro con el doctor Dimov y nuestro trato en la repetición de días y semanas, de lenta maduración de la mutua confianza, cuando hablábamos para quebrar de vez en cuando el opresivo silencio del verano que invadía nuestro laboratorio en el piso tercero del edificio a donde sólo llegaba el chirrido de una puerta movida por el viento o el imperceptible rumor de la carcoma en las viejas maderas, los cuales tenían la virtud de despertar la necesidad de decir algo o de hacer algún movimiento ante la mesa donde se alineaban los cristalitos de las preparaciones histológicas y para extender las piernas, paseábamos hasta el ventanal y allí fumábamos y era donde él con voz inconfundible, dura y nasal, iniciaba la conversación, al principio siempre relacionada con algo de sus investigaciones y luego iba a parar a algún hecho del pasado que él tomaba como ejemplo, bajando la voz cual si fuera a caer en una confidencia y de esta forma aludió a un compatriota suyo que creía estaba en Madrid y señaló vagamente al otro lado de los cristales y ahogó con un gesto el final de la frase y yo tampoco insistí porque en aquellos días me encontraba encadenado al depósito de sufrimiento que se acumula dentro del alma sin que nos demos cuenta, y estaba hundido en el desánimo, sintiéndome como sujeto por un anillo de plomo a la planicie estéril del sur de Madrid, manchada de restos de ladrillos que antes fueron casas, de papeles rotos, latas vacías, cristales machacados, detritus en los que la guerra había dejado su huella abrasada y entre todo aquello veía a una gitana sucia y maloliente, pero con indecible encanto y seducción despertados en una instintiva apetencia que yo no podía comprender y que, semanas después, al contárselo a Dimov, asintió como el que ha vivido experiencias parecidas y las recuerda y se siente transido de una vaga nostalgia.

Al día siguiente, con extrañeza mía, le oí decir que deseaba encontrar a aquel compatriota pero no sabía dónde podía estar: era médico y se llamaba Stoiánov, y días después, acaso se decidiera a darme más datos, pensé luego, porque le hablé de haber yo pertenecido al ejército republicano, y añadió que era un médico búlgaro que había venido con las Brigadas Internacionales y perteneció al batallón llamado «Dimitrov»[68] y que él quisiera saber si vivía o si había muerto y como me pareció aquello poco claro se lo conté a los amigos un domingo camino del Cerro de las Balas[69] ya que allí, aislados, sin que nadie oyese, podíamos hablar, y una semana después les transmití ya la petición concreta que me

---

[68] *batallón Dimitrov:* primer batallón de la XV Brigada de Internacionales, formada en febrero de 1937. Su nombre hacía honor a Georgi Dimitrov (Bulgaria, 1882-Moscú, 1949), famoso revolucionario del Partido Comunista de Bulgaria que en 1933 fue acusado por la Alemania de Hitler de haber participado en el incendio del Reichstag; el juicio fue famoso porque Dimitrov convirtió su defensa en una persuasiva acusación contra el nazismo con la que consiguió quedar absuelto. Fue Secretario General de la Internacional Comunista y Primer Ministro de Bulgaria entre 1946 y 1949.
[69] *Cerro de las Balas:* nombre popular de una colina del pueblo de Vallecas, en la que se hacían prácticas de tiro y en donde, durante los años cuarenta, se reunieron los pintores de la «Escuela de Vallecas».

hacía Dimov, no porque tuviera algún interés para sus vidas ni fueran a sacar provecho alguno, pero sí crearse una tarea de verano en el ambiente embrutecedor, incitarles a estar ocupados y con un quehacer inesperado y raro que podía deparar sorpresas y por eso me escucharon con curiosidad y luego con escepticismo y alzaron las cejas en señal de creerlo imposible para al fin aceptar la sugerencia, quizá por una razón muy clara y era que contrariaba lo aconsejado por el más elemental sentido común, y el primero que aceptó fue Javier aunque hizo un gesto expresivo al mencionar los riesgos de esa búsqueda y así planeamos cómo encontrar a aquella persona y lo que hicimos fue convocar a nuestra memoria nombres abandonados hacía tiempo, para preguntar a conocidos que hubieran salido de las cárceles y no tuvieran temor de hablar con compañeros si se los encontraban en la calle, y ante todo decidimos ir a ver a un sargento de nuestra brigada que era camarero en un bar de Ventas, que en realidad resultó ser una modesta taberna de la hondonada que formaba el seco arroyo Abroñigal con la carretera de Aragón[70], y en cuanto entré con Javier y le saludamos, él se acordó de nosotros, salió del mostrador y escuchó nuestra pregunta sobre quiénes estuvieron con los Internacionales, a lo que contestó con vaguedades pero nos aconsejó ver a Pepe Mejía que lo recordaría bien, y esta información nos pareció suficiente y nos despedimos e íbamos a la puerta cuando nos encontramos con un grupo de gitanos que entraba: dos hombres y dos mujeres, una de ellas joven, alta y vestida de negro, de gran belleza, que nos miró fugazmente y ya en la calle ambos comentamos sus ojos expresivos y hermosos.

La segunda visita la hizo Luis porque yendo solo pasaría más desapercibido y con su aspecto de obrero inspiraría mayor confianza a Mejía que había salido hacía un par de meses del campo de concentración de Miranda[71] e intentaba

---

[70] *arroyo Abroñigal:* antiguo río de Madrid que en la época ya estaba seco; la *carretera de Aragón* pasó a formar parte de la calle de Alcalá, de la que era prolongación natural.

[71] *campo de concentración de Miranda:* de los campos de concentración creados por el régimen de Franco, el de Miranda de Ebro (Burgos) fue el que funcionó durante más tiempo, desde 1937 hasta 1947, y uno de los que más

reconstruir su vida, y cuando se lo explicó dijo que no se acordaba para nada de los Internacionales y al contarnos Luis su actitud evasiva, tuvimos la impresión de que habían pasado muchos años desde que fuimos tan amigos e íbamos con él en una columna que atravesó Madrid de noche, sucios y sin comer, cansados, silenciosos, caminando despacio porque el pavimento estaba destrozado y porque cargábamos un peso excesivo no sólo del equipo sino del fardo de la suerte adversa que veíamos como inminente desastre en la derrota del ejército de la República, y tosiendo en el frío del húmedo febrero nos llevaban a relevar no sabíamos qué posición, y esto nos vino a la memoria cuando Luis nos contó que a Mejía le había encontrado triste, con ideas negras y que sólo le dijo que Antonio Cuevas podía saber algo, que vivía por Entrevías, aunque Luis no le explicó que buscábamos a un extranjero camuflado, que se obstinó en quedarse cuando todos se marcharon, porque tal historia era poco creíble y forzosamente hubiera pensado que se ocultaban otras intenciones y en aquel tiempo toda precaución era poca.

Estábamos reunidos en casa de Javier, un edificio enorme pero seguro porque la portera[72] no se fijaba en quién entraba o quién salía y cuando a las ocho de la noche él regresaba de la academia donde daba clases, acudíamos allí y en su cuarto nos sentábamos donde podíamos y hablábamos sin cuidado de ser oídos porque en torno nuestro había viviendas llenas de niños aullando, madres desesperadas, música de radios que subía por el estrecho patio que daba resonancia a disputas, ruidos propios de cocinas y entre todo aquel barullo, tan humano pero tan cansado, Javier estudiaba y preparaba sus lecciones y procuraba desentenderse del entorno asfixiante en el que veía a sus padres, una pareja envejecida que contemplaba a su hijo único sin

---

prisioneros tuvo, pues a los republicanos y brigadistas internacionales apresados tras la Guerra Civil se sumaron después los militares y ciudadanos de los países aliados que huían de la Segunda Guerra Mundial. Antes de cesar en sus funciones, también pasaron por él alemanes del ejército nazi.

[72] *portera:* durante el franquismo, muchos porteros cumplieron labores de control y delación de actividades hostiles al régimen.

comprender que fuera obra de ellos, y debieron de sentir el fracaso de tantas ilusiones que ya no eran sino unas sombras salidas de años fatigosos, extrañados de sobrevivir, que apenas nos saludaban cuando entrábamos y pasábamos a la habitación de Javier donde había algunos periódicos que comentaba de pie, alto y esbelto por una ligera debilidad de su contextura, con un gesto atento del que está acostumbrado a reconcentrarse y, a la vez, una mirada ingenua que era asombroso hubiera atravesado los tres años rodando por frentes y retiradas, salvando siempre las aspiraciones y situándolas más allá para llegar a ellas algún día y ser profesor de algo y hundirse más y más en el estudio, aún careciendo de perspectivas inmediatas, como en verdad nos pasaba a todos, que no sabíamos qué proponernos en un breve plazo y por ello el desánimo se presentaba tan frecuentemente o un rechazo de todo y nos aislábamos y dábamos largos paseos hasta llegar al Cerro de las Balas donde a veces hacían prácticas de tiro de artillería y ponían en lo alto una bandera para que nadie subiese, pero en la cumbre era donde más nos gustaba estar, bajo un sol de fuego, rodeados de aromas de jara y hierbas resecadas, gozando de la ligera brisa, mirando los campos de secano, dedicados a trigo o a cebada, y por una zona cercana fui a buscar a Cuevas, más allá de Vallecas, entre basureros, chabolas y perros hambrientos y a lo lejos se percibía el perfil de Madrid, rodeado de los solares yermos de constante sequía extendidos hasta lejanías azul-violeta de la sierra, una ciudad cuyo nombre fue un símbolo en la pasada Guerra Civil, que había sido defendida tenazmente, con el frente entre sus calles, una ciudad donde los tres habíamos nacido y que era espejo de nosotros mismos en aquellas dificultades del suburbio por donde le busqué y cuando preguntaba por él, nadie le conocía, me miraban con fijeza y se hacían los distraídos y cuando el mismo Antonio Cuevas me abrió la puerta de una especie de corralillo que había delante de la casita, y le dije que era amigo de Mejía, del 22 batallón, la expresión rígida apenas cambió y se apoyó en la jamba de la puertecilla y escuchó con aire displicente lo que yo le contaba, a lo que contestó que no, que no sabía nada de Internacionales y que no volvió a tener relación con nadie desde la guerra y comprendí, al ver su pobre aspecto, sus manos trabajadas —probablemente se dedicaba a la recogida de chatarra— que no daría información alguna.

Esta última visita se la conté al doctor Dimov que escuchó en silencio, hundidas las manos en los bolsillos de la bata blanca y sujetando en los labios el cigarrillo, y le expliqué la gran dificultad que tendríamos para encontrar a alguien en una ciudad cuya población fue removida y desplazada a causa del largo asedio, que duró tres años, y de la desbandada que se produjo cuando los vencedores entraron por sus calles y todo fue alterado, pero me pareció que se extrañaba de las precauciones que yo tomé al ir en busca de Cuevas, aunque someramente ya le dije lo peligroso que era, igual que no entendía, ciertas mañanas al salir juntos del laboratorio y quedar deslumbrados por la intensidad del sol, que una luz cegadora ocultara tantos asuntos reservados e indecibles, pues la realidad de un mundo como el nuestro, invadido de una especial dureza, pese al luminoso ambiente, a las falsas risas, al buen humor tantas veces forzado, era casi imposible que él la captara y yo siempre maldecía aquella luz y aquel calor hasta que un día me dijo algo así como que yo no podría marcharme y olvidar el país donde había nacido como tampoco se echa al olvido a la mujer a la que se consagra intenso amor, incluso si no llegó a querernos y jamás pudimos estrecharla en los brazos ni rozar, como máxima ilusión, la tibia prominencia de sus labios.

Entonces hablábamos mucho de mujeres, de las novias que tuvimos en guerra a las que preferíamos no buscar porque acaso desconfiarían de nosotros, pero la necesidad de mujer era apremiante, más aún por ser huérfanos en una sociedad que nos había rechazado y negado todo afecto e incluso Javier se sentía huérfano y deseando tener algún cariño, incluso de padres bondadosos, y este desgarramiento le mantenía absorto en el enigma de por qué los suyos no eran así y no fueron el consejo vivo que es preciso, ni un modelo alentador; el padre repetía que no llegaría a nada y movía la cabeza con gesto abatido ante la evidente incapacidad del hijo, y la madre gimoteaba que le volverían a llevar a otra guerra, y por esta sensación de haber quedado abandonados, incluso de ideales, íbamos a los burdeles de la calle de San Marcos y yo más de una vez me encontré ante el ventanal del laboratorio, fijo en las lejanías pero prendido en el vestido de tela negra, los zapatos destruidos, las sucias manos de la gitana apenas entrevista, moldeada y acariciada en la imaginación, como un desnudo contemplado codiciosamente a través de prismáticos, que cuando éstos se dejan no tiene existencia próxima ni real y es una visión mágica indemostrable, y quizá era parecido el estado de ánimo de Dimov cuando fumaba y parecía hundido en una divagación, atraído por la llamada de alguna distante persona, perdida en las comarcas interiores, y sin volverse hacia mí comenzó a hablar de la ciudad donde vivió desde niño; en el sopor del ronroneo de los ventiladores le escuché sin prestar gran atención porque apenas me dirigía sus palabras, pero al poco rato lo que explicaba me atrajo, ya que describía una ciudad salpicada de lluvias, rodeada de aires puros, húmedos, que venían de próximas montañas y acaso sujetó más mi curiosidad porque yo solía pasar la mirada por el cielo metálico en espera de que aparecieran nubes y trajeran una tormenta para aplacar la sequía, los remolinos del calor, las luces deslumbrantes y nunca había pensado de qué ciudad venía, y aquel comentario que aludía a un episodio de su vida, sirvió para descubrirme amplios parques, calles tranquilas, tejados de zinc, unas veces cubiertos de nieve, otras veces brillantes de lluvia. Aquella ciudad se llamaba Sófia[73] y allí había ido a vivir a los diez años con sus padres y allí había estudiado, y cuando se dio cuenta de que yo seguía su relato, me habló de ella minuciosamente.

Acaso avivada mi curiosidad, con presentimientos y nuevas inquietudes, me sentí más decidido que habitualmente y sin proponérmelo me encontré yendo despacio por Alcalá[74], dejando atrás la plaza de toros, con las manos en los bolsillos, despreocupado, hasta llegar a las Ventas y entrar en

---

[73] *Sófia:* Sofía, capital de Bulgaria; la acentuación respeta la pronunciación búlgara.
[74] *Alcalá:* se refiere a la calle de Alcalá.

la taberna de nuestro amigo, en la penumbra fresca y casi húmeda del local vacío a aquella hora, en el que había un claro olor a tanino[75], a vino oscuro que traían de La Mancha. Era absurdo pensar que iba a encontrar a los gitanos y a la mujer que vi con ellos pero comprendí que por alguna razón me había quedado prendado y tuve la sensación de desear su figura, pobre, descuidada, con vestidos harapientos pero hondamente atractiva la expresión del rostro y las proporciones del cuerpo, todo fugazmente percibido pero estremeciéndome como un golpe violento, cuando me enteré de que sí solían aparecer por la taberna y que se ocupaban de ropa vieja, pero mi amigo no pareció que la considerase bella e hizo un gesto de indiferencia porque los creía gente peligrosa pero la gitana a pesar de las mejillas demacradas, quizá con señal de algún golpe, recorría con la mirada la taberna, midiendo a todos con la dignidad de quien sabe que no será fácilmente vencida, y tuve así, ante su talante altivo, la segunda vez que me encontré con ellos, una idea disparatada pero fue la que me vino al pensamiento, y era compararla con un país sometido que conserva reservas de dignidad, de altanería y oculto vigor, como una tierra agotada que aún puede dar cosecha, y mientras, yo permanecía apoyado en el mostrador, haciendo que miraba el vasito de vino que tenía en la mano pero la espiaba ansiosamente, atento a detalles de su cuerpo, a algunas palabras que decía y que yo no llegaba a oír: hubiera tendido las manos para cogerla y atraerla hacia mí, y a veces en mis silencios coincidía con el doctor Dimov, cuando dejaba por unos momentos el microscopio o la lupa binocular y, requerido por un ensueño, dirigía los ojos al ventanal donde sonaba el silbido prolongado y melancólico de algún tren, o en el que se veían, las tardes de tormenta, majestuosas nubes cuyas formas sugerían montañas o resplandecientes cuerpos femeninos que distraían de las tiránicas realidades de la tierra, y en mi caso, de la ineludible tarea de encontrar al médico búlgaro y, si

---

[75] *tanino:* sustancia astringente —que seca y contrae el tejido orgánico— de origen vegetal; se emplea para curtir pieles y está presente de modo natural en el vino tinto.

era posible, hacerle salir de España, atravesando a escondidas la frontera o consiguiendo un pasaporte falso, y entre estas dos quimeras, porque tan irreal era pensar en la gitana como localizar a un hombre escondido no se sabía dónde, pasaban días y vacilaba en hacer partícipes a los amigos de una idea que tuve al decirme Dimov que era imprescindible ponerle a salvo en Francia, y fue, marcharnos nosotros tres con él, aunque primero habría que enterarse si vivía el tal Stoiánov o acaso habría muerto en los últimos combates por Brunete[76] o estaría detenido en algún campo donde se internaba a extranjeros sospechosos, y luego intentar convencerle del largo viaje hasta los Pirineos y fue así como poco a poco se formó en mí el proyecto de que nosotros podíamos escapar y organizar nuestra vida en Francia, en la zona no ocupada entonces por los alemanes, y la imagen de los amigos felices y contentos en una ciudad nueva me llenó de satisfacción, bien es verdad que entonces no tuve en cuenta que Europa era un caos de guerras e invasiones.

Cierto que nunca habíamos pensado en marcharnos y reemprender otra vida en cualquier país, pero se me planteó esta posibilidad y al fin, reunidos en casa de Javier, se la comuniqué a ellos y los tres nos sentimos alentados por una esperanza que no vislumbrábamos por otros caminos, una perspectiva de huir a Europa y asistir al final de la guerra, ilusión que cada uno pensó realizar en la consagración a París, ciudad de intensa vida, de riesgos difíciles pero también de éxitos y oportunidades, lo cual vino a aumentar nuestra sensación de vivir en tierra ajena y en aquellos días de imprecisos proyectos de viaje, al tener conciencia de haber estado igual a deportados en el país natal, sufríamos una extraña dualidad soñando con algo que no conocíamos, nostálgicos de lo desconocido, como también era mi curiosidad por la ciudad búlgara de la que Dimov hablaba y un día aludió a una mujer que allí estaba y después la volvió a mencionar y comenzó a describirla delicadamente como el que intenta detallar un desvaído grabado antiguo y esta imprecisa

---

[76] *Brunete:* en la población madrileña de Brunete se libró en julio de 1937 una de las batallas más sangrientas de la Guerra Civil española.

figura se me apareció sobre un perfil de casas elegantes, de barrios pobres, patios con árboles, la silueta de la montaña cercana, y tal presencia femenina fue suficiente para acrecentar mi expectativa por algo tan ignorado, y desde entonces cada vez que se refería a la ciudad, yo no dejaba de situar en ella a esta mujer y le hacía un gesto a Dimov de que comprendía y me interesaba, de tal manera que ella llegó a estar unida a mi representación de la ciudad y ambas despertaban una necesidad de conocimiento real, no imaginario, y este conjunto quimérico se alzaba en mi pensamiento y llenaba de fantasías las largas tardes en el laboratorio y las gestiones para encontrar a Stoiánov que no podían ser sino volver a ver a Mejía y que diese otro nombre de algún compañero y esta vez fui con Luis, emprendimos el camino de Usera cruzando entre casitas hechas con latas y trozos de tablas, habitadas por familias que nos veían pasar, casi ocultos tras el trapo que hacía de cortina en la puerta, nos seguían con la mirada recelosa, y de nuevo Mejía dudó pero nos indicó el nombre de un médico que había estado en Albacete con las Brigadas, y ya de regreso, al atravesar arenales con restos de trincheras, tierras endurecidas por sequías o nocturnas heladas, gruñíamos contra nuestro mundo que era un camino entre vigilancias y acusaciones de pecado, de herejía, de desobediencia, del que se debía escapar a todo trance y huir a tiempo a ciudades donde encontrásemos la libertad en el pensar, en el amor, donde fueran posibles aventuras, abrirse camino entre personas abyectas o excelentes, llegadas de mil países, y al decir esto sabíamos que era la forma de negarnos a todo lo que caracterizaba entonces a nuestra patria —los impunes negocios, los fusilamientos, las venganzas, el mercado negro[77], la imposición de creencias anticuadas— y respirábamos el irritante humo del tabaco mezclado a los olores de los basureros que las ventoleras traían y llevaban y nos preguntábamos qué gran enemigo tendría dentro España para que miles de hombres hubieran huido de ella y noso-

---

[77] *mercado negro:* tráfico clandestino e ilegal de productos y mercancías escasas en el mercado, vendidas a precios muy superiores a los establecidos por la ley; en España, durante la Posguerra, funcionó mucho esta práctica.

tros soñáramos con otros países, lejanos o no, pero siempre al otro lado de la frontera, tan cerrada y tan deseada, de tan difícil acceso, defendida por una cadena de montañas, desfiladeros, precipicios, que obstaculizaban toda huida y acercarse a ella era ir hacia una trampa mortal más allá de la cual estaba París o quizá la ciudad de la que Dimov me hablaba, y aunque él no se refería a una capital bella, donde la riqueza de la arquitectura motivara en quien la recorría una admiración imborrable, sino a una ciudad pequeña, con casas rodeadas de jardines, y largas nevadas invernales, suburbios de humildes casitas donde habitaban gentes diversas, con varias formas de combatir el hambre, en intenso trabajo por ganarse la supervivencia, eso mismo me agradaba y era un estímulo y en los planes de huida a veces admitía que fuera a Sófia a donde debía ir buscando realizaciones y una vaga aproximación femenina que yo intuía era la silueta entrevista de la mujer que Dimov guardaba en su mente.

A la huida, Luis era el más reacio porque estaba poco seguro de encontrar trabajo en el extranjero ya que no tenía preparación ninguna, igual a lo ocurrido a tantos jóvenes que la guerra había arrastrado a una práctica que fuera de matar no tenía más finalidades y se cerraba a cualquier optimismo que pudiera anunciar ser feliz porque al salir del almacén donde empaquetaba tejidos, se fijaba en los tranvías desvencijados y cargados de gente, en el césped quemado de algún jardín con las fuentes secas, en el gesto reconcentrado de los transeúntes y comprendía que nosotros éramos su único punto de apoyo y una marcha al extranjero podría separarnos, a lo que yo le replicaba que la felicidad debe buscarse afanosamente, corriendo riesgos, porque nadie vendrá a regalárnosla y tendremos que ir a ella y arrancarle unas migajas de alegría, de seguridad, de satisfacción, de saber que alguien lejos o cerca, te ama aunque sea una desvalida gitana que en su pobreza cruza su mirada con la mía y hace una mueca de altivez y sus ojos relampaguean, y en lo más secreto de la conciencia cabe estar satisfechos de haber alcanzado brevemente, y nunca como se ha previsto, ese corto instante de luz, de esperanza, que llena el pecho, que sube la sonrisa a los labios si piensas en las calles de París y los ojos ceden a la vigilancia diaria para hundirse en el fresco jardín interior del ser feliz, pero yo también tuve el temor de separarme de ellos pues los sabía muy necesarios, justamente sentados en la hierba abrasada del Cerro de las Balas, atisbando las lejanías borrosas por la calima de agosto, charlábamos y reíamos, siempre expectantes de que no fueran a disparar sin haber puesto la bandera de aviso, dejando vagar el pensamiento por un horizonte de incertidumbres para combatir las cuales no dábamos ningún paso como si un casco de metralla nos hubiera destrozado el bajo vientre y no quedara nada de hombría y hubiera que evitar el pensamiento de la acción para escapar a la vergüenza de todo esperarlo de una fuerza ajena; al Cerro llegaban ruidos del pueblo de Vallecas, el zumbido del motor de un coche, una voz atenuada que gritaba a alguien, llamadas que el destino nos dirigía y que no entendíamos y en el sucederse del día tras día, nunca se producía nada relevante y nosotros estábamos allí, vigías en lo alto, en una apática espera, rumiando los largos meses de trincheras en que habíamos visto tantas suertes truncadas que nos convencieron de lo inconsistente de las ilusiones.

Buen trabajo costó encontrar al médico que estuvo en Albacete y luego hubo que lograr que nos lo presentara la hermana de Agulló en una clínica; él nos habló de una enfermera de los servicios sanitarios de las Brigadas que se había salvado de cárceles y detenciones y, aunque dudoso, Luis fue a visitarla y al día siguiente nos trajo la noticia de que parecía dispuesta a dar alguna información pero habríamos de inspirarle confianza —que no éramos policías— y tras varias conversaciones, la enfermera accedió a enterarse de si quedó en Madrid un interbrigadista, con cuya perspectiva esperamos más animados y siempre que informaba a Dimov de las pesquisas, y mientras yo le hablaba, tenía ante mí, como símbolo de la esperanza aquellos días la repetida visión de trenes que se alejaban, pero próxima ya la marcha de Dimov hube de reconocer que no lograríamos encontrar a tiempo al que buscábamos, pese a que podía ocurrir en cualquier momento, ya que la pista parecía segura, porque al fin la enfermera había dicho saber dónde se ocultaba con nombre supuesto un médico extranjero, pero nada pude asegurarle a Dimov y ambos callamos escuchando distraídos la carcoma que seguía con su eterno trabajo de avanzar inútilmente, y en silencio, fumábamos ante el ventanal del laboratorio tras el que dejamos ir tantas veces la desbandada de nuestros pensamientos, y en la víspera de la partida y al darme las gracias por el intento de localizar a su compatriota, me pidió secreto absoluto del encargo que trajo al venir a Madrid porque en su país había peligro para todos los amigos de las Brigadas Internacionales[78], y mi último recuerdo es la noche de su marcha, en la estación del Norte[79], entre los humos de las locomotoras que también parecían invitarme a partir y alejarme de todo compromiso con mi época, y él, después de estrecharnos las manos, asomado a la ventanilla, con un gesto de impotencia, acaso por no poder decirme si alguna vez nos volveríamos a ver y a encontrar en la ciudad que él me había descrito, cuya imagen me dejaba como herencia, ya recuerdo imborrable de viejas iglesias de cúpulas doradas, cafés acogedores, el monumento a un patriota que fue ahorcado en su lucha por la libertad[80], el sencillo edificio del parlamento, los alrededores verdes, igual a un mosaico de historia y acontecer humano, y en ella una sombra femenina, apenas esbozada, con una inexplicable atracción para mí y una curiosidad por conocerla y acercarme a ella cual si pudiera prometerme algo.

Comprendí que a él debía la iniciativa no ya de salvar a un desconocido sino de salvarnos nosotros mismos y quizá identificarnos con el extranjero venido a luchar en nuestra

---

[78] Porque en 1941, bajo el gobierno del zar Boris III, Bulgaria firmó el Pacto Tripartito del Eje, permitiendo la entrada en su territorio del ejército alemán.

[79] *estación del Norte:* estación ferroviaria que se comenzó a construir en 1859 por orden de la Compañía de los Ferrocarriles del Norte —de capital francés— para comunicar Madrid con la frontera francesa.

[80] Se debe de referir al obelisco que se alza en Sofía donde estuvo la horca de la que fue colgado «el Apóstol», Vasil Levski (Karlovo, 1837-Sofía, 1873), el más importante revolucionario búlgaro en la lucha contra la opresión turca.

tierra y con su arriesgada permanencia, aunque Dimov me mirase desde la ventanilla y viera un país postrado y en él tres jóvenes indecisos, dejando pasar oportunidades, sin enfrentarse claramente con el oprobio que nos asfixiaba, entregados a la ilusión de un cambio imprevisible como era cruzar la frontera para, sin duda, ser detenidos por los alemanes que ocupaban Francia[81], y por esta razón su marcha nos culpabilizó de no haber puesto más arrojo en nuestra búsqueda y cuando la enfermera nos avisó de que sabía dónde encontrar a Stoiánov, fuimos enseguida y sorprendidos la oímos hablar de él como si le conociera y le recordara en un hospitalillo de primera línea a dos pasos del frente, sin material, sin agua ni vendajes pero seguía allí decidido, rodeado de lamentos, de sangre renegrida, de gangrenas declaradas, pero él estaba allí dispuesto, entre alambradas y explosiones a unos metros de su tienda de campaña, y la enfermera se animaba y parecía recordar algo que había vivido y sonreía satisfecha, y por eso le confiamos nuestra última esperanza, el huir, pero ésta se perdió cuando negó con la cabeza y después de afirmar que era muy arriesgado, que sólo se hacía en casos en que había que salvar a alguno con riesgo de fusilamiento, nos dijo que nosotros no teníamos por qué marchar, no corríamos peligro y era aquí donde debíamos quedar, mayor provecho haríamos dentro que no al otro lado de la frontera donde ya había miles de los nuestros, y a Luis y a mí, según la oíamos, ante la inminente vuelta a la rutina y al calor que entorpecía el pensamiento, nos pareció que sus palabras caían pesadamente en los cuerpos sudorosos: la noche se caldeaba en opacidad y entraba por la boca y ahogaba y en la consternación de ver irrealizable aquel proyecto, de nuevo nos pareció ir por calles desoladas con una patrulla de relevo, entre la madrugada y el oscuro viento, tropezando medio dormidos, golpeando los costados el peso de inútiles armas, como los consagrados a la vana quimera de aspirar a ciudades inven-

---

[81] En las fechas en las que se ambienta el cuento ya había estallado la Segunda Guerra Mundial y Francia estaba ocupada por el ejército de Hitler.

tadas y a mujeres forjadas no de carne sino de meras palabras.

Perdíamos la tensión estimulante que nos abrió Dimov con su propuesta, pero yo, y no lo confesé a los amigos, renací en un eje de confianza y me propuse, donde fuera, buscar a la gitana y hablar con ella pues su amor podría salvarme de la postración y evitarme caer en el charco de las costumbres humillantes, al ser tan difícil y arriesgado y hasta absurdo, porque yo me había representado el cuerpo de ella que no conocería jabón ni ropa limpia pero esto fue eclipsado por el atractivo del movimiento de los hombros y de las caderas, de la cintura esbelta y, sobre todo, su gesto al mirar, que yo supuse se renovaría en cada encuentro, al que si ella accedía, podía ser la clave de quién sabe qué ayuda, la cual en su misma distancia inabordable despertaría en mí capacidades ahora quietas, como pasa con la huella que deja un efímero conocimiento pero que siempre va a influir y señalar nuestra vida: habría de poner las manos en su cuerpo y acariciarlo lentamente por las sinuosidades de los músculos, presunción que no sería sino una irrealidad más de las que el hombre anhela, porque todos soñamos vivir en la ciudad de las mil torres, de ventanas rutilantes como estrellas, ser felices entre hermanos en calles acogedoras y recorrerlas y descubrir la mansión maravillosa donde aguarda ella, intacta, embriagadora, tesoro que será quizá aire al contemplarlo, o cuando se toque, inerte materia pero es fatal desearlo siempre, ambicionar un paraíso al que se llega a detestar por inalcanzable y así se abomina de aquello que a la vez se ama, aborrecemos lo que sutilmente tiene algo de nosotros y a la memoria vino lo que dijo Dimov hacía meses, la imposibilidad de renegar de aquella tierra —que era la mía—, ya fuese una furia desatada que golpeaba con vendavales tórridos o helados, o una armonía de praderas, de playas, de claras provincias sosegadas: ir a la gitana sería el tolerar y amar una patria ruin y pobre, arisca y áspera, y sus hombres, de seguro, no me aceptarían, pero yo decidí volver a la taberna y obligar a mi tierra a recibirme tan inhóspita y tan enemiga y establecer un acuerdo de supervivencia.

Dieron las nueve de la noche y me despedí de los amigos, tomé el camino de la taberna y cuando me apoyé en el zinc del mostrador pregunté en voz baja al camarero conocido si los gitanos vendrían, a lo cual él movió los hombros, hizo una mueca y dijo que no sería posible, se marcharon a Murcia[82], acaso huidos, y lo más seguro era que no volveríamos a verlos.

---

[82] Como en *La gitanilla* de Cervantes, el grupo deja Madrid para dirigirse a Murcia, provincia muy querida por los gitanos desde antiguo.

Antiguas pasiones inmutables

Había tanto sigilo que nadie se atrevía a penetrar la esencia escondida de los hechos o de las intenciones, el porqué de unas figuras desgastadas en el frontón de la fachada o qué ocultaba el afán incontenible de dinero o, en las ambiciones de la época, cuánto había de inapelable destino y cuánto de voluntariosa decisión pero nadie revelaba, del río de sombras que era el transcurrir de los meses, los episodios incomprensibles y fue ella sola la que a duras penas intentaba explicarse el significado de las palabras que oyó de niña en torno suyo, incluso otras, más extrañas, que oía decir a Reyes Reinoso hablando con el abogado: cheques, pólizas, dividendos, sentados frente al mirador al cual Adela se acercaba y a través de sus cristales veía las casas del otro lado de la calle donde estaba la entrada al callejón, la muralla de casas hacía poco alzadas, pues todo el barrio ya estaba edificado, cubriendo lo que eran antes terrenos baldíos y vertederos por donde corrió ella en el aprendizaje de buscarse y saberse nada y sólo descubrir el valor de su cuerpo y sentirse arrebatada por curiosidades, por sorpresas, por enfados en el vacío de descampados que nunca más vería pues habían sido reducidos a un orden de aceras, farolas, tiendas iluminadas, fachadas cuajadas de cientos de balcones, que ella desde el mirador atravesaba, como una realidad inexistente, para poner la mirada en lo desaparecido y muy claramente se veía allí, en la salida del callejón del Álamillo, como una niña, contemplando el chalet, precisamente desde donde ella miraba, pasados tantos años, pues al fin había conseguido pisar el lugar maravilloso detrás de su fachada, de su jardincillo, detrás de sus balcones, de donde, las noches de verano, llegaba música y veía cruzar sombras de personas, sobre aquel mismo parquet, en el que ella estaba, de la gran sala junto a otras habitaciones en cuya penumbra de rayos de luz entrando por rendijas, se descubrían mesas, armarios, camas, cómodos sillones a los que algún tiempo después tuvo que limpiar de polvo y barrer el suelo y las cortinas volvieron a revolar en las abiertas ventanas para que el nuevo dueño de tanto lujo llegara despacio hasta la sala, andando con dificultad, seguido por dos ayudantes cargados de maletas, y tomara posesión de todo ello, mirase en redondo, el diván, la chimenea encendida para templar los primeros días de octubre, y en el centro, el gran mirador de altos cristales que daba a los ruidos y al movimiento de la calle, a la cual parecía mirar con desgana de lo desconocido, desconfiando de aquella ciudad que fue la capital enemiga aunque ahora, terminada la guerra, era campo conquistado, sometido, a donde proyectaba venir como dueño de considerable fortuna.

Adela, finalmente, estaba dentro del chalet y se complacía en considerarse rodeada de tanta riqueza, de impregnarse de valores que le daban íntima satisfacción, olvidándose de recuperar lo que fue su aspecto, su estatura, su mirada de niña y de evocar en torno suyo distantes recuerdos, el panorama urbano que le fue propio, el paisaje peculiar de los solares y los novios cuando al terminar la jornada vagaba con otras chicas por los descampados, vacíos espacios de injurias y de goces, abiertos a la aventura con hombres, ardiendo ellas de expectativa pese al recelo por la oscuridad y por quienes se acercaban que, primero, las invitaban al cine para luego derribarlas sobre la tierra apelmazada entre abrazos jadeantes, como tal vez lo pensaría hacer Reyes Reinoso en cuanto ella le sirvió las primeras comidas o iba a echar troncos en la chimenea y se inclinaba hacia adelante y él, tendido en el diván, con la manta sobre las piernas, la miraba de soslayo, mediría las dimensiones y densidad de su carne y sentiría crecer su apetito en el largo aburrimiento de la quietud impuesta por las heridas que le cruzaban medio cuerpo, obra del maldito estallido a ras de suelo en el frente de Levante, obligándole a estar ahora tras la cristalera del mirador, el que tanto había admirado Adela desde abajo, desde la acera de enfrente y le parecía algo asombroso en el centro de la fachada de ladrillo y adornos de escayola, y en lo alto, el enigmático frontón con figuras desgastadas por la intemperie, las cuales mostraba a su madre y ésta levantaba la cabeza, entornaba los párpados y no respondía sino dos palabras: «¡Cuánto dinero!», y a esas palabras estuvo unido el chalet delante de sus ojos admirados, como un palacio de ensueño, construido sobre unos trozos de metal redondos y oscurecidos que ella, al pasar unos años, aprendió que era el dinero, del que todos hablaban y se lo disputaban y soñaban con ganarlo o al menos con tenerlo, como lo más perfecto.

Pero los años, al transcurrir, dejaban sin respuesta sus preguntas, en cada edad la suya: ahora, sobre el contenido de la caja de cartón que le pusieron en las manos y que debía ocultar celosamente; entonces, quiénes eran los dueños del chalet, qué era el ser rico, quiénes eran las figuras del frontón, por qué cambiaba el jardincillo con las estaciones cuando lo veía reverdecer, llenarse de geranios, agostarse, a veces encharcado por las lluvias, a veces cubierto de la nieve caída durante la fría noche y que el sol deshelaba y hacía crecer violetas en el borde de los macizos que unas señoras vestidas como princesas, cortaban y formaban ramilletes y ni siquiera se percataban de que ella, asomada su carita entre la hiedra de la verja, las miraba; era una niña del callejón y allí todo lo malvado se albergaba, probablemente, los enemigos de Reyes Reinoso, los contrarios suyos en las trincheras que él vio más de una vez delante, como prisioneros, y hacía un gesto evasivo con la mano al sargento que se los presentaba y aunque procuraba olvidarlos, eran los seguros autores de aquella explosión que le mandó al hospital de guerra en Salamanca, y le parecía verlos cuando se asomaba al mirador y tenía delante la entrada del mísero callejón del Alamillo, de casuchas siniestras, que le recordaba un barrio junto al río Tormes[83], quizá de gitanos que mendigaban, y

---

[83] *río Tormes:* nace en la Sierra de Gredos y desemboca en el río Duero; pasa por Salamanca.

cuando pasaba cerca en la fila de alumnos del colegio de los maristas[84], percibía un color indefinible y olores, pero en una casucha parecida vivió Adela desde que se mantuvo en pie, rodeada de gritos y de penas, disputas sin motivo, únicas alegrías ante la perspectiva de una tortilla de patatas o de una sopa caliente, y palizas, todo lo que Reyes Reinoso atribuía a la mala vida, a los que no iban a la iglesia, a los menesterosos: los chicos pobres, con beca, que entraban por una puerta de servicio en el colegio y a él le parecían odiosos, pues en las pequeñas viviendas de corredores se soportaba la intemperie de las hambres, el frío de febrero, los abortos forzados, el fracaso diario de mendigar unos pocos céntimos con que se alimentaba una familia, gentes de las que él leía cómo, muchos periodistas, jueces y terratenientes, les achacaban los males de la patria, pero sólo el destino era el único culpable de que aquella bomba de mano le fuera a estallar cerca y por esa razón, Adela servía a un hombre demacrado, circunspecto, dueño absoluto del chalet que valía una fortuna dada la falta de viviendas con tantas destrucciones por la guerra, y los que buscaban éstas para volver a formar un núcleo de calor y sonrisas, debían pagarlas caras; y los otros, las buscaban para repararlas y convertir la calamidad en un negocio, también tasando los solares donde las casas terminaban y se abrían terrenos con matas de cardos, escombreras y tolvaneras y por allí anduvo Adela de niña con otros chiquillos del callejón, hasta el Campo de las Calaveras[85], donde peleaban en busca de cosas que brillaban en los montones de basuras y hasta se acercaban al cerro en que se alzó, con altos cipreses por encima de las tapias, el cementerio de San Martín y allí una tarde descubrió lo que era la muerte, como más tarde entendería

---

[84] *colegio de los maristas:* escuela perteneciente al Instituto de los Hermanos Maristas, organización católica de vocación educativa fundada por Marcelino de Champagnat (Rosey, 1789- L'Hermitage, 1840); cuenta con delegaciones en todo el mundo.
[85] *Campo de las Calaveras:* nombre popular del solar donde se ubicó el cementerio de la Sacramental de San Martín (véase nota 60). Hasta después de la Guerra Civil se podían ver en él restos humanos, procedentes con probabilidad del vaciado de la fosa común.

lo que era la palabra amor o dinero, la que también había conocido Reyes Reinoso muy de niño porque se interesó en conocer el trayecto que corren las monedas y los billetes de mano en mano y las iba ahorrando en una caja de zapatos que escondía en su armario junto a los calcetines, pero Adela guardaba la caja de cartón debajo de la cama, en la pequeña habitación que la designaron a ella donde sólo había una silla y un clavo en la pared para colgar el abrigo y sabía que los muebles y objetos, altas lámparas con pie de mármol y brillante metal, cuadros, suntuosos espejos, eran lo que se llamaba la riqueza, y Reyes Reinoso calculaba su valor para desprenderse de una parte y conservar el resto en la nueva mansión que se propuso poseer en la capital y liquidar la vieja casa de familia, convirtiendo en dinero las grandes habitaciones siempre cerradas, los amplios desvanes, la temerosa bodega donde se secaba la matanza, propósito que ya hizo suyo antes de llegarle la noticia de ser heredero de un capital verdadero, que se percibía en su mismo trato cuando Adela le saludaba y se imaginaba que él era una de las personas que vio en los balcones encendidos del chalet, si había una fiesta, o que salían en coche, elegantes y altivos, pero a los que, ella se enteró, en julio del 36 la muerte había visitado personificada en ira popular y fueron fusilados al borde de carreteras o en el extrarradio, y a Reyes Reinoso esos parientes muertos no le interesaban, no les había conocido vivos, y la muerte era para él solamente fogonazos entre las alambradas o aquel estallido tan cerca de las piernas, o los oscuros y retorcidos cuerpos tendidos entre surcos de labranza o matorrales después de los combates y la muerte para ella, aún niña, fue deslizarse con otros chicos por encima del muro y encontrarse entre cruces de piedra y en un hoyo, ver los restos de un cajón de madera y entre telas renegridas, como una amenaza, los dientes enormes de una calavera y a través de lo incomprensible, comprendió por qué la puerta del cementerio estaba cerrada y nadie allí acudía para no ver el cajón deshecho, conteniendo un secreto igual, quizá, a lo que había en la caja, atada con una cuerda varias vueltas, que le dieron con el encargo de que la ocultara y no hablara jamás a nadie de ella.

Ni muerte ni amor pueden ser para nadie el mismo estremecimiento: Reyes Reinoso aprendió el amor como un placer que se compraba en los burdeles del barrio de San Vicente, de Salamanca, con mujeres cansadas y medio tontas por el coñac que debían beber y por aguantar hasta la madrugada, y en cambio, ella, lo descubrió como un regalo de la buena amistad que no se olvida nunca como tampoco olvidaría lo ocurrido años más tarde, en una pensión de Valencia, con el primer hombre que la desnudó, enloquecidos ambos en una pugna de compenetrarse y fundirse en un solo ser, casi al borde de perder el sentido, abarcando el cuerpo del otro como desesperados, de lo que fue un anuncio, un heraldo, la niña que encontró en el cementerio, pese al miedo que aquel sitio le daba: era la hija del guarda y andaba entre las tumbas y las altas hierbas, con su misma edad, peinada y vestida igual, y se hicieron amigas porque tenía cuentas de colores, botones, estampas, y así el cementerio, en el alto de una loma desnuda, entre desmontes áridos, se convirtió en el lugar predilecto y cuando ella se asomaba al mirador para barrer o limpiar los cristales, le hubiera gustado verlo en lontananza pero las casas que se fueron construyendo lo ocultaban y desaparecieron las veredas que llevaban a su puerta, a la que corría en cuanto se escapaba del callejón, con la esperanza de que su amiga le regalase alguno de sus tesoros porque nadie le había dado nada, luego ya, de mujer, algún hombre agradecido le había regalado una pulsera barata, un broche, y el que fue comandante la buscó para decirle que aquella caja valía más que una joya y ella debía ocultarla cierto tiempo hasta que pudieran pasarla a Francia: le puso la caja en las manos —de cartón, no muy grande, bien atada—, manos algo enrojecidas por el trabajo cuyos dedos, si la descubrían, para hacerla hablar, se los retorcerían o entre las uñas le clavarían palitos afilados, pero ella nunca habría de decir quién se la dio y tampoco abrirla, no tenía por qué; en cambio, cuando se encontraba con la otra niña todo era claro y sencillo, vigilar a una cabrita que comía los cardos amarillos entre las lápidas rotas y alguna vez que el padre no miraba, la ordeñaban un poquito para beber su leche espesa tras cruces de mármol y hierro oxidado, junto a viejos sepulcros parecidos a los que bordeaban Reyes Reinoso y su madre el Día de difuntos al ir a cumplir el rito de acompañar a los muertos y él notaba acrecentarse su nostalgia de un padre que no había conocido pero que sí necesitaba.

Y bajo los cipreses, Adela, en el amanecer de las sensaciones, le contaba a su amiga la belleza del chalet, la casa de los señores más ricos de su barrio, que se alzaba en la calle ancha y transitada por donde cruzaban tranvías amarillos y ruidosos, haciendo sonar su campanilla, y la gente del callejón —mendigos, carteristas, y también familias del trabajo agotador y vanas esperanzas—, pensaban, en noches de viento helado, que allí dentro del chalet habría calor de chimeneas encendidas y ella cuando entró por vez primera y vivió el momento de ilusión de abrir las contraventanas y asomarse, encontró habitaciones suntuosas en las que resonaban sus pasos y pese al rancio olor a humedad de lo largamente deshabitado, era un espacio confortable, una ilusión tan parecida a la que Reyes Reinoso sintió una vez que volvió a su casa, con permiso, y recorriendo las habitaciones comprendió que aquel edificio valía mucho y en cuanto su madre, tan envejecida, muriese, él habría de venderlo todo, y con urgencia inexplicable fue a su cuarto y rompió cuadernos del instituto, libros de cuentos, cartas de una novia, lápices de colores e incluso cogió un retrato de su tío Bernabé, el militar, y lo partió en cuatro trozos, preparándose para un viaje definitivo, de esos en los que nadie mira para atrás y son una fractura en la rutina diaria y un desasimiento total parece terminar una época, y se le presentó la clara certidumbre de que era rico como lo fue su padre, al que debía imitar, atraído siempre por tal ideal impreciso mientras que Adela era atraída por el único fuego de la vida que le entregó la otra niña tras una larga confidencia en la que le contaba sobre una pandilla de chicos que la llamaban fuera de las tapias del cementerio y la tocaban todo el cuerpo, y con risas le colocó una mano entre las piernas y la movió ligeramente y Adela notó un ardor nuevo y un cosquilleo difuso y siguieron esas caricias en las que Reyes Reinoso debía de pensar al ver a las enfermeras del hospital donde, al cabo de dos meses de estar vendado, su madre, con gesto compungido y lágrimas, le contó que a toda la familia de Madrid le habían dado «el paseo»[86] y él era el único que quedaba y tenía que ir allí a recoger una herencia de fincas, viviendas, servidumbre, entre la cual estaba Adela, y mirándola, sentía intenciones de apoderarse de ella como aquel hombre que una noche la alcanzó en el solar detrás del callejón, y la derribó y la chica, ya en el suelo, debatiéndose, sintió dentro del cuerpo algo que se introducía dolorosamente, pero pudo zafarse, morder la mano que la tapaba la boca, dar alaridos y cuando el hombre huyó y se levantaba furiosamente, supo lo que aquello había sido, mas al llegar a casa no se lo dijo a la madre, aunque sí a la amiga del cementerio y entonces lloró, pero sólo un momento porque se había acostumbrado a no llorar si faltaba comida, lo que era siempre, o si le daban unos pescozones, o si la madre empeñaba el único colchón y había que dormir sobre papeles y apoyar la cabeza en almohadas de frío, aunque con frecuencia las lágrimas estallaban en los corredores de la casa y quienes eran sus vecinas se miraban con ojos empañados intentando comprender tan negra suerte porque a la vida le acompañaba lo indecible y una niebla de secretos envuelve tanto a los que creen saberlo todo como a los que se preguntan el porqué de la miseria irremediable o de ver, una noche, cómo apuñalaban a un hombre en la escalera y ella corrió a llamar en las puertas y cuando los guardias llegaron, se escabulló porque sabía quién era el que allí se desangraba y de lo ocurrido en el solar se creyó vengada; pasarían años y durante la guerra, en las cocinas de cuarteles o en almacenes del Socorro Rojo, rechazaría acometidas similares, unas veces con palabras airadas, otras, con golpes, y a otros hombres los aceptaría porque eran simpáticos o guapos aunque su madre siempre en sus regaños, le amenazaba con hombres y acaso por eso mismo no mencionaba a su padre del que ella no sabía nada, ausencia

---

[86] *dar el paseo:* expresión eufemística que se le dio durante la Guerra Civil a la acción de sacar a un individuo de la cárcel o de su casa y asesinarlo en un lugar apartado sin juicio previo.

que prefirió ocultar cuando Reyes Reinoso le preguntó por su familia, sin duda fingiendo interés o curiosidad que no era sino medir quién era ella como persona pues como cuerpo joven y deseable ya se había informado día tras día al aparecer Adela en la sala subiendo de la cocina la comida y Reyes Reinoso hacerse el distraído, tirándose del fino bigotillo, mordiendo el labio inferior, tecleando con la boquilla de marfil en la mesita estilo inglés que junto al diván tenía y en la que siempre había naranjas, lujo permitido por la gran herencia de la que poco a poco entraba en posesión y recibía visitas del abogado trayendo escrituras y poderes que allí quedaban junto a las naranjas, emblema de extensos caudales, en tiempos de tanta hambre, un tesoro, en meses de gran penuria y largas colas ante las tiendas y ella nunca había comido hasta saciarse de tal forma que siendo una chiquilla, a cambio de un pastel, consintió que un vecino, en la oscuridad de la escalera, le desabrochase la blusita y le hundiera la boca en los pequeños pechos y fue entonces cuando entendió el comercio de hombres y mujeres por los solares de Bravo Murillo no bien anochecía y quedaban sólo iluminados por el temblor de luz de unas farolas distantes, y lo hacían a cambio de unas monedas que sustituían al tierno amor, a la comida, a una casa caliente, lo que Adela también entonces deseaba, y allí el placer furtivo le fue revelado tanto como, posiblemente, en las conversaciones con los chicos mayores del colegio, a escondidas de los frailes, enumerando el cuerpo de la mujer, y un lego pervertido les metía la mano por el pantalón, lo que también le hizo su prima en los rincones del pasillo, o las conversaciones con las compañeras del trabajo pues su madre, al cumplir catorce años, pese a la negativa de ella y que no sabía hacer nada, le buscó una colocación en una cercana fábrica de pañuelos: le explicaron lo que debía hacer, aprender a coser, a planchar y a ser respetuosa con el encargado que las vigilaba y también a no enfadarse si, en broma, le tocaba las nalgas, y gruñendo se sometió al horario y pronto en las obreras vio una nueva familia y fue al cine por primera vez y descubrió todos los secretos de hombres y mujeres, cuánto les une y les aleja, pero siempre el chalet estuvo frente a ella: lo miraba y se veía a sí misma; sus ventanas resplandecientes eran las fantasías de ese cine a donde iba los domingos; su fachada, deteriorada por el tiempo, eran sus manos trabajadas por la aguja; las chimeneas, las vagas ilusiones; el mirador central de grandes cristaleras —iluminado en las noches de fiesta, cruzado de siluetas abrazadas que bailaban—, era el sexo convertido en vórtice de su existir diario tantas veces como percibía sus costados, las puntas de los pechos, las móviles caderas si manos ajenas tocaban esas partes: ella se revolvía pero ya estaba despertado su temblor, su respiración precipitada y así era igual a un palacio ardiendo en luz, triunfando del hambre, los abandonos, la pertinaz pobreza, aunque él a la novia, con la que había paseado por la Plaza Mayor y acompañado a misa y a la que no rozaba, jamás habló del cuerpo ni de su ciega atracción por Eulalia, la doncella de su madre, que le llevaba a su cuarto para hundirle en esa ansia en que los rostros se encendían y la respiración se hacía anhelante y una dicha indecible subía hasta la boca y los labios se hundían en los labios y en zonas de carne flexible, como si los dientes quisieran devorar los hombros, las caderas, los muslos tersos y macizos con regiones de asombrosa ternura y a la vez ella, que tenía los ojos cerrados, le acariciaba el cuello en la nuca y le clavaba las uñas y le murmuraba palabras que no se entendían, como Adela no entendía bien al hablarle de la caja el que fue comandante, ahora vestido como un pordiosero, que le pedía la guardase porque a él le estaban buscando y tarde o temprano le detendrían, pero que otro compañero vendría pronto a recogerla, y al preguntar ¿qué tiene? le dijo que era mejor no lo supiera y así no lo contaría si le preguntaban, aunque confiaba en ella, en su valor, en su reserva, y así Adela siguió, año tras año, ignorando tantas cosas salvo el placer de los miembros desnudos, de los abrazos que se deshacen y cada músculo parece quedar laxo para siempre y un ligero olor a sudor asciende de los cuerpos abrasados.

El convaleciente no se movía del diván, recibía al abogado, firmaba la transmisión de bienes, las nuevas escrituras, hablaba de acciones, de altos intereses y a Adela le pedía un vaso de agua, le preguntaba si fuera seguía el frío, con palabras rápidas apenas moduladas, más lentas cuando le preguntó qué familia era la suya y nada más porque ya estaba informado de que no era sospechosa de tener antecedentes políticos y el portero, que la conocía desde niña, le aseguró que era mujer de confianza y no perteneció a comités obreros porque ella ocultó que, al terminar la guerra, regresó al callejón, y nadie supo de dónde venía, y todo allí estaba diferente, vio caras que no conocía y en la que fue su vivienda encontró una familia de refugiados a la que explicó por qué llegaba con las manos vacías y tuvo que comprender que aquellos tres años habían borrado lo anterior, de su madre no había rastro y tampoco quiso buscar a conocidos porque le asustaba en aquellos días inseguros compartir suertes ajenas: solamente el admirado chalet permanecía delante de ella, con los balcones y ventanas cerrados, el deterioro acentuado en las molduras de la fachada, el jardincillo, marchito, algunos cristales de los balcones, rotos, en los dos escalones ante la puerta principal las hojas secas amontonadas; el esplendor de la riqueza, las luces y el lujo eran ya algo del pasado, el cual, no obstante, acabada la Guerra Civil, entendió Reyes Reinoso que se conservaba intacto en los ámbitos del poder, subsistían las razones del lucro y de la especulación, habitual proceder del que frecuentó bancos, habló de cuentas corrientes, de fincas, de salarios, vía por la que él entró como predestinado desde su infancia porque, si hubo cambios en las profundas costumbres, eso más se manifestaría en Adela, muy distinta de la que un día de julio salió del barrio para ir a trabajos insólitos, a lo totalmente nuevo, pero siempre a ciegas, en la ignorancia de las palabras, de lo que debía decir o callar o mentir, y el frontón del tejado que vio aún más deshecho, le confirmó su indigencia al recorrer las calles conocidas, observando las farolas rotas, el pavimento y las fachadas con señales del estallido de obuses, y así llegó hasta los desmontes del cementerio para sorprenderse de que en sus muros habían abierto troneras y era una fortaleza pues el frente estuvo cerca, pero los cipreses desaparecieron, el interior estaba destruido y de aquel reducto de amistad sólo quedaban escombros y la imagen de la niña de la cabra por unos minutos se cernía en su corazón aunque aceptó su pérdida porque la hicieron resignada los mil acontecimientos avasalladores que la golpearon desde aquel verano del 36[87] en que empezó a ir de un sitio a otro, talleres, intendencia de cuarteles, hospitales de urgencia, prosiguiendo el esfuerzo por ver claro lo que ocurría, incluso en los frentes, a los que Reyes Reinoso fue destinado y allí aguantó peligros e incomodidades con otros jóvenes de gesto altanero al medir el nivel social de quien les dirigía la palabra y al que apenas escuchaban, mientras que Adela sí escuchaba en su intento de entender y en los años de guerra aprendió, lo primero, a leer y escribir, y limpiarse las uñas, lavarse cada día, a saludar, a consultar el reloj, a usar bragas, y a vencer los ciegos deseos de abandonarlo todo en las duras jornadas de la batalla del Ebro[88], en las que conoció a hombres lanzados raudos hacia la muerte y a otros, serenos, reflexivos, entre los que estaba el comandante que se presentó inesperadamente con una caja de cartón que debía contener algo muy importante.

Muy importante eran para él los documentos notariales sobre la mesita estilo inglés pero a veces su pensamiento cruzaba la cortina del dinero e imaginaba a la criada desnuda que avanzaba hacia él y le tendía los brazos, avivando el deseo por los restos de recuerdo de la doncella de su madre subiéndose la falda, pero Adela, sin hablar, retiraba el servicio de la comida y corría las cortinas al llegar la noche y desaparecía precisamente cuando Reyes Reinoso percibía más su aislamiento en aquel chalet, tan ajeno a él, y dejaba de razonar negocios, escribía alguna carta y pasaba a la alcoba con el último cigarrillo sin ocurrírsele que Adela también fumaba los pitillos que le quitaba de la caja donde estaban, al abrir la cual se le venía al pensamiento aquella que escondía y que relacionó con algo que recordó haber oído en Valencia, que pese a la derrota republicana, la guerra continuaba

---

[87] *36:* se refiere a 1936.
[88] *batalla del Ebro:* las luchas en torno al río Ebro fueron de las más duras y cruentas de la Guerra Civil española.

y retrocedió a una mañana —acaso tendría veinte años— cuando en su calle se oyeron gritos de hombres armados que pasaban en camiones agitando banderas rojo y negro[89] y cantando himnos cuya letra ahora comprendía que debía olvidarse, porque era peligrosa:

«Trabajador, no más sufrir...»[90]

y guardaría silencio para no descubrirse aunque tampoco Reyes Reinoso la hacía hablar, se limitaba a mirarla y en ciertos momentos los ojos se encontraban y comunicaban la tendencia latente y contenida hasta que él, sosteniendo la mirada, le sonrió y Adela no dudó ya de la apetencia que tarde o temprano iba a manifestarse hacia su cuerpo pues ese cerco de deseos lo conocía bien por reiterado aun en circunstancias inadecuadas, cuando todos eran arrastrados por un túnel de urgencias, de confusión, de destrucciones o cuando, ayudando a sacar cadáveres entre montones de escombros o limpiando con algodones un rostro yerto, notaba unas manos en las caderas, y lo primero que anunció sus propósitos fue decirle que era muy bonita y que debía de tener un cuerpo precioso y señalaba la blusa tensa y ceñida y le pasó los dedos por un brazo, movimiento instintivo que no pudo dominar, exactamente igual a la pasión invisible que le hacía calcular los ingresos, las posibles ventas de terreno, y ocurrírsele comprar muy barato un viejo tejar y fabricar ladrillos que se pagaban a precio de oro para la reconstrucción de tantos edificios y hasta la sala llegaban las cartas con los pedidos y los pagos y frecuentemente quedaban en la mesita fajos de billetes sobre los que ponía la mano, fuerte pero un poco corta, de uñas pequeñas, con la que había empuñado la pistola o dado órdenes y que ahora firmaba cheques y acariciaba a Adela recorriendo el contorno de la cintura y los costados a lo que ella respondía con un ademán esquivo y a la vez con un mohín de fingido reparo,

---

[89] *banderas rojo y negro:* las que llevan los colores distintivos de la Confederación Nacional de Trabajadores (C.N.T.).
[90] Del himno *Hijos del pueblo.*

porque un temor le asaltó enseguida, el temor de ser descubierta con la caja comprometedora, pues ninguna otra cosa en ella podía revelar lo que había sido desde que las compañeras del taller la llevaron a locales donde se repartían fusiles y se organizaban destacamentos, y tuvo la certidumbre de que aquel paquete era su pasado de escenas inolvidables, desfiles o bombardeos, de incógnitas y de sorpresas, y ahora, una suerte peor de incertidumbre porque el destino sorprende siempre y se forja a espaldas nuestras y cuando lo encontramos cara a cara ya es ineludible y sólo queda aceptarlo, como la ropa ajena que una madre pobre nos obliga a vestir y nos hace más harapientos y desvalidos, aunque por debajo de la humilde ropa haya un cuerpo suave y tierno, templado y elástico, de pliegues y arruguitas móviles que se borran y aparecen según los miembros se agitan en abrazos y roces, en lo que es pasión nueva y repetida, y que Adela vivió —cuando Reyes Reinoso la empujaba, la llevó suavemente hacia la alcoba y la hizo echarse de espaldas en la cama—, como algo importante no para sus sentimientos, así fue en tantas ocasiones parecidas con hombres que le gustaban, sino para su significación en el barrio, en aquel chalet, que tuvo ante ella, cuando salió al atardecer del día siguiente, igual a un objeto de su propiedad y que debía confirmarlo haciendo desaparecer la caja con papeles que llevaba en la bolsa de hule.

Reyes Reinoso, en los momentos de máximo deseo, la llamaba Eulalia entre su respiración entrecortada, y ella le pasaba las manos por la nuca y se reía cuando él apelaba a métodos más excitantes, para lo cual se dio cuenta de que precisaba estar segura, y ése fue el motivo de que, a media noche, ya se oían los ronquidos del viejo portero, ella abriese las ataduras de la caja sabiendo que aquel cartón manchado y la humilde cuerda que se extendía sobre la cama, eran los vestigios de lo que debía olvidar, y su inquieta expectativa se mitigó al encontrar solamente papeles escritos a máquina y a mano, unos borrosos, otros arrugados, todos cubiertos de letras en las cuales se detuvo un momento pero a la escasa luz de la bombilla y con su poco hábito de leer desde que aprendió, no veía claro y hubo de renunciar, volver a encerrarlos dentro de la caja, la ató y se concentró en la manera de desprenderse de ella, y al mismo tiempo preparaba la explicación que daría si alguien viniera a buscarla, el mismo comandante u otro que ella no conocería y no tendría otro remedio que mirarle fijamente y contarle que... en la soledad de una huerta de su pueblo la habían violado y por eso no era virgen pero nunca más había tenido trato con hombres que ahora borraría de su mente, como huéspedes importunos, e hizo esfuerzos para no ver la sombra de sus novios al desviarse del callejón y atravesar las calles tan habituales cuando ya oscurecía y dejar atrás la esquina donde se alzaba el chalet con el que experimentaba una relación nueva, integrada en su aspecto lujoso, ideal de belleza y de precisas aspiraciones, imposible de comparar con las paredes húmedas y cuarteadas junto a las que nació, y al aproximarse a Cea Bermúdez entró en la zona de ruinas de casas hundidas y luego, los solares yermos pero esta vez no los vio como el horizonte de su infancia ni detuvo su vista en los muros del cementerio, ahogando todo recuerdo, toda fidelidad a sí misma, sólo atenta a encontrar la boca de la alcantarilla donde terminaría su preocupación, su inquietud nacida en la cama de Reyes Reinoso y allí nació una ambición sin duda más precisa que aquellas que la animaron en el remolino de una guerra incomprendida, sin haberla explicado nadie por qué ocurrían hechos indescifrables, y ella asumía la fatalidad de crearse sus propias respuestas, cargando con el peso terrible de decidir qué hacer, de igual manera que Reyes Reinoso, sobre aquella pasión iniciada, reflexionaba en el atardecer con luz de plata que entraba por el mirador y calculaba las consecuencias de tener tan cerca una carne suave y joven, unida a la satisfacción de poseer los caudales de la opulencia. «¡Cuánto dinero!» las palabras lejanas de su madre las oyó al tirar con un movimiento rápido, asegurándose de que nadie la veía desde lejos, el incómodo paquete de papeles que hizo ruido al caer en lo profundo de la cloaca abandonada, y cuando se incorporó, estaba libre, ágil, salvada, resonando dentro de su cabeza «¡Cuánto dinero!» y aceptó el sigilo que como una máscara llevaría.

Camino del Tíbet

«Es conveniente desviar la mirada si de noche, a la altura del techo, aparece una mano o una cara; se aconseja distraer el pensamiento cuando en los muebles se oigan palabras susurradas o los objetos cambien de su habitual sitio o las puertas se entreabran sin que nadie las toque. Hay que desentenderse de importunos visitantes igual que apartamos la mirada de un montón de basura». Aquellos consejos los oyó varias veces, de tal forma que los repetía al volver a su mesa conmocionado e inquieto... «debemos evitar cuanto pueda perturbar nuestra conciencia que en ciertas épocas se ve asediada por lúgubres apariciones, al pasar cerca de carnicerías o de inmundas tabernas, donde se hace visible un ser doliente, ya terminado su ciclo vital, un espectro que, acabada la existencia, aún se aferra a sus bajos apetitos...», pero era preciso ante todo escribir aquella carta, terminar el borrador para que al día siguiente fuera leída en el grupo y corregida, si hiciese falta, y enviada a la persona que habría de recibirla, que acaso le extrañase al llegarle a las manos para luego reflexionar sobre lo que significaban sus párrafos, el primero de los cuales estaba escrito con letra apresurada, y esbozada la idea inicial del segundo cuando, sin poder contenerse, se levantó de la mesa, movido por un deseo de andar o de acudir a una llamada que no era posible en aquellas altas horas de la noche y en el silencio que inmovilizaba la casa, fue a la puerta, abrió y dio unos pasos sobre la alfombra del pasillo y levantó la mirada y volvió a ver los espectros que acudían a él inexplicablemente aquellos días cuando no le había dominado ningún pensamiento indigno y sólo ocupaba su mente la figura serena y equilibrada de aquel que habría de recibir la carta, la cual era el tema de permanente conversación con los amigos y nada justificaba la visión repugnante que le hizo retroceder, cerrar la puerta y quedar unos segundos apoyado en ella no porque temiera que pudieran penetrar, pues hacía meses había colocado en tres esquinas de su cuarto los exorcismos apropiados para impedir la entrada a tales huéspedes al espacio sosegado, limpio, tibio y aislado como esfera de cristal en un mar de confusión y errores, en cuyo centro estaba la mesa cargada de objetos habituales, libros, plumas, los cuadernos, el cenicero lleno de frágiles cenizas, apoyos de toda alma solitaria como único lenitivo de la inquietante noción de que siempre el exterior era hostil, y se llevó la mano izquierda a los ojos y recobró la serenidad necesaria para sentarse de nuevo ante la hoja de papel en blanco, resplandeciente bajo la luz de la lámpara que iluminaba tan sólo un pequeño círculo, dejando en sombra toda la habitación.

Iluminaba también sus manos, con venas azuladas y el vello de las falanges, la piel blanda y ligeramente húmeda, húmeda en todas las circunstancias no sólo ahora cuando, aún tenso y entristecido, se disponía a reanudar el borrador de la carta y para hacerlo bien debía tranquilizarse pero su respiración en el silencio producía un silbido idéntico al que en otro sitio de la casa, el sueño daba su ritmo acompasado, que oía a pesar de la puerta cerrada y el aislamiento de estar amurallado por un estante con libros y por cuadros y pesadas cortinas en el balcón, protectores de todo riesgo, merced a cuya calma había podido escribir la primera frase que creía obligada: «Somos un grupo de amigos que buscan el sendero», comienzo que definía perfectamente lo que eran todos en aquellos meses, refugiados en una relación casi constante, unidos por la convicción de que eran parecidos, tal un grupo de hermanos pero sin padre y, por tanto, sin la rivalidad que crea el proyecto de ser grato y querido de la autoridad paterna y la ausencia de desconfianza fortalecía esa fraternidad aunque les impusiera la vacilación de sentirse solos ante unos años adversos con posibles sorpresas en cualquier instante, que romperían su predisposición pacífica, mesurada, de dominio de pasiones y vulgares apetencias y de búsqueda de los grandes ideales del espíritu, que adensaba una atmósfera especial según pasaba la tarde y la conversación sobre temas elevados ganaba en mutuo entendimiento y enseñanzas, y a ese grupo tenía que presentar la carta que, redactada con sinceridad, despertaría sin duda el interés de quien la leyese, y miró las líneas en el comienzo de la hoja de papel, sobreponiéndose a la impresión producida por la aparición reciente que le hacía preguntarse ¿por qué atraigo a estos restos de personas que murieron hace mucho, que fueron sin duda groseros o malvados? ¿Es que soy igual a ellos? Pablo les había explicado con voz pausada que eran cascarones inútiles que quedaban prendidos al mundo de la materia por el cual vagaban y había que borrarlos de la mente y pensar, por ejemplo, en los argumentos que tan claros le parecieron al grupo para conseguir lo que deseaba: «No satisfechos con las lecturas que hacemos, que a la par de sobrecargar nuestro pensamiento concreto nos muestran los límites de la razón...», escrito lo cual dejó la pluma en la mesa y prestó atención al exterior pero sólo le contestó la quietud más absoluta, y en el vacío que percibió en torno suyo regresó al único lugar donde encontraba afecto, al gabinete sencillo y acogedor donde se reunían cuando habían terminado las actividades cotidianas y el pensamiento tendía al descanso, junto a palabras afables, junto a la tetera de porcelana y la fragilidad de las tazas y las cucharillas para agitar el azúcar y el plato donde estaban las pastas de vainilla que se iban tomando despacio a lo largo de una velada que podía prolongarse mucho tiempo y cuando el sereno en la calle golpeaba el pavimento con su bastón de madera y hacía oír sus pisadas, ellos bajaban por la escalera despidiéndose en voz queda para no despertar a nadie y que ninguno de los vecinos, que acaso insomne podría oírlos, descubriera que ellos se reunían hasta aquellas horas de la noche para Dios sabe qué asuntos, siempre lejos de la realidad, ya que no sería capaz de imaginar las largas conversaciones que se trenzaban acerca de creencias, de países remotos, costumbres orientales, poderes de la mente superior, prácticas adivinatorias y experiencias sobrenaturales, hombres excepcionales que dieron a la humanidad sus enseñanzas, en momentos propicios a la fantasía, cuando las quimeras hacen su sutil aparición y la amistad se siente más cercana, acaso porque ninguno de los amigos se propusiera algo en concreto, salvo vivir entre la incertidumbre y la espera por no saber si al terminar la guerra en Europa se instauraría una democracia y sería posible reunirse libremente, como era antes de la Guerra Civil, cuando tenían su local, su biblioteca, sus conferencias, y allí se conocían personas con aspiraciones superiores, y no verse obligados a escribir a don Ernesto, temerosos, y esta expectativa les igualaba, razón por la cual estaban allí sentados, en un círculo mágico, teniendo en las manos las tazas y siguiendo los movimientos de la tetera que vertía en ellas un contenido de color ambarino coronado de finas volutas de vapor oloroso, y cuando la tetera volvía a la mesa, la charla o la lectura en voz alta se reanudaba y les envolvía igual a una cortina que aislase de la agitación o apagase un largo sollozo que se oía aquellos años en las calles y en los campos de todo el país, imponiendo su terror, ensombreciendo los ánimos, pero ellos estaban en un recinto cerrado donde si la charla se detenía podían meditar y serenarse en el silencio cruzado de íntimas comunicaciones.

Se volvió a pasar las manos por los ojos y se preguntó por qué había vuelto a ver a aquellos huéspedes, a la altura del techo, una fila de rostros compungidos, suspendidos por una fuerza que les liberase de toda gravedad, descoloridos, sin frentes, sin mandíbulas, otros con grandes huecos en los ojos, de algunos colgaban residuos de cuello o los dientes sobresalían carcomidos y deshechos igual que usados hacía muchos siglos, y aunque él sabía lo que eran aquellos restos, necesitó unos minutos para serenarse mientras contemplaba sus manos fuertes y pasivas, ligeramente enrojecidas que no sólo ahora le distraían de su tarea de escribir una carta convincente, sino en otros momentos las había mirado con un punzante desagrado interior: las uñas grandes, redondas, bordeadas de una piel agrietada y con esos dedos cogió el lápiz y escribió: «Precisamos de una mente clara que nos guíe y en quien tener un apoyo y centrar nuestro...», manos que todos fugazmente habrían visto al levantar su taza para que Elisa se la llenase cuando venía de la cocina y aparecía con la tetera como si trajera un doméstico símbolo de fraternidad y se le sonreía aunque ella con frecuencia mostrase una seriedad reconcentrada, aún más en aquellos últimos días en que se planteaba si llamar por teléfono o escribir a don Ernesto y confesarle: «Le necesitamos a usted» y ella no decía una palabra, incluso se levantó de su butaca y se acercó al balcón retirando ligeramente el visillo para mirar a la calle, a la casa de enfrente vista mil veces, que en aquella hora empezaba a oscurecer su color terroso, e hizo un mohín de aburrimiento y salió del gabinete y fue a la alcoba, cerró la puerta tras de sí y repitió los movimientos que había hecho varias veces a lo largo del día: se aproximó a la ancha cama hasta que las piernas rozaron el borde blando del colchón cubierto por la colcha azul, se inclinó y contempló el cuadrado de tela anaranjado sobre cuyos matices y tornasoles se alineaban los objetos que había ido reuniendo cuidadosamente, buscados en todos los rincones de la casa hasta que creyó tener suficientes y los extendió sobre el trozo de aquella seda delicada que conservaba hacía mucho, desde que era joven, como algo precioso, y únicamente había hecho aquella operación porque la seda era como su propio cuerpo, era ella misma, extendida en la cama, el cuerpo ancho y blanco, cuerpo vencido de desánimo y hastío en la gran cama de matrimonio, ondulada y tibia, abrigada por la gruesa capa de la colcha en la que destacaba la seda irisada y sobre ella, cositas y objetos en simétrica ordenación, en un círculo amplio, hecho con granos de arroz, dentro del que había otro, multicolor, de botones grandes y pequeños que a su vez contenía un cuadrado trazado con cinta verde en cuyos cuatro ángulos había otros tantos espejillos, y entre uno y otro, plumitas —a la izquierda, rojas; a la derecha, blancas; abajo, amarillas; arriba, verdes— y junto a ellas montoncitos de azabache que aun cuando entonces el sol ya no entraba en la habitación, centelleaban igual a ojos apasionados que brillan en una noche de fiesta o en el supremo momento del amor, allí precisamente, en la cama baja y desmesurada, donde dormían hacía dos años, juntos y alejados, charlando e intercambiando ideas sin que las manos rozaran el cuerpo del otro, sin que las piernas sintieran el contacto frío de la carne ajena, frío o ardiente, blando o rígido, allí donde otros miembros tienden a aplastarse con fuerza e incluso los dientes, cuando los ojos brillan como brasas, clavan sus bordes afilados, siendo la respuesta no un grito sino una carcajada contenida y complacida que puede disolverse en un beso a mil lugares del cuerpo herida por los estigmas del placer que distiende piernas y espalda sobre el colchón, no, no aquel colchón al que la lana daba su superficie irregular aunque la seda anaranjada estuviera perfectamente alisada para que no rodasen las bolitas blancas de naftalina y trocitos de metal oscuro, hojas de laurel formando un cuadrado que abarcaba otro más pequeño de flores granate de geranio, de las que partía una reja de cordoncillos negros y grises que ocupaban el centro de aquel conjunto que ella repasaba con atención de sus ojos ligeramente exoftálmicos que correspondían a su cuello grueso en el que se iniciaba una papada coincidiendo con el punto de unión al pecho, cuyas ternuras siempre cuidaba de llevar tapadas y que sólo se descubrían por las noches al acostarse cada uno por un lado de la cama, a la luz de bombillas de pocos watios y en la discreción del respeto, de la educación, de los elogiados sentimientos de castidad, de elevación, de dedicación a las ideas superiores, de desdén por lo que fuera oscuramente relacionado con los órganos excretores, órganos innobles que no parecían guardar relación con los maravillosos órganos de la vida mental, y la mano, la mano carnosa y bien proporcionada que despacio se tendía —era necesario efectuar esta última consagración— hacia el centro de los círculos e iba a colocar allí una pequeña fotografía, desvaída, gris y blanca, con una acusada doblez que indicaba claramente haber sufrido un uso descuidado, el uso que cabe a una fotografía que es ser guardada y sacada de algún sitio con frecuencia y contemplada o mostrada a otra persona y que en un momento de cólera, de soberbia, de envidia o desesperación la habría arrugado, pues la mano, ese órgano tan perfecto y en tan sutil comunicación con los tejidos nerviosos cerebrales, también podía crisparse, muy parecido a la garra de un animal salvaje.

«Sí, forma tu mándala si lo quieres: pinta los círculos... con sangre y pon trozos de piel humana, arranca las uñas a una rival tuya y colócalas en fila entre tazas de veneno, gusanos, cucarachas y en el centro no te olvides de unas tijeras abiertas... ése es el mándala que te hará avanzar».

Palabras de Antonio, recordadas igual que recuerda una persona toda su vida si la desnudaron en público y escarnecieron y se burlaron de ella; se había quedado quieta sin poder responder más que con un gesto que pretendía ocultar su estremecimiento mientras que los amigos prorrumpían en exclamaciones como «Pero ¿qué estás diciendo?, ¿y eso a qué viene?, ¿por qué le dices a Elisa tales disparates?», a lo que Antonio replicaba que si no era más que un disparate según ellos, en eso quedaba, en disparate, pero, sin embargo, él había pasado su mirada fugazmente por sus ojos y a ella le había parecido que él sabía mucho de sus pensamientos reservados, y la niña que estaba en la fotografía con su vestidito color gris y la cara redonda también gris no hubiera entonces imaginado que, llegada a cierta edad, se vería colocada en aquel eje de una rueda mágica, de un centro armoniosamente equilibrado por la disposición de tantos elementos sorprendentes, pero saturada de miedo, de frustraciones, tal era su vida cotidiana y dejada allí, metida en una cartulina arrugada y desgastada, en espera no sabía de qué mientras gravitaban en el recuerdo las insultantes palabras de Antonio que sólo podían ser explicadas por la práctica frecuente entre ellos de hacer el juego de tratarse con sinceridad, hacerse críticas unos a otros y hablar con libertad de sus sentimientos pues sabían que no debía rechazarse al ser malvado que convive con el bien, tan auténtico y verdadero como el bondadoso don Ernesto sobre el cual en los últimos días habían discutido si dirigirle o no una carta, dado el carácter impreciso que tiene el mensaje que llega sin palabras ni voces sino en los trazos de una escritura regida por los humores momentáneos de la persona que la traza y si tendrían más posibilidades de que él se sorprendiera y sintiera nacer un afecto hacia el grupo, poniendo la frase «Usted nos puede ayudar» que era imprescindible pues representaba un cambio en ellos ya que siempre buscaron la ayuda en los libros, especialmente en los que pertenecían al padre de Pablo y que tenían las tapas desgarradas, medio deshechas, con cierto olor raro, con la calidad propia de lo que fue muy usado por las manos de su padre que leía de noche cuando llegaba del trabajo y la madre estaba preparando la cena y Pablo le contemplaba como si aquel hombre mayor, endurecido, cansado pero aún fuerte, estuviera cumpliendo una orden al inclinarse sobre el libro y cogerlo con ambas manos y ponerlo muy cerca de la cara; veía tanto respeto, tanto amor, que él no se atrevió a tocar ninguno hasta que fue mayor y sólo leía en las cubiertas los títulos o los nombres de los autores pues el padre nunca se los ofreció a él o a sus hermanos, aparte de que la madre parecía ignorarlos, y acaso por ese respeto, Pablo no confiaba en lo que decían las personas y sólo se dejaba aconsejar y aceptaba la sabiduría de los libros que luego en el grupo se intercambiaban y regalaban y procuraban comentar aunque a veces no traslucían admiración ante lo leído sino que en sus páginas se buscaba no más que el consejo o la admonición, que una boca invisible dijese lo que debían hacer o pensar de tal o cual asunto personalísimo o general, siguiendo el ejemplo, si se trataba de biografías, de algún sabio que pudiera ser como querían ser ellos, en una obsesiva contemplación de sí mismos, pero los libros, ya fuesen mudos o hablasen largamente, les presentaban hechos sorprendentes que rompían con todas las monotonías y les arrebataban al Tíbet, a Persia, a la India, les llevaban a exóticos paisajes parecidos al que contemplaban todos los que entrasen en la salita, colocado entre los dos balcones, destacando sobre el color ocre de la pared en un cuadro que puesto allí avisaba —como emblema místico colgado al cuello de un penitente— acerca de una consagración íntima, razón por la que no estaba en la puerta de la calle, ni siquiera en el vestíbulo, sino en la habitación donde se reunían, leían en voz alta y se comprendían mutuamente; distintivo secreto del que muy pocos entenderían su hermético significado salvo aquellos que, en el círculo inexcusable de las adversidades del tiempo, entrasen en busca de una ayuda no muy precisa y desearan ser acogidos, o los que por tener sensibilidad a los paisajes de alta montaña, les gustaba detener allí la mirada y reconocer aquellas cimas del Himalaya a la vez que intuían que la liberación de las angustias cotidianas la lograrían si viviesen allí donde planea el espíritu con su vuelo de halcón en la transparente y fría atmósfera de las cumbres nevadas que hace traslúcidas las lejanías sobre las nieblas de los ríos, las selvas, las dolientes vidas humanas, lejanía de borrosos matices donde cada perfil era igualado en los tonos pálidos de la acuarela, hacia los cuales los allí reunidos levantaban los ojos en determinados momentos, por causas indudablemente legítimas, de inquietud o bien de frecuente tristeza indefinible, y ese sentir era percibido por Marta que profundizaba su mirada en quien fuera, le sonreía y llegaba a ponerle la mano en el brazo en señal de entenderlo y de que ella estaba a su lado como un apoyo mudo pero tierno, y tal era la forma en que muchas veces miraba a las personas, incluso apenas conocidas en las que percibía esa ráfaga de desaliento, notaba que sufrían y su deseo hubiera sido tocarles las mejillas, acariciarles el pelo, pero a eso nunca llegaba y sí sonreía dulcemente con un gesto de comprensión profunda que acaso quien la recibiera no alcanzara a captar por qué se expresaba de aquel modo, o quizá sí notaba un aligerarse del peso que hería su corazón e igual debió de sentir Elisa cuando un día, habían quedado las dos solas, le confesó que ella lo que experimentaba era hambre de amor, de estar pegada al cuerpo de un hombre que la estrechase con arrebato, y poco le importaba lo demás, casi morir sería lo mejor después, y se hubiera avergonzado de haber hablado tan alocadamente si Marta no la hubiera mirado con una maternal comprensión y con un gesto que era de total acuerdo como si aquel amor que experimentaba hacia las personas con las que se cruzaba no fuese sino también una compensación del que no recibió, siempre a la busca de unas manos amorosas, de una boca inagotable, del cerco abrasador de unos brazos que la ciñesen y la sostuvieran, si ella, en el vértigo de la entrega, sentía que el suelo se hundía y las piernas se doblaban.

Nunca había hablado tan claramente al hombre al que estaba unida, el cual se sentaba habitualmente en la butaca del rincón desde donde se dominaba a todos, con una sonrisa contenida que ninguno llegó a saber si era benevolencia o ironía desdeñosa y de la que ella había tenido que retirar la vista, oprimida por una súbita sensación de distanciamiento y sin concretarlo apenas, un deseo de estar en otro sitio, no allí cuando Lorenzo extendía las cuartillas que había escrito y comenzaba a leer el borrador que corregirían entre todos y su voz era vacilante porque ahora iba, sin duda, a ser juzgado con dureza por Antonio, cuya postura en la butaca era especial, no debida al cansancio o a una dejadez pasajera sino a una decisión en relación con los demás, con su actitud delante de ellos y cómo les dirigía la palabra: el cuerpo estaba plácidamente hundido y a la vez negado a todos, como ausente, cómodamente puesto allí mientras los ojos entornados daban a uno y a otro lentamente su atención, afirmando o refutando, con un ademán medido, casi dispuesto a no intervenir si el tema no fuera de su interés; igual lentitud tenía el menor movimiento al inclinarse hacia la taza de té o el cenicero que desplazaba mecánicamente para demostrar que su pensamiento volaba lejos, indiferencia que hacían patente los labios apretados con que respondía las más de las veces y en cierta ocasión que oyó decir a Pablo que nuestro mundo es como un diamante perdido en el universo, que refleja la luz de las estrellas, le preguntó si a él le parecía que éstas fuesen los ojos de un ser inconmensurable y remoto y cuando Pablo le dijo que sí y que no puede extrañar que la estela de sus órbitas influya sobre la suerte de los hombres, Antonio hizo un gesto de conmiseración que fue captado por Lorenzo, el cual murmuró que las estrellas nos contemplan y son distantes y frías como los ojos de una madre, tras cuyas palabras hubo uno de los silencios en los que con frecuencia se caía y en cuyo mágico cristal se hablaban con voces inaudibles y sólo se oía algún ruido en otros pisos de la casa o una voz por la escalera o el lejano paso de un coche y esos minutos de recogimiento tenían lugar porque la frágil sensibilidad de todos precisaba serenarse, y al cabo de un rato Lorenzo alzó las cuartillas y leyó: «Deseamos que sea usted nuestro maestro y nos ayude a avanzar en una senda que se nos presenta difícil».

Consideraron terminada así la carta y Marta le dijo a Lorenzo que a ella le gustaría recibir cartas bien escritas, incluso sin conocer a quien se las enviase porque una carta es como una confidencia y puede tener el mismo calor que las palabras más insinuantes, y como se riese y moviera con coquetería la cabellera rubia y alborotada y sostuviera en Lorenzo los brillantes ojos, oyó la voz de Antonio diciendo algo de romanticismo a lo que Marta contestó sin dirigirse a él, que no le importaba ceder a las fantasías de su imaginación, que era una forma libre de pensar, y eso venían ellos a hacer al discutir si escribían o telefoneaban a don Ernesto, si la llamada sería poco cortés pues no se ve a quien habla, lo que habría forzosamente de provocar una frialdad, o si la carta transmite sólo el pensamiento racional y no la tensión de los sentimientos, y estuvieron, por fin, de acuerdo en solicitar por escrito la relación con aquel hombre sereno y amable, de pelo blanco y rostro reposado y sonriente que sabía escuchar y analizar lo que oía para luego dar siempre una opinión que mejoraba e incitaba a proseguir el curso del pensamiento si bien Lorenzo aventuró que se podía debilitar aquella unión del grupo, lograda gracias a una comprensión mutua en la paz herméticamente cerrada, acolchada, en la quietud de una casa antigua medio dormida y de una calle apartada, un núcleo de espiritualidad en la templanza protectora de la suave luz de la lámpara y de la discusión tranquila en la que debía cederse la palabra al otro y nadie interrumpir y cada opinión debía ser escuchada y comentada como si hubiera el deseo de medir su justa intención, por ejemplo, de convencer a don Ernesto, pues el poder de la palabra habría de tenerse en cuenta, cual una dinámica que desencadena un proceso infinito de choques y contrachoques en la expansión de la onda de su sonido que al abrirse en círculos cada vez más anchos llega a confines alejadísimos del universo y permanece a través de siglos, de años-luz, y en razón de esta responsabilidad, se medirían las palabras como sin duda hacía Pablo, con voz baja y lenta, al afirmar que le parecía un iluminado, un verdadero maestro capacitado para ayudarles a seguir adelante, sin aconsejarles, sin darles normas precisas sino replicando a sus palabras con propuestas que en parte serían inesperadas para suscitar la progresión de la búsqueda, o sea, una expectativa de ese algo hacia el cual tendemos y que acaso es una pulsión que nos viene del pasado pues la ceniza de aquello que se consumió y quedó atrás nos nutre y nos impulsa en la tarea del vivir, que no es sino construir un palacio magnífico y cuando parece acabado y completo, se incendia y las llamas de la rápida muerte, lo borran y las pavesas vuelan y se funden con otros seres, y don Ernesto con su gran experiencia de vida les llevaría, por una parte, a conocer las voces antiguas que resonaban en ellos y, por otra, a eliminar los restos de fantasía que bloquean la conciencia, a lo que añadió Lorenzo que él tenía la duda de si el maestro había de ser necesariamente un ser iluminado: la enseñanza suprema llega del que menos se piensa, la persona más abyecta puede ser un maestro, y al pedirle que explicara tal idea, dijo que aquellos días había leído un cuento tibetano que se propuso olvidar, porque le inquietaba, pero que había decidido hablarles de él dado que le impresionó precisamente porque estaba relacionado con su busca de un maestro y su lectura había sido como una advertencia de lo que podía depararles la relación con don Ernesto y, si querían, se lo contaría con mucho gusto:

Una noche de invierno, en la casa de un noble pide albergue un soldado mudo que va de camino. Entra en la gran sala, donde está reunida la familia y los criados, y se sienta junto al fuego, al lado de un peregrino que también ha pedido hospitalidad. Todos miran extrañados al soldado que no puede hablar sino con sordos gruñidos, pero la joven señora de la casa se fija más en él, se interesa por su gesto ensimismado y es atraída por su aspecto mísero. Cuando llega la hora del descanso, cesan los trabajos y todos se retiran a dormir pero pasa cierto tiempo y la señora toma la decisión de bajar a encontrarse con el soldado. En silencio, sin que nadie la oiga, llega a él y con suavidad le despierta. El hombre, que había cruzado antes la mirada con ella, comprende por qué ha venido y la acaricia y se entregan al placer ante el fuego mortecino pero no se percatan de que el peregrino, al parecer dormido, les contempla. Tras este conocimiento de amor, ella vuelve a su cámara, se viste zapatos de camino, coge un puñado de monedas y con el soldado sale por la puerta de las cuadras al campo batido por la nieve. A la mañana siguiente, los gritos de las sirvientas anuncian la desaparición de la señora, no hay rastro de ella, preguntan a los pastores pero no pueden encontrarla. El peregrino escucha los lamentos y como nadie se ocupa de él, calla y se marcha con su bastón de reliquias, reemprendiendo el camino en busca de su maestro.

Pasan meses y el peregrino va de un lugar a otro en su paciente búsqueda. Al atardecer de un día de primavera llega a un albergue de caravanas y entre el ruido de los viajeros y las caballerías, él se sienta en la paja de un rincón, lejos de la hoguera donde se calientan los mercaderes. De pronto oye una voz de mujer que canta: es una canción aguda, de las estepas del Norte, como un grito en que no se distinguen las palabras. El peregrino ve surgir una mujer que se acerca al fuego: probablemente está bebida, lleva la cabeza descubierta y viste desvergonzadamente ropas de hombre muy usadas pero en el tono de la voz hay una alegría que proclama el triunfo de la voluntad, el desprecio a la suerte, el placer de dejar el alma libre de toda contención. La reconoce enseguida y, detrás de ella, el soldado mudo, harapiento y sucio cual un perro herido, que mira con temor a los mercaderes. La mujer no es ya la esposa de un noble sino otra persona distinta en la que lo auténtico, lo espontáneo se ha abierto camino y expresa al cantar su propia destrucción. El peregrino va hacia ella, se arrodilla y murmura ¡Maestro, sé tú mi maestro!, pero ella ni siquiera le mira.

No había hecho pausas y al terminar estaba fatigada la voz; pasó la mirada por todos los reunidos para confirmar que le escucharon y como nadie hablase, hizo un gesto de excusa, encendió un cigarrillo y esperó hasta que Pablo dijo que la mujer del cuento le parecía más bien una proyección del peregrino que creaba un ser a su imagen y semejanza para no tener que seguir adelante en su difícil empresa de hallar un maestro, pero el gurú debe ser una figura ejemplar, como acaso don Ernesto que daría enseñanzas en un sentido amplio, pero Pablo hablaba con cierta inseguridad y volvió al silencio que todos guardaban, igual que si el relato hubiera desconcertado y no quisieran opinar, desagradados al plantear la duda acerca de la esperanza que alimentaban aquellos días, insinuación que Marta pareció querer rechazar al decir inesperadamente que ella sólo aceptaría como maestro a un hombre como don Ernesto, el único que les comprendería y ninguno más, pues cualquier otra persona podría ser hasta peligrosa si por un comentario suyo se sabía que ellos eran teósofos, palabra que provocó un brusco movimiento de las cabezas hacia ella, de sorpresa, pero tan rápidamente como surgió la extrañeza, se alzaron réplicas que tranquilizaban: ellos no hacían nada que atentase al orden ni al gobierno, ni difundían ideas subversivas y Antonio dijo que ya había prohibido terminantemente mencionar esa palabra y como Marta no le respondiese, se callaron pero de nuevo se había suscitado la convicción de que las suyas eran unas creencias muy diferentes a las que oficialmente se proclamaban y se exigían: ellos no adoraban a un dios en forma de hombre sino a infinitos dioses, o a ninguno, y vivían virtualmente aislados o, como opinó Pablo cierto día, igual a judíos de la Edad Media, rodeados de vecinos con otra religión que podrían en cualquier momento acusarles de temidos designios conspirativos y como por un destino inmutable habían de ser perseguidos con motivo de la radical separación con los demás, y presentían que sólo unas pocas personas, a las que nunca llegarían a conocer, sintonizarían con lo que ellos pensaban y en consecuencia tendrían cerradas todas las posibilidades en aquel país donde su concepción del alma, del mundo, era considerada delictiva y herética, por lo cual el sentirse distintos, únicos, forzosamente les imbuía una sensación de superioridad sobre tales vecinos dominados exclusivamente por ambiciones y pasiones frenéticas, problemas de subsistencia material, a los que se esforzaban en comprender mediante un trato afectuoso pero distante pues creían haber alcanzado un grado de evolución que les distanciaba de quienes tardarían siglos en llegar a lo que ellos llegaron y por esta noción de separatividad eran contradictorios cuantas veces mencionaban la tragedia que hacía unos años asoló el país: la Guerra Civil, entre cuyos dos bandos se proponían permanecer neutrales no obstante saber bien que uno de ellos era su inexorable enemigo.

Aquel silencio penoso lo rompió Marta para decir que las cárceles estaban llenas, y que oyó a dos personas en el «metro», que hablaban en voz muy baja junto a ella, decir que todas las noches en las tapias del cementerio, en el lado del barrio de La Elipa, se fusilaba a muchas personas y ese horror le espantó: un vaho de sangre invadía todo el país y aún peor, el aura de sufrimiento en tantos corazones se extendía como el barro de una inundación y lo cubría todo, y los deseos de matar y los propósitos de venganza, se disimulaban con hipocresía para que nadie notara en los rostros el estigma del odio, y los demás, fingían indiferencia para no atraer los peligros de la delación y la sospecha que como un emisario del rencor iba por campos y senderos hasta las chozas más aisladas, o zigzagueaba por calles concurridas para detenerse ante puertas cerradas por el miedo y ella percibía, aún en su protegida situación, en la que no le afectaban estos riesgos, como un alarido lejano, porque no en balde se usaban armas que dan muerte súbita y provocan un grito inarticulado que la materia repetía y repetía hasta rozar los finos terminales nerviosos excitados por tan desgarradora realidad.

Antonio había estado mirándola mientras hablaba y le desapareció su sonrisa al decir que estaban equivocados, que no se daban tales crueldades, que los hechos no eran como la gente malintencionada decía, hubo una guerra muy cruel, tenía que reconocerse, pero ahora todo se olvidaría y volvería la normalidad; no bien se calló, Lorenzo le replicó que quien había ganado la guerra era el más viejo fanatismo y, prosiguió con el gesto nervioso de la boca cuando contradecía, que el mismo Antonio, pese a sus convicciones derechistas, se haría sospechoso si revelara sus ideas filosóficas porque éstas no eran aceptadas y eran contrarias a la ideología oficial y le recordó que él mismo en más de una ocasión les aconsejó no mencionar el nombre de Madame Blavatski por temor a que alguien lo oyese y les denunciara.

Dejaban vagar las miradas recorriendo quién sabe qué escenas lamentables cuando Marta murmuró que el temor había aumentado desde que se habían sabido detalles del fusilamiento de García Treviño, de un pobre anciano, un hombre inofensivo, que apenas pudo entender los interrogatorios que le hacían, y esto, de lo que ella se quejaba con voz opaca y emocionada, Antonio lo interrumpió porque él iba a enterarse bien de lo ocurrido al secretario de la Sociedad Teosófica[91] y no le bastaban las habladurías aunque era cierto que sufrían vivir en una tierra recorrida por la violencia generalizada pero así podrían concebir cómo maduran las ánimas poco evolucionadas y esperan en la negrura doliente de su tiempo, igual a los fantasmas insatisfechos y melancólicos que acuden al atractivo de las carnicerías, de los hospitales, tendiendo a una sangre y a una carne que fue su más inmediato soporte y al que anhelan reintegrarse o devorar lo que nunca podrán morder, y se deleitan con el olor yodado de las vísceras a las que quieren alcanzar cuando entran en el cerebro hueco de la medium para desde allí, burlarse de los afligidos que están en círculo, con los dedos unidos sobre el velador, intentando oír o ver algo asombroso en la penumbra de su desamparo.

Será preciso aceptar que cada uno vive en el país que ha merecido, en el que le corresponde por la ley del karma[92] se-

---

[91] *Sociedad Teosófica:* fue fundada en 1875, en Nueva York, por dieciséis teósofos, entre los cuales destacaba Madame Blavatsky (Helena Petrovna Blavatsky, Rusia, 1831-Londres, 1891). Sus objetivos fundamentales fueron (y siguen siendo) formar un núcleo de fraternidad universal, fomentar el estudio comparativo de todas las religiones, filosofías y ciencias e investigar las leyes inexplicadas de la naturaleza y los poderes latentes del ser humano; tiene su sede en Adyar, India. La Sociedad Teosófica Española fue perseguida por el régimen franquista y su Secretario, el importante egiptólogo Manuel Treviño, fue fusilado.

[92] *ley del karma:* para el budismo, el hinduismo o la teosofía, es la ley cósmica que administra la causa y el efecto de las acciones (físicas o mentales)

gún sus actos en vidas anteriores y aquellos hechos y la ciudad que les rodeaba era el dominio peculiar de su esencia no manifestada, como el espacio más íntimo de todos ellos, a lo que Lorenzo contestó que nada sentía en común con aquel amontonamiento de casas en áridas llanuras con vertederos secos bajo un sol de plomo, pero quién sabe si el alma es una continuidad del mundo en el que vive: este país, hundido en pobreza y constantes guerras intestinas, será la imagen fiel de sus habitantes, o acaso de los torpes gobernantes que siempre los rigieron, y al oír esto intervino Marta como si hablase para sí: ¡cuánto necesitaban sentirse en comunión con otros parecidos a ellos! también opuestos a las corridas de toros, al alcoholismo, a las guerras en Marruecos, a los hidalgos flamencos y orgullosos y a sus cacerías crueles, pero no debían desfallecer porque toda luz está rodeada de tinieblas y aún aislados mantendrían la fe en su doctrina y no renunciarían y acaso en esto se parecían a los comunistas aunque tuvieran un ideal tan distinto al suyo.

Estas palabras alzaron de pronto, en el centro del círculo que formaban, un fantasma que les espantó y exclamaron a la vez que cómo podía hablar de comunistas y qué tenían de parecido con ellos, pero Marta insistió que era cierto que se parecían: estaban perseguidos, se reunirían en secreto como ellos y también aspiraban a que el mundo mejorase si bien era por caminos opuestos: el proyecto de felicidad de ellos era liberarse de la esclavitud de la materia, de los deseos impuros, de la fugacidad del pensamiento, e incluso tenían el sueño de un país ideal: Adyar, en la India de los brahmanes.

Con un tono claro y enérgico Antonio dijo bruscamente que había rogado muchas veces que no hablasen de política, que no era conveniente tratar tema tan desagradable y menos sacar a relucir al comunismo que había traído la lucha de clases y hecho tanto daño a personas sencillas a las que engañó; aquella comparación era falsa porque la supre-

---

del individuo, de modo que éste recoge siempre, en sus reencarnaciones sucesivas, el fruto de sus vidas pasadas.

ma esperanza la ha puesto siempre el hombre, y no sólo los comunistas, en un ideal inaccesible y distante, situado en el futuro pero ellos no tenían nada que ver con ese futuro material ni con luchas políticas que eran propias de seres no evolucionados y de obreros, y según oía esto Lorenzo bajó la mirada al borrador de la carta: «No estamos sujetos a trabajos fijos...» y esta frase le llevó a pensar en la suerte que tenían de no depender de inminentes necesidades económicas, gozando de tranquilidad para charlar, lo que ciertamente era propio de privilegiados porque de forma casi providencial pertenecía a una minoría de soñadores, pero ¡nada de marxismo! volvió a decir Antonio, haciéndoles una tácita censura de no haber rebatido con más insistencia a Marta, la cual se volvió hacia la puerta que se abría y en ella apareció Elisa sujetando la tetera con dos manos y la oyeron decir que ellos no eran obreros, efectivamente, pero ahora tenían miedo, estaban acosados y ella estuvo así toda la vida, rodeada de una vaga amenaza, y esperaba que en cualquier momento se destruyera todo: era la revolución lo que temía, pero últimamente estaba dispuesta a terminar con tal miedo, ¿qué podía hacerle a ella la revolución?, deseaba no ser ya la niña tímida que siempre fue, que no se atrevía a tomar decisiones, porque de no haber sido por esa rémora en su carácter, hubiera estudiado o buscado un trabajo y hasta no se hubiera casado, y dejó de hablar levantando la mirada al techo, soñadora o arrebatada por inesperada desesperación cuando Pablo se incorporó en la butaca y con voz alta que él nunca empleaba, le aconsejó que no se callase, que siguiera diciendo todo lo que tuviera necesidad porque había comprendido que estaba inquieta y le convenía hablar mucho, abrirse al grupo, mientras que Elisa iba a la mesa, dejaba la tetera y con los hombros un poco hundidos dio unos pasos hasta apoyarse en el respaldo de la butaca en la que estaba sentado Lorenzo a la vez que Marta se levantaba, la enlazaba por la cintura y la decía que comprendía bien su temor porque ella lo sintió parecido, como una gran soledad, toda la gente en torno suyo era inexpresiva y ajena, por eso, cuando una tarde su padre la llevó a una reunión, cuando vivían en París, y vio hombres cantando, con banderas, que se saludaban y parecían confiados, entonces tuvo la sensación de la amistad y se consideró capaz de entenderse con aquellas personas.

Lorenzo giró el torso para mirarlas, cerró los ojos y se irguió cuando notó que los dedos de Elisa, movidos automáticamente, le rozaban el pelo de la nuca y la oyó murmurar que siempre había temido la revolución... y estremecido volvió a bajar la vista a la carta que tenía ante él —la frase final sería: «Por favor, ayúdenos»— mientras sentía la mano que le comunicaba un temblor por toda la espalda y procuraba no mirar a Pablo que tuvo un gesto fugaz de sorpresa pero lo cambió en un balanceo de cabeza al decir que, como todos sabían, nada es casual, ya sean arrebatos de las pasiones, delirios, pesadumbres o alegrías, todo nos está destinado hace siglos porque en la antigüedad hicimos algo que sólo aquí y ahora tendrá su contraimagen, su rectificación y esta penitencia hace anhelar lo contrario de lo vivido, y luego desvió los ojos hacia la taza de té y parecía no oír un hum... hum... sarcástico de Antonio que estaba dirigido sin duda a él, y callaron todos por el peso de la atmósfera inesperadamente tensa hasta que Lorenzo se incorporó murmurando algo como que deseaba salir a la calle; se levantó de la butaca y fue hasta el balcón donde recortó su silueta sobre los cristales y la insignificante casa de enfrente con filas de balcones en el color indefinido de la fachada pero por encima del alero del tejado, el cielo ardía con sus torrentes de arrebol a los que Lorenzo miraba como un único horizonte en aquel momento angustioso para tener la sensación de libertad y poder exclamar que necesitaba salir a dar un paseo, pero Antonio, insinuante, le dijo que volviera con ellos, que no renegase de su realidad, a lo que Lorenzo sonrió como doblegado a la resignación, a la aceptación del grupo y volvió a sentarse y cuando Elisa le preguntaba si quería más té caliente, porque el de las tazas se había enfriado, Antonio ladeó el cuerpo tal como estaba sentado, forzando los hombros a seguir el movimiento de los brazos y con ambas manos cogió el espejo de marco de plata que estaba sobre la mesita que les separaba del balcón y lo llevó, trazando una curva en el aire, hasta ponerlo frente a Lorenzo a la vez que le preguntaba si conocía a «ése», marcando la entonación que daba a ciertas frases triviales al borde de la ironía, pero Lorenzo torció bruscamente la cabeza sobre el hombro. ¡Por favor, no me hagas eso! y se le vio cerrar los ojos y demudarse como al recibir un duro golpe en el vientre: habría entrevisto en el espejo las mejillas con la sombra de la barba afeitada, la frente con dos arrugas horizontales y tras él, una puerta entreabierta que le invitaba a la huida, pero de pronto, Elisa, como si cediera a un impulso instintivo, arrebató el espejo de manos de Antonio y se miró en él, acaso con idea de enterarse de algo o ver qué imagen fugaz había quedado allí, pero debió de encontrarlo vacío, solamente la superficie gris de una lámina pulimentada, porque alzó el brazo y con fuerza lo tiró al suelo y fue a estrellarse el cristal que reflejó tantas fisonomías, tintineó con un sonido limpio en el parquet y varias esquirlas saltaron lejos en forma de estrella.

La figura de la mujer aún guardaba la actitud del impulso cuando Lorenzo se levantó y despacio salió por la puerta que daba al pasillo y que pareció absorber todas las energías concentradas en el grupo y dejar la habitación a oscuras y los que se quedaban se volvieron a Antonio que a su vez paseaba la mirada impasible de uno en uno y Marta le gritaba por qué había hecho aquello y Pablo había tomado la mano de Elisa, que seguía de pie, en cuya blandura él ponía los dedos intentando calmarla o acaso transmitirle la necesaria serenidad, hasta que Antonio volvió a su sonrisa y dijo que por qué les desagradaba tanto verse en un espejo y a eso Pablo le replicó que no debía haberlo hecho, era una brutalidad, y Elisa entonces liberó la mano del contacto en la piel blanquecina, como ocultando la obscenidad de un cuerpo desnudo y retrayéndola hacia el bolsillo de su vestido, formó un puño bien cerrado, emblema de cólera contenida o de resentimiento que así buscaba libertarse, y permaneció de pie, sujeta al silencio que les dominó parecido a una cortina echada de pronto, a un biombo que oculta figuras inconvenientes, a la carpeta que se cierra guardando papeles de íntima reserva. Pasados unos minutos Pablo murmuró que probablemente Lorenzo necesitaba ayuda y debían dársela ellos: tendiendo las manos a Marta y a Antonio, formaron los tres una rueda, cogidas apenas las puntas de los dedos, y así estuvieron callados mientras Elisa les contemplaba dándose cuenta de que la mesa en el centro de aquel círculo, con tazas, ceniceros de cristal, el jarrón con flores artificiales, el tabaco, constituía un mándala igual al que ella hizo pero éste era creado por la casualidad y no expresaba, como el suyo, la aspiración a definir y concretar su personalidad, y cuando levantó la vista ante ella tuvo a su padre vestido con un guardapolvo viejo, sobrevolando a un palmo del suelo, con un vaso en la mano a la altura del pecho como dispuesto a beber y la miraba a ella pero Elisa no sintió espanto ni extrañeza sino curiosidad por aquella figura traslúcida, en el rincón del balcón, junto a un macetero y a la izquierda del cuerpo ancho y sólido de Antonio, igual que si emanase de su organismo y se volviera a fundir con él cuando dejara de mirarle, y así lo hizo, dio media vuelta, se marchó de la sala precipitadamente, entró en la alcoba, fue derecha a la cama, apoyó allí las rodillas que sentía iban a doblarse, miró su mándala que a la velada luz de las persianas casi cerradas, daba ligeros destellos en los elementos que lo componían, y al fijarse comprobó que éstos permanecían inmóviles, no como unas horas antes que estaban en movimiento, agitándose sin mudar de sitio e intercambiando su naturaleza; ahora el mándala estaba quieto, cristalizado, y comprendió que ya no guardaba relación con sus entrañas de mujer ni con su figura, ya no reproducía su desasosiego y los arrebatos íntimos, tan incomprensibles: ya no era más que un alfabeto mudo de tendencias pasadas.

De un manotazo brusco desbarató aquel firmamento inerte, lo deshizo y oyó el ruido de cómo todo caía al suelo a la vez que sentía una respiración poderosa que la llenaba y la presionaba el pecho y cuando tuvo la convicción de que estaba roto el vínculo invisible con aquella materialización inquietante de sus fantasías, que por un corto espacio de tiempo se concretaron en la armonía y el enigma del mándala, poseída de una necesidad de actuar, volvió a la sala para mirar fijamente a Antonio, rígida, inclinándose hacia él unos tensos instantes hasta que pudo decirle que había cometido una bajeza, que él no era ningún iniciado y que contra él se volverían las consecuencias de su intención tortuosa al jugar con el espejo, y su método, que consistía en desconcertar con inesperadas preguntas o respuestas sin lógica, lo había aprendido seguramente en algún libro de divulgación pues era lo que hace el gurú para despertar la mente del discípulo, pero no se daba cuenta de que los discípulos del Zen son pobres muchachos campesinos con escasas luces que admiten ser tratados con desdén pero no los podía comparar con Lorenzo, y así descubría que su técnica de mostrarse reservado y enigmático para intimidar a quien le hablase, era una parodia, todo lo cual Antonio lo escuchaba con atención, las manos firmes en los brazos de la butaca mientras tomaba su piel un color grisáceo y fruncía las cejas, contemplado por Marta y Pablo, atónitos ante aquella escena.

Ya en la calle, Lorenzo, muy alterado, daba unos pasos y tenía ante sí un vacío de casas maltratadas por el tiempo, perspectivas de un solo color ocre, calles por las que había pasado al venir a la reunión y las vio con la marca de la pasada guerra que nada podría lavar y que igualmente dejó en las almas rastros, contagiando incluso ámbitos más hondos al parecer intangibles, y bajo esta consideración desalentadora anduvo al azar como el que sabe no tiene dónde ir, salvo regresar y volver a rehacer una escena desdichada que ya no era posible juzgarla con la ecuanimidad que daba la certidumbre de que bondad y maldad son dos polos de una misma energía, los cuales se fusionan eternamente, pero, tan maltratado en su sensibilidad por las actitudes dominantes de Antonio, aceptarla era superior a sus fuerzas y aunque había aprendido que si hay oprobio en las vidas humanas fue obra de todos quienes lo crearon y cada uno es culpable, en aquel momento dejó caer esta ley igualatoria y se sintió muy herido por quien le puso ante su rostro el espejo, «¡Ayúdanos, ayúdanos!» se le ocurrió murmurar, y éstas serían otras de la palabras de la carta que había que decidir con aquellos amigos, conocidos ocasionalmente y que, pese a todo, apoyaban hacía unos meses su vida y por hondas razones se consideraba unido a ellos, pese a diferencias de carácter y siendo consciente de que todos se debatían en los egoísmos y en la confusión de asimilar unas enseñanzas aprendidas de memoria pero no fundidas con el sentimiento, no obstante lo cual sabía que ellos eran los únicos heraldos de un estadio futuro de la humanidad, llamados a dar una luz salvadora, como dio Lucifer, destinados a anunciar un Evangelio renovador, y fue descendiendo hacia el Viaducto[93] y se apoyó en la baranda para descargar allí su mezcla de vergüenza y disgusto por lo ocurrido, y evadirse en el amplio panorama que desde allí veía, los distantes barrios, el perfil de las montañas y las nubes de inmensas dimensiones, fantásticas formas y colores al atardecer —lo único grandioso que podía contemplar en una existencia de estrechos límites—, y a la carta debería añadir: «Incomprendidos»: pensaba en el grupo aunque intuía que el recto camino ha de recorrerse no importa con quién, el fin es caminar junto a los que el azar ordene, pues el maestro puede ser una persona indigna, una mujer embriagada que canta en la noche de la perdición y el envilecimiento.

La soledad de aquel sitio se hizo tan intensa, se sintió tan carente de todo afecto o ternura, abandonado en la calle por una persona irremplazable que se distanciaba y se iba, que decidió volver a casa de Pablo, de forma que cuando sonó el timbre de la puerta, un timbrazo breve, era fácil comprender que regresaba a una reconciliación consigo mismo pues la única forma de vencer el error es hermanarse con él y aceptarlo, pues toda la vida está repleta de errores ininterrumpidos que parecen ajenos, con la calidad rara de lo que no fue nuestra voluntad, y cuando Marta le abrió y él entró al pasillo oscuro, ella, como si el episodio del espejo les uniera más, con voz apenas perceptible le dijo que no tuviera miedo y él asintió con la cabeza y miró al techo previendo que en aquel momento volvieran los espectros —serían un dedo helado tocándole el cerebro—, y le puso la mano en un brazo y la mujer se aproximó para apoyarse en

---

[93] *el Viaducto:* es un alto puente de hierro que cruza por encima de la calle de Segovia, uniendo los madrileños distritos de Palacio y La Latina. Puesto en uso en 1874, ha sido lugar predilecto de suicidas por su gran altura.

su pecho, en un deseo de entrega, a cambio de una ternura que esperaba, pero él no la rodeó con sus brazos sino que quedó rígido contra la pared, quizá buscando un equilibrio que precisó especialmente al aparecer en la puerta de la sala y ver a los amigos que estaban vueltos hacia él, en las caras, un gesto de interés, de comprensión, o eso al menos le pareció, y confuso, bajó la cabeza, bisbiseó un rápido perdón y volvió a sentarse en su sitio, tuvo una sonrisa de excusa y tendió su taza que Elisa llenó de un té ya frío que él se acercó a los labios sintiendo su sabor amargo y al dejarla en la mesa, comprendió que en su ausencia algo había ocurrido en el grupo y le pareció que Antonio estaba destruido, con el rostro desfigurado, envejecido, y entonces Lorenzo hizo un movimiento que nadie hubiera interpretado sino como timidez: se miró las manos y al final de las falanges peludas, encontró unas uñas redondas y planas que él cuidaba para aligerarlas de fealdad pero la certidumbre de revelar una naturaleza torpe, incluso brutal, le llevó a establecer una relación entre ellas y algo que había dentro de él, su peor enemigo, al que despreciaba y que sin embargo era su esencia; si bien, observando a las cuatro personas que tenía delante, y que fingían estar distraídos con el té, encendiendo cigarrillos y apagando cerillas, se le ocurrió la idea de que también sus dedos podían ser testimonio de su época, ya que cada periodo de la historia se expresa a través de ciertos seres, hechos y mínimos detalles que lo definen, aunque probablemente aquel grupo en su desorientación no estaría dispuesto a reconocer que, yendo en busca de una vida espiritual pero sujetos por mil ataduras a prejuicios y creencias negativas, reflejaban los años azarosos y dolientes que al transcurrir día a día los igualaban a su época y a todos los que la componían, a los gobernantes y a sus víctimas, a los traidores y a los inocentes y, con más razón, a los que fueran más semejantes a ellos que en otros rincones de la ciudad tantearían un camino de salvación, ya fuesen estudiosos de orientalismo y conocedores de ciencias ocultas o simplemente seres desvalidos, quizá arrastrando una orfandad o una desviación vergonzosa que marcaba la congoja en sus caras, y he aquí que Lorenzo pasó los ojos por los hombros de Marta y vio, por primera vez, que se transparentaban en el encaje de la blusa y le pareció que, no obstante su tono de voz maternal y el clima de castidad que todos elogiaban, ella habría atraído y habría desatado con su carne tendencias apasionadas, que a él tanto inquietaban, que acabaron por irrumpir en la plácida habitación acogedora, o quizá él, verdaderamente, era el culpable de ser la causa, con su brusca marcha, de haber producido aquella fractura en las ondas mentales que les unían a pesar de ser muy distintos entre sí, tan diferente él de Antonio, siempre éste queriendo ejercer un poder a lo que acaso le llevaba estar convencido de haber agotado sus posibilidades de realizar algo bello, pero fue Marta la que rompió aquella situación para pedirles que escuchasen, y con voz lenta, teniendo en la mano un libro, leyó: «En el silencio profundo ocurrirá el misterioso acontecimiento revelador de que se ha encontrado el sendero. Lo anunciará una voz que habla donde no hay nadie que hable; lo anunciará un mensajero que llega, mensajero sin forma ni palabras; entonces se habrá pisado el camino de la luz...»[94]. Era una invocación a la esperanza, leída para Lorenzo y éste la miró sonriendo, correspondiendo a su intención, pero el breve párrafo no suscitó ningún comentario y todos parecían sumidos en cavilaciones y fue Pablo quien, cuando nadie lo esperaba, propuso que mejor que enviar una carta a don Ernesto sería llamarle por teléfono, pedirle una entrevista y, en persona, explicarle el deseo de todos y así él les conocería y su mirada podría recorrer los rostros y el aspecto de cada uno y sabría cómo eran y con su clarividencia comprendería en qué grado de evolución estaban, si la fuerza del deseo les dominaba, ese deseo que causa los sufrimientos del mundo pero que, a la par, tiende a los más nobles designios, y por ello la necesidad de maestro sobrevivirá a la existencia individual y pasará a otra persona y alguien, quién sabe cuándo, se sentirá atraído hacia las enseñanzas místicas, pues el deseo no muere y el haz de ensueños que forma la conciencia de un hombre le llega de muy lejos

---

[94] Pertenece esta cita a uno de los libros fundamentales del Esoterismo: *Luz en el sendero* (1885), de Mabel Collins (Guernsey, 1851-Glocester, 1927).

y es un impulso que trasciende su fugaz encarnación actual, y sin vacilación, tras escucharle, todos acordaron que Pablo tenía razón y él se mostró dispuesto a telefonear, se levantó y fue hacia el aparato que estaba en un estante, buscó un número en la guía y lo marcó, rodeado de la expectativa del grupo, muy atentos todos cuando preguntó por don Ernesto y enseguida vieron cómo la cara de Pablo se contraía y le oyeron murmurar «Pero ¿cuándo ha ocurrido?» y ya no dijo más, colgó el teléfono y les miró con ojos dilatados hasta que pudo bisbisear que había muerto hacía cinco días.

Oyeron su voz rara, desconocida, y los amigos quedaron estupefactos y bruscamente un sentimiento de desolación se extendió por todo el espacio de la habitación, les asfixió con igual dolor que sintieran los mendigos al atardecer, los soldados heridos y abandonados, los galeotes encadenados a la galera, todos los que fueron sometidos a un alambique de dolor donde se decanta el alma, se purifica lo más pesado y denso de los seres vivos de un planeta que parece inflamado de una combustión de sufrimiento y que sólo, tras millones de siglos, perderá esa energía vibrante que se llama calor, o conciencia, o vida, regresando al estado de helada materia inorgánica, y será un errante asteroide, monumento gigantesco al dolor en el que estaban hundidos, nuevamente solos, sin guía, y ahora se preguntaban cómo sucedió, cómo no lo supieron, nadie les llamó para comunicárselo, las personas afines no se habrían enterado y la imagen del posible maestro se distanciaba, se hacía inabordable, pronto se esfumaría en el pesado silencio en que cruzaban miradas mudas, aplastados bajo un bloque de piedra, dominados por aquella catástrofe íntima que para cada cual tendría un significado distinto al buscar la causa de que la muerte les negara al maestro que habían supuesto tan unido al estudio de la Doctrina Secreta[95] y de la sabiduría perenne, y sumergidos en esta aflicción oyeron la voz de Marta diciendo que no de-

---

[95] *Doctrina Secreta:* es el título del libro más importante de Madame Blavatsky, en el que se hace una gran síntesis del conocimiento esotérico de todos los tiempos.

bían abatirse, encontrarían al maestro si es que lo merecían, mañana volverían a reunirse y aunque estuvieran un poco más tristes, hablarían de temas enaltecedores y se darían ánimos y poco a poco quedarían libres de aquella frustración y les proponía que desde ahora olvidaran a don Ernesto, que quizá no existió nunca y sólo fue un sueño.

El sueño le venció inesperadamente y la cabeza fue bajando para apoyarse en los brazos doblados sobre la mesa y descansó en ellos con todo su peso hasta que tuvo delante una fila de carcomidos rostros espectrales y percibió gemidos en un corredor de muros enmohecidos y el espanto le hizo abrir los ojos y se encontró en el centro de un mándala conocido, su habitación, ordenada con bellos muebles, objetos queridos, una cama acogedora, cortinas y fuertes contraventanas en el balcón, al otro lado de las cuales quedaba la crudeza del amanecer, las imposiciones inexcusables que eran el territorio ajeno, eludido como se evita cruzar un desierto libre y frío, con vientos poderosos que alzan remolinos en altas mesetas camino de cumbres, hacia las cuales levantó su mirada sorprendida y desde su refugio atisbó laderas inhóspitas de un picacho blanco y agudo, iluminado por la noche eterna, que reconoció de forma inequívoca como el cuadro que tantas veces había mirado en casa de Pablo y que aparentemente no le había sugerido nada y que ahora, con una sacudida interior, se convertía en algo o alguien de primera importancia para él y le estremecía, como aterroriza la naturaleza grandiosa de los ventisqueros inaccesibles, sí, inaccesible montaña, cubierta de hielos, solitaria, muda, impenetrable, tal era la realidad que siempre tuvo ante él, altivo Everest que contempló docenas de veces mientras oía hablar de Plotino[96] o de Krisnamurti[97],

---

[96] *Plotino* (Licópolis, 205-Campania, 270 d.C.), filósofo romano, representante fundamental del neoplatonismo.
[97] *Jiddu Krishnamurti* (India, 1895-EE.UU., 1986), uno de los más importantes guías espirituales del siglo XX, recibió la tutela, desde los trece años, de la Sociedad Teosófica, que vio en él al nuevo «instructor del mundo». Sin embargo, y a pesar de la gran influencia de su magisterio, siempre rechazó el mesianismo; de hecho, la necesidad de buscar la verdad libre y solitariamente fue el centro de sus prédicas.

y entonces tomó el lápiz y escribió precipitadamente, sin pensar:

> Eres tú mi montaña, montaña de los vientos y de los hielos, sola. Te hablan y te callas, te miran desde lejos y las nubes te ocultan. Oh, altísima montaña de los hielos, tan sola. Estás dentro de mí, quiero escalarte. Tu cima se levanta, sube hasta el infinito sobre los fríos glaciares, las borrascas de nieve, abismos, soledad...

para detenerse recorrido por un escalofrío que anunciaba fiebre, pero se sobrepuso y escribió una línea más:

> Una fría mirada resplandece en tu cumbre...

y apartó la hoja de papel y se sintió súbitamente desazonado de haber escrito aquello y antes de levantarse de la mesa rompió la hoja en varios trozos y los tiró al suelo, y apretando las manos junto al pecho, con voz sollozante dijo: ¡Marta! y aunque sabía bien que nadie respondería a su llamada, prestó oído pero sólo escuchó el silencio absoluto que ocupaba la casa y la tibia habitación herméticamente cerrada.

Sueños después de la derrota

Cuando el día termina y todos sus temores y las humillaciones quedan veladas por un sopor de niebla entre las luces y los cansados ojos, entonces ha llegado la hora del desquite y paladea algunos tragos de vino mientras se quita el uniforme y despacio lo cuelga en una percha y se viste su ropa maltratada y así es él, tal como él se conoce, no con ropas de empresa, del local que entonces empieza a vaciarse de parroquianos[98] para llenarse de otros que ya no necesitan sus servicios. Y aún en el guardarropa pone ya el anillo de vidrio en sus labios y bebe aquel brebaje que le sitúa en los umbrales de la noche.

Cuando la noche empieza y lentamente humean las tinieblas por las fachadas y por los portales y las caras se borran y el caminar se aquieta, entonces el alcohol da sus caricias, quema con alegrías interiores que llegan a la mente y pone las figuras más hermosas en el espejo que la memoria muestra, pese a los sinsabores, y las palabras de los recuerdos toman nuevo sonido y allí se ve él retratado con cazadora nueva, pasamontañas y con los galones, erguido, sonriente, prometido a cualquier esperanza que ahora el vino parece reanimar y hacer posible aunque él ya es otro con el pecho aplastado, la cara demacrada, las manos no seguras y la nariz cruzada de venitas.

---

[98] *parroquiano:* en este contexto, persona que frecuenta un establecimiento de modo habitual.

Ha de viajar en «metro» y luego pasar por muchas calles, alejarse de sitios habitados para llegar a lo que él llama su casa: habitación vacía, con una yacija y botellas vacías y una maleta igualmente vacía porque él pertenece al vacío en el que duermen muchos en habitaciones realquiladas, rendidos de agotamiento, de fracaso, entre ronquidos o palabras murmuradas y con fuerte olor a cuerpo cuando él llega y extiende el suyo en el pequeño catre y se tapa con un trozo de manta y se cree ya seguro y en la oscuridad bebe un último trago para dejar que repose la cabeza de tantas espléndidas imágenes: un desfile con los compañeros, su llegada al barrio de las Peñuelas y las chicas de la casa mirándole los galones de teniente, la cazadora nueva, o cuando el comandante, asombrado, le puso la mano en un hombro y le dijo:

—Te has portao[99] como un hombre —y no muy lejos de allí estaban los dos tanques italianos[100] aún ardiendo con un espeso borbotón de humo negro, rodeados de altas hierbas y alambradas.

Atravesando solares y calles sin pavimento, echando un trago de vez en cuando, siente ganas de cantar y piensa en muchos rostros, en nombres, en muchas palabras: —Eres ya un hombre, hijo —le dice la madre cuando él tiene que volver al frente y el permiso acaba y se despide de ella pero ya no la recuerda bien: es como una farola encendida que alumbra el roto pavimento, o la luz que sale del tabernucho junto a su casa, así está ella en sus recuerdos pero nunca aparece en los sueños torvos que llegan despiadados no bien cierra los ojos, al eructar y aflojar los músculos ya en la cama y hundirse en la avalancha de agravios que duran toda la noche, que le clavan sus cristales rotos, peor aún porque no sabe, o no quiere entender, a qué se refieren y al despertar procura olvidar que toda aquella vorágine ni más ni menos es su existencia, lo quiera o no, desalentadora, como también lo es saludar a don José, a don Antonio, a don Luis y preguntarles con palabras respetuosas si le necesitan y termi-

---

[99] *portao:* portado, por síncopa popular; actuar con acierto y valentía.
[100] *tanques italianos:* desde el verano de 1936, el ejército sublevado contó con nutrida ayuda armamentística de Italia.

nado su trabajo, que debe hacer con rapidez y discreción, recibir unas pesetas que eran, al principio, igual a un regalo en los primeros tiempos en que él no tenía ni para un trozo de pan, pero luego se convirtieron en una afrenta al percatarse de que no se las daban: ellos las echaban al vacío, no las ponían en la mano de un hombre sino de alguien que no tiene existencia, al que no se mira y no se reconoce.

Como, llegada la mañana, él no quiere reconocer que su cabeza pudo, antes de dormirse, recordar tantos hechos gloriosos de compañeros, a la sola cita de la botella de tinto que da su inmenso vigor a la evocación de aquellos años, lo único hermoso en su vida llena de hambres, palizas y desprecio porque no era nadie y en esos tres años sí fue un hombre aunque el maldito final de la guerra rompió todo y le hizo una basura y por esta razón durante el día, cuando está en el café elegante, atento a si alguien le llama, no quiere recordar, no se recrea en las visiones placenteras que le acompañan por los descampados, sino que sólo rumia el terrible castigo que le vino después y lo repasa en su mente avivando el odio a los que van allí a tomar combinaciones[101] y hablan de negocios y triunfos mientras extienden el pie para que él les lustre los zapatos.

En ratos de tranquilidad —si así puede llamarse lo que siente en la cansada espera— se acerca a quien únicamente allí le inspira confianza y cruza con él unas palabras siempre desviando la mirada hacia otro sitio para que no le vean conversar con el anciano que vende lotería a los clientes y también muestra presuroso cajas de tabaco habano para que ellos elijan el cigarro que quieran y él entonces saluda y se retira al rincón donde debe permanecer, gira la cabeza hacia el limpiabotas y le responde brevemente, pero con voz amistosa y algunas veces —si los camareros están distraídos y el encargado del local se ha marchado—, la conversación se hace más trabada y Carlitos cuenta todo: los horrores, la sangre, la vergüenza, cada vez más encogido, a veces sentado en un banquetito que usa para apoyar las posaderas mientras trabaja, le cuenta de nuevo cómo fueron los últi-

---

[101] *combinaciones:* bebida compuesta de varios licores.

mos meses de la guerra y los años que siguieron, en una cárcel andaluza donde todas las miserias remansaban, y el lotero parece escuchar abstraído y sólo porque asiente moviendo las cejas se nota que está atento a la historia pasada, parecida a una enfermedad que hubiera asolado aquel cuerpo escuálido, en una etapa tan larga que eclipsa lo antes vivido y quizá por eso nunca se refiere a su boda y a su fin desastroso y el lotero no se atreve a decirle que lo sabe todo, incluso lo que sueña, las ráfagas que le atraviesan el dormido pensamiento y que son amasijo insoportable y cruel al que la turbia noche le condena.

Pero no era un vencido sino que algo peor había golpeado su hombría: una vergüenza de las muchas que los hombres ocultan a lo largo de años y que a veces, cuando en un momento inesperado vienen al pensamiento, entre tantos esfuerzos como hacemos por olvidar, cruzan delante de los ojos, clavan sus garfios en las vísceras más hondas y el rostro se oscurece y nos sentimos desfallecer aunque luego volvamos a hablar de fútbol, de la corrida en la plaza de las Ventas y se alardea de algo que deseamos poseer y que no hemos conquistado, pero la cicatriz de aquella vergüenza está allí, cruzando el pecho. Y Carlitos se apretaba el pecho con su puño y murmuraba que fue una mala cornada que le dio la vida, sin decir qué y se callaba falto de ánimos o como si bruscamente hubiera visto algo que avanzaba y se quedaba con el puño contra las costillas, aquellas que le rompieron a patadas, pero no decía más, porque él callaba algo cuya solución conocía su compañero de trabajo y a ello se debía aquel trato cordial, deferente que tenía con el modesto limpiabotas que tras su desvaída figura, sus actitudes de hombre sometido, él veía una existencia que repetía, en aquellos tiempos, la de miles y miles de hombres.

Miles de hombres vuelven del trabajo embrutecidos, fatigados, como vuelve el lotero hacia su casa, ya muy tarde, cuando la pesada capa de oscuridad y silencio cae sobre las calles del barrio extremo y todo parece adormilado, menos su pensamiento que entonces lo siente más libre, más decidido, más adversativo y más predispuesto a deducir y a sacar conclusiones aunque su cabeza se inclina hacia el suelo, en aparente actitud resignada, y parece humillado por la curva pronunciada de su espalda que deforma los hombros y le hunde el cuello a causa de lo cual debe, para mirar, ladear ligeramente la cabeza de ojos claros y grandes, acaso agrandados por la perspicacia y el largo sufrimiento de muchacho y adolescente que se preguntaba por qué le había venido aquella desgracia y buscaba una explicación sin pedírsela a nadie, como un asunto suyo inexplicable y reservado, porque antes, de niño, sólo se debatía con las ofensas y ninguno le ayudaba y así careció de todo y se acostumbró a razonar en un húmedo y caluroso taller de pintura y sólo resignándose consiguió pasar años, extrañado de ser como era, tan diferente a todos los que le rodeaban, diferente por el silencio que guardaba y que guarda siempre en el lujoso café donde habla poco con los camareros y saluda atento al encargado y está siempre solícito para hacerse perdonar su presencia tan irrisoria, tan ridícula, y baja el rostro varonil y desvía los dorados ojos que han visto tanto, y atisba de soslayo a los señoritos que hablan de mujeres y se jactan de algo no mencionado que les hace reír y alguno, que es andaluz y supersticioso, le pasa el décimo de lotería por la joroba porque eso, dice riendo, trae buena suerte, y él hace un gesto de comprensión y si puede, cuando el limpiabotas se le acerca, le cuenta la noticia que ha sabido: el obispo tiene hijos con una cupletista conocida, y los dos hacen una mueca de complicidad y recorren con la vista a los clientes hasta que, terminada la jornada, el lotero llega a las dos habitaciones que forman su casa y, ante todo, descansa; mira a la mujer que le espera en la puerta de la cocina donde está su única razón de permanecer: rodeada ella del olor a sardinas o acaso a pimientos fritos, y en esa aureola conocida que circunda su cuerpo deformado, enfundado en una vieja bata de color perdido que viste la vejez, es el único testigo de la entrada del hombre que despacio, tras un rato sentado, sacará del bolsillo un puñado de monedas y las pondrá sobre el hule que cubre la mesa. Allí está su éxito, día a día, cuando tantos otros no ganan eso y están peor que mendigos, y en cambio él trae aquel dinero y se lo entrega, dándole a la vez la seguridad de que confía en ella, pero al cabo de los meses, para la mujer, el triunfo no es ése, es lo que él conoce, las noticias que trae y que, mientras cenan, le va contando de forma distraída, aunque se sabe escuchado con total atención y sus comentarios, dichos en voz baja, son su éxito mayor porque tras la curiosidad inicial sucede una gran admiración por la inteligencia, por la vida de aquel hombre rehecha con remiendos de esperanza y de enorme esfuerzo que le hacen ahora opinar sensatamente sobre tantos temas y hablar como si hubiera pasado por universidades.

Habla con frecuencia del limpiabotas, de que un día le va a decir que ya es inútil lamentarse y maldecir por lo bajo y apretar los puños, y más inútil aún repasar en la memoria el nombre de aquellos políticos a quienes atribuye el haber perdido la guerra, y que ese renegar desesperado es por errores que él también cometió y que algún día tendrá que reconocer como suyos y si el limpiabotas maldice el pasado era, simplemente, porque al meterle en la cárcel de Carmona[102], consigo llevaba lo peor que un hombre como él podía llevar sobre los hombros: su mujer le había abandonado mientras él estaba en el frente y de eso a nadie hablaba.

Al terminar de cenar espera y los martes llega una visita: la Goyita avanza por el corredor colgado de ropas y va derecha a casa del lotero que la ve aparecer, destacarse de una historia compartida por miles de hijas las cuales en la edad en que se ríe tontamente o se sigue con los ojos a un muchacho, ellas han presenciado el único acontecimiento que va a llevarles a un largo camino sin fondo, un camino en que estará siempre el cuerpo frío de su padre tendido en el suelo y salvo avanzar por ese camino, ella no puede hacer otra cosa

---

[102] *cárcel de Carmona:* la prisión de este pueblo sevillano es famosa porque allí pasó sus últimos días Julián Besteiro (Madrid, 1870-Carmona, 1940), socialista moderado y diputado del Gobierno de la República que se sumó al golpe de Segismundo Casado y Cipriano Mera contra el gobierno de Juan Negrín para negociar con Franco la rendición de Madrid, algo a lo que éste nunca accedió. Finalizada la contienda, un consejo de guerra lo condenó a treinta años de cárcel, de los cuales sólo cumplió uno, pues murió de septicemia en la cárcel de Carmona. Como se dice más adelante, el limpiabotas atribuye a las maniobras políticas de Casado, Besteiro y Mera, constituyentes del Consejo Nacional de Defensa, la derrota republicana.

aunque haya vendido tabaco por las calles y haya cuidado niños y trabajado en la cocina de un restaurante y todo eso es nada, ni lo recuerda, se obstina en estar a todas horas junto al cadáver del padre fusilado y es el único sentimiento que la domina porque, si piensa, no comprende bien qué pasó ni por qué todo aquello.

Y llega frente al lotero —ligero entrecejo, labios apretados, ancha de hombros, figura sólida sobre dos pantorrillas robustas—, y parece que sus pensamientos, aún antes del momento de hablar, coinciden interiormente, por lejanías de las que ambos vinieran, con un propósito idéntico, muy claro, y ella le anuncia que el enlace[103] desea ver, sin falta, a Carlitos, y le da una caja de cerillas para que se la entregue.

Tres veces había venido el enlace a hablar con él y estuvo sentado junto a la mesa sobre la que había dejado una cartera abierta de una compañía de seguros por si la policía llegaba, él diría que era un agente que iba a hacerle un seguro y no le conocía de nada, y en verdad el lotero no conocía a aquel hombre modesto, de cara delgada y gran calva, que el primer día de encontrarse le había dicho que solamente pueden mejorar los que tienen conciencia de su suerte y por haber sufrido se alzan en una aspiración a la felicidad que es el primer paso para que la tierra sea un paraíso, y mientras hablaba, el lotero miraba atentamente la cara del enlace y veía en ella el esfuerzo por prever lo que sucederá en el futuro pues los hombres avanzan difícilmente milímetro a milímetro en la línea atribulada del progreso y él sabe que las huelgas del año pasado pudieron realizarse a pesar de olvidos, de contraórdenes, improvisaciones y malentendidos y ve que sobre errores y cuerpos obligados a perecer marcha la historia de la política.

Comprende que a los dos les costaba un esfuerzo seguir los razonamientos y se esforzaban en retener todo lo que decían porque debían juzgar los datos imprecisos y el riesgo de confundir las alusiones; ambos hubieran preferido lo directo, pero están obligados al secreto si bien en ciertos casos

---

[103] *enlace:* en este caso, la persona que ponía en contacto a la oposición política al régimen de Franco del exilio francés con la del interior.

hay que hablar claramente y explicar por qué un hombre tiene motivo para estar hecho un guiñapo igual que si sobre él se hubiera posado una mano nefasta que le trajera la suerte negra, porque al que sólo ha recibido puntapiés, no se le pueden pedir ni muchas luces ni comprensión y hay que reconocer que así somos todos, y el enlace asintió con la cabeza y cruzó por su boca una sonrisa de resignación, admitiendo lo que le contaba el lotero de un muchacho del barrio de las Peñuelas que la madre sacó adelante como pudo, metiéndole a trabajar con un fontanero y así aprendió el oficio y a los veinte años era un chico guapo, con muchas novias en la barriada y una vida sencilla, pobre, reducida a un pequeño perímetro de calles y casas, a unas cuantas amistades, a unos juegos de palabras que sustituían los estudios y el vocabulario de los que saben leer, y se vio de pronto arrastrado por un magnetismo inexplicable, a la calle de Evaristo San Miguel desde donde se disparaba contra el cuartel de la Montaña[104] y luego, a las doce, cuando éste se rindió, entró en el patio y allí estaban los cuerpos sin vida, la sangre, el miedo en la cara de los que salían con los brazos en alto, y nadie le podía pedir que él entendiera lo que estaba pasando, el reparto de fusiles cogidos por manos callosas e inexpertas, acostumbradas sólo al martillo o a la pala.

El lotero se calla y mira hacia la puerta que da al corredor general donde se oyen unos pasos que se alejan pero nadie llama y entonces hace un gesto con la mano, cruza la mirada con su mujer, que de pie junto a ellos les escucha atentamente —ella murmura que los pasos son del vecino que llega a esta hora—, y lo que nadie se explicaría por qué está atenta pues ella sabe la historia del limpiabotas, pero en realidad, a la vez que escucha está pensando que la tratan como si fuera ya una vieja y hubiera querido ser joven y hacer muchas cosas, como la Goyita aunque ella no siente el hálito de

---

[104] *cuartel de la Montaña:* el 18 de julio de 1936, el general Fanjul, encargado de la sublevación de Madrid, se hizo fuerte en este cuartel con sus hombres. Dos días después, las tropas leales al Gobierno de la República y las milicias populares ocuparon el edificio; en el solar que ocupaba se alza hoy el Templo de Debod.

la venganza, se asusta un poco cuando oye cómo ésta habla y no quiere entender su odio; ella hubiera preferido acompañar al lotero a algún sitio muy grande donde hubiera personas de sus ideas y ella ir a su lado, satisfecha de acompañarle, pero ahora lo que hace es poner un vaso de café delante del enlace y éste le da las gracias con la mirada y lo toma en la mano mientras oye que aquel joven después se fue en los camiones al frente de Somosierra y allí se acostumbró a todo lo imaginable y pasaron meses y un día vino a casa, con permiso, tostado por el sol, fuerte y contento y del cinturón le colgaba un revólver y vestía una cazadora muy buena y además usaba guantes. Más aficionado al mus y a los bailes de los domingos, Carlitos no comprendía las ensangrentadas raíces de aquella hecatombe en que estaban metidos y menos podría prever lo que se avecinaba cuando el frente llegó a los Carabancheles[105] y su barrio acogió a refugiados de las tierras de Toledo y por entonces él tenía una novia y pese a la inseguridad que a todos ponía un yugo en la garganta por estar en una ciudad sitiada y bombardeada, decidió casarse y así lo hizo ante el comandante de su División, rodeado de algunos compañeros suyos, todos de uniforme, y muchas chicas amigas de la novia, la cual estaba muy sonriente y muy feliz por toda aquella ceremonia en medio de guerreras y botas lustrosas y unas copas de vino y bromas, tal como era lo corriente en unos meses inciertos, arriesgados que con su temeridad salvaban de los peores presentimientos y ayudaban a una subsistencia precaria.

El enlace dice que así fue entonces, todo eventual porque ya se preveía un final que iba a cambiar la vida y no quedaría nada de lo anterior pero en las conciencias de las gentes no se han esfumado los recuerdos y éstos pueden revivir y dar sus claves y obligar a sus conclusiones y pensando así, él hablaba con muchos hombres que parecían perdidos y a los que él tenía por misión recordarles lo que fueron, unos, jefes políticos, otros, simples sargentos o soldados en una guerra

---

[105] *Carabancheles:* nombre popular que se dio a la unión de los términos municipales de Carabanchel Alto y Carabanchel Bajo cuando en 1948 se los anexionó el municipio de Madrid.

perdida, llevada a trancas y barrancas aunque Carlitos no lo supiera cuando iba y venía por los frentes y gozaba de permiso una semana con su mujer, que había ido a vivir en casa de la madre de él y las dos parecían contentas y esperanzadas aun en medio de las penalidades y el hambre de una ciudad machacada por obuses.

Y una tarde, un obús cubrió con metralla todo el cuerpo floreciente de la chica, la roció de sus huellas rojas la carne blanca y joven y la llevaron deprisa a la Cruz Roja y esperó en su camilla a que la entraran en el quirófano pero una enfermera que pasaba por allí la tocó el cuello y pensó que ya no había que hacer nada y así lo supo la madre cuando la encontró después de mucho buscarla, presintiendo lo que había ocurrido, y como a las cartas de Carlitos ella no contestaba, la madre quiso ocultárselo y le escribió algo de un viaje, algo que era absurdo, y la guerra ya terminaba y él, desesperado, vino un día a Madrid, entró en la casa como el que se tira a un pozo negro; gritaba, la madre temblando, le balbuceó algo que confirmó su temor de que ella le había abandonado y no quiso oír más y vociferando como un loco, sin hacer caso de la vieja que le sujetaba el capote, echó escaleras abajo, maldiciendo su suerte, su vergüenza de hombre, hundiéndose en la noche que a todos nos hundía.

Carlitos no sabe de qué le habla cuando al día siguiente, en un momento de poco público, el lotero le mira insistente y cuando el camarero de turno se aleja hacia el mostrador, le hace una señal para que se acerque, se inclina hacia él y le dice unas palabras que el «limpia»[106] no entiende: —Ha llegado un enlace de Francia— le repite con voz silbante sin mover los labios y súbitamente su cara toma mayor importancia, mayor severidad y añade, bajando aún más la voz, que le está buscando, que ha preguntado por él. En los primeros momentos no comprende nada y se esfuerza en penetrar el pensamiento del lotero y tarda en entender lo que es aquel mensaje y se queda asombrado: al cabo de tantos años que se acuerden de él y sepan dónde está... muchos años en los que si en la calle se encontraba con algún

---

[106] *limpia:* coloquialmente, limpiabotas.

conocido o con un amigo de los del Altavoz del Frente[107], sólo cambiaban una mirada y ni se saludaban, pasaban de largo, temerosos de hablarse por si estaban comprometidos o disgustados de verse obligados a confesar que eran listeros en una obra, cargaban sacas en los mercados, recogían papeles viejos y él, buscaba taxis para los señoritos y al abrir la portezuela se llevaba una mano a la gorra y tendía la otra para recibir unos céntimos por aquel servicio que nadie le pedía y casi molestaba.

A las diez de la noche el lotero le espera en la calle para ir juntos unos breves minutos y decirle algo que es la clave del asunto, pero ha de grabársele en la mente, que no se le olvide ni lo confunda: habrá de olvidar en absoluto, de forma que si le preguntan no recuerde nada, que tenga en blanco la cabeza, y ya le pueden apalear o machacar los dedos o quemarle con la brasa de los pitillos y él no sabrá nada, ha olvidado nombres y lugares y antes morir que hablar porque si cede, la vergüenza de haber delatado a los que son como él será tan grande que equivaldrá a la más cruel de las torturas y al callarse le mira fijamente, metiéndole por los ojos esa orden que Carlitos escucha estupefacto pero en su cabeza cansada se abre paso la claridad, iluminando el miedo y la idea de que sobreviene para él un peligro que le recuerda otros, entre peñascales y matas de jara, entre disparos y secos olivares, y al comprender por qué le buscan, experimenta en sí una mezcla de temor y satisfacción que le hace asentir con la cabeza a su compañero que camina despacio a su lado, inclinado por la gran joroba y que de pronto se detiene y enciende un cigarrillo protegiendo en el hueco de la mano la cerilla encendida y luego le da la cajetilla con un movimiento abandonado pero a la vez, aunque no pasa nadie cerca de ellos y sus figuras desmedradas no atraerían atención alguna, echa un vistazo en torno, le dice en un susurro que en ella encontrará dónde será la cita; la sacude junto a la oreja con el gesto habitual para comprobar su

---

[107] *Altavoz del Frente:* organismo de propaganda y de «agitación antifascista», fundado por el escritor César Falcón en 1936; promovió durante la Guerra Civil actividades culturales y artísticas en las trincheras.

contenido y se la echa al bolsillo convencido de que algo secreto se abre ante él, que será parecido a los tortuosos sueños que invaden su cabeza cuando se hunde cada noche en el camastro y lo más inquietante es que no entiende la razón de tales visiones y al despertar se siente traspasado del desasosiego que hace de él una ruina, pero, cuando llegado ya a su habitación, abre la cajetilla y al no encontrar nada la vacía de cerillas, ve bien por qué se la dio el lotero: en su fondo, escritas en el cartón hay unas palabras con letra diminuta pero clara: «a las 10 de la noche, Bailén esquina a Mayor».

La intranquilidad se apodera de su cansancio, de su estómago vacío, del sueño que siempre había llegado rápido y ahora tarda, de su habitual desaliento que ahora lo sustituye la espera de algo inimaginable, y transcurridas horas pasa la tarde preocupado, casi oculto en el rincón del mostrador donde suele estar, previniendo mil veces lo que le dirán y para qué será eso que va a insertarse en su vida, como una novedad sorprendente que puede cambiarla y tal es esta sensación nueva, acompañada de inseguridad, que cuando llega al lugar de la cita, el final de la calle Mayor, y ve las luces de una taberna cerca, entra aparentando calma y pide una copa de aguardiente cuyo ardor le atraviesa la garganta y el pecho como un alimento poderoso que le prepara a la entrevista con un tipo que de pronto aparece cerca de él, le saluda por su nombre y dándole en el codo, le encamina hacia la calle de Bailén.

La noche otoñal es tibia y tranquila y los dos hombres caminan lentamente por la acera de Palacio[108] y fuman, con las manos metidas en los bolsillos, e incluso el enlace dice algo con voz fuerte que no es necesario en la conversación que mantienen pero que coincide con pasar por delante de los guardias que están en la gran puerta por donde antiguamente entraron y salieron reyes y príncipes y ahora ellos dos pasan hablando de que Carlitos no debe olvidar que fue teniente y que no debe permanecer aislado, sino buscar a sus antiguos compañeros, convencerse de que se puede seguir

---

[108] *acera de Palacio:* se refiere a la del Palacio Real.

luchando y hablar de que es posible esperar un cambio del régimen; mientras dice lo cual, el enlace echa ojeadas a un lado y otro, atento a cualquier silueta que cruza a lo lejos o unos pasos que suenan.

Carlitos hace gestos afirmativos y a veces sube las cejas como muy interesado aunque no comprende bien lo que escucha y sólo percibe un lejanísimo eco de que alguna vez le habían dicho palabras parecidas pero ahora aún no sabe qué se quiere de él y para qué le habla de aquello porque el enlace afirma que es una idea muy importante y hay que hacerla llegar a todos los que se conozca y discutirla aunque se encuentre incomprensión pero él insiste en la importancia de la discusión política y entonces Carlitos mira hacia arriba, a lo alto de los árboles y se siente inquieto y según pasean tiene una corazonada y la cajetilla de cerillas que aún lleva en el bolsillo, la tira con un breve movimiento inadvertido a la boca de una alcantarilla y luego le interrumpe al enlace para preguntarle que si les detuvieran ahora, por qué están juntos charlando, y mira al fondo de la calle de Bailén, iluminado por farolas y por los faros de algún coche que pasa y ya tiene idea muy clara de lo que hace en aquel momento y desea terminar enseguida y al mismo tiempo sabe que el hombre que lleva al lado es como un pariente que hubiera llegado de lejos al cabo de los años, pero peligroso, jugando con el riesgo que supondría todo lo peor si les cogían a los dos, aunque su vida como limpiabotas es tan miserable que vale bien poco y podía ser una compensación lanzarse a una lucha ciega, repetir todo lo pasado en los frentes pero esta vez él no iría a cárceles: pondría fin a sus días haciéndose matar y a su cabeza viene su madre que había muerto quién sabe cómo y dónde mientras a él le tenían en Carmona, condenado.

Le repite: hay que ir a la unión con todos los que desean un cambio del régimen para conseguir una vida mejor: he ahí la tarea primordial, y con la discusión verán más claros sus problemas prácticos, por lo que conviene profundizar siempre en el estudio, pero a esto Carlitos no responde porque está pensando que sólo en el frente, las tardes de calma, les daban clases y debían leer en voz alta un periódico, y piensa ahora en leer y frunce el entrecejo porque ve la habitación donde él duerme y que comparte con otros tres, y allí no hay luz suficiente sino sordos ronquidos de fatiga y vino y sueño intranquilo entrecortado.

Al separarse, le repite que él puede hacer mucho en los barrios obreros, pero Carlitos se lo hace repetir y entonces oye que los suburbios son la cantera de donde saldrán los mejores luchadores del pueblo, donde se está formando una juventud que será vanguardia de la clase obrera, y Carlitos piensa en los solares de escombros y desmontes con esporádica hierba resecada, con reflejos minúsculos de vidrios rotos o latas o restos de papel podrido entre vientos fríos y familias de traperos cruzando las extensiones olvidadas de todos y sus maldiciones o las puñaladas que se cruzan en las peleas y el desánimo en los solares vacíos por donde camina para ir a acostarse pero esta noche sus recuerdos van en distinto orden que otras noches y piensa en caras, en lugares, busca nombres, apodos, también sus señas, el pueblo de donde eran y quizá por eso la botella permanece en el deforme bolsillo de la chaqueta y no bebe, no le hace falta el fuego de aquel líquido.

Esta noche ya no precisa la botella y no se detiene para levantarla en alto, para apoyarla en sus labios igual a un beso cálido de una boca dura y fría pero que diese amor; esta noche no bebe mientras camina absorto y por primera vez se le viene a la mente, casi lo dice en voz alta, que todo tiene arreglo, no hay nada peor que renunciar, que dejar de ser hombres, y ahora deben seguir, y quién sabe si de lo ocurrido no se acuerda nadie, tras años interminables que desgastaron la memoria, y él podrá volver a mirar a las mujeres, y las chicas de las Peñuelas pueden fijarse en él si llevara cazadora nueva y él las sonríe al acostarse, al hundirse en el sueño que llegaba siempre con siniestros cortejos de locuras de tal forma que a veces abría los ojos, se incorporaba extrañado de encontrarse allí y se preguntaba qué sería aquel tropel de caras o palabras, de sombras y lugares que no reconocía pero que estaban en su alma.

Mas esta noche, bajo la sucia manta, Carlitos se extiende y se cubre hasta la cabeza y a poco, por una avenida de altas casas, vienen tres comandantes con sus cazadoras de cuero y uno dice algo de vencer a los italianos en Guadalajara y lleva en la mano un tazón blanco y él ve luego que es de arroz con leche que su madre le ofrece, su madre con el rostro de la que fue su esposa que se aproxima a él vestida como una reina.

La dignidad, los papeles, el olvido

—Pasarán unos años y lo olvidarás todo, te quedará vacía la cabeza, no recordarás nada de estos meses tan negros, pero te librarás de ellos no porque tú lo quieras: poco a poco perderás lo sabido, un día no te acordarás de una fecha, otro, de un amigo, otro, del nombre de una aldea o de una carretera por la que huías como un lobo y te parecerá que te has librado de ellos.

Quedar libre de cóleras y miedos, de hambres y fatigas, del terror al estruendo aéreo que se acerca, de miradas recelosas a horizontes donde se oculta el máximo peligro, todo lo que el alma sufre y acumula en su inmenso cofre donde los hechos más jubilosos se mezclan con el odio, a lo cual el hermano menor maldecía y bisbiseó su anhelo de que una mano justiciera, cargada de vitriolo, de ácido corrosivo, de cal viva, le pasara por la mente y la dejara en blanco aunque entonces, como el hermano le decía, no habría de saber quién era, se quedaría vacío pues la memoria es lo que modela nuestra vida, y de esa forma, un día te notarás sin alma, echarás una mirada dentro y no verás sino un enorme hueco y entonces has de volver la atención hacia otro mundo, la calle, la ambición, los intereses, la radio con su música estridente.

Mientras oía las interferencias y voces incompletas y ráfagas de orquesta, el hermano mayor estaba junto a la ventana y miraba la noche asfixiante esperando una brisa que refrescara el ropaje de plomo que les echaba encima el seco verano como día tras día llevaban encima la derrota, que ahora veían auténtico desastre, no cuando abandonaron los frentes, y saben que ya son los vencidos y que pactarán con los vencedores para poder comer y vivir y cargarán con su parte de responsabilidad, pues los estandartes del terror, en un país infectado de venganza, también se desploman sobre espaldas inocentes, y seguirán callados, sentados a la mesa, comiendo un plato de verdura mientras la hermana les mira de soslayo al poner ante cada uno la naranja con que se terminaba la comida y los dos hombres encendían un pitillo y contemplaban el humo, distraídos, lejos de la familia, encaminados quién sabe a dónde tras sus pensamientos y ella carraspeaba pero no llegaba a hablarles, sentía piedad de ellos porque sabía que en sus cabezas buscaban soluciones antes de aceptar todo, aceptar ser cómplices de aquello y testigos cobardes que transigen y se hacen culpables de la infamia que ven sin poder denunciarla, negándose a leer las hojas que la hermana les tendía y que un amigo de confianza de vez en cuando les llevaba.

Él sabía cuál era su peligro al ir de casa en casa, llamando a puertas sin saber quién abriría y quizá ser sorprendido por una voz enérgica, por una mano que pesadamente descansaría en su brazo y cuyo peso le inmovilizaría, y lo presentía a cualquier hora desde que midió el riesgo de visitar a personas conocidas, llevando en los bolsillos papeles que tendía fugazmente a quien le recibiese, mientras preguntaba en voz alta y clara por la salud, por el trabajo o por la familia para justificar su visita, pues acaso un vecino escuchaba.

Arriesgaba cuanto era y tenía pero no lo sabía hacer de otra manera, cómo dar curso a lo que tan extrañamente le llegaba mientras él estaba una larga jornada en el taller y, al regresar y abrir la puerta, los encontraba y había que llevarlos de casa en casa y entregarlos sin hablar de ello y despedirse pronto tras de haber observado cómo los escondían en un vasar de la cocina o dentro de un salero, detrás del depósito del agua o en el fondo de la fresquera entre bayetas y viejas cacerolas; en la cocina, pues generalmente era a manos femeninas a quienes lo entregaba, manos húmedas por estar fregando, manos finas con las puntas de los dedos trabajadas por mil pinchazos de agujas y alfileres, manos agrietadas por

335

la lejía y tantos quehaceres, y una mano igual le tendía Julia cuando se marchaba y al salir a la calle tenía la conciencia del deber cumplido y volvía despacio, sosegado, al silencio que era su habitación, una buhardilla alquilada donde había una cama y una silla desvencijada y una maleta, pero allí él descansaba y esta calma era tan diferente al fragor de las máquinas, a la grasa y al olor de su trabajo, a la monotonía de discusiones y veladas amenazas, de órdenes torpes que había que cumplir, de miradas vacías, y él se llevaba la mano al bolsillo y tocaba los papeles doblados muchas veces, tan cubiertos de letras que apenas se leían fácilmente, y se sentía animado en su cansancio y superior a los que le rodeaban, portador de una fuerza irreducible que enaltecía su mezquina vida.

Cuando Julia le tenía delante, escudriñaba su cara atentamente extrañada de algo que se reflejaba en el gesto, en lo que era distinto a otros hombres pues la miraba como desde una altura, como si le tendiera la mano para ayudarla y él entonces emanaba tal seguridad, tal decisión que ella no se atrevía a decirle toda la verdad de aquella casa y seguía aparentando que escondía los papeles y con una sonrisa confidente le despedía pero no bien la puerta se cerraba, los rompía y los tiraba por el water a la vez que pensaba por qué no interesarían a sus hermanos, serios y taciturnos, absortos en el trabajo, altos y sólidos, pero que no se avenían a su deseo de charlar, de saber más de lo ocurrido en aquellos meses en el frente, unos meses que rápidos se alejaban y cada vez parecían perderse para siempre y mejor no haberlos vivido pues que no fueron sino un fracaso era evidente, y si Julia se asomaba al cuarto del fondo de la casa donde el hermano menor estaba inclinado sobre el aparato que arreglaba, le venían a la mente palabras sueltas que a veces a ellos se les escapaban y por las que entendía que sufrían.

En la casa pacífica y preservada ahora de temores, llena de leves ruidos familiares y de palabras simples, en la atmósfera confiada de estar todos reunidos, los dos hombres se sentaban a la mesa y el padre les miraba desde su silencio y persistía en una idea obstinada: no eran sus hijos, eran nada; estaban delante de él, inclinados sobre platos que humeaban, eran dos hombres hechos y derechos, que habían pasado una guerra terrible pero no eran sus hijos, habían crecido sin él darse cuenta y tomado caminos diferentes a lo que él aconsejaba y por tanto no los toleraría y se levantaba de la mesa e iba a la ventana que daba a un patio abierto pero él ya no distinguía lejos con su vista cansada y pensaba que tampoco a ellos los veía, distantes por los años y también por la falta de cariño cuando le dijo a Julia: —Hablan poco pero algo tienen dentro y no lo dicen, se callan lo que hacen y ahora están ahí con la boca cerrada; me desobedecieron y eso es una falta que aprieta el corazón —a lo que ella contestaba—: pero, no obstante, son tus hijos.

El hijo mayor se acercaba a la ventana, abstraído, igual que si esperase de la noche una respuesta a la pregunta que se hacía —cerca de otra ventana por la que entraba el aliento del verano— cómo en la derrota y en la huida, en la urgencia que le seguía por caminos y olivares, en el peligro que se avecinaba para todos, en la pobreza de aquel pueblo vacío, se preguntaba, cómo pudo encontrar una mujer así: no era sólo un cuerpo fecundo de caricias, sino la sonrisa, el gesto incitante al abrir los brazos, al contener la risa en los momentos de mayor placer, los ojos soñadores reflejando sólo sensaciones... Por la abierta ventana entraba un soplo caliente con los olores del campo bajo el sol, en el silencio total del abandono, y ellos no podían darlo por terminado y separarse...

—Cuando me acerqué a ella le puse las manos en los hombros y le besé en el cuello: eso fue lo que hice, apreté los labios un poquito para notar el latido de la vena que entonces aceleró su marcha porque el anuncio del amor alerta la pasión y la enciende y si tuviera más memoria recordaría que también la respiración se debió de hacer precipitada, pero esto no es seguro...

El hermano menor apenas fijaba su atención en lo que oía y vigilaba la punta del soldador que iba convirtiendo en líquido el estaño de las conexiones, cuyos cablecillos al soltarse se movían y el aparato de radio absorbía su atención: era un cuerpo abierto de par en par, con órganos vivientes y si el hermano le hablaba con entonación apasionada, se refería a un cuerpo tan atrayente como el que tenía entre las manos y de cuyas partes delicadas y enigmáticas él iba a arrancar un quejido de gozo, un suspiro de satisfacción y el altavoz empezaría a sonar y él con su habilidad, le daría vida tocando los ligeros botones —color castaño, suaves, tersos, móviles—, bajo la presión de sus dedos la radio vibraría.

—Cuando la rozaba el pecho ella se ladeaba, se arqueaba y yo quedaba asombrado de qué bella era en aquel momento y los pezones se tensaban, esto lo recuerdo bien— y su memoria transfiguraba a la mujer en campo de flores, en un descanso reparador, en una luna llena, en una canción antigua, como un delirio gozoso que abrazara su cuello y le hiciera potente y seguro al cerrar la puerta de la habitación y dejar fuera a los enemigos y, abierta la ventana estimulante, le llevara a una cama de jubilosos goces.

Desde otra habitación, Julia percibía que los hermanos hablaban en voz baja y no entendía: no sabía nada de sus vidas sino que estaban ensombrecidas por todo lo pasado y se negaban a ser aliados del oprobio que imperaba aquellos meses y acaso planeaban irse a Francia y no dirían nada, con su mutismo, con su gesto grave se habían aislado así del padre que ya estaba arrinconado por el tiempo, preparado a morir; largos años de sometimiento a órdenes, a los propietarios de la empresa que le obligaban día tras día a detener su voluntad y atenerse a la ajena y él mezcló la sumisión a la simpatía, mezcló el rechazo a la cordialidad, tuvo momentos de compasión por jefes que también sufrían amarguras, pero aquel respeto e indulgencia se convertían en lacras y tal hábito le fue haciendo su figura desgastada y la voz medida, hecha a la complacencia por lo que sólo era un puro afán de lucro, pues toda obediencia conlleva admiración por la persona que se hace obedecer.

El de los papeles llegaba decidido, saludaba y del bolsillo o de la parte alta de los calcetines se sacaba una hoja doblada y la ponía encima de la mesa y ya era un hombre distinto de lo que fue: aprendió a rechazar la obediencia, ya nada era igual desde el día que encontró los papeles bajo su puerta y comprendió lo que eran y lo que tenía que hacer con ellos y cuando salía, la calle estaba tensa, tendida de una red de peligro en la que podía caer hasta que la luz de la mañana iba aclarando su tejido y llegaba al trabajo: se había convertido en su razón de vida y llevar papeles era un manantial de energía que a nadie habría de contar pues ninguno iba a entender la emoción de aquel reparto con el cual él se igualaba a los importantes, a los valientes, mayor secreto aún porque debía guardarlo para sí, evitando una delación, condenado a la reserva, a distanciarse igual que acaso sus abuelos tuvieron que callar en la miseria y hablar en voz baja para no ser oídos en sus lamentaciones y si a su cabeza se le hubiera ocurrido, quizá, se vería tras el cristal oscuro del silencio como, por otra razón, estaba el hermano menor de Julia, fijos sus ojos en el aparato que ante sí tenía pero ausente, respirando con fuerza y reconociendo en lo más hondo que se negaba a recordar y deseaba ardientemente que un fuego carbonizase en su alma todos los días idos y que el hiriente fracaso no volviera a hacerse presente en momentos imprevistos por esa obstinación de la memoria que aparece cuando menos se piensa, la memoria malévola, insistiendo en reconstruir lo ya vivido, volviendo los gritos y la sangre, las huidas y los ecos de lejanos cañones disparando nunca se sabe hacia dónde... semanas de reveses y desastres. Bajaba su mirada hacia el brazo, con la manga de la camisa enrollada, y veía una hendidura hacia la parte del músculo; la carne se hundía y en los bordes no había el vello que se extendía desde la muñeca hasta el bíceps, igual al surco que deja un arado: por allí había corrido el trozo de metralla y cada vez que él miraba esta cicatriz se sentía marcado, renegaba de todo, de las trincheras, de la posición avanzada donde ocurrió, a la que no llegaba nada, ni una sopa caliente, aunque en aquella habitación se encontraba tranquilo, sonaba la radio y a su voluntad subía y bajaba el volumen y le rodeaban inofensivas canciones y voces altaneras de locutores que encomiaban a un gobernante o exaltaban el vigor de un futbolista, subía y bajaba la voz meliflua que conminaba a prácticas piadosas, y él sentía la soledad pero allí todo recuerdo se esfumaba y repetía lo que al hermano le había contestado cuando éste le dijo que era mejor extraer de las negruras interiores el pasado, palpitante o enmohecido, y contemplarlo y comprender que ellos, en la guerra, sólo obedecieron órdenes y no estaban comprometidos en los hechos y no debían asumir la responsabilidad de la derrota, de tanta desventura como cayó sobre sus iguales; le contestó que los receptores de radio cuyas averías arreglaba, traían palabras divertidas y música, girando el interruptor les callaba o les hacía hablar a su antojo y lo prefería a estar como él estaba, sumido en la falsedad del recuerdo porque éste, cada vez que le invocamos, nos da una imagen distinta, va cambiando sin parar según lo que anhelamos o nos conviene, por lo cual no recordamos lo que pasó sino distintas invenciones que acaban siendo engaños.

Como otros tantos hombres, que se asomaban a las ventanas, sudorosos, buscando un alivio no sabían bien si del calor tórrido o acaso de un dolor sutil en el fondo de sus intranquilidades, y esperaban, respirando la oscuridad, distrayéndose con la luz de un balcón enfrente, el hermano dijo que no le importaba si era así, que se adentraba en el pasado como un refugio y sólo le espantaba el que todos los recuerdos se difuminaran apenas pasado un año, y la cara que tan obsesivamente se contempló, perdería rasgos y quedaría incompleta: primero, la comisura de los labios o el parpadeo nervioso o la forma de las sienes cruzadas por crenchas de pelo que un día también olvidaría como si un viento impetuoso desdibujase la imagen prodigiosa que se alejaba por las cavernas del olvido hasta que la sucesión de meses no dejase nada o acaso sólo quedaría un gesto, un roce, el detalle de una mano; debía esforzarse en regresar, en recuperar esa escoria del haber vivido, volver a ser dueño de una felicidad tan fugazmente ida que incluso se preguntaba si había inventado aquellas horas en el pueblecito cordobés evacuado, en la casa vacía, con la mujer ardiente que buscó junto a él compensación de una suerte desvalida.

No una mano de hierro sino la de un vecino le cogió del brazo y, ante su sorpresa, este hombre, al que apenas conocía, le dijo que era importante que hablase con un amigo sobre los papeles que le echaban por debajo de la puerta y que lo mejor sería que a las once, el domingo, fuera a la salida del metro y allí le encontraría y para que pudiera reconocerle iba a llevar unas herramientas bajo el brazo y era preciso que fuese puntual, y él, entre asombro y desconfianza, cuando llegó al lugar de la cita se puso a mirar a un gitano que cerca tocaba la trompeta mientras la cabra hacía sus equilibrios[109], y de la gente que les contemplaba se destacó un hombre de cierta edad, que llevaba dos martillos y una lima grande, que le saludó y ambos quedaron un poco apartados del círculo de espectadores, chiquillos nerviosos y hombres con ropa de domingo, y oyó decirle, como haciéndose el distraído, que sabían el reparto que hacía del periódico y que era una valiente ayuda a la causa, que algún día se agradecería porque lo había hecho por un motivo justo y favorable a los trabajadores, pero creía que era aconsejable, menos arriesgado para todos, que se dedicase a enviarlos por correo, que le darían sobres y sellos y una lista de nombres y sería un trabajo fácil, y de pronto se puso a comentar en voz muy alta los esfuerzos de la cabra y del gitano que la animaba, y más allá del círculo de personas que miraban las evoluciones del animal estaban las casitas de un solo piso en calles sin pavimentar habitadas por familias en lucha con la suerte y en aquel escenario a él le pareció que se tramaba un acto político muy serio, que le asustaba y que creyó superior a sus fuerzas pero que aceptó, lisonjeado, y dijo que lo haría porque comprendió que no era sólo a favor de aquello que le rodeaba sino de él mismo cuando se puso la primera vez a escribir los sobres, muy despacio, calculando bien las letras, copiando los nombres de la lista que tenía delante, de los cuales muchos, al recibirlo por correo, entenderían lo que significaba y pondrían cuidado en esconderlo, pues lo mismo que él, sabrían que era peligroso, y aunque le matasen a palos no revelaría quién se los daba como le había advertido el que llevaba las herramientas, que dicho esto desapareció por la boca del «metro».

Acaso Julia se extrañaría de que no volviera a llevar los papeles, quizá se preguntase la causa de haber dejado de vi-

---

[109] *la cabra hacía sus equilibrios:* se refiere al espectáculo callejero practicado por los gitanos para recaudar dinero que consiste en hacer que una cabra suba y baje al son de la música por una escalera de mano.

sitarla aquel obrero conocido de los hermanos por los que no preguntaba nunca como si terminase su tarea al entregarle a ella los papeles comprometedores, y acaso, fugazmente, le pasaría a la joven por la cabeza si le habrían detenido pero acabó despreocupándose, atraída por las noticias que le llegaban del precio de los comestibles y de los fusilamientos en las tapias del cementerio, porque lo que se vive apenas deja huella, todo pasa velozmente y se esfuma como si la memoria fuera una lámpara que lentamente se apagase.

Como una lámpara cuya luz ilumina el suelo, una esquina, un portal, así sus ojos atisbaban con recelo los lugares por donde iba cuando bajaba a la calle y cada sitio le sugería algo: la ciudad estaba vinculada a su ser, mezclada a sus pensamientos y preocupaciones y por eso evitaba encontrarse frente a aquel espejo fatal y no salía de casa donde todo lo adverso podía ser una imaginación suya para mortificarse, y cuando se sentía entre cuatro paredes y nada le recordaba su vida de hombre, se calmaba su desasosiego y conquistaba la serenidad junto a los altavoces de las radios, pero una mañana anduvo por Carabanchel y se perdió por las calles pueblerinas y salió a unos amplios descampados y se fijó en unos surcos que se alejaban y comprendió que eran los restos de antiguas trincheras cuya hondonada iba desapareciendo con el tiempo, las lluvias y la labor del viento y en sus bordes, en lugar de sacos terreros, habían crecido hierbas y su hendidura le recordaba la cicatriz del brazo y súbitamente se precipitaron los recuerdos, algo apareció en su mente y lo proyectó fuera, lo encajó en la perspectiva de la calle y se encontró tras un parapeto de adoquines donde se aprietan los cinco de la patrulla que disparan, enardecidos por los estampidos que rebotan en las fachadas y en las puertas cerradas. La voz del valenciano grita ¡Ya están aquí! ¡Qué vienen! y él se lo repite al que tiene a su izquierda y sin embargo baja el fusil: enfrente de él ha visto un niño, lo ha percibido por un instante y no lo reconoce y le tiemblan las piernas sacudido por aquella visión, que se funde entre las figuras agazapadas y rápidas que aparecerán en cualquier momento en el fondo de la calle donde terminan los edificios y las cercas de los

342

jardines y él espera, no quiere tirar pese a que el valenciano les anima, que no se distraigan aunque la calle esté desierta y entre las manchas de ventanas y portales él cree ver las caras de los que hasta entonces fueron los jefes de su padre: están bajo una pérgola, a la luz tamizada de la tarde y se llevan a los labios cigarros habanos y copas de cristal tallado, allí donde cree escuchar rumor de cadenas y engranajes que anuncian la presencia de un tanque hacia el cual todos enderezan los fusiles y disparan aun sin aparecer y sólo lejos se oyen explosiones y más cerca, donde el quiosco de periódicos medio quemado, martillea una ametralladora y cuando ésta para, se dan cuenta de que están solos y quedan en silencio, tensos, a la espera de una muerte segura y a sus espaldas uno vocifera entre insultos y blasfemias: ¡Compañeros! ¿No veis que no hay nadie? ¡Que está la calle vacía! ¡No tiréis! Se sienten engañados como imbéciles, atónitos de haberse dejado arrastrar por el miedo, se miran y se pasan la mano por la boca para ocultar su turbación y no hablan y se vuelven hacia el hombre que les grita —un chaquetón a cuadros, una estrella roja en la gorra, barba crecida— deseosos de irse de aquel barrio que debían defender a sangre y fuego, unirse a las familias que han huido, a las mujeres que huyen con las ropas y a los niños cargados con un hermanito, él se siente avergonzado y quiere tomar una decisión, se vuelve bruscamente con el desaliento atravesado en el estómago y se dirige hacia la parada del tranvía para volver a casa, apretando las mandíbulas en un intento de contener la desesperación, convencido de que nada borrará de su conciencia el desgarrón de la catástrofe al final de la guerra y a cualquier hora maldice con encono, pasan por la cabeza ráfagas de odio no sabe bien hacia quién, hacia fantasmas de ojos encendidos, acusadores, cargados de reproches porque él ya no es un hombre, tan sólo una basura.

El hermano le dijo que incluso los jefes no eran responsables, y menos él mismo, sino las fuerzas inmensas que operan sobre un país y trastocan su historia, y si había sido libre de decidirse por un bando, ahora esa libertad tenía que hacerle ver con claridad a quién maldecir y renunciar ir buscando uno a uno a los culpables e irse remontando por puestos de mando hasta llegar a la Posición Jaca o al sótano del Ministerio de Hacienda[110] donde un general viejo y fatigado dirige las últimas operaciones, mira unos papeles y ya no ve las letras, pues de seguir insistiendo saldría de los campos de batalla y se encaminaría a sus orígenes y maldeciría a los que le dieron el nacer, atribuyéndoles su ruina, les insultaría aunque fueran ya inmóviles espectros: Con ese encono acabarás odiando a los que son tu esencia, tu sustancia, la armadura de tus huesos y tu aliento, pero eso para mí es ya indiferente, no me importa nada sino aquella mujer, a la que me parece estoy buscando por las callejas del pueblo evacuado; sé que está en algún sitio y debo hallarla, estar con ella mucho tiempo, sin prisas, quiero de nuevo acariciarla y ver su cuerpo que me parecía enorme cuando se levantó sobre mí, tan grande como al abrir una ventana se ve el cielo y las nubes, así pienso en ella, y el hermano mayor sintió un soplo fresco de la noche y le pareció entregarse a unos brazos suaves que acogían su necesidad de amor, y después de haber hecho aquella fugaz confidencia de la pasión encontrada en circunstancias tan raras, le llegó el peso de la nostalgia al percatarse de que jamás le había arrastrado un amor exaltado como aquél en la inminencia del hundimiento pero ahora que sabía lo que es entregarse al placer arrebatado teniendo una respuesta idéntica, la necesitaba más, y entornando los ojos la buscó dentro de ellos, detrás de los tiernos párpados que cuando se cierran, atraen el sueño o conjuran los recuerdos: lastimeros o rutilantes, todos irán rindiendo al tiempo su fragmentado tributo hasta quedar en nada.

Mientras que él iba muy deprisa llevando el paquete de sobres en la mano, camino del buzón que había al otro lado del solar, mientras que atisbaba a un lado y otro por si le seguían, Julia entró en el water y miró el agua del sifón por

[110] *Posición Jaca* fue el nombre en clave que se le dio durante la guerra al Cuartel General del Ejército republicano en el Parque del Capricho de Madrid; desde el *sótano del Ministerio de Hacienda* Julián Besteiro (véase nota 102), durante los últimos días de la guerra y ya enfermo, se dirigió por radio a la población para pedir el cese de las hostilidades.

donde habían desaparecido los papeles que ella echaba tras romperlos y que no eran de papel higiénico sino que estaban impresos y cuando se los traían con tanto sigilo debían de ser importantes y acaso decían cosas que se referían a sus hermanos o a su padre o a ella misma, sobre el trabajo, la comida, el dinero, pero nunca los había leído, nunca se paró a pensar si le estaban destinados; y no bien se acercó al buzón, dos hombres salieron de un coche que estaba al lado y le miraron fijamente y a continuación gritaron: ¡Alto, quieto! y, como un relámpago, supo lo que debía hacer y echó a correr volviendo al solar, mientras lejos de allí, girando el interruptor sonó la radio y un locutor decía que debía castigarse a los enemigos de la patria, y luego sonaron alegres fandangos y bulerías que distrajeron al que se afanaba en ajustar los condensadores, el potenciómetro y el altavoz en la habitación más profunda del fondo de la casa, allí donde no se oía nada del exterior ni que gritaban ¡Párate o disparo! y él siguió corriendo a ciegas por el vertedero, sin mirar dónde ponía los pies y luego oyó dos detonaciones y se fue hacia adelante como si unas manos inmensas, fuertes y blandas a la vez, le atrajeran a la tierra y contra ella fue a dar, de cara, y unos segundos aún mantuvo la persistencia de la ilusión que hace sentirse grandes a los que nada son.

Interminable espera

Todo era secreto, sí, tanto el porqué de los rostros abstraídos que rápidos cruzaban, como el rumbo de los pasos presurosos encaminados a la rutina de cruzar el frío y el ruido de la plaza con el esfuerzo diario de comprender las causas de satisfacciones y desesperanzas acumuladas en la monótona jornada cuando ya la luz declinaba y el interminable periodo del día iba a terminar y era posible hacer balances de sus horas fatigadas en el que algunos reconocerían la repetición invariable de lo siempre hecho, y otros, llevarían gravitando en el alma una sorpresa, una novedad buena o mala, pero ellos dos se habían plantado allí, casi inmóviles, como un desafío a la movilidad del entorno y habrían de borrar de su conciencia toda otra idea, no debían distraerse con nada en absoluto —la gran plaza[111] con el paso de los coches o, en el fragor de su constante zumbido, docenas de personas o el vuelo torpe de unas cuantas palomas que acudían a refugiarse en las molduras de la gótica fachada—, carecería de interés todo salvo la mirada atenta, aunque fingidamente distraída, la atención clavada en un único punto, encogido el músculo que mantiene el estómago, las mandíbulas apretadas, la posición de los brazos, controlada.

Nadie se fijaría en ellos, nadie sería atraído por sus figuras cuando las admiraciones se entregaban a marciales uniformes, al bronce de los héroes, al blanco sudario de los mártires, a los oros preciados de los conquistadores mercantiles,

---

[111] Se trata de la Plaza de Cibeles.

y ellos dos no tenían belleza ni corpulencia, ni elegancia en sus ademanes, porque estaban fundidos por la naturaleza gregaria y adocenada de la que procedían, en la que habían nacido y de la que no pudieron distanciarse ya fuera porque les faltó arrojo o porque ese destino fatal que a cada hombre le está asignado les mantuvo sujetos a su esencia natal para que desde allí, acaso, decidieran alzar la cabeza, intentar levantarse del suelo, despertar esa fuerza que tiende a la mejora, a concebir un futuro de mayor bienestar, cuya primaria muestra era el impulso de los que por allí pasaban de ir a sus casas imaginando el descanso, con rictus acusado en los labios tan prietos o en el entrecejo marcado, revelando una preocupación aunque no podía compararse con la de aquellos hombres obsesionados por cumplir bien las instrucciones.

Uno de ellos se apoyaba en el mostrador del quiosco de bebidas levantados los brazos para que, por encima del diario que aparentaba leer, sus ojos insistieran en vigilar, alertar, igual que en tantas circunstancias vividas, años de ingratas tareas, meses de aguantar lo que fuera, proponiéndose siempre estar ojo avizor, entenderlo todo por un hábito creado entre golpes y expectativas de amenazas, por lo que si fijaba su atención en algo importante, como ahora, su perspicacia tendía, con la dureza de un trozo de metal, a penetrarlo, a quebrar la falsa apariencia con que tantas veces se le presentaban personas, obligaciones o afectos, y llegar a la trama de lo verdadero y este esfuerzo era cansado por lo que al cabo de un rato parpadeaba y sólo descansaba en la breve fracción de los instantes en que pasaba la página del diario o se volvía hacia una taza de café que tenía al lado y en la que sólo apoyaba los labios y sorbía la mínima cantidad posible.

A unos diez metros estaba el otro hombre que se inclinaba hacia adelante y daba cortos pasos que le mantenían en el mismo sitio y que estaban motivados por una sensación casi dolorosa en las piernas que no justificaba la espera, porque posición semejante es frecuente en la garita de un cuartel o delante de un banco de trabajo en donde cualquier movimiento parece un atentado al equilibrio de una organización que se basa en el estricto cumplimiento de normas severas, que en aquellos largos minutos no contaban ni estaban presentes pero, por haberse acostumbrado él a su respeto, cumplimentaba para un fin totalmente distinto, casi absurdo si lo hubiese juzgado alguno de sus antiguos jefes de taller o quién sabe si hasta algún familiar o amigo, los cuales se extrañarían y preguntarían por qué hacía aquello si no le traía beneficio alguno y quizá pasado cierto tiempo se vería que fue equivocado o que había sido inútil estar plantado ante el edificio de Correos, ligeramente inclinado hacia adelante no por el peso de la caja plana colgada del cuello, donde llevaba caramelos, cerillas, papel de fumar y otras baratijas, pues no podía pesar más que el equipo de soldado o una taladradora, sino por una instintiva actitud que tomaba para anular la presencia gris de su persona, de su gabardina deformada, de los zapatos usados largo tiempo, y estar de acuerdo con la voz gangosa con que parecía ofrecer sus mercancías, que podía ser atribuida a un pobrecillo que sólo se ganaba la vida de aquella forma tan modesta, desdeñado por los rápidos transeúntes ajenos a lo que no fuera buscar el descanso a una hora en que el frío se metía hasta los huesos en los cuerpos cansados, cuando en las calles céntricas las luces de los cafés invitaban, como refugio tibio, al consuelo de una bebida caliente en la atmósfera sosegada de un local cerrado y no el quiosco abierto a los vientos, a idas y venidas de gente que a veces hasta le empujaban el periódico extendido con que se tapaba la cara y por el que simulaba pasar los ojos.

Nadie descubriría tras estas apariencias, que la inquietud aumentaba según transcurrían los minutos y aunque deseaba que oscureciese para que las sombras le vistieran su protector ropaje o encubrieran su persistencia en estar allí, a la vez temía que el anochecer dificultara su vigilancia y en la penumbra de las farolas se sentiría más aislado y expuesto a los riesgos de ser observado en su abandono total, en que nadie podría defenderle del temor que hablaba el lenguaje orgánico: la tensión del vientre rígido, las piernas hormigueantes e incluso la demacración de la cara que a nadie extrañaría porque su aspecto era enfermizo, con esos rasgos que también imponen los incidentes emotivos o las penalidades, y que en circunstancias como aquélla eran un antifaz mucho más perfecto que las ráfagas de oscuridad que trae la llegada de la noche, porque ésta da a los rostros su auténtico gesto de zozobra, que las luces diurnas ocultan, y esta alarmante máscara nocturna acaso revelaría la tensión que ocasionan las comprometedoras tareas y delataría de forma más directa una espera alerta, difícil de disimular cuando pasan treinta minutos y las suposiciones se entremezclan con el desasosiego de medir constantemente la distancia que le separa de la gran puerta por donde sigue entrando y saliendo público indiferente a todo si no es a su vida privada y sus lances domésticos que pueden tomar proporciones gigantescas aunque sólo sean, para quien los contempla de cerca, episodios de fútil significado, y rumiarlos y consagrarse a esas pequeñeces lleva a casi todos a no ver lo importante que ocurre en torno suyo, a no percatarse de los estremecimientos colectivos, de las supremas demandas del siglo y menos aún de los secretos de los comportamientos, de aquello que nunca se habla aunque parezca que a los amigos se les cuenta todo, de los ámbitos reservados en los que se guarda lo inexcusable, una traición, un engaño, haber delatado, puesto en marcha una calumnia, la inclinación que se siente no por una mujer sino por un hombre bello, la absoluta reserva de una delictiva actividad política, lo que se ha de callar inexorablemente, nada penetra la dura coraza creada por la ambición y las rivalidades, pues saber lo ocurrido a los demás es molesto e incómodo, ya que puede abrir una ventana a confines de valentía ejemplar y esto sutilmente desagrada, hasta hacer que quien sale de Correos —acaso ha comprado sellos o enviado dinero por giro o ha recogido un paquete de impresos que alguien envía desde Francia— se niegue a escuchar si le hablan de algún asunto ajeno, rechaza la curiosidad que no sea para algo que se refiera a su propia ostentación o beneficio, no pregunta si un dominio cruel se impone de forma arbitraria en las instituciones, no quiere saber el origen de la infamia que se enseñorea y alienta egoísmos y desmanes, y tampoco escuchar una voz tímida y opaca que ofrece cerillas, ni mirar a un hombre

349

que lleva mucho tiempo tomándose una pequeña taza de café con cara impasible aunque su pensamiento sea atormentado:

¿Qué hago yo aquí comprometido en un asunto peligroso con personas apenas conocidas, si ni siquiera sé su nombre verdadero? ¿A quién beneficiarán estas tareas que acepto cumplir, cuyo fin se alcanzará dentro de mucho tiempo y yo acaso ni pueda verlo? O quizá dentro de unos pocos años se demuestre que fue innecesario o equivocado y un día me pregunten por qué hacía aquello si nadie lo agradecía...

Nadie podría agradecerlo porque durante muchos años será un secreto terrible que habrá de llevarse bien guardado igual que se oculta un vergonzoso error: mejor que el viento del olvido lo arrastre lejos y lo pierda para siempre.

Nadie observaría las muestras de cansancio de tan larga espera entre bocanadas de aire frío del anochecer y la intranquilidad y los rastros de pasados oprobios y esfuerzos mantenidos que sólo una mirada cuidadosa, especialmente a él dirigida, descubriría, dado que cada uno de los que a su lado cruzaban estaban igualados por el rostro herido de cerrazón y alejamiento y en nada se diferenciaban unos de otros, sometidos a interminables meses que en las mejillas o en el borde de los párpados habían puesto la marca que difícilmente se borraría: la mancha dejada por la sucia mano de las adversidades, por el agotamiento tras una jornada en la que él había caminado mucho y que ahora le impelía hacia su casa, a la tibieza del ambiente familiar que era el runrún de conversaciones triviales o los ruidos de la cocina o la charla de su hermano afirmando que pronto el mundo vería una aurora de justicia, de sensatez, de pacíficas negociaciones a lo cual él sonríe y se pone a leer un periódico, pero rápidamente rechazó esta llamada porque un abandono, una decisión precipitada de ceder a la necesidad de refugiarse, sabría que le habría de doler toda la vida y la llevaría sobre la espalda como un fardo de hierro y se haría insoportable porque él no ignoraba que renunciar es lo peor y había que estar allí pese a todas las dificultades, acudir puntualmente al lugar de la cita, con calma y confianza, y mantener la vida cotidiana con la usual normalidad igual a otros tantos que ejercieron oficios, recolectaron frutas, pescaron, sembraron campos y construyeron edificios pese a estar rodeados de calamidades y de riesgos y esta herencia de decisión y perseverancia, él debía proseguirla en la soledad en que estaba y ésta sólo se atenuó al mirar hacia el quiosco y ver allí al hombre que seguía leyendo el periódico, y que en aquel momento estaba pensando:

Este rencor no nace en mí, me viene de mis abuelos, que pasaron sus años recogiendo basura, o sopla de más atrás, de gente encadenada y azotada, de hambres y profundas heridas y humillaciones que se asoman a mis ojos cuando me encolerizo y en mi voz, cuando discuto, se reconoce el sufrimiento de otros que yo hago mío para lanzarlo contra los que odio de esta maldita sociedad de triunfadores, orgullosos de su derecho a todo, de su riqueza y la impunidad de sus decisiones.

Pero nadie habría de saber que esto pasaba por su cabeza al igual que debe permanecer oculto el desprecio por una persona a la que se está sometido, o bien, se calla el irreprimible deseo de acariciar a una mujer a la que debe respetarse, porque, sin vacilar, ha ido a recoger el paquete, y entonces su carne no puede ser motivo de distracción alguna.

No era inútil el esfuerzo de atención y vigilancia que requiere esperar que aparezca una persona reconocible por un abrigo verde, como si los colores fueran lo único ya que define a los seres y diferenciaban en aquella hora a los que salían de Correos y se hundían en la luz insegura del anochecer y cuando eso ocurriera, la tensa expectativa habría de reunir fuerzas y capacidad de resolución para prever lo insospechado, la incidencia que de pronto surge en lo inminente y se juzga ya inmodificable, a pesar de los esfuerzos para que todo vaya bien y se cumplan las instrucciones teniendo la firme convicción de que cualquier cosa debe conquistarse duramente; y también saber esperar la salida de la mujer con el paquete, y descubrirla era su misión de la que muchos estaban pendientes tal como le indicó el enlace que vino de París, que esperaban lo hiciese bien porque ellos dependían de su serenidad y cada cual en el lugar donde estaba, sabía que él vigilaba la puerta y en una ocasión próxima será otro quien lo haga y él estará, a su vez, pendiente de estas tareas a las que se prestaban decididos —que en verdad no eran nada sublimes, pero sí lo más peligroso que en aquella ciudad podía hacerse—, y eran tareas desinteresadas, en favor de miles de personas ignoradas para las que se deseaba algo mejor que sus atenazadas vidas, tareas que hacían sentirse satisfecho, bien porque se tuviera el temple de cumplirlas, bien porque alguien depositara en ellos confianza y estima que hasta podía quebrar la apariencia adusta que presentan los que se han debatido entre oleajes de mil distintos infortunios, acumulando tal cantidad de temores, frustración, propósitos inalcanzables, que éstos parecen formar una capa de materia invisible y desabrida en torno al cuerpo, que le aísla de sus semejantes, y dentro de él suenan palabras conocidas:

Miro al fondo de mi odio y veo la cara de mi padre, sonriendo astutamente, y me pregunto si ha existido alguna vez este hombre o es una imaginación mía para atormentarme y lanzarme contra todos, deseando destruir y buscar a la vez alguien que me comprenda, que se interese por mí, que me escuche y respete mis palabras...

La noche se precipitaba y hacía desaparecer hombres y coches que atravesaban la plaza y una sustancia innombrable, igual a una inundación de misterioso cieno, iba ocupando el lugar de la luz y sólo bajo los faroles se mantenía la anterior claridad, un reducto del día en el cual era posible leer un periódico o mirar un reloj para sorprenderse de que ya eran las ocho y esa hora no correspondía con lo previsto, que debía cumplirse tal como se había planeado para que ella, al salir por la gran puerta y bajar la escalinata, fuera vista con toda precisión si llevaba o no el paquete, lo más importante para los encargados de observarla y no sólo para ellos sino para personas que no la conocían ni sabrían nunca nada sobre ella pero que dependían de lo que hubiera ocurrido para permanecer en sus casas, a la espera de completar la tarea que ella realizaba, o bien marcharse y desaparecer, y antes, revisar cuidadosamente si quedaba algún papel delator, con algún nombre o una dirección, o incluso algún libro que revelase que en aquella casa se había leído y lo que dijese en sus páginas, había pasado al pensamiento del probable lector que por este mero hecho, debía ser considerado enemigo del orden, y si esto llegaba a ocurrir, él habría de estar, cuando saliese el turno de la tarde, a la puerta de la fábrica ofreciendo los caramelos o tabaco vendido por pitillos sueltos o las otras cosas que llevaba, hasta que aparecía Martínez y él debía tenderle papel de fumar para que supiese —con este gesto mudo pero ya acordado y que él recordaría bien—, que ella había salido sin el paquete, lo que muy claramente debió distinguir entre los que salían y entraban, pero si tendía tabaco, eso era un aviso de cuya gravedad hablaron largamente para que no quedara ningún cabo suelto y prever todas las posibilidades, y era la señal de que a partir de aquel momento se olvidarían del sueño o el cansancio y se entregarían a la desagradable misión de ir de un sitio a otro para dar la alarma y el proceder había de cambiar, medir lo que se hacía, pero que nadie lo notase y no acusarlo en la cara pues cuando ésta ha sido modelada por el aprendizaje áspero de la vida, parece que el saber, el conocimiento, traza rasgos más severos, que hay quien interpreta y comprende que son de dura oposición a lo que ocurre en el mundo o en la ciudad donde se habita y el rostro reconcentrado y serio que parece ocultar una reflexión crítica, a los que temen ser juzgados y son conscientes de que han pactado con la indignidad y viven de ella, les causa un malestar y vuelven la cabeza y no quieren saber nada y ante ésos hay que disimular, que no sospechen que la situación ha empeorado si lo que avisa a Martínez, ofreciéndole tabaco, es que la mujer del abrigo verde había salido de Correos cerrándose con la mano derecha el cuello como si tuviera frío o fuera un ademán habitual de cubrirse la garganta, una parte vulnerable o expuesta no sólo al viento en ráfagas sino a miradas ambiciosas a la piel delicada y tibia que desciende imperceptiblemente hacia el pecho, esa zona que ha soñado con acariciar o rozar con los labios para después subir la mirada hacia los de ella para comprobar si se fruncen en una sonrisa de halago o de inicio del placer o al menos de

353

condescendencia para aquella boca que tantea los puntos más palpitantes y pone en ellos la sensación cálida, tan diferente al golpe de frío que haría cerrarse el cuello del abrigo de forma tan normal que a nadie extrañaría, y la mano habría de continuar en aquella posición un buen rato, bajando ella la escalinata y luego acercándose a la parte del paseo donde él, que daba pasos cortos, girando en el mismo sitio, estaría pendiente de observar si la mano se alzaba hasta el cuello, exactamente igual que hubiera hecho la mujer si fuera presa de la angustia o el terror, ya que por un acto instintivo, se protege esa parte donde otras manos pueden aferrarse y apretar con ira hasta estrangular que es una manera de dar paso a todo lo que sentía el que estaba en el quiosco de bebidas, y seguía leyendo el periódico y tenía ante él la segunda taza de café: una necesidad de dar golpes, preciso descargarla en alguien y el día en que yo pueda enfrentarme con mis enemigos, los que explotan a los débiles, los que compran a los jueces, los que medran con el engaño, los que encarcelan y golpean a los vencidos, ese día, cuando mi fantasía sean hombres de carne y hueso, usaré un hacha, una pala, una barra de hierro y así les vengaré a todos y la historia nos hará justicia y seré comprendido alguna vez pues si hoy nadie nos conoce, más tarde se sabrá de nuestro esfuerzo.

Habían dado las ocho y ella no salía y una aplastante masa opaca detenía su capacidad de pensar ante la sorpresa de que se enfrentaba con lo inesperado, con lo que en las largas conversaciones preparatorias no habían previsto pese a que ambos pensaban y pensaban y se esforzaban en imaginar todo lo que podía ocurrir y para ello trazaban soluciones y en la expresión de los dos podría reconocerse, por algún observador atento pero no indiferente sino capaz de comprender y respetar el esfuerzo del razonamiento, que llegaban a los límites de su capacidad de prevenir, entregados a construir perfectamente una fantasía como era concebir el futuro y que en éste todo se cumpliera según sus deseos, lo cual sólo era posible se diera en cabezas polarizadas por una utopía disparatada, algo propio de soñadores o modestos empleados u obreros que sabían que aquella utopía era lo único que les compensaba de los bajos salarios, el frío de casas alquiladas en los suburbios, de hambres en los periodos de paro, de vestir ropas usadas, de sentirse basura en un mundo que se medía por la posesión de riquezas, y también darles la seguridad de estar respaldados por una fuerza poderosa y no manifestada, a la que se sentirán vinculados, dispuestos a toda clase de ayudas, tal como el agente que vino de París dijo que ellos podían llegar a todos los sitios y que nadie se creyese solo porque estaban allí donde fuera preciso y esta certeza de fraternidad creaba lazos invisibles aun con aquellos que no se conocían, pues el secreto obligado ponía sus telones entre ellos, pero que tenían mucho en común, pese a las diferencias de caracteres y la versión distinta de las ideas a las que estaban entregados, diferencias que serían notables pero no obstante así fue siempre y las legiones que ganaron batallas y conquistaron reinos y los ejércitos que derribaron murallas e impusieron coronas, se diferenciaban también entre sí, hablaban lenguas distintas y sin embargo realizaron hechos históricos transcendentales aunque nada tuvieran de parecido con que una mujer no apareciese en la puerta por donde estaba previsto y este episodio sin importancia, efímero, en la terrible historia de las naciones, era ahora desconcertante y casi angustioso, llenaba la plaza con su amenazador imperio de azar y riesgos y había que alejarse o marchar definitivamente dejando sin cumplir lo acordado y llevando la confusión y el desasosiego a todos, abierta la posibilidad de cualquier eventualidad, ya fuera de madrugada una llamada en la puerta, o que un hombre se acercase en la calle, o que una mujer con aspecto insignificante les siguiera: cada sombra sería una trampa y habría que extremar la vigilancia, estar alerta y mantener vivaz la mirada vagando de un lugar a otro, midiendo la distancia a un portal, a un bar donde poder escabullirse, calculando quién es el que se pasea cerca de una comisaría o desconfiar con igual insistencia del que intenta entrometerse en lo que se hace o se deja de hacer, el que escudriña en los caminos interiores queriendo obstinadamente enterarse sobre cada una de las figuras espectrales que cruzan por los umbrales del alma cuando llega finalmente el sueño, poblado de tantos habitantes, donde está la cara de mi padre y comprendo mi odio cuando me pegaba, y ya no podré tener otro para olvidar al muerto, y bien muerto, al padrecito, sí, padrecito, palabra que yo sé bien lo que significa, a lo que en verdad se refiere y las intenciones que hay en ella.

A él le costaría trabajo encontrar las palabras para explicar aquella sensación de deseo de huir, escapar no sabía bien a dónde, dejarlo todo y no volver a ocuparse de lo que significaba que ella hubiera surgido en la escalinata cerrándose el cuello del abrigo, y eso era lo peor, a partir de lo cual ya no habría calma para nadie y habría que avisar de que había sido descubierta, no se sabría bien si por un empleado de Correos al darle el paquete en la gran nave donde los entregaban, o por dos hombres que estaban a cierta distancia y echaron a andar tras ella y al no poder ser porque les atrajese como mujer, pues el abrigo borraba todas las formas del cuerpo y no se podía adivinar si sería joven y apetitosa, habría de ser porque la seguían por haberla descubierto y entonces sólo cabría cundir la alarma y no sosegar porque ya era imposible renunciar o renegar de lo hecho y dejar de ocuparse de aquella lucha contra injusticias concretas que sólo se atacaban con proyectos, con cálculos para el futuro o con esperar un paquete de impresos que una mujer iba a retirar en Correos, cumpliendo ella también un deber de disciplina, y no quedaba más que aceptar la fatalidad de la que ahora se lamentarían y en la cara del enlace de París quizá resbala un mohín de disgusto o de cólera a lo que seguiría una descalificación por aquel fracaso y, probablemente, notaría que dejaban de encargarle tareas o hasta podrían aislarle como un inútil según lo que aquel hombre hubiera explicado en París, aunque apenas hacía unos días hablaban entre sí de un mundo imaginario que largos años se fantaseaba, un paraíso donde cabía toda perfección, y el tesoro de ideas rectas y nobles que cada uno llevaba en su pensamiento, las derramaba sobre una tierra perfecta a la que aspiraban conocer y gozar pues creían cuestión de años que se estableciese por doquier y ese anhelo era análogo al que ayudó al ser humano a abandonar su guarida de animal acosado y lograr las conquistas admirables que ellos, como dos buenos amigos, se anunciaban y se comunicaban aunque luego, en un informe insidioso a París, resultara él único culpable de lo ocurrido y, al denigrarle, sería sospechoso en el futuro, pero ¿qué hacer? así fue la marcha humana hacia adelante, entre tropiezos y equivocaciones, malevolencias y tanteos, entre sacrificios, decepciones y entusiasmos, pactando con personas que debían considerarse amigas aunque nunca lo fueran, a las que bastará saber de algún acierto tuyo para que te envidien, y si se consideran superiores a ti, te despreciarán, y por eso yo no confío en nadie y ellos, a su vez, desconfían de mí como si yo crease un recelo en torno mío y brotara fuera de mí, por lo que a veces creo que doy existencia a esta época tan terrible que me rodea, de intrigas y ocultación y con esta maldita fuerza interior, estoy creando un campo de batalla en noche cerrada y la delación me sigue apoyada en mis hombros y estas personas con las que ahora actúo, me parecen unos ilusos cuya actividad se reduce a distribuir un periódico en ciclostil, a hablar de filosofías, a soñar con una huelga general, pero yo lo que debo es arrojarme contra los enemigos a los que estoy encadenado, sometido a su imprescindible presencia, para poder odiarlos y sólo esto me justifica estar aquí, ante este café amargo y frío, aunque desear la fraternidad, la colaboración, sea el propósito de todos, la que une con personas desconocidas, de las que nada se sabe excepto que son inaccesibles al desaliento, convencidos de que esta causa ha de triunfar y que jamás, pese a torturas o engaños, nunca delatarán a sus compañeros, los que reparten octavillas a los trabajadores cuando salen de una obra, los que pintan letreros en las paredes, los que echan por debajo de la puerta una proclama, los que buscan trabajo a los que vienen de las cárceles, los que dan un poco de dinero para comida a los presos, todo sigilosamente, mantenido en secreto —ese que se esforzaba en descubrir un poderoso gobierno con la gran organización de sus recursos—, tan hábilmente hecho que nadie percibía tal actividad porque el sentirse perseguidos les hizo cautelosos y el ser portadores de mensajes reservados a través de una ciudad enemiga, les obligó a hablar con voz mesurada y recubrir de un disfraz alusivo las conversaciones en público para que nadie comprendiera nunca lo acordado: si era descubierta y la seguían, como señal, habría de cerrarse el cuello del abrigo, y que tampoco se percatasen de cuál era su verdadera opinión sobre temas banales o fundamentales de la vida, y sólo un iniciado, conocedor de los términos habituales, podría atisbar cuál era su auténtico pensar sobre el dinero, las fábricas, los salarios, pero nunca se habría de saber que aquella mujer, aún joven, con un gesto cariñoso al sonreír y al mirar abiertamente, le sedujo desde que se la presentaron sin darle ningún nombre, y era su ilusión acercarse a ella un día y decirle palabras agradables y recordarle cómo entre ambos había un lazo de ideas, punto común para una buena amistad que debería estrecharse, y si ella miraba complaciente, insinuarle: la amistad es el primer paso para el amor, y acaso ella aceptase tomarla del brazo y entonces la charla cobraría más intimidad y tendría la virtud de borrar tantos sinsabores pues la expectativa del amor hace olvidar la persecución a muerte sólo por repartir unos papeles donde se explica la injusta organización del Estado, o dar a leer una hoja escrita a máquina, casi borrosa, que ha pasado por muchas manos, y extraña que la represión sea tan desmesurada si se compara esto que ellos hacen con las armas de fuego, las férreas puertas de los calabozos, los tribunales, los hombres armados entrenados muchas horas en gimnasios, si se compara con una actividad que es sólo analizar complejos asuntos económicos de tan difícil comprensión que acaso se limite a poner un punto de luz en una conciencia ensombrecida por la falta de enseñanza.

Harás un gesto de extrañeza y dirás que no sabías nada, pero contigo indudablemente ellos convivían, aunque nadie quisiera darse por enterado de su presencia, y hoy te preguntas cómo no lo supiste y rebuscando en dudosos recuerdos, al no encontrar vestigio alguno, mueves las cejas y, ya molesto, diriges la mirada al aparato de televisión pero allí no los verás, su discreto rastro se encontraba en los rumores o en órdenes policiales de aquellos tiempos ya tan lejanos que todo lo hecho parece infructuoso, un sacrificio de ánimos decididos, consagrados a una divinidad de mil cabezas, indiferente, a la que no llega el aliento breve de la tensión de esperas prolongadas y nadie apresurado va a percibir la demacración del rostro, si es que alguno se fijaba, porque su aspecto era el más vulgar y anodino y así aparecían tras los grandes o pequeños incidentes y noticias y pese a los trajes usados, las camisas lavadas mil veces, los zapatos desgastados, en los diarios frecuentemente se les denunciaba como el gran enemigo de la patria aunque nadie lo relacionaría con su apariencia y te preguntas cómo los hubieras distinguido si no eran hombres fornidos con sólidas espaldas, y fuertes músculos en brazos y piernas, o talentos excepcionales formados en universidades extranjeras, como exigiría el cometido que se proponían de tan gigantescas proporciones que asombra hoy —hacer que la vida en la tierra fuera un paraíso, nada menos—, sino que ése de la caja es de baja estatura, surcada de arrugas la frente, inerme, inseguro, teme que una mano le coja del brazo y sea la delación, frente a la que está desasistido de cualquier ayuda, y haciéndose el distraído calcula el tiempo que lleva ante la gran puerta por donde la mujer debe salir con el paquete de octavillas, pero contra todo lo previsto y calculado, contra su imperiosa, y a la vez tierna, necesidad de verla, ella no aparece y pasan dos horas y la angustia aumenta su confusión por lo que haya podido ocurrir, sus conjeturas fallan y en torno suyo la indescriptible noche se hace dueña de todos los designios humanos.

El último día del mundo

Parecía no quedar ya nadie en el barrio y las ventanas estaban vacías y las puertas las movía el aire y los ratones cruzaban las salas silenciosas y el aroma de la madreselva se perdía sin llegar a aquellos que plácidamente se adormecían en las siestas calurosas. De noche no se oía el llanto de un niño insomne ni el entrechocar de platos en el fondo de las cocinas. En los jardines no sonaban los surtidores sino una rama seca desprendida, la roldana de un pozo movida por el viento, un gato abandonado susurraba un maullido de extrañeza y acacias y jazmines, lilos y geranios estaban callados y daban su luz verde, indiferentes a su próxima ruina. Los chalets que fueron hacía años la ambición de sus constructores, estaban cubiertos de polvo: había polvo en las escalinatas de azulejos rojos, polvo en las molduras de las elegantes fachadas, polvo en los cristales y en las escaleras que bajaban a los sótanos, dominio de humedades y sombras.

Los que habitaron allí y encontraron la felicidad o el ocio en los jardincillos apacibles y los que celebraron cumpleaños y vieron cómo envejecían sus hijos y pusieron por última vez la mano temblorosa en el embozo de la cama, todos, de una forma u otra, se habían ido, cediendo a presiones de los nuevos tiempos y el barrio de chalets fue quedando sin nombres, sin voces, entregado a soplos de viento, a golpes de cornisas desprendidas, a hojas arremolinadas en rincones donde había un guante, una botella sin nada, unos papeles que acaso fueron cartas.

Al otro lado del barrio, el rumor no cesaba y el gasoil movía pesadas máquinas que iban derribando casas, alisando y cubriendo la tierra con un pavimento de piedras y asfalto para formar la gran avenida de los desfiles triunfales[112].

Como un coágulo de vida familiar, de modestas comodidades, de logros anhelados tras años de trabajo laborioso, el barrio de chalets al interponerse en la marcha de las apisonadoras y las hormigoneras, había sido condenado indefectiblemente a desaparecer. Primero, talarían los árboles y arbustos, luego arrancarían las cañerías, las barandas de hierro forjado, las vigas de madera que sostenían los tejados y empezarían el rápido derribo al que nadie asistiría.

Por las calles bordeadas de acacias se paseaban una mujer y un hombre. Eran los últimos que allí vivían y habían decidido no marcharse, no abandonar aquel lugar en el que convivieron largos años y al que entregaron su cariño. Decidieron no aceptar mudarse a un bloque de viviendas donde los ruidos y las indiscreciones turbarían la necesidad de reposo e intimidad. Cuando llegasen las apisonadoras sería más cómodo morir con el barrio y con todo lo que éste representaba de soledad creadora, de roce con la naturaleza sencilla del jardín, de existencia tranquila.

Todo estaba preparado para el último día y su inminencia daba mayor efusión a las palabras, al cambio de opiniones, a caricias y a risas; los días que faltaban habrían de ser consumidos en una paz confiada, llena de evocaciones, de bellos recuerdos que habían hecho madurar a ambos, y de tácito olvido de una guerra intestina que había roto convicciones y proyectos. La proximidad del fin les saturaba de indiferencia y comprensión para el cúmulo de errores que acompaña a todas las vidas; entre ellos también brillaban aciertos, horas rutilantes.

---

[112] *avenida de los desfiles triunfales:* aunque en este cuento, por su carácter simbólico, se elide cualquier información toponímica, podría estar refiriéndose el narrador al Paseo de la Castellana, por cuyo asfalto marcharon (y marchan) los militares en procesión para conmemorar diversos eventos. El 18 de mayo de 1939 el ejército de Franco celebró en esta avenida el primer «Desfile de la Victoria».

Paseaban por sitios conocidos comentando insignificantes detalles de la soledad y la frondosidad de los jardines, la cual se asomaba por encima de las verjas sin impedirles ver el interior, y escuchaban a los pájaros en las copas de los árboles.

Sólo un ruido nuevo les extrañó, podía ser igual a pisadas sobre ramas resecas, y, al acercarse más a la casa de donde venía, sorprendieron a un hombre ante una alta hoguera que daba su crepitar en un montón de papeles, carbonizados unos, otros retorciéndose entre llamas apenas visibles, convertidas en humo.

Libros: desde la cancela veían que eran libros; el hombre los abría, los desgarraba y echaba al fuego con movimientos lentos, y se volvía a coger otros de una pila de ellos que tenía detrás: parecía obedecer mecánicamente a un designio de destrucción.

La pareja empujó la puerta del jardín que hizo ruido y entonces el hombre les miró, sostuvo la mirada un rato y dio unos pasos hacia ellos. La mutua extrañeza les hizo contemplarse: era un hombre joven, habría pasado los treinta años, quizá estaba en el límite de los cuarenta, con expresión seria, una arruga entre los ojos, de intentar comprender, y el pelo sobre la frente ya clareaba. Quienes le miraban era una pareja que podría ser similar en edad o acaso con unos años más, con igual gesto atento y vigilante, decididos a juzgar, con una imperceptible señal de decepción.

Tardaron en hablarse pero cuando ellos dijeron en voz alta lo que pensaban: su asombro al encontrar alguien allí y además haciendo una hoguera, el hombre les explicó que aquélla era su casa y aquéllos eran libros que no quería conservar. Les habló a cierta distancia, con desconfianza pero al replicarle la pareja que ellos vivían allí y nunca le habían encontrado, él se acercó y les preguntó que cómo era eso, si el barrio había quedado vacío y todos se fueron, y al ver que ellos se encogían de hombros, él sonrió y les dijo que también ese movimiento era suyo porque estaba dispuesto a no obedecer las órdenes, que había regresado a donde vivió años antes y que asistiría al final de la casa donde nació.

Se acercaron a la hoguera y tomaron algunos libros y vieron títulos y autores preferidos y se lamentaron de que los destruyese. No sabía él qué hacer con ellos, nadie, creía, se interesaba por tales lecturas, lo mismo que por muebles antiguos y otros recuerdos que aún conservaba y señaló hacia dentro de la casa. Y efectivamente, cuando entraron allí los tres, en las habitaciones estaba reunido todo lo que fue ornamento y confort de un hogar. Un desorden que aumentaba la curiosidad por objetos múltiples, cuadros, ropas, lámparas de cristal, altos espejos, viejos baúles... Y el recorrer los espacios entre aquel hacinamiento dio lugar a comentarios y a conocer mutuamente opiniones y gustos. Al volver al jardín, donde la hoguera se había apagado, le propusieron comer con ellos.

Desde que habían tomado la decisión final, la pareja preparaba exquisitos menús y se divertía cocinando platos suntuosos y compraba los vinos más selectos y buscaba conocer las posibilidades del placer del paladar. Y durante esta primera comida con el desconocido comprobaron que él entendía la razón de aquel cuidado y participó alegremente de la oportunidad. Y así comprendieron que podían ser amigos y compartir la felicidad última que se habían propuesto, y al oír ya claramente expresada cómo iba a ser ésta, les confesó que él también había decidido acabar cuando todo acabase.

Asombrados de aquel encuentro y de coincidir en muchas ideas, pues también él era un vencido de la guerra, satisfechos de hallar un igual en tan singular situación idéntica, la pareja le retuvo con su charla hasta la noche. Pero al día siguiente él les llamó desde la calle y cuando entró en el jardín vieron que les traía un regalo, un gramófono antiguo que se apresuraron a hacerlo sonar, poniendo un disco tras otro, a la vez que se manifestaban los tres como amantes de la música. A veces, la voz de Caruso[113] o un vals de

---

[113] *Enrico Caruso* (Nápoles, 1873-1921) creció en una familia muy pobre y tuvo que compaginar el aprendizaje de la música con la profesión de mecánico. Triunfó como tenor en Europa y en Estados Unidos, donde ganó fama mundial por la belleza y la fuerza de su voz y por el carisma de su persona.

Chopin[114] parecían despertar ecos en los jardines vecinos pero si al aparato se le acababa la cuerda, escuchaban un silencio total y lejos, el bramido de las máquinas que proseguían su fatal avance.

El desconocido les propuso que fueran a vivir con él: dispondrían de toda la casa y podrían ir descubriendo el contenido de aquellas habitaciones donde guardaba sus recuerdos de familia. La pareja le convenció de que era más fácil que se viniese él y se trajese consigo cuanto quisiera: vivirían juntos mientras fuera posible.

Y así fue como empezaron una vida en común sin hacer nada más que aquello que les agradaba, agotando los largos días del caluroso verano en juegos, en charlas, en mutismos de comprensión, saboreando los minutos que pasaban, indiferentes a lo que vendría después, proponiéndose olvidar las calamidades de la reciente derrota.

Reunieron el dinero que tenían; cuando se acababa, iban a vender algún objeto de valor y con su importe adquirían en el mercado negro cuanto necesitaban para mantener sus diversiones y su bienestar. Mediada la mañana preparaban una comida suculenta; el olor que salía de la cocina y que a mediodía perfumaba el jardín, atraía a gatos vagabundos que a cierta distancia veían cómo, a la sombra de las dos acacias frondosas, se extendía una gran mesa cubierta de un bello mantel y donde, entre búcaros de flores, se alineaban platos y copas para un reposado almuerzo que duraba más de dos horas.

El sonriente desconocido, al que habían dado el nombre de Falstaff[115], traía cada día de su casa nuevos motivos de sorpresa para divertir a la pareja, la cual, a su vez, le mostraba colecciones de grabados, de postales, de mariposas, reunidas por un abuelo suyo, y le contaban la historia de viejos retratos de parientes que habían estado en Cuba, y se

---

[114] *vals de Chopin:* los valses para piano de Frédéric Chopin (Polonia, 1810-1849) forman parte de la excelsitud del género.

[115] *Falstaff:* es el nombre del protagonista de *Las alegres comadres de Windsor*, de William Shakespeare, en la que se inspira el libreto de *Falstaff*, la última ópera de Giuseppe Verdi, considerada también la postrera obra del género lírico-bufo.

reían de su actitud rígida sometidos a todas las prohibiciones de la época.

Después de la comida tomaban golosinas y licores cuyo alto precio no dudaron en pagar y leían en voz alta a algún autor que los tres admiraban y las horas transcurrían comentando aquellas lecturas o haciendo que Falstaff, con su bella voz, recitase poemas que ellos también sabían de memoria.

De noche, cuando refrescaba el ambiente, a la luz de unas velas —la luz eléctrica fue cortada hacía tiempo— que daba a las habitaciones y a sus caras un aspecto misterioso y nuevo, hacían música. Desempolvados violines y guitarras y un xilófono, improvisaban; la iniciativa de los compases imprevistos se unía a sus voces, desentonadas, rotas por las risas, que a coro entonaban canciones conocidas. Las intensas sombras que les cruzaban los semblantes les sugerían el maquillaje de actores orientales y al día siguiente se pintaron las caras y eligieron los colores que más les convenían y se consagraron a hacer teatro, sin espectadores, sin más escenario que sus últimos días. Nuevos personajes cruzaban entre los macizos de geranios y celindas: un rey asirio[116], una especie de paje medieval, un hada envuelta en gasas y tules, según lo que se proponían representar y de acuerdo con los caprichosos ropajes que cada uno eligió en los baúles donde, hacía sesenta u ochenta años, mujeres que desearon ser admiradas habían guardado largas faldas de terciopelo y blusas tornasoladas y capas y camisones de abundantes encajes. La escalinata del jardín era la escena preferida donde se oían largos parlamentos que interrumpían carcajadas y aplausos.

Una tarde, a los sones de un clarinete, en la balaustrada, ante la puerta principal apareció una Salomé[117] con resplan-

---

[116] *rey asirio:* teniendo en cuenta el contexto, podría tratarse de Nabucodonosor, rey de Asiria, protagonista de la ópera homónima de Giuseppe Verdi.

[117] *Salomé:* personaje bíblico, hija de Herodías y sobrina (e hijastra) del rey de Judea, Herodes, que se sentía atraído por ella. Tras bailar la joven ante su padrastro, éste le prometió hacer realidad el deseo que ella le manifestase. Salomé pidió, a instancias de su madre, que le trajesen la cabeza de Juan el Bautista, censor de la incestuosa relación de palacio, y el deseo le fue concedido.

deciente túnica multicolor y una máscara plateada que le ocultaba medio rostro y declamó las inquietantes palabras: «Estoy prendada de tu cuerpo, Jokanaan. Tu cuerpo es blanco como las azucenas del campo, nunca tocadas por la hoz. Tu cuerpo es blanco como la nieve en la montaña de Judea. Las rosas del jardín de la reina de Arabia no son tan blancas como tu cuerpo, ni los pies de la aurora, ni el seno de la luna sobre el mar, nada en el mundo es tan blanco como tu cuerpo»[118]. Los brazos se extendían lánguidos y ondulantes hacia un Jokanaan inexistente, mientras Falstaff entre los jazmines trepadores, con calzón corto y amplia blusa recamada de damasco, y en la cabeza una gran boina cruzada por varias plumas verdes, gritaba: «Pero señor, si él os arrastra al mar o a la espantosa cima de ese monte, levantado sobre los peñascos que baten las olas y allí tomase alguna otra forma horrible, capaz de impediros el uso de la razón...»[119].

Sonaban más agudos los compases del clarinete y Falstaff, sentándose en la escalinata, se cubría con las manos el rostro y fingía sollozar: «Existir o no existir, ésta es la cuestión. ¿Cuál es más digna acción del ánimo, sufrir los tiros de la fortuna injusta u oponer los brazos a este torrente de desventuras y darlas fin con atrevida resistencia?»[120].

Salomé descendió unos escalones, abrió su túnica y se mostró desnuda y se inclinó sobre Falstaff. Este recibió sus besos y sus caricias, sintió el peso de sus piernas en las suyas y en la dureza de la escalinata comenzaron lentamente a conocer sus cuerpos.

Pasó un largo rato, vinieron unas ráfagas de cálido viento, la música vacilante seguía acompañándoles y las fastuosas

---

[118] Fragmento de *Salomé*, de Oscar Wilde (Dublín, 1854-París, 1900). En este drama la joven se siente atraída por Juan el Bautista, a quien se llama Jokanaan. Es célebre la ópera de igual título que compuso Richard Strauss (Múnich, 1864- Garmisch Panterkirchen, 1949) basándose en la obra del dublinés.

[119] Fragmento de *Hamlet*, de William Shakespeare, escena X, acto I: el soldado Horacio intenta persuadir a Hamlet de que no persiga al espectro de su padre. El texto citado aquí sigue la traducción de la obra que hizo en 1798 Leandro Fernández de Moratín.

[120] Como en nota anterior; escena IV, acto III.

ropas se fueron desprendiendo y la boina rodó lejos y ellos dos, unos minutos estrechados firmemente y otros, distendidos y separados, fueron deslizándose hacia el suelo de tierra y allí prosiguieron los juegos del amor mientras el día iba cayendo. Al fin, quedaron quietos, con la respiración apresurada y los músculos relajados; detenían la mirada en el cielo a través del follaje de las acacias en las que piaba un enjambre de gorriones.

El clarinete había cesado como si el músico, reclinado en su butaca de mimbre, estuviera sumido en igual letargo pero cuando ellos se levantaron del suelo y corrieron hacia la fuente seca y allí con la manguera empezaron a echarse agua, él bajó también, se despojó de la escasa ropa y entre carcajadas los tres se ducharon, se persiguieron con el chorro de agua que con su golpe plateado y frío les espabiló del sopor de la tarde.

Cuando a medianoche decidieron irse a dormir, Falstaff no se retiró a la habitación que antes ocupaba, sino que amplió el lecho de la pareja y los tres, en la penumbra que daba una vela rodeada de libélulas, se entregaron a las sabias posibilidades del amor. Y se durmieron por fin, entrelazados como un único cuerpo.

Al amanecer del día siguiente y al alzarse del sueño, se miraron con gesto descansado y cariñoso y según pasaban las horas sintieron nacer un íntimo bienestar que les permitía en su trato ser más libres y tiernos. Una mayor vitalidad les llevó a nuevos juegos en el jardín alternados con charlas de total sinceridad sobre las mejores experiencias de sus vidas. Habían reunido en torno suyo los productos de la inteligencia y de la maravillosa inventiva, el arte y las cosas naturales y gozaban de todo ello en un dominio excepcional donde fugazmente podían identificar los placeres y la felicidad, quizá también el olvido: repasaban láminas de libros, aspiraban el aroma antiguo de cofrecillos en maderas raras, se extendían desnudos sobre sedas y raso y se adornaban con collares y flores para adquirir un mayor atractivo y dar una imagen nueva a sus cuerpos que acariciaban y suavizaban con aceites y perfumes. Y desde aquella noche se intensificó el deseo de comer, de contar sueños, de distanciarse de los episodios tristes del pasado, de disfrazarse de las formas más extravagantes y audaces, y a la hora de la cena, cuando los licores y los vinos de marca habían puesto su fuego en el alma de los tres amigos, brotaban de la oscuridad, como regalo inesperado, y aparecían a la luz de las velas, máscaras bellísimas que realzaban espléndidos desnudos.

* * *

Cierto día comprobaron que no salía agua de los grifos; comprendieron que las máquinas se acercaban y que un día o dos más tarde los guardas de las obras se presentarían allí y ellos no podrían seguir entregados a la libertad.

Salieron a la calle y escucharon muy cerca el estruendo de los derribos en chalets próximos y las voces de los trabajadores que cargaban los pesados camiones con los materiales inútiles que antes fueron viviendas.

El final había llegado y así, serenamente, lo reconocieron y convinieron en que no podían demorar más la decisión tomada. Estuvieron unos minutos vagando por el jardín y luego entraron en la habitación que era el dormitorio común y donde estaba acumulado lo que ellos habían juzgado más bello y más digno de acompañarles. Sacaron de un armario las dosis que habían guardado celosamente y las disolvieron por igual en tres copas de vino que bebieron a la vez, sin decirse nada. Sabían que el efecto no tardaría en presentarse y se tendieron en el lecho; allí, como una despedida, se abrazaron y besaron estremecidos por la emoción del adiós y así llegaron los primeros síntomas, contracciones y calor asfixiante, y luego perdieron la conciencia y los cuerpos quedaron inmóviles, entremezclados y rígidos sobre las sábanas que habían sido sus compañeras.

* * *

Ellos nunca supieron que no habían sido los únicos habitantes del barrio abandonado y que sus fiestas, sus banquetes, sus mascaradas, su embriaguez de deliciosos vinos y de amor, habían sido presenciados por tres muchachos que día tras día, les espiaron a través del seto de la verja y admirados y atónitos contemplaron cómo se divertían, cómo leían en voz alta, cómo jugaban al croquet y a la pelota y cómo sus voces entonaban risas y canciones.

Dos muchachos y una chica, amigos aburridos en aquel verano, habían deambulado por el barrio vacío y descubrieron un chalet donde unas personas hacían algo que ellos envidiaron, y al escucharles y verles, se sintieron atraídos por ellas y todo momento lo aprovechaban en correr hasta la verja y allí, escondidos, seguir cuanto de admirable les revelaba la imaginación y la espontaneidad.

Pero aquel día les extrañó su ausencia y por la tarde se atrevieron a entrar en el jardín y pisar la escalinata y el umbral de la casa. No se oía ningún ruido, ni música, ni una voz. De puntillas avanzaron por las habitaciones y llegaron a una en cuya puerta se detuvieron: los vieron allí, tendidos en un gran lecho, yertos y lívidos, sobrevolados por una nube de moscas. En todo el espacio de la habitación se amontonaban muebles y cuadros, libros y botellas, lámparas y figuras de bronce y en el reflejo de un gran espejo se vieron los tres chicos como aterrados visitantes. Su inteligencia joven comprendió la verdad de lo que descubrían y sin hablar una palabra se dispusieron a huir pero un pensamiento común les detuvo: un tesoro estaba al alcance de sus manos.

Dieron unos pasos cautelosos en el dormitorio y empezaron a apoderarse de lo que más les gustaba. Un sombrero, la túnica de Salomé, una botella de licor dorado, collares, libros de estampas, una enorme caja de bombones, una cimera de plumas... y cuando tuvieron los brazos llenos, los tres salieron corriendo, atravesaron el jardín y en la verja miraron si en la calle alguien les sorprendería, pero todo el barrio estaba totalmente desierto y el postrer resto de vida, la asombrosa existencia se había extinguido a sus espaldas.

Los muchachos huyeron hacia otro barrio; acaso éste, pasados muchos años, sería amenazado de iguales destrucciones y ellos también preservarían así, en soledad, un brizna de belleza, de amor, de dicha, mientras esperasen que llegara el último día del mundo.

Capital de la gloria

«La capital de la gloria,
cubierta de juventudes la frente...»

RAFAEL ALBERTI

Los deseos, la noche

—¿Vas a salir ahora? Ya es de noche, te puede ocurrir una desgracia —había oído la voz del padre, reducida su fuerza por llegar del fondo de la casa donde coincidía el ronroneo de la radio encendida y el tictac del reloj de pared.

Ella no le contestó, distraída en otros pensamientos, atenta a escuchar algo extraño, imprecisamente percibido, y dio un paso y se acercó a la ventana y oyó una voz distante, era una voz de mujer que cantaba en el patio, voz casi imposible en el atardecer frío y amenazado, una canción cuyas palabras se perdían, pero el tono apasionado atravesaba los cristales y, aunque en algunos momentos se esfumaba, volvía como una llamada pertinaz.

Atendió a aquella voz y salió de su casa cuando ya terminaba la hora de la luz y el horizonte en el alto cielo, sobre las casas, perdía su color grana y aparecían el violeta y el azul cobalto y así cada rincón de la calle por la que iba se velaba en sombras que pronto serían negrura.

Pensó que la canción era para ella, para una enamorada, que una persona desconocida se la hacía llegar, segura de que la escucharía y le infundiría un decidido ánimo.

Sin temor, Adela atravesaba los comienzos de la noche yendo en dirección al Palace[121], convertido en hospital de sangre, donde antes se celebraban *thé-dansants*[122] y las pare-

---

[121] *Palace:* el lujoso Hotel Palace de Madrid fue habilitado durante la guerra, en efecto, como hospital de sangre.
[122] *Thé-dansants:* bailes de té, en francés.

jas en la pista, rodeadas de las mesas con los servicios del té, se movían en una música lenta, y los cuerpos de los que bailaban se rozaban, y los hombres notaban las sinuosidades de la carne que llevaban abrazada, y las muchachas, las que no habían conocido aún mayores contactos, se ruborizaban al percibir el vientre activado del que las rodeaba con su brazo. Se propuso, la última vez que estuvo allí, no negarse a la solicitud que alguno le hiciera, e irse donde la llevara, dispuesta a experimentar lo que hacía tiempo deseaba.

Avanza la noche que siempre presintió acogedora del amor, convirtiendo en secreto cada acto posible en el arrebato de ser todo ciego y entregado. Cruza calles de inseguro pavimento, con ruidos solitarios de pasos que se alejan, y Adela repite las palabras del poeta, que murmura invocando tal realidad: «Es de noche, ahora despiertan las canciones de los enamorados, y también mi alma es la canción de un enamorado»[123].

Por dos veces ha tropezado en un desnivel del suelo y se ha medio caído, pero a pesar del golpe en las rodillas sigue ilusionada y piensa que tal como va vestida no la habrían dejado atravesar el *hall* resplandeciente ni entrar al salón de baile, pero ahora sí podrá hacerlo.

Al salir del paseo del Prado se fija en unas luces de lámparas de petróleo y siluetas de hombres que colocan tablas para rodear los cráteres de dos bombas que cayeron cerca de la fuente de Neptuno, y les ve moverse como sombras en su tarea y no hace caso de algo que le gritan cuando pasa cerca, y mira el enorme edificio del hotel con el perfil de su tejado sobre un cielo levemente claro. Siente necesidad de llevarse la mano al lugar donde el corazón da su temblor alborozado, próximo el encuentro emocionante e intenso. Se dice para sí: «Ahora hablan alto las fuentes rumorosas y también mi alma es una fuente rumorosa».

Pero en la fachada no hay ni una luz ni una ventana encendida ni las farolas que siempre iluminaron la gran entra-

---

[123] Son versos de «La canción de la noche», poema de Friedrich Nietzsche contenido en la parte segunda de *Así habló Zaratustra*.

da: todo era oscuridad ante ella y tocó la áspera superficie de arpillera que le hizo entender que eran sacos terreros, puestos como protección, como los que encontraba por todos sitios, ante tiendas y portales, y bocas de metro y fuentes en los paseos.

Unas manchas de luz señalaban la entrada entre los sacos y penetró por un pasadizo en ángulo que desembocaba en el *hall*, tan conocido, pero en éste no había más que dos bombillas apenas iluminando sus amplias dimensiones y algunas personas que lo cruzaban: hombres con uniformes oscuros que hablaban entre sí y desaparecían en el fondo del vestíbulo.

Nada había allí que recordara el lujo: cajones y sacos apilados, las alfombras habían desaparecido y los olores del bienestar cambiaron a desinfectante en el frío ambiente.

Al centinela que estaba a la derecha y que parecía medio dormido, apoyado en una columna, le preguntó por Anselmo Saavedra. La respuesta fue que no podía pasar, pero ella insistió alegando algo confuso de que era su prima, algo sobre un herido, y al fin, él le dijo que le encontraría en el depósito del primer piso.

Subió por la escalera del segundo vestíbulo y se encontró en un ancho pasillo alumbrado débilmente, con puertas alineadas a ambos lados. Eran las habitaciones que ella sabía las más lujosas y cómodas de los hoteles de Madrid, con amplias camas, almohadas de pluma, discretas lámparas sobre los tocadores con espejos y frascos de perfumes. Una de las puertas estaba entreabierta y se atrevió a poner la mano en el pestillo y fue empujando despacio, con tensa curiosidad. En la cama vio la cabeza de un hombre que estaba cubierto hasta la barbilla por una manta azul; los ojos cerrados, respiraba anhelante, el pelo adherido a la frente, rubio como la barba; la luz venía de una lamparita sobre la mesilla de noche en la que había un vaso.

Quedó quieta, fija en él; luego se acercó y le pasó los dedos por la mejilla y el hombre no se movió, tenía un vendaje en el cuello. Adela bajó unos centímetros la manta hasta ver que los hombros y la parte alta del pecho estaban cubiertos por vendas. Fue bajando la manta y descubrió el cuerpo desnudo; contempló su palidez, el vello rubio en el vientre, y se fijó con atención en el sexo que yacía entre las dos piernas.

Estremecida, volvió a subir la manta y retrocedió, pero la atraía volver y tocar el cuerpo inmóvil, poner la mano en los brazos, en las piernas que había visto huesudas; se contuvo y salió. En el pasillo, buscó el depósito y al final, un letrero pintado en la pared lo anunciaba, y por la puerta abierta vio a su novio inclinado sobre unas cajas, haciendo algo.

Le apretó las manos con las suyas y le susurraba:

—Amor mío —y no escuchaba lo que él decía, sólo atenta a la sensación de que la besaba en los labios y en el cuello, donde quedaba libre de la bufanda—. Vengo para amarte.

Ella le hablaba muy cerca y a la vez le rozaba con los labios las mejillas ásperas de una barba crecida. El hombre se negaba. No podía dejar el trabajo ni descansar, ni distraerse: faltaba el cloroformo, apenas quedaban vendas, no había bisturís bastantes, entraban continuamente heridos del frente de la Casa de Campo.

—Pero yo he venido para estar contigo, para que me beses.

—Ahora no puedo atenderte. Mañana procuraré que nos veamos. Márchate. Tengo que ir al quirófano.

El año anterior estuvo en el baile de máscaras del Círculo de Bellas Artes[124], y había bebido mucho, como también sus amigas, y los brazos de varios hombres la ciñeron y le tocaron la espalda, y uno de ellos había inclinado la cabeza y la había besado en la oreja; con un estremecimiento, notó que la mordía con los labios y la humedecía con la lengua, pero, a pesar de la sacudida nerviosa que tuvo, no se desasió, no protestó.

Lo recuerda mientras baja la escalera y ya en el vestíbulo se sube el cuello del abrigo y con ambas manos se toca las orejas al ajustarse el pañuelo de la cabeza. En la calle, en-

---

[124] *baile de máscaras del Círculo de Bellas Artes:* desde 1931 se repiten por Carnaval estos famosos bailes en la sede que tiene en la calle de Alcalá la conocida institución cultural y artística. Al parecer, el origen de la fiesta se remonta a la celebrada en 1891 en el Teatro de la Comedia.

cuentra el aire frío y mira a un lado y a otro, pero no ve a nadie en la proximidad del hotel; delante, hay una ambulancia que parece abandonada.

Emprende el camino hacia la plaza de Santa Ana. El cielo es un techo casi negro, las casas no dejan pasar ninguna luz y las calles son largas paredes con filas de balcones apenas perceptibles. De vez en cuando se cruza con un coche muy veloz o con el ruido de alguien que marcha apresurado. Y muy lejos, empieza a oír la sirena de la alarma antiaérea, y cuando Adela pasa junto a San Sebastián[125], la moto que lleva la sirena avanza por Atocha y la ensordece.

Entra corriendo por el jardincillo de la iglesia hasta la puerta que da acceso al sótano y otras personas se unen a ella y se empujan hacia el fondo donde una bombilla azul ilumina el letrero «Refugio», y todos bajan hablando a gritos, nerviosos, llamándose, comentando el posible peligro, y en seguida llegan más personas que preguntan algo de un niño extraviado.

Junto a ella nota la presión de otro cuerpo y es un hombre que mira hacia la escalera; luego empieza a hablar, comentando el bombardeo del día anterior en Argüelles, y como Adela comprende que es a ella a quien se dirige, le contesta con gestos afirmativos. En aquel momento vuelve a pasar una sirena estridente que excita aún más a los allí reunidos que rompen en nuevos gritos, que se mueven y cambian de sitio. El hombre viene a quedar al otro lado de Adela, pegado a ella, y ahora le pregunta si está sola, si vive en el barrio, porque es peligroso andar en la oscuridad para ir a su casa; Adela contesta con monosílabos y con una rápida ojeada ve que es un hombre joven, con un gorro encajado hasta las orejas, que le sonríe. Sin pensar lo que responde, le dice:

—No voy a casa.

---

[125] *San Sebastián:* la iglesia de San Sebastián, que comenzó a construirse en 1554, aunque no se terminó del todo hasta entrado el siglo XVII, quedó totalmente destruida la noche del 19 al 20 de noviembre de 1936 a causa de una bomba lanzada por la aviación del ejército de Franco. Reconstruida entre 1943 y 1959, en 1969 fue declarada Monumento Nacional.

En voz muy baja, aproximándose más a ella, le pregunta si tiene novio, y a ella, igual que antes, se le ocurre responder que no. Percibe que el cuerpo del hombre se estrecha contra el suyo y le pone la boca muy cerca de su cara:

—Oye, ¿por qué no te vienes conmigo? A mi casa; no pasarás frío, hay una estufa que da mucho calor, y tengo una lata de carne sin abrir y vino, y podemos cenar.

Otras personas bajan al refugio y se pelean con los que están allí, que no les quieren dejar sitio, y como todos se empujan, Adela nota las manos de aquel hombre en la cintura pero no se zafa ni protesta, a la espera de saber adónde irá con sus pretensiones. Oye algo entre las voces que les rodean y escucha con atención.

—Te besaré en los hombros y bajaré despacio los labios y te lameré los botones del pecho. Yo te haré gozar.

Está a punto de marcharse pero de pronto se vuelve hacia él, le sonríe y murmura:

—Bueno.

Empuja a los que tiene delante y se esfuerza en pasar entre ellos, y como le es imposible, da codazos y en la semioscuridad ve las caras sorprendidas y enfadadas que se vuelven hacia ella, protestando. Le dicen que no puede salir, que se esté quieta, que se espere a que acabe la alarma, pero Adela, a pesar de todo, llega a la escalera y sube por ella. Cruza el jardincito y al salir a la calle choca, en la oscuridad, con un grupo de personas presurosas que dan voces de «Al refugio, al refugio», y es empujada fuera de la acera, casi a punto de hacerla caer. Pasa al otro lado de la calle y sigue andando pegada al muro de la iglesia y entonces se da cuenta de que el hombre no ha ido tras ella y que ha debido de quedarse en el refugio.

La intriga lo que le ha dicho y ella hubiera aceptado todo lo que le propusiera, haber llegado a conocer la pasión plena y el límite del placer. Recuerda el cuerpo extendido en la cama que ha visto en el hotel y su paso se hace más inseguro, yendo por varias calles que conoce bien.

Llegó ante una puerta que parecía cerrada pero la empujó y al abrir notó el fuerte olor a humedad que había en el portal, a través del cual, tanteando con la mano en la pared, alcanzó la escalera y fue subiendo despacio, calculando cada escalón, que daba los crujidos de la madera antigua, hasta el último piso en el cual una fina raya luminosa señalaba allí la única puerta.

Llamó con los nudillos, dando unos golpecitos, y abrió un hombre de cierta edad, con pelo largo y que vestía un guardapolvo y un pañuelo anudado al cuello. Tras él, brillaba un calefactor eléctrico que hacía cálido el ambiente de la habitación abuhardillada.

Adela, según entraba, le besó y le dijo: «Hola, tío», y se sentó en una banquetilla, tendiendo las manos hacia el calor de la estufa a la vez que echaba una mirada en torno suyo: allí había dos mesas con pinceles sobresaliendo de botes y óleos apoyados en la pared, algunos a medio pintar, representando paisajes, y en un caballete, un lienzo sólo preparado con fondo ocre. El hombre quedó de pie frente a la estufa; sostenía un cigarrillo en los labios y contemplaba cómo ella echaba atrás el pañuelo de la cabeza y sacudía la melena rubia.

—¿Por qué vienes tan tarde? Son casi las ocho.

—Me aburría en casa. Estaba harta de pasar frío.

Él movió la cabeza con un gesto de duda. Preguntó:

—¿Os han dado suministro hoy?

—Sí, ha ido mi madre a recogerlo. Creo que dieron arroz.

Él llevó su mirada a un ángulo del estudio.

—Dile a tu padre que me han encargado otro cartel del ayuntamiento y me dan el lema: «Madrid será la tumba del fascismo»[126]. No sé cómo lo voy a hacer —dio unos pasos, fijo en el suelo, y casi de espaldas continuó—: Yo soy un pintor, no soy un cartelista, pero tengo que trabajar en lo que sea...

---

[126] *Madrid será la tumba del fascismo:* fue muy popular desde los primeros tiempos de la guerra un cartel con este lema, que se hizo proverbial, pintado por Desiderio Marín Villaseca (Almaden, 1908-?), «Desmarvil», intelectual y dibujante del grupo de vanguardia que inició los primeros carteles de la defensa de Madrid.

Adela se dio cuenta de que le había aumentado la curva de la espalda.

—Piensa que estamos en una guerra y todo lo que pasa es raro y nos hace sufrir. Nadie duda de que tú seas un gran pintor.

Vio cómo se acercaba a la mesa y se apoyaba en ella y tendía la mano hacia algo que había allí pero fue para dar un golpe con el puño cerrado.

—Años y años de trabajo, procurando mejorar y conocer la técnica a fondo y acudir a premios y estar en exposiciones, y acabo haciendo carteles estúpidos.

Hizo un ruido con la boca, maldiciendo. Adela le interrumpió:

—¿Ha venido a verte tu vecina? ¿Sigues tan enamorado de ella?

—¿Quién? ¿Carmela? Sí, vino hace unos días.

Cesó en sus paseos al acercarse a la ventanita cuya cortinilla descorrió; miró afuera y Adela comprendió que ponía la mirada en algo deseado, donde estaba la ilusión, acaso en las nubes invisibles de la noche cerrada.

—Cada día que viene por aquí más bella me parece.

—¿Nunca le has dicho nada?

—¿Qué voy a decirle? Sería ridículo a mi edad. Le he propuesto pintarle un retrato, acaso acceda.

Sonrió imperceptiblemente sin quitar los ojos de la negra noche que debía de haber fuera del estudio.

—Perdona que te lo diga, tío, pero ella debería saberlo. Las mujeres necesitamos conocer si despertamos deseos.

—¿Qué le importa a ella lo que yo sienta? Si tiene alrededor suyo hombres jóvenes y dispuestos a cualquier cosa por conseguirla.

Volvió a pasearse y de una repisa sacó un paquetito de pipas de girasol y se lo puso delante a Adela, que comenzó a comerlas. Pero él se acercó de nuevo a la mesa y alineó con mucho cuidado botes de aguarrás y tubos de óleo.

—Verdaderamente, está preciosa, con el pelo recogido y una raya negra en los ojos para hacerlos más grandes, y cuando ríe es como una luz que le diera en la cara; sabe mover los pendientes para realzar las orejas y las sienes y el cuello.

Este verano tenía un vestido sin mangas, con un escote grande; yo la miraba y quedaba hechizado.

Al callarse, nada rompió el silencio en el estudio y sólo había el chasquido de las pipas que Adela con los dientes delanteros iba rompiendo mientras seguía los movimientos de su tío en los que le parecía sorprender un mayor desánimo. Él alzó la mano y la tendió hacia la estantería donde, entre latas de pintura, había unos libros; cogió uno, lo abrió, buscó una página que estaba señalada con una cartulina y leyó despacio, con la espalda aún más vencida que cuando paseaba:

> *Al declinar los años*
> *el amor es más tierno e inquietante.*
> *Brilla, sí, brilla resplandor postrero*
> *del último amor, aurora del atardecer.*
> *La sangre desfallece en las venas,*
> *pero no desfallece en el corazón*
> *la ternura del último amor*
> *que es bendición y desesperanza[127].*

Había leído pronunciando con cuidado, deteniéndose en las palabras, dando a éstas todo el aliento de la pasión contenida. Cerró el libro, lo devolvió a su sitio en la estantería y se pasó la mano por la cara, por los párpados y por la barba sin afeitar entre los surcos de las arrugas y los labios oscurecidos por el tabaco; la mano tenía venas abultadas y los nudillos deformados, todo lo cual observó Adela.

—¿Es de Rubén Darío[128] ese poema? Me ha parecido precioso.

El hombre contestó que era de otro poeta, y al toser, la mano con que se tapó la boca temblaba unos instantes. Entonces oyeron que sonaba la sirena de alarma y se miraron e hicieron un gesto de disgusto; Adela dejó de comer pipas.

---

[127] El autor da una versión del poema «Último amor», de Fedor Tiutchev (Ovstug, 1803-Tsárskoie Seló, 1873), importante poeta ruso del Romanticismo y precursor, como reconocieron algunos poetas de principios de siglo, del Simbolismo.

[128] *Rubén Darío:* se relaciona aquí de forma elíptica al poeta ruso F. Tiutchev con el nicaragüense Rubén Darío (1867-1916), reconocido introductor del Modernismo hispánico.

—¿Cuándo me vas a hacer un retrato? Me gustaría posar desnuda.

A lo cual su tío dio un gruñido y fue a correr la cortinilla de la ventanuca.

—La otra noche soñé con ella —empezó a decir—, igual que si la viese aquí. Yo fijaba la mirada en los labios, la barbilla, los pliegues a los lados de la boca al reír, las mejillas. Tuve miedo de tanta belleza porque era estar sometido a ella, ser su esclavo. En fin, *dernier amour*[129] —luego chascó la lengua—. No sé por qué digo esto.

Y Adela vio que cerraba los ojos y quedaba de pie, rígido, con los brazos caídos.

—Me marcho ya. Me voy a casa.

—Es muy tarde, sobrina, te acompañaré para que no vayas sola. Tus padres estarán intranquilos.

En la calle les esperaba la dificultad de caminar sin luz alguna, debían tantear cada paso cogidos del brazo, dándose un mutuo apoyo. Pronto volvieron a oír el aullido de las sirenas móviles, lo que les forzó a apresurarse y tropezar y tambalearse, y antes de llegar a Medinaceli[130] tuvieron encima el estruendo de los aviones y explosiones muy violentas que parecían romper los oídos y las casas que les rodeaban.

Resguardados en un portal que encontraron entreabierto, agrupados con otras personas, estuvieron sin hablar, atentos al peligro que llegaría en cualquier momento, pero como las explosiones no se repitieron, decidieron salir y titubeando echaron a andar. En la oscuridad, llegaron donde había un grupo de gente y oyeron gritar: «Han bombardeado el museo. Está ardiendo el tejado»[131].

[129] *dernier amour:* «último amor», en francés; es el título del poema de F. Tiutchev citado arriba.

[130] *Medinaceli:* se refiere el narrador a la basílica de Jesús de Medinaceli, sita en la Plaza de Jesús, que alberga una imagen de Jesús muy popular entre los madrileños y muy venerada por sus devotos, sobre todo desde que en el siglo XVII, después de estar cautiva en Fez, fuera rescatada por los trinitarios. En 1936, la Junta de Protección del Tesoro Artístico envió la imagen del Cristo a Valencia (y desde allí a Ginebra) para preservar su integridad de los ataques del ejército franquista.

[131] El 16 de noviembre de 1936, entre las 7 y las 8 de la tarde, cayeron sobre el tejado del Museo del Prado nueve bombas incendiarias lanzadas

Avanzaron más y vieron, en medio del paseo, en el suelo, dos bengalas que aún ardían, de las que habían tirado los aviones y, enfrente de donde ellos estaban, a la altura del techo del museo, un gran resplandor.

A la derecha, el edificio de la esquina de la calle de Moratín también había sido alcanzado por las bombas incendiarias y ardía; según dijo alguien, en la calle de Alarcón[132] comenzaba otro incendio.

Contemplaban atónitos aquellas llamas lejanas y el hombre repetía: «Van a arder todos los cuadros, todos los cuadros», y Adela le sujetaba por el brazo y percibía un estremecimiento de emoción. Sobre ellos, el cielo estaba cruzado por rápidas rayas luminosas de los proyectores de la defensa antiaérea y su luz daba en las nubes y descubría sus formas extrañas que en seguida desaparecían para que otras nuevas emergiesen de la oscuridad, sólo un instante, según el haz luminoso las recorría sin parar, alternando la blancura de la nube y el sombrío abismo del firmamento.

---

por la aviación del ejército de Franco. La Junta de Salvamento Artístico del Gobierno de la República trasladó muchos de los cuadros del museo a Valencia. Rafael Alberti, que pertenecía a dicha Junta, recreó estos episodios en su obra de teatro *Noche de guerra en el Museo del Prado*.

[132] *calle de Alarcón:* calle de Ruiz de Alarcón.

El viaje a París

Volvió su madre hacia él los ojos cerrados y le dijo: «No me preguntes, resuélvelo tú solo», y los abrió para mirar de nuevo al espejo donde ponía las claras pupilas, de un verde traslúcido, irisado, que parecían adentrarse por el cristal azogado y buscar en él un sendero de dicha.

«¿Siempre ha tenido esos ojos?», se preguntó el muchacho, porque se había fijado en ellos, y se respondió que no, eran inesperadamente nuevos, distintos, ajenos a lo que fueron las miradas en aquella casa.

En tiempos tan difíciles, en una guerra, nadie podía entender los cambios que acaecían pues los hechos se atropellaban y la integridad de los caracteres se quebraba, maltrechos por alarmas, miedos y conmociones; pero aún más difícil era entender que la madre se marchase de casa cuando nunca lo hizo y estuviera ausente, dejando un espacio vacío en la cocina, en las habitaciones, que a todos inquietaba. Los que se reunían allí a la hora de la cena contenían la extrañeza y el recelo ante lo que podría ser el abandono de hábitos que duraron años y merced a los cuales crecieron sus frágiles vidas. Para ellos eran inalcanzables las calculadas decisiones o el proceder arrebatado y hacia dónde tendían los íntimos impulsos, el porqué de la mirada abstraída o la razón del tenso perfil de los labios: imposible saber por qué la madre salía todas las tardes y no decía adónde iba y con quién se encontraba.

La prima Juana fue quien primero percibió el desajuste entre lo que era habitual y el cambio operado: simplemente, las sortijas, que llevaba sortijas, y las manos parecían más

blancas o suavizadas por una crema que hasta daba un ligero brillo en la piel cuando apoyó los dedos en la mesa a la
hora de cenar, bajo la lámpara que iluminaba las caras ávidas
reunidas en torno a la sopera en la que humeaba una especie
de puré como único plato.

Una mísera cena hacía semanas; aunque siempre se sintieron contentos porque, antes de la escasez, la madre ponía en
juego recetas y combinaciones, y cuando había, por ejemplo, almortas[133], las transformaba en un banquete al sabo-
rearse los componentes del guiso. Siempre ella era la que había sacado la comida, y, puesta en la mesa, y repartida,
echaba una mirada a todos, pues así confirmaba el general
contento por su habilidad de cocinera. Antes de que empezara el ciclón de la guerra, aquella borrasca que atravesaba el
pobre país y derrumbaba los hábitos, era una madre aún joven, con varios hijos, a la que en la cocina donde trajinaba
se la oía cantar alguna pieza de zarzuela y luego, cuando empezaron los bombardeos, aquello de

> Puente de los Franceses
> mamita mía,
> nadie lo pasa, nadie lo pasa[134].

Juana contó que había alzado la mirada de las sortijas a
los ojos, tan conocidos, y los encontró diferentes: como si
ya no estuvieran acompañados de la sutil sonrisa con que
abarcaba a los reunidos, como si ya algo les faltase para ser
como fueron, y cuando Felipe le dijo que se miraba al espejo tan profundamente que en él se hundía, y que por ello se
sintió abandonado, la prima afirmó meciendo su peinado
sujeto con peinecillas, y aseguró que coincidía con aquello
que oía; comparó tal mirada con esa veladura que, a la no-

---

[133] *almorta:* también llamada «diente de muerto», es una planta legumi-
nosa de la familia de las Papilionáceas; sus frutos tienen forma de muela y
sus flores son blancas y moradas; es autóctona de España y su ingestión
puede producir latirismo (parálisis grave de las piernas).
[134] Con la melodía de la copla tradicional «Los cuatro muleros», que sirvió de base para diversas letras, esta canción ensalzaba la defensa de Madrid
y, en particular, la del Puente de los Franceses, punto estratégico de suma
importancia durante la contienda.

che, pone en los ojos el cansancio quitando fijeza, pues los atrae hacia los reposados dominios del ensueño.

Felipe dijo que le pareció que el espejo le ofrecía una salida y por él había echado a andar y le dejó solo junto a la ventana, calculando qué hacer entre dudas, y él, en lo que veía al otro lado de los cristales, no halló solución ni consejo y fue dominado por la extrañeza de tal indiferencia inesperada.

Una explicación sería la de París, que mencionaba cuando elogiaba algo bueno y bello y lo comparaba con aquella ciudad, en su extensión, como capital de Francia, o en sus barrios que ella había conocido y de los que conservaba una impresión muy viva, tanto que a ellos muchas veces les había contado recuerdos que no lograban interesarles aunque veían en su sonrisa el placer que despertaban. Y más de una vez notaron que la madre, con su gesto soñador, se distanciaba de ellos, y el afecto, o una parte de él, lo ponía allí lejos e incluso como si volase hacia aquel nombre. Y ahora su certidumbre era más real, no una apreciación, pues andaba por calles que ellos no sabían adónde la llevaban.

Felipe, al día siguiente, cuando volvió de la clase, contó en voz alta, para que ella oyese bien, que le habían regañado por pronunciar mal, y mientras, echaba un vistazo a la cara de la madre, en la que vio tan sólo un alzar de cejas y girarse hacia el balcón, el que había en el cuarto de estar, que tenía cruzados los cristales por tiras de papel pegado para amortiguar la vibración si un obús caía cerca, y, por los espacios que dejaban las tiritas, pareció contemplar algo atractivo aunque fuera no había nada que captase la posible atención, todo ya visto en tantos años, pero prevenidos por lo que ocurría, aquel gesto de contemplar el exterior de un mediodía de noviembre con un sol tamizado por nieblecilla invernal sólo podían interpretarlo como alejarse hacia la ilusión de París o hacia otra expectativa de la que nunca habló, para ellos desconocida.

En la cena, Pablo anunció que los peluqueros estaban organizando un batallón[135] y él, aún sin tener la edad, quería

---

[135] *batallón de peluqueros:* puede leerse una lista con los integrantes de este batallón, que realmente existió, en *Campo abierto*, de Max Aub.

enrolarse, y si le rechazaban, planeaba ofrecerse al Servicio de Trenes.

Y esta decisión seria, que a todos los hermanos preocupó, mientras iban tomando el guiso de arroz, y cruzaban comentarios, preguntas y objeciones, les hizo no percibir bien en el paladar una novedad, y era la ausencia de ajo, del que aún no obstante quedaban unas cabezas en la fresquera de la cocina. Arroz sin ningún otro aditamento decía claramente que la madre se desentendía de la cocina, lo que vino a culminar al día siguiente, en que a las siete de la tarde, cuando ya era noche, ella se puso el abrigo y, diciendo tan sólo que iba a dar una vuelta, salió.

Engracia volvió de la oficina a las ocho y media y como no la encontró donde siempre estaba a esa hora, oyendo la radio, se mostró descontenta porque precisaba hablar con ella, pero no pudo hacerlo hasta las nueve y cuarto que regresó y pasó a su alcoba, y luego entró en el comedor, donde Engracia le dijo que por qué volvía tan tarde con un tiempo tan frío y con las calles sin luz, pero otra era la razón del reproche.

Volvieron a verla abstraída como tras un cristal de silencio y desdén porque a todo lo que Engracia contó de un reparto de ropa en su oficina, que se había pospuesto al envío de jerséis para el frente, sólo tuvo la respuesta de una mueca de duda o cansancio, que era curvar los labios cerrados, contraídos.

Dos mañanas más tarde, a la hora de levantarse, alzó la voz para decir que todos eran mayores y que por tanto ellos se hicieran las camas y que limpiasen sus cuartos porque ella no lo haría más: bastante tiempo atendió a tal faena. Y a continuación hizo un ruido con la garganta que imitaba una risa o un carraspeo, que nunca habían oído en ella, pero a Juana, que estaba a su lado, le desagradó igual que si fuera un juramento contenido.

Había tocado la guerra los confines de la capital hacía días y sus ruidos estruendosos anunciaban las batallas, y por si esto fuera poco, la aviación alemana dejaba caer un día tras otro su cargamento de destrucción y fuego, y bajo paredes derrumbadas y vigas desprendidas quedaban personas que así terminaban para siempre. Rápida había sido la transición: un alegre verano de excursiones al campo cambió a disparos, tanques ardiendo, ametralladoras con su ladrido, el vuelo de una bomba de mano que cae donde menos se espera, los heridos, los camilleros: este remolino incomprensible, angustioso, amenazando con próximos horrores, había entrado en la casa.

Eusebio trabajaba en el reparto del periódico; Juana cosía en un taller de ropa blanca para soldados; Manolo se pasaba el día entero en un economato llenando botellas de alcohol para los hospitales; Engracia, en la oficina, y los más pequeños esperaban en casa, y cuando se reunían en el comedor, por encima de ellos vibraba una advertencia: una foto en su marco dorado a la que ya habían perdido la costumbre de levantar los ojos, pero algo oían, algunas palabras que aquel hombre decía bajo el espeso bigote —rostro severo y el cuello de la camisa abotonado pero sin corbata—, palabras que pronunció en las reuniones de la Casa del Pueblo y cuando la huelga general del año 17[136].

Ella dijo: «Estoy cansada», pero no era verdad sabiendo su fortaleza intacta tras criar tantos hijos y haber trabajado en la huerta de los abuelos; no por cansancio se negaba a escuchar, responder a preguntas, comentar lo que oía; su mutismo hacía pensar que estaba enojada, o temía ser alcanzada por las balas perdidas, o sentir el punto doloroso que anuncia la enfermedad incurable, pero las salidas contradecían lo del cansancio y a ninguno daba cuenta de adónde iba, y eso, en los días más peligrosos de noviembre.

---

[136] La primera *Casa del Pueblo*, cuyo modelo siguieron otras muchas en toda España, fue fundada por el PSOE (Partido Socialista Obrero Español) y la UGT (Unión General de Trabajadores) en 1908, en la calle de Piamonte de Madrid. Son centros para la educación, el esparcimiento, sedes para organizaciones políticas o sociales, etc., propiedad conjunta de los obreros; la *huelga general de 1917* (la primera de tal carácter que se veía en España) fue convocada por la UGT y la CNT (Confederación Nacional del Trabajo) en protesta contra el sistema de la Restauración. Tanto en la huelga general de 1917 como en la creación de las casas del pueblo, el fundador y Presidente del PSOE, Pablo Iglesias (La Coruña, 1850-Madrid, 1925), tuvo un papel destacado; su sombra parece planear por todo el relato (el nombre de uno de los personajes, por ejemplo, o su parecido con el retratado arriba así lo sugieren).

Para todos se fue insinuando el cambio definitivo, y lo más revelador fue que tendía en cualquier momento a cerrar los párpados, y esa mirada dirigida hacia las sombras o las luces de su interior desconcertó y puso de evidencia que el pensamiento, así preservado de la realidad, se encaminaba a otras personas, a otros lugares sin duda más placenteros, pues los de entonces bien amargos y desgraciados eran. Sólo Pablo intentó comprenderla con la excusa de que la guerra hacía sufrir calamidades terribles, o presenciar la destrucción de bienes o de vidas, y bellos cuerpos, tan queridos, calcinados, lo cual convulsionó los dilemas íntimos que con su confusión alteraban las caras, cambiaban comportamientos aun en las personas más serenas, más equilibradas.

Todos le escuchaban y asentían, en torno al aparato de radio que acababa de dar el parte de guerra de las diez de la noche, y la madre no estaba en la casa.

Se sintieron entonces en una vacía llanura, como esos descampados que hay más allá de Ventas, un terreno desolado que se abría ante ellos y por el que habrían de marchar, huérfanos ya, sin protección, cuando a Juana se le ocurrió una idea: que acaso estaba enferma y que tendría que aguardar en las salas de algún hospital a que los médicos la viesen, o bien, podría tener un novio.

A estas palabras rebulleron en sus sillas, se encogieron de hombros, negaron, sacudieron las manos y luego hubo silencio y cada uno levantó la cabeza hacia el desvaído retrato del hombre que adornaba el comedor; junto a él, un almanaque señalaba los fríos días de noviembre.

Media hora más tarde, las caras se dirigían hacia ella, sentada ya a la mesa, en la mano el trozo de pan, igual al de todos, y delante el plato de lentejas que había guisado Juana, y ésta se percató de que las sortijas habían aumentado en los dedos que sujetaban la cuchara: llevaba dos más, de oro, y aunque probablemente nadie atendiese a tal adorno, éste podía significar mucho, o nada, en lo que parecía ser nueva índole de la madre.

Al día siguiente, Pablo le dijo que todos la necesitaban porque la casa era la retaguardia de sus ocupaciones fuera, y alguien tenía que mantenerla, ellos no podían porque llegaban cansados, con poco tiempo, y no venían de divertirse, precisamente, ni del cine, sino de trabajos útiles a los fines de la guerra. La madre le respondió que no iba a ocuparse más de la casa, de labores rutinarias que la embrutecían; si ellos no se bastaban a sí mismos, que dejaran tanto trabajo y cocinasen y barrieran e hicieran cola para recoger el suministro del racionamiento.

Tenían esta conversación en el comedor que era el cuarto de estar, que fue durante años el punto donde todos coincidían y allí se había jugado al parchís y leído en voz alta y estudiado la geografía y la gramática y rivalizado los hermanos, y los muebles fueron envejeciendo y se deformó el sofá y amarillearon las flores del papel de la pared.

Pablo pasó su atención a lo que allí estaba remansado desde siempre, incluso a un olor peculiar, a las templanzas que daba una alfombra que aún duraba desde que los padres se casaron, y súbitamente se esfumó la sensación indecible de orden, del equilibrio de tantos años, y quitó sus ojos de la madre, confuso.

—No estamos jugando. Padre nos dijo que de mayores habríamos de luchar por el socialismo, y ahora lo hacemos.

Oyó que la madre murmuraba que lucharan por el socialismo si querían, como otros luchaban por ser felices, y ante el joven se planteó aquella división que él no entendía, pues ambas luchas eran idénticas, una sola, a la que él y sus hermanos estaban entregados siguiendo una orden lejana que se les dio y por alguna razón los hijos la respetaron e hicieron suya.

—Si ganan los de Franco nos matarán a todos —y entonces le sorprendió una sonrisa de la madre mirándole con atención, y dijo en un bisbiseo que aquello era una tontería. Se fue del cuarto y Pablo captó unos ojos casi transparentes, verde claro, que cambiaban por un segundo en brillos de metal plateado.

Cuando se lo contó a la prima, ésta exclamó que también ella quería ser feliz pero no sabía cómo serlo en aquellos tiempos y sólo esperando que todo acabase y volvieran a una vida normal, pero no debían dejar de hacer lo que hacían y era lo que el padre, años antes, había anunciado, que vendría una lucha terrible entre pobres y ricos.

Telefonearon al tío Enrique para que fuera y le contasen las rarezas de la madre, que era su hermana y podía intervenir e influir en ella. Pero cuando llegó, estaba la madre en la casa y no pudieron explicárselo, y junto a él esperaban si ella, por algún motivo, se iba a otra habitación y aprovechaban para contarle todo.

El tío Enrique, en cuanto tomó asiento, dijo que probablemente iría a París con una comisión para compra de armamento, y al oírlo, la madre se puso muy contenta y le felicitó aunque él no ocultaba los peligros de ir en avión, pero ambos comenzaron a hablar de París con entusiasmo, de las casas incómodas y viejas pero habitadas por gente de mil países, la libertad en el vestir y en el pensar, las posibles aventuras: era como un sueño de juventud que esperaba en los bulevares o en las orillas del Sena, que ellos parecían conocer bien.

Juana, que estaba cerca, sonreía con sus labios descoloridos, y mientras hacía algún trabajo de la casa, les replicaba que todo aquello era pura fantasía, que en cualquier otra ciudad encontrarían lo mismo y que París era una ciudad de sufrimientos y fracasos. Quizá al decirlo estaba defendiendo su propia vida en aquella casa en la que no había tenido deseo alguno de mejorar ni curiosidad por lo que no fueran las repeticiones diarias.

Enrique negaba y sonreía, íntimamente seducido por sus mismas descripciones, y escuchaba a la madre que soñaba con volver a París y que haría todo lo posible por visitarlo de nuevo, no unos días sino meses, permanecer allí y vagar por los sitios que conoció cuando adolescente. También ella reía por lo que pensaba, por la satisfacción que le producía lo evocado, y, meciendo la cabeza, tarareó la musiquilla de la película *Bajo los techos de París*[137] que hacía unos meses se había estrenado, y el tío también entonó algo y cambió el habitual gesto preocupado que tenía cuando venía a casa, para resplandecer de sonrisas, en acompasado vaivén de hombros, y hasta entrecruzaron alguna palabra en francés que nadie entendía.

---

[137] *Bajo los techos de París:* primera película sonora de René Clair (1898-1981) y del cine francés; fue estrenada en 1930.

Siguió tal alejamiento y, al día siguiente, Felipe insistió para que ella le corrigiera un ejercicio escrito y le explicara la pronunciación de algunos verbos, y ella, que estaba sentada junto al balcón y hojeaba un periódico, le dijo que se lo preguntara al profesor de la academia donde iba, que él tenía la obligación de contestar.

La tarde que Eusebio quedaba libre en el periódico, notó que la madre iba a salir y entonces pensó en lo que estaba pasando, y al mirar la calle por la ventana y verla solitaria y húmeda de la reciente lluvia, le sugirió la idea de seguirla para vencer la curiosidad y descubrir si es que estaba preparando el viaje a París.

Manteniendo cierta distancia, fue tras ella cuando ya había oscurecido y en la semipenumbra de un cielo cobalto en el que aparecían poco a poco estrellas, siguió su silueta tan inconfundible, pese a ser nada más que una figura negra que iba deprisa. Se adentró por la calle de Eduardo Dato[138] y a la derecha, en el cuartel de reclutamiento, ante su jardincillo, se detuvo. Delante de la puerta dio unos pasos pero no llegó a entrar, se alejó, volvió a ponerse ante la verja y se paseó despacio, ignorando que era vigilada desde la esquina inmediata.

Eusebio vio que salía del cuartel un hombre, le pareció que llevaba gorra militar, habló con ella, la cogió del brazo y echaron a andar. Y ver así, confusamente, una pareja en la que la mujer era su madre, le produjo una conmoción extraña que detuvo su propósito de seguirla; quedó un rato inmóvil, pensando y queriendo interpretar qué hacía su madre en los paseos que, en apariencia, eran para estirar las piernas.

Al llamar al timbre de la puerta, cuando llegó a casa, y saber que dentro no la encontraría, contuvo un sollozo a punto de romper a llorar, y cuando le abrió el más pequeño, Tino, que le miraba alelado, sintió el desasosiego de no entender, o negarse a entender, qué ocurría y, además, enfrentarse a la sorpresa y las preguntas que todos le harían si decía que la había seguido.

---

[138] *calle de Eduardo Dato:* actual calle del Conde de Peñalver.

Estaban reunidos, mirándose, contando cada uno lo sucedido de especial en el trabajo, bostezando, esperando que
Juana terminara de calentar las acelgas de la cena. Una noche
más dieron las diez y el pequeño preguntó: «¿Cuándo vendrá mamá?», y no hubo respuesta, pero al cabo de unos minutos, Pablo dijo, sin dirigirse a ninguno, mirando al balcón
tras cuyos cristales veía la negra noche, que no debían enfadarse porque ella saliese, que tenía derecho a dar un paseo o
estar con unas amigas, acaso jugando al julepe o escuchando
la radio en cualquier sitio, que a ella le gustaba la música.

Uno de ellos dijo París y esta palabra todos quisieron tomarla como explicación de los intentos que acaso estaría haciendo la madre para lo que era muy difícil: marchar a Francia, y aún peor, salir de Madrid por la carretera de Arganda
y llegar hasta la frontera y cruzarla.

Asentir con la cabeza, mirarse entre sí y en seguida preguntarse qué iba a hacer allí, aunque se fuera y volviera con su
hermano, sin tener una familia que la esperase, ni dinero, según añadió Eusebio, que parecía entender todo mejor. Esta
posibilidad la imaginaban, pero no se habría hablado si no
hubiera salido el nombre de París, y cada uno se preguntó
qué sería de él si se producía tal viaje.

Por fin llegó, y los hijos no dejaban de pasar los ojos por
su cara, atentos a cualquier movimiento revelador de las facciones, o a una palabra que confirmase lo de la marcha de
forma que parecían estar absorbidos por el plato de verdura
que tenían delante, pero la atención pendía de lo que pudieran escuchar y sorprender. Solamente la prima, en una ojeada fugaz, comprobó que los dedos que manejaban el tene-
dor estaban limpios de sortijas: ni una sola los adornaba, y
en el sitio donde estuvieron persistían finísimas señales. Se
guardó de comentar aquella desaparición que los otros no
debieron de advertir: las sortijas que habían sido regalos de
boda, según ella había contado, y que se salvaron de las adversas épocas de una familia dependiendo de salarios de ti-
pógrafo, habían desaparecido, o bien podían estar en la caji-
ta donde también estaba el guardapelo de la abuela y el reloj
del padre; fácil fue comprobarlo al día siguiente, pero no las
halló en su lugar habitual.

Tampoco a la noche las vio, ni encontró en el rostro espiado la fisonomía corriente: un color nuevo y unas arrugas nuevas junto a la boca y una hinchazón de los párpados y un desconocido peso en las mejillas que transformaba en una madre vieja a la que antes cantaba:

> *Puente de los Franceses*
> *mamita mía, nadie lo pasa*
> *porque los milicianos*
> *mamita mía, qué bien lo guardan.*

Terminado el plato de la cena, apoyó los brazos en la mesa y todo el volumen del cuerpo gravitó y se hundió como si de allí ya no pudiese levantarse por una renuncia que la mantuviera sujeta definitivamente al círculo de hijos, unida a la suerte fatal que les aguardaba, según era justo prever, en la que habrían de renunciar a tantas cosas, a estudiar, a ser felices, a sentirse seguros, sometidos también ellos al destino doloroso de los vencidos en aquella maldita guerra.

Los mensajes perdidos

¿Un reloj? ¿Cómo podía traer un reloj para buscar a su dueño en un país acribillado a balazos y trastornado en sus nombres y personas igual que en sus calles y casas, rotas y confundidas? Si nadie era capaz de atenerse a horarios ni calcular minutos cuando el tiempo pasaba sin freno, llevado por un vendaval de muerte.

Sin embargo, aun en la inseguridad de aquel diciembre, en el bramido de los acontecimientos que a todos sacudía, alguien, infeliz, había aceptado la tarea de buscar a un desconocido, lo cual era un puro disparate, una tarea que apartaba de la única positiva entonces, que era sobrevivir y coger al vuelo las migajas de felicidad posible.

Felicidad, para mí, habían sido las visitas que Luisa nos hacía, tan encantadora, y yo, perseverando en conquistarla, lo que sólo era un vano propósito pese a mis deseos de convertirlo en carne y realidad. Y de pronto llegó del frente mi hermano cargado con la responsabilidad de aquel cometido extraño, apareció produciendo un corte en la rutina que, aunque detestable, era mejor que las novedades ingratas como las que se sucedían desde el mes de julio cuando comenzó la sublevación militar y el país no tuvo ya sosiego.

Un reloj de pulsera corriente, no de los que se veían en los escaparates de las joyerías lujosas, sino un reloj de sencilla esfera blanca en la que se destacaban las agujas, ahora quietas porque nadie le había dado cuerda. Lo contemplábamos en todos sus detalles, puesto en la palma de la mano, bajo la lámpara que iluminaba la correa desgastada, algún arañazo que tenía el cristal, y la marca, una palabra extranjera escrita con finas letras en el centro del breve círculo que formaban las horas y que hacía preguntarse de qué país procedería, acaso de Suiza, y ésta evocaba pacíficos paisajes alpinos.

Decía José Luis que tener que buscar a su dueño era una molestia pero no se había podido negar; el que se lo encargó se estaba muriendo y, no obstante, tuvo fuerza para sacarlo del bolsillo y dárselo. Mi padre, que miraba circunspecto, opinó que en una época tan especial como la que vivíamos había obligaciones ineludibles y que si por las circunstancias José Luis no pudo decir que de ello se encargara otro, ahora tenía que asumirlo aunque sólo dispusiera de un nombre para la busca en los dos días de permiso, que era lo que José Luis más sentía: dedicarlos a un tema que le importaba un pito.

La justificación moral era que el trozo de metralla que alcanzó al belga y le destrozó la cadera y parte del vientre sin lugar a dudas ponía fin a su vida: apenas podía ya hablar y sin embargo, en el suelo, entre borbotones de sangre, le dio el reloj y el nombre del que debería buscar. José Luis tuvo la precaución de repetirlo varias veces hasta que le fue posible apuntarlo, y, de los papeles que había dejado sobre la mesa, cogió uno y leyó en voz alta un nombre de difícil pronunciación y lo repitió volviéndose hacia Luisa con el gesto de que ella lo entendiera, como si la opinión de nuestra vecina valiera algo, pero ella no atendió, puestos sus ojos en el reloj.

—Si quien te lo pidió estaba a punto de morir, debes cumplir con el encargo. Hay que tener paciencia. Pasarán unos años y olvidaremos todo esto, y lo que ahora vivimos nos parecerá un sueño: los bombardeos, los frentes, la falta de comida, las traiciones: todo pasará.

Y oyendo estas palabras de mi padre yo pensé que todo pasaría menos el amor vehemente, el que embriaga con sus caricias y se salva del fatal desgaste. Ese amor me impulsaba en un largo esfuerzo hacia el magnífico cuerpo de Luisa, hacia la gracia de sus mohines, hacia un vuelo seductor, casi picaresco, de sus pestañas cuando se reía, aunque estaba muy seria al oír a José Luis contar que todo había ocurrido casi delante de la Cárcel Modelo[139], donde no existían parapetos ni nada, sólo unas verjas o los troncos de los árboles para resguardarse de las balas, y cuando el grupo se disponía a avanzar hacia el Instituto Rubio[140], él y el belga, con quien hablaba en francés, iban juntos y empezaron a caer obuses, se pegaron a una zanja y súbitamente, un estampido, una nube de humo, una lluvia de tierra les cubrieron, y el belga dio un alarido.

Acaso ocurrió delante de Parisiana y mi pensamiento voló con el temor de que por los combates quedara dañado aquel local de diversión, al que acudíamos en alegres noches para encontrar compañía, y muros ennegrecidos y ventanales destrozados substituirían a las complacientes chicas que llegaban cada tarde y se sentaban en el bar, en altos taburetes a fin de que la falda subiera por encima de las rodillas, y bebían refrescos porque el alcohol quedaba para más adelante en las invitaciones de la noche.

Pregunté si fue próximo al cabaret pero no me contestó porque había dejado el reloj y estaba comiendo unas rodajas de salchichón, que mi padre se había agenciado no sé dónde, pues venía hambriento, pero luego siguió con su historia de que al belga se lo había dado otro extranjero, de los que formaban las Brigadas Internacionales, con la recomendación de que lo pusiera en manos de su dueño, el cual era alemán y estaba en el frente de la Casa de Campo, pero a ninguno de los dos les fue posible cumplir este deseo porque también aquel otro fue gravemente herido; el dueño del reloj era, al parecer, una persona importante y por eso habría tanto interés en hallarle, acaso fuese una señal convenida, una

---

[139] *Cárcel Modelo:* inaugurada en 1883, se asentó esta prisión en los terrenos que hoy ocupa el Cuartel General del Ejército del Aire. El 22 de agosto de 1936 se declaró en ella un incendio, del que se culpó a algunos de los presos políticos, lo que desencadenó una importante oleada de fusilamientos. La cárcel quedó destruida durante la guerra y fue demolida en 1939.

[140] *Instituto Rubio:* el Instituto de Técnica Operatoria, más conocido por el nombre de su fundador, el doctor Federico Rubio y Galí (Cádiz, 1827-Madrid, 1902), se asentó en 1897 donde hoy está la Clínica de la Concepción. El edificio quedó totalmente destruido durante la guerra.

contraseña de algo que se le quería hacer llegar como un mensaje cifrado, a lo cual nuestro padre indicó que fuera lo que fuese no había más remedio que entregarlo.

En el último momento, cuando el belga estaba perdiendo el conocimiento, le había dicho que a quien buscaban estuvo preso por los nazis, y, al detenerle, pudo dar el reloj a alguien, y por tanto, tenían que devolvérselo, y entonces Luisa adelantó la cara como acercándola a mi hermano, queriendo absorber la emoción de aquella escena, de un hombre a punto de morir que pasa a otro un mensaje.

A la mañana siguiente fue mi hermano a su acuartelamiento y allí no le supieron aclarar nada, bien es verdad que en los primeros días de diciembre había una enorme confusión y no era tiempo de búsquedas desinteresadas, como tampoco, según yo comprobaba, era tiempo para los enamoramientos. No obstante, el amor, que precisa la calma de horas prolongadas, se anhelaba entonces de forma desesperada; se buscaban los cuerpos dóciles y hermosos aun en los momentos menos apropiados cuando todas las alcobas estaban heladas al recibir a los amantes, y las camas, si tenían sábanas, eran pestilentes, y la falta de jabón dejaba intacto el rastro del sudor y en el instante de los ardientes besos subía de los estómagos vacíos un fétido aliento envenenado pero que no detenía los intensos latidos del deseo.

Dijo mi padre que pronunciara bien el nombre porque si no, no le entenderían; que debía ser Hans, en alemán, con una hache al principio que se pronuncia como una jota suave, y el apellido, no Beimler[141] sino Baimler, y así había que decirlo, y tenía que cumplir con el encargo por una razón de humanidad.

No consiguió nada por la tarde, que estuvo yendo de un lado a otro, y al volver a casa estaba muy cansado y coincidió con Luisa, que había bajado a comentar las noticias que daba la radio, y entonces la vi de pie, apoyadas las dos ma-

---

[141] Se trata de *Hans Beimler* (Múnich, 1895-Madrid, 1936); a lo largo del cuento los personajes dan noticia de los rasgos más sobresalientes de su vida. Es célebre el poema que le dedicó Rafael Alberti, «A Hans Beimler, defensor de Madrid».

nos en la mesa, escuchando lo que José Luis decía, y estaba preciosa; llevaba puesta una chaqueta de punto que le borraba el cuerpo y la disfrazaba de mujer insignificante, pero sólo yo sabía cómo era en las tardes de verano, cuando bajaba de su casa; del piso cuarto donde vivía con su madre, para escuchar si yo tocaba en la guitarra alguna pieza que le gustase: el vestido ligero, sin mangas, hablaba un lenguaje carnal que descubría volúmenes armoniosos, exactas proporciones, tan difíciles de describir, en consonancia morbidez y juventud en su cara, que expresaba la emoción de la música.

Inesperadamente, Luisa hizo una propuesta que nos sorprendió: ella se encargaría de buscar al brigadista, le encontraría y le daría el reloj; José Luis podía volver al frente porque ella cumpliría con lo que para él era ya imposible. La curva seductora en los labios tuvo una sombra de energía y de severidad que yo no esperaba encontrar en ella.

Evidentemente, mi hermano vio el cielo abierto, como vulgarmente se dice. A la primera objeción de mi padre, ella advirtió que sabía bien francés y que en esa lengua se desenvolvería, lo cual me admiró, y que una muchacha tan joven se interesara por historia tan absurda en aquellos meses de tensión cuando lo cotidiano se convertía en una pesadilla por las urgencias de salvar la vida o hallar un poco de pan.

José Luis le hizo recomendaciones y repitió lo que ya sabíamos, y aunque las palabras del belga las oyó mal entre los estampidos que les rodeaban, le había balbuceado que cuando a Hans Beimler le detuvieron los nazis él pudo dar su reloj a un camarada para que así se supiera que ya no estaba libre, al oír lo cual mi padre sacó el reloj y lo volvimos a observar, ahora más interesados, y Luisa fue quien señaló que en la tapa, apenas visibles, había una H y una B, marcadas con una punta muy fina. Dijo ella que ahora comprendía mejor todo y aumentaba su gusto por hacerse cargo de tal misión, y para mí fue duro aceptar que cada ser humano crea sus fantasías que hacen vivir e ir adelante: para unos era cumplir con los deberes de conciencia, para otros, la ilusión de los amoríos; después, a unos y a otros sólo quedaría el vacío de la desilusión.

Así pensaba yo cuando, al día siguiente, me vi en la calle junto a Luisa, para acompañarla si tenía que entrar en cuarteles, dispuesta ella a no cejar hasta dar con Hans Beimler. Yo ponía mi mano en el brazo de su abrigo, la miraba con fruición pese a las densas ropas que la cubrían mientras consideraba qué extraña casualidad que me permitía ir a su lado aunque nada mostraba que cediese su habitual indiferencia.

Fuimos a la comandancia que estaba en el paseo de Reina Cristina donde había un conocido mío y, tras explicarle el porqué de nuestra visita, nos aconsejó que fuéramos al Quinto Regimiento[142], y allí, seguramente, nos encaminarían. No tuve más remedio que transigir en otra caminata, con el temor de que me pidieran la documentación y descubrieran que yo era un «emboscao», y emprendimos la marcha y, al fin, llegados al edificio de Abascal, al primero que hablamos fue a un joven uniformado que parecía casi un muchacho, y nos escuchó con mucha atención y se fue a consultar. Regresó en seguida asegurándonos que el mejor sitio para orientarnos sería el cuartel de los brigadistas, y como no sabíamos bien el número de la calle, el joven se ofreció a acompañarnos. Se llamaba Meliano, dijo que quería distinguirse y que le nombraran teniente, y por su sonrisa se entendía que era su gran ilusión, que en todas las edades dan su hechizo las ilusiones.

El cuartel tenía delante de su puerta dos coches parados, con el motor en marcha, y, por el portal del que fue un palacete, entraban y salían hombres atareados, cerrándose los capotes, ajustándose los gorros, y a través de estos hombres, el joven que nos acompañaba nos abrió camino hasta una gran habitación llena de mesas en desorden. Nos acercamos a uno que estaba gritando por teléfono y el joven le mostró el papel escrito por mi hermano y él nos dijo algo en una lengua que no entendimos, pero llegó otro de aquellos tipos uniformados y preguntó, en francés, qué veníamos a hacer

---

[142] *Quinto Regimiento:* creado por el Partido Comunista el 19 de julio en el Convento de los Salesianos de la calle de Francos Rodríguez, fue la unidad de milicias mejor organizada de las que defendieron Madrid.

allí, y cuando se le dio el nombre de Hans Beimler él manifestó mucha extrañeza y en su seca y dura fisonomía hubo un relámpago que podría ser de enfado. Luisa, a la que oí hablar en francés con soltura, explicó lo del reloj, que un combatiente belga, de la Once Brigada, en el sector de la Cárcel Modelo fue herido de muerte y pasó el encargo a un español que combatía a su lado.

El que escuchaba a Luisa pareció no entender toda aquella historia, como si le desagradase entrar en el asunto; miraba a la joven con desconfianza, y a nosotros dos, y apretaba los finos labios, receloso de cuanto oía.

Luisa sacó el reloj del bolso y se lo presentó, y separó un poco la correa y lo inclinó para que él viese los finísimos rasgos con las iniciales del nombre allí grabadas.

—Hans Beimler ha muerto en el frente hace unos días. Ya no le podéis entregar este reloj —y se calló, sin apartar sus ojos de la mano de ella.

Los tres cruzamos nuestras miradas ante aquella noticia que nunca hubiéramos podido prever y que ponía un final a nuestra búsqueda. Luisa se volvió hacia mí y abrió la boca para decir algo; una clara desolación eran su gesto y sus ojos dilatados, pero aún mostró más extrañeza cuando aquel oficial dijo:

—Su chaqueta de piel blanca se veía bien desde lejos —y bajó la mano que fue a golpear con los nudillos en la mesa.

—¿Una chaqueta de piel? —preguntó Luisa, y aquel hombre explicó que le habían dado en intendencia un chaquetón de piel blanca, una prenda de mucho abrigo, la llevaba puesta la mañana del primero de diciembre en la que quiso inspeccionar una posición en la Ciudad Universitaria, y allí un balazo le mató.

Escuchábamos con atención lo que siguió diciendo, que él sabía bien quién era Hans Beimler, que había sido diputado en el parlamento alemán, estuvo preso varios años y fue torturado, y en cuanto hubo una posibilidad se evadió del campo de Dachau[143] y huyó a París, y luego vino a España.

---

[143] *Dachau:* primer campo de concentración nazi, se terminó de construir en 1933 al norte de Múnich y sirvió de modelo para los que le siguieron.

—Fue comisario del batallón Thaelmann[144] y le acababan de nombrar para dirigir la Doce Brigada. Era joven pero parecía muy mayor; un gran jefe —y bajando el tono de voz, como abstraído, dijo—: Esta vez no se ha podido salvar de la muerte. Quien le dio la chaqueta no le traicionó, fue la casualidad de destacarse su color blanco sobre el terreno oscurecido por las últimas lluvias.

No sabíamos qué contestar y finalmente nos despedimos, salimos a la calle y nos detuvimos ante la gran puerta, los tres en silencio, dudando de si sería verdad todo aquello. A Luisa le temblaba la voz cuando empezó a decir que no teníamos a quién dar el reloj, que iba a quedar en nuestras manos sin aplicación, como un objeto inútil, sin aclarar el enigma de quién lo trajo, quién se lo dio al belga, por qué éste, en los combates, lo llevaba en el bolsillo.

Yo le dije que los enigmas siempre nos acompañan pero que un día pierden importancia, igual que se amortiguan los rasgueos de una guitarra o las palabras de amor que son silenciadas y dejan de ser un lenguaje. Y añadí que todos enviamos mensajes de simpatía, de amor, a alguien que puede o no atenderlos, pero ella, como ya se había serenado, me replicó que el mensaje para Hans Beimler no era de sentimientos sino de solidaridad, de compañerismo propio de hombres que se viven iguales entre sí, aun de lejanos países, de lejanas luchas, un mensaje que pasaba de uno a otro igual a una cadena invisible de ideas que unen.

El joven que nos había acompañado hizo ademán de despedirse pero Luisa le retuvo, pareció dudar unos segundos; llevaba aún el reloj en la mano, lo miró y le dijo al muchacho que se lo daba, si no tenía ya, que nadie iba a usarlo mejor que él porque era joven.

---

[144] *batallón Thaelmann:* en julio de 1936, Hans Beimler fundó en Barcelona la centuria Thaelmann, formada en su mayoría por comunistas alemanes, que en noviembre del mismo año se convirtió en batallón y fue incorporado a la XII Brigada Internacional. Beimler era comisario político del batallón cuando murió en el frente de Madrid; tras su muerte, el batallón Thaelmann se integró en la XI Brigada y comenzó a ser conocido con el nombre de Hans Beimler.

Éste, sin vacilar, lo cogió, empezó a decir palabras de agradecimiento, le hizo girar la corona, y ver que las manillas echaban a andar le causó tanto contento que lo alzó para mostrárnoslo, luego, se lo ajustó a la muñeca y el reloj tuvo un nuevo dueño que así aprendería el paso de las horas, de los días, del tiempo efímero.

A partir de aquel momento el encargo que trajo mi hermano estaba terminado y lo olvidaríamos, porque todo se olvida. Como dice mi padre: pasarán unos años y olvidaremos la maldita guerra. Yo volveré a tocar la guitarra junto al balcón las tardes de verano y bajará Luisa, como una aparición que sonríe, a escuchar, prometedora, sólo pura ilusión porque se resiste a comprender la insinuación de mis miradas. Olvidaremos, sí, el raro heroísmo, la solidaridad, la desinteresada entrega de vidas a la quimera de los ideales; buscaremos ser felices y así pasarán nuestros días. Sólo el reloj, en su débil metal, seguirá su marcha y el joven que lo recibió, como inesperada herencia, vivirá otro tiempo, seguramente muy distinto del tiempo de luchas y esperanzas que vivió Hans Beimler.

Rosa de Madrid

Quien viera a Rosa pasar por la calle del Humilladero[145] hasta el taller de doña Brígida, vería una coincidencia de esperanzas, de sencillas alegrías, de ingenuos propósitos de seducción; reconocería en ella a una de las muchas aprendizas de modista que hubo en ciertos barrios por los años veinte y treinta, con sus modestos vestidos, su inseguridad y sus desplantes, sus sinsabores, su deseo de alcanzar la felicidad aunque en breves años pasaban a ser madres con hijos y frustraciones en el declive de toda ilusión. Rosa, ni a tal decepcionante edad llegó: cruzó en rápida travesía, como un fulgor, no fuego de altas llamas sino chispa de intenso brillo y, en seguida, humo, que se disipa y pierde en las silenciosas ráfagas del olvido.

Allí estaba, en el barrio, perfectamente delimitada su figura y su porte en el marco de su época, de la severa sustancia de su tiempo y su clase, de sus dolores y obediencias, pero ella, figura juvenil, entregada al entusiasmo de comenzar la vida, fue llevada por el rápido fluir de acontecimientos y no pudo perdurar ni soportar lo que sobrevino a la ciudad donde nació.

De niña ayudaba a su madre y se escapaba a jugar con otras de su edad en el patio, y de jovencita fue aprendiza y fijó y grabó en su mente no sólo aquello concerniente a la

---

[145] *calle del Humilladero:* debe su nombre a que en uno de sus extremos se encontraba el humilladero de San Francisco, primera estación del Via Crucis que éste marcó desde su ermita hasta el Calvario de la Villa.

costura, sino las bromas de los mayores, la forma de saludar, la atención al gusto de ir limpia y arreglada, contener los enfados por las limitaciones a su voluntad. Y poco a poco se convirtió en Rosa, de confiadas miradas y sonrisas, sugestivos movimientos de los brazos al alzarlos para arreglarse el moño, su peinado hasta que se cortó el pelo a lo garçon. Al entrar en los dieciocho años, el cuerpo de Rosa se había moldeado con las proporciones de mujer completa, floreciente, bajo el vestido azul oscuro cuyos brillos revelaban al andar la curva de las caderas y las piernas; más arriba, todo lo ocultaba el mantoncillo ligero que llevaba aun en verano, negro, de largos flecos que se enredaban en cualquier sitio y que ella movía con gracia, unas veces bajándoselo de los hombros, otras, cruzándolo sobre el pecho para que la cara resaltara así, enmarcada, con su blancura. Y cuando usó por primera vez tacones, los hizo resonar en el empedrado de la Puerta de Toledo.

Sus motivaciones para la alegría eran salir a la calle en grupo, reírse de tonterías, ponerse una flor en la peinecilla que venía a iluminar los rizos naturales de un negro intenso, ir al cine algunos domingos.

Pronto, las yemas de sus dedos estuvieron ásperas, de piel picada, porque fueron años de horas y horas cosiendo y no siempre el dedal era eficaz, pero el dorso de las manos parecía almohadillado, y en esa zona tentadora fue donde sintió por vez primera los roces de otra mano, de un muchacho vecino, cuando dio con él un paseo por la orilla del río. Porque las conversaciones en el taller, que se alzaban no bien la encargada se ausentaba, le informaron, en los primeros tiempos, de cuantos secretos del amor se ocultan hasta los doce o trece años y luego se saborean y sorprenden y desilusionan algo, o fortalecen, y poco a poco las compañeras, inclinadas como ella sobre la labor, comentaban encuentros y amoríos y, con frecuencia, los pormenores del comportarse de los novios con los que todas ellas intentaban compensar las insatisfacciones diarias.

De ello, Rosa se propuso participar, y todas las mañanas los movimientos que hacía al lavarse en la pila de la cocina, bajo el chorro de agua fría, helada en invierno, que corría por los brazos y por el cuello, adornándolos de gotas irisadas, eran parte del ritual del enamoramiento; un chorro de agua confidente que lavaba los hombros, los pechos, los sobacos, en seguida secados y cubiertos por la camisa de batista y la combinación y la blusa blanca que ocultaba, pero no disimulaba, tanta belleza.

La hermana mayor, Carmela, tendía en torno a ella la vigilancia, las advertencias de posibles peligros, a lo que Rosa contestaba con bromas y hasta ademanes de fastidio, pero no dejaba de observarla, de reojo, cuando empezaba a sermonear. Un día Rosa dijo algo a la hermana en voz tan baja que apenas la oyó y tuvo que esforzarse, y entonces sí se enteró de que aquella tarde tenía cita con un joven en un baile al que ella nunca había ido, y la entonación de las palabras revelaba que sería el descubrimiento del amor. Pero a la noche, cuando volvió, el saludo desenfadado, la risa al entrar y darle la luz de la bombilla bajo la cual cosía la madre, y descubrir las mejillas arreboladas, los ojos vibrantes, «No ha pasado nada», pensó la hermana, sólo que Rosa había conocido intensidades que en el taller las compañeras contaban que habían vivido, más o menos satisfactoriamente, desde la pubertad.

Y la presencia de un novio en el entorno de Rosa fue evidente no sólo por lo que hablase de él, sino por las salidas los domingos, bien arreglada, sus comentarios de los bailes en la Ronda[146], del tiovivo en una verbena, y el regalo de un imperdible de adorno, y, a veces, el carmín corrido.

Habían pasado los meses del calor en una excitación general de gritos en las calles, de inesperadas noticias de lejanos combates no bien entendidos, hechos nuevos y sorprendentes que obligaron a algunos cambios en la vida diaria, y las semanas del dorado otoño terminaban con el anuncio de un desastre general que para todos se acercaba, igual a una plaga de langosta, por los secos campos de Toledo, los encinares, los trigales no cosechados aquel verano al estar los hombres traídos y llevados en las urgencias de las batallas en la sierra, en el Tajo, cargados en camiones descubiertos, ar-

---

[146] *Ronda:* se refiere a la Ronda de Segovia.

mados de viejos fusiles que mostraban a los fotógrafos de los diarios, sonrientes, las bocas melladas en rostros mal afeitados, bajo gorrillos cuarteleros a los que se quitó la borla delantera.

Los miraba Rosa desde la acera de cualquier calle y presintió que su madre tenía razón al decir que poco iban a lograr porque los amos, los que siempre habían sido los dueños del dinero, ahora eran dueños de las armas, de las tropas a sueldo, y en pocas semanas llegarían a Madrid y nadie podría detener su venganza sobre los que se atrevieron a presentarles cara.

Y en octubre fueron los primeros bombardeos, y los cadáveres extendidos en las aceras hasta que venían las ambulancias o simples coches, que los recogían, y las casas que ardían y las que se derrumbaban en una oleada de vigas de madera, cascotes y tejas; y la cara compungida, estupefacta, de los heridos que daban unos pasos tambaleantes con la cabeza ensangrentada por los cristales que les cayeron encima, y el estruendo, los estrépitos, los zumbidos de la aviación, todo lo que a Rosa espantó, y aún más, al novio le llevaron en un destacamento y no supo ya de él ni dónde escribirle, como si se hubiera perdido tras la cortina de las primeras lluvias. Empezaron a faltar los alimentos y Rosa tuvo que hacer cola con otras muchas mujeres ante tiendas y economatos. Las compañeras del taller se dispersaron y se acabó el trabajo y ella recurrió al sindicato para buscar otro. Por su parte, Carmela, la hermana, fue destinada a una central de teléfonos de Cuenca.

La sensación de hacerse mayor debido al cambio, a quedar sola con la madre, y no ir al taller ni poder charlar con el novio, fue una alteración de lo acostumbrado, de su propia suerte: quedó perpleja y sobrecogida. Yendo en el tranvía una tarde, se dio cuenta de lo intranquila que se sentía, o que tenía miedo de algo; respiró con ansiedad y, sin pensarlo, se apeó en la primera parada y anduvo por calles conocidas queriendo tranquilizarse. Ante un escaparate que aún mostraba ropa femenina se detuvo e intentó vencer el extraño malestar, pero éste cesaba, volvía a aparecer, se ocultaba de nuevo a su comprensión. Era notar la inminencia de algo que fuera a ocurrir, no sabía qué; igual que quien oye de noche un crujido en la habitación a oscuras y aguarda otro que revele una presencia imposible. Pero aquello era tan impreciso que se confundía con cierta opresión en el pecho o con el latido acelerado del pulso. Ya en casa, quiso hablar con la madre, escuchar lo que siempre ella contaba, convencerse de que todo seguía lo mismo; encendió más luces de lo habitual porque no quería dejar nada a oscuras, se sentó en la cocina y miraba la puerta de entrada temiendo ver que se abriese.

Del sindicato la habían avisado para darle un trabajo en una unidad de recuperación de municiones, adonde tendría que ir a hacer el turno de noche. Aquel taller, tan distinto del que ella había conocido, era un almacén abandonado, cerca de Vallecas, rodeado de solares donde crecían cardos entre los basureros más allá de los cuales se veían extensiones áridas por las que no pasaba nadie.

La instruyeron de que debía permanecer de pie, delante de las bandejas con los cartuchos usados sobre los que se movía el embudo que los cargaba de nuevo y que ella, vestida con un guardapolvo, cerraba el paso del explosivo, con movimientos repetidos cien veces, por lo que no podía separar la vista del borde de aquel aparato metálico en el que la bombilla que oscilaba sobre su cabeza hacía saltar reflejos. El primer día, cuando se encontró rodeada del ruido de las máquinas, entre diez o doce personas desconocidas que la miraban, y se dio cuenta de que iba a trabajar en algo destinado a matar, le sacudió un estremecimiento y le temblaron las manos al ponerlas en el aparato cuyo funcionamiento le explicaba un operario viejo.

Pero el trabajo en sí no la disgustó y fue bien acogida por ser la más joven de todas las operarias, y así empezaron a pasar los días, cambiado el orden que le era habitual, acostándose por la mañana, cuando llegaba a casa.

Pero el desasosiego que experimentó en el tranvía volvió a ella y fue creciendo y decidió decírselo a la madre, pero no encontró respuesta sino una mirada sostenida con la que la madre intentaba comprender lo que era aquel miedo.

Cuando por la mañana llegó Rosa para acostarse, encontró junto a la cama una vela encendida en la que se cruzaba un papel ya muy manchado de los regueros de la cera, prueba de que hacía algún tiempo estaba ardiendo. Se volvió hacia la madre, preguntándole sin palabras, y la contestación fue que la vela estaba bendecida y que en el papel estaba escrito, sin letras, su deseo: que estuviera tranquila. Rosa se acostó y procuró dormir y reparar el cansancio de permanecer varias horas de pie, pero al despertarse, la vela se había apagado, consumida, y el papel había ardido, sólo era una pavesa; esto le desagradó como un presagio adverso, una señal de próximas dificultades.

En el taller, donde predominaban mujeres y hombres de edad madura, se hablaba poco y todos parecían escuchar con atención las músicas y los noticiarios de la radio. Oyendo un parte de guerra sobre ciudades bombardeadas, se hacían comentarios en voz alta de que el enemigo se acercaba y sería difícil contenerlo. Ella pensó: «Este miedo que noto es por esas noticias de la guerra», y se propuso no escucharlas y se esforzaba en concentrarse en el trabajo que tenía delante, contando muy deprisa: ciento uno, ciento dos, ciento tres. Se cercioró de que, fatalmente, aquella sensación se había apoderado de ella y estaría obligada a combatirla y rechazarla igual que se rechaza una pesadilla.

Y su alegría, tan fundida con su carne y con la predisposición a reír, a bromear, y con los recién estrenados goces de las efusiones, fue cambiando en mutismo, en expectativa de comprender lo que pasaba en su interior. Y un día oyó que la madre contaba que habían bombardeado Getafe y entre las víctimas había diez niños pequeños que dejaron de existir mientras jugaban y su sangre fue a verterse y mezclarse con la de sus madres. La joven dio un grito porque se imaginó la escena, y que ella era uno de los cuerpos destrozados entre nubes de polvo; se tapó la cara y mantuvo una especie de quejido que se unió a las lamentaciones de la madre y por mucho tiempo quedó temblorosa, sin poder hablar: había sabido que también su vida podía deshacerse entre estampidos y casas que se derrumbaban.

La hermana volvió de Cuenca por asuntos de su trabajo y pasó con ella unas horas y escuchó cómo era la angustia que la asediaba. Rosa se echó a llorar al contarle que no había tenido ninguna carta del novio desde que se fue al frente y, desde entonces, la idea de que hubiese muerto estaba dentro de ella, aunque después de haber dicho esto se dio cuenta de que la figura del muchacho se iba eclipsando y sólo quedaba el recuerdo de sus caricias. Al ver que lloraba, la madre le preparó una infusión de hierbas y la obligó a beberla pese a su resistencia. El gusto raro en la boca la convenció de la inutilidad de las ayudas de su madre, y de la distancia de la hermana, y de que se encontraba sola, y entonces pensó en la vela junto a la cama, apagada como podía apagarse ella misma.

Seguía el trabajo de las noches y, pasadas dos semanas, si hubiera querido explicar su miedo ya no le daría este nombre. Lo que sentía constantemente fue perdiendo contornos que al principio tuvo: una tensión angustiosa, para relacionarse más con lo ajeno a ella, con el mundo exterior a su ser. Lo llamó «mordedura», pues su entorno confluía hacia ella para herirla. Y en sus dudas, se le ocurrió que acaso sería el amor lo que la protegiese y la devolviera el ser feliz como antes fue: unos brazos que la rodeasen, un hombre que la solicitara con afecto y la acariciase como hizo el novio que se fue. Con toda claridad entró en su mente que una relación amorosa con las confianzas y la mutua simpatía, con la ternura y las condescendencias que ella había imaginado, pondría tranquilidad en su ánimo. «Así no me sentiré sola», se dijo.

Se fijó en los compañeros del trabajo, aunque no eran jóvenes, intentando adivinar cuál sería el que ella necesitaba. Yendo en el metro prestaba atención a las conversaciones de los hombres, les miraba de reojo, seguía los movimientos de las caras, el tono de voz, para establecer comparaciones.

Una mañana, terminado su turno, cuando salía junto a varias compañeras y se escuchaba lejos el fragor de un combate, acaso en el frente de Villaverde, un operario en el que ya se había fijado y mirado con insistencia se le acercó y le hizo unas preguntas corrientes y ella se interesó mucho porque era la primera vez que le hablaba, y fueron uno al lado del otro, en el grupo, hasta el metro de Vallecas. Dos días después buscó iniciar con ella una conversación, comentando lo que hacía en el taller. Era un hombre ya de cierta edad, alto, con andar pesado por su corpulencia, bien afeitado, con manchas canosas en un pelo casi al rape.

En seguida Rosa aceptó su conversación, animada por haberle atraído, aunque ella apenas había hablado con hombres mayores, no sabía cómo comportarse, pero lo que él le contaba despertaba en ella ganas de hablar y así se acostumbraron a ir juntos hasta el metro, y un día, puesto que vivían no muy lejos, le propuso pasar a buscarla cuando, al atardecer, emprendían el camino del taller.

Y aceptó; unos días después, él la cogió del brazo, le puso la mano en el hombro, luego en la cintura y, al despedirse, le sujetaba brevemente los dedos y le sonreía: era lo que ella esperaba y a esos contactos respondía también con sonrisas. Hasta que una mañana, al acabar el trabajo, él le propuso que fuera por la tarde a recogerle a su casa e irían juntos al metro. Le añadió que vivía solo, toda su familia se marchó a Valencia. Rosa comprendió a lo que iba a aquella casa cuando, muy tensa, subía las escaleras y llamó al timbre y se abrió la puerta, y de ésta pasó a una habitación donde ardía una estufa de petróleo que dio su templanza a los cuerpos según fueron, plácidamente, sin pudor y sin acompañar palabras, desnudándose. En unos minutos extrañada, en otros, incómoda, en otros, complacida por roces suaves que no se diferenciaban de su natural ternura; y lo que había previsto y temido desde adolescente, una sacudida violenta o un dolor, pasó como una intimidad, breve porque el reloj marcaba la hora de acudir al trabajo.

Ella quedó prendada; aguardaba sus palabras, que serían valoración de lo que era como mujer, pero el hombre no hizo comentario alguno de aquella cita en varios días aunque sí prolongaba el apretón de manos en las despedidas y, si nadie les veía, rozaba con sus labios los de ella y le sostenía la mirada, de tal forma que la segunda propuesta que le hizo fue previsible y Rosa la recibió con naturalidad y de nuevo recorrió el trayecto hasta el borde de una cama de crujientes muelles, intentando buscar en esta ocasión la calma, el placentero sosiego.

En la tercera cita, hubo una alarma por los obuses que caían en las calles cercanas tras cuyo estampido se oía el fragor de muros al derrumbarse. Cuando salieron a la calle el suelo se había hecho impracticable por los cristales rotos, los ladrillos desprendidos de las fachadas, los mil materiales que las explosiones hacían volar y caer en la calzada donde una farola derribada parecía un cuerpo herido.

Después de aquella tarde, le fue evidente que el éxtasis, el nublarse la vista y clavar las uñas en los hombros del que se movía sobre ella, eso no se produjo, y si al principio no se alarmó, al cabo de otras varias veces que fue a casa de su amante, le extrañó pero no dijo nada y espió atentamente el momento en que debía arrebatarla.

Coincidieron aquellos días con un bombardeo en Tetuán de las Victorias y la radio contó la docena de poderosas bombas lanzadas por los Junker[147] alemanes sobre las casitas de aquel barrio, casitas frágiles, de un piso, con paredes de ladrillo y ligeros tejados que al desplomarse aplastaban gente bajo los escombros. También esta vez eran extraídos cadáveres de niños tan deformados que los padres sólo les reconocían por las ropas y no sabían qué hacer con tales despojos.

En el taller, a varias mujeres, entre el ruido de las máquinas, se las oía sollozar, y Rosa lloró igualmente por esta tragedia y por la convicción de que cuanto ocurría era el comienzo de algo peor que se aproximaba a ella amenazadoramente.

Y llegado el momento en el que sintió mayor desánimo, Rosa se dijo: «¿Qué hombre es este que no pone en mí la sensación que debe ser el amor?». Imperceptiblemente, su simpatía se había ido enfriando y dejó de gustarle hablar con él, y en el taller no le miraba y acabó por negarse a acudir a su casa cuando se lo propuso. Pareció que era lo convenido: el hombre no se esforzó por convencerla ni le preguntó cuáles eran las razones de su alejamiento, y tan sencillamente como

---

[147] *Junker:* modelo de bombardero alemán. Ya en los primeros días de la Guerra Civil, Hitler prestó a Franco varios ejemplares de estos aviones, que fueron muy utilizados por el ejército sublevado en el asedio a Madrid.

iniciaron su relación, ésta se deshizo y dejaron de acompañarse.

Calculó que otro hombre más audaz, que la dominara, e incluso la tratara con dureza, podría ayudarla a superar lo que creía era una debilidad mantenida por el miedo. Un hombre fuerte, sin consideraciones hacia su cuerpo. Luchó por eliminar esta nueva obsesión, y una tarde salió pronto de su casa y dejó el metro en la estación habitual, pero tomó el camino contrario al taller y anduvo por calles, por un barrio que pronto terminaba en solares y descampados, y precisamente allí la abordó un hombre que iba vestido a medias de soldado y ella dijo que sí con la cabeza, y entre dos casuchas, en el suelo, conoció un contacto que nada tenía que ver con su entrega en la alcoba calentada por la estufa de petróleo.

No tardó mucho en repetir aquella correría y no siempre tenía el fin deseado, y llegó andando hasta Entrevías y fue solicitada por traperos de la zona u hombres que parecían desertores y que no contenían su ansia brutal cuando descubrían lo joven que era. Sufrió vejaciones, una vez le arrebataron el abrigo, otra, el bolso, fue abofeteada y hasta le pareció que había peligro de que la estrangulasen, y en cambio no lograba la felicidad orgánica, el espasmo que le aportase serenidad.

La madre era testigo del cambio profundo en Rosa, que adelgazaba por la escasa comida y por el hastío ante lo que veía en la mesa antes de ir al taller; los vestidos se quedaban holgados, descuidó lavarse, olvidó el carmín que antes usaba y el pelo creció sin el orden de las ondas y peinecillas que eran su capricho.

Cierta mañana entabló conversación, en el metro, con uno que parecía obrero, bajo y robusto, de piel curtida, y tuvo el presentimiento de que podría comunicarle su fortaleza. No fue necesario cruzar muchas palabras para que él la hiciera salir del vagón en la estación de Antón Martín y marchar por algunas calles hasta una pequeña taberna, vacía y oscura, tras cuyo mostrador había un individuo de bastante edad. El que iba con Rosa le habló por lo bajo y él asintió, echándole a ella una rápida mirada.

La habitación era húmeda y fría, con una mala bombilla en el techo y una cama revuelta en cuya almohada había manchas pardas. Todo se redujo a un forcejeo torpe, a insultos, a un esfuerzo por lograr un placer a cambio de dolor cuando el hombre, airado, la mordió en las ingles y ella tuvo que golpearle la cabeza medio calva; salió de aquel sitio, avergonzada y enfurecida, dando traspiés, temiendo que el hombre la siguiera. Ya en la calle, a lo lejos, oyó ruido de tambores, un acompasado repique de tambor que no era la música de la procesión de la Virgen de la Paloma[148], sino anuncio de tropas en marcha, de soldados que avanzaban con armas dispuestas, abriéndose camino entre casas ardiendo y personas que huían. O era el fúnebre acompañamiento de un entierro que podía venir por la calle de Atocha, pero en ésta, vacía, no vio nada bajo el cielo gris del invierno y se apoyó en la pared, temblando.

Fue por entonces cuando se le hizo inminente la proximidad de la amenaza invisible de la que no sabía cómo protegerse. Apenas hablaba en el taller, callaba ante su madre, que sólo sabía darle infusiones de tila, no respondía a las cartas de la hermana, se fue degradando lo mismo que la ciudad que la rodeaba y a la que pertenecía, que de ser hermosa y limpia, con jardines y avenidas, iba arruinándose, bombardeada, hambrienta, sucia y fantasmal en su silencio de calles desiertas. A Rosa, los sencillos y graciosos veinte años se los rompió aquel horror, tan ajeno a su desenfado y alegría, quebró la juvenil sustancia, recién iniciada a la vida.

Toda una noche estuvo atenta a un cambio en el funcionamiento del aparato que manejaba; sólo la distraía una necesidad imperiosa de mirar para atrás y en la atmósfera viciada de la nave, respirando mal, se debatía en su inquietud planeando cómo encontrar una compañía eficaz. Y se acordó de un vecino suyo que la cortejó, empleado de ferrocarriles, soltero, y al que le sería fácil hablar. Lo consiguió sin ningún esfuerzo, coincidiendo con él en la escalera y tendiendo lazos de seducción; él le pidió que fuera a verle

---

[148] *Virgen de la Paloma:* es la imagen más castiza de Madrid y la patrona «oficiosa» de la Villa.

a un pabellón de la estación de las Delicias, donde tenía una vivienda, y allí ella acudió aprovechando un día de permiso. Llegó mojada por la lluvia y le costó trabajo orientarse hasta un caserón de oficinas, con escaleras lóbregas, pero él la recibió en un apartamento donde había habitaciones limpias y templadas. El agua que caía y el ruido de los canalones la sobresaltaban en los momentos de su entrega, y le preguntaba si subía alguien por la escalera, si venía alguna persona, y él la tranquilizaba: era sólo la lluvia en el tejado, pero al decirlo sonreía, y a ella le pareció que mentía.

Al marcharse, con el cuerpo maltrecho de caricias vehementes, se cubrió bien el pelo revuelto con el pañuelo, la bufanda cruzada en el cuello, salió al paseo y miró al cielo en el que se oscurecían las nubes. Tuvo la seguridad de que ningún hombre borraría un temor tan profundo; no era la mano masculina la que la arrancaría de tal locura.

«Estoy enferma», pensó. Sólo le vino la idea de tomar un tren y marcharse lejos, acaso a Cuenca, donde veía a su hermana mirándola con tristeza y cariño; marcharse sin decirlo a nadie, sin equipaje, abandonar el trabajo. Se encaminó hacia la glorieta de Atocha y al ver la mole de la estación, una sombra inmensa en la penumbra del anochecer, se afirmó en la idea de subir a un tren y huir a un sitio donde estuviese segura; entonces se desvió, bajó la cuestecilla que llevaba a la entrada de los andenes con paso rápido porque la lluvia arreciaba y se detuvo bajo la marquesina de cristales: las grandes puertas estaban cerradas, toda la estación parecía abandonada.

Fuera, la cortina de agua que caía le impidió salir de aquel refugio y esperó unos minutos, pero se asustó al saberse sola; el miedo podría vencerla y sujetarle brazos y piernas, hasta que enloqueciera. En aquel momento una sombra vino hacia ella, a través de la lluvia, y dando un salto entró bajo la marquesina: percibió que era un hombre que resoplaba y se sacudía la ropa, y en seguida iluminó su cara la llama de una cerilla encendiendo un cigarrillo.

Ella se atrevió a toser para mostrar que estaba allí, que había otra persona, y la cabeza de él se volvió hacia donde

417

había oído la tos pero la cerilla se apagó; brilló otra, y con ella iluminó la figura que tenía cerca y acaso pudo ver los ojos espantados.

—¿Qué haces ahí? —era un hombre joven con una gorra gris.

—Espero... la lluvia —contestó con voz vacilante como sorprendida en un delito. El hombre la miraba fijamente pero cesó la luz y quedaron en la semioscuridad del agua que seguía cayendo estrepitosamente y cuyo ruido les rodeaba.

—¿Quién es usted?

—¿Yo? ¿Qué soy? Soy... cartero. Y usted, ¿qué hace ahí?

—¿Eres soldado? —pero no obtuvo respuesta.

Él encendió una nueva cerilla y la acercó a la cara de ella y la miró con atención.

—¿Estás borracha? —dijo y sonrió, pero ella negó con la cabeza. Era casi un muchacho, con un rostro ancho, que desapareció al hacerse oscuridad de nuevo.

Rosa no pudo contenerse y murmuró:

—Tengo miedo.

El hombre dio un paso hacia ella.

—¿De qué tienes miedo? —y le tocó una mano.

—La guerra, van a matar a mucha gente.

—Bueno, bueno, no hay que tener miedo.

Brillaba la punta del cigarrillo, la brasa a la altura de la cara, y ella notó el olor del tabaco.

—Vienen por mí —exclamó con voz desfallecida, sintiéndose muy débil. Alzó las manos y se cogió de su brazo, y entonces él se aproximó mucho a ella, la rozó con el cuerpo y Rosa se estrechó contra él.

—Vamos, no te pasará nada.

Le puso un brazo por encima de los hombros y estuvieron un rato callados, quietos, escuchando la lluvia, en un ambiente de sombras y frío.

Rosa oyó un ruido de tambores, sordo, pausado, que se acercaba; como un único tambor enorme, o muchos que venían con la noche, en una multitud silenciosa y malvada, dispuesta a destruir todo, y avanzaban hacia la estación, y al figurarse esto, lo que tanto temía, dio un chillido, se tapó los

418

oídos con la palma de las manos y para protegerse corrió al umbral de una puerta cerrada, se acurrucó en el suelo y gritó, porque gritando alguien podía venir y salvarla; así aulló durante horas.

Patrulla del amanecer[149]

Nadie podría pensar entonces en alhajas, esas que los ojos contemplan alineadas en un escaparate con su riqueza y brillo. Ninguno podría pensar en algo que no fuera el lejano rumor de un bombardeo o la falta de pan o los llantos porque un hijo quedó en el fondo de una trinchera abandonada. Ni siquiera Rosario, que gustaría de adornarse, tuvo en aprecio la pulsera y la rechazó con desdén cual manchada de una materia apestosa.

Y sin embargo, allí, sobre el hule que cubría la mesa donde comían, el padre puso la pulsera y con el índice pareció señalarla ofreciéndosela a alguien o a la curiosidad de la tía Pilar y de los dos hijos que, silenciosos, la admiraban porque era un aro de oro, sólido, bien pulido, y en él una breve fila de brillantes engarzados que daban los destellos de su alta calidad. Pero nadie pensaba en alhajas cuando el viento frío de la sierra corría por las calles tan desiertas que se hundían a lo lejos, como fantasía de fiebre, y el hambre acompañaba a todas horas y en barrios distantes resonaban las sirenas de la alarma antiaérea que anunciaban un nuevo desastre, y las miradas se alzaban hacia un cielo cubierto del que venían los primeros copos del invierno.

---

[149] *Patrulla del amanecer:* durante los primeros tiempos de la guerra, antes de que las instituciones republicanas pudiesen controlarlos, se formaron grupos de personas que, con el pretexto de descubrir e investigar a miembros de la quinta columna, extorsionaban y robaban a los sospechosos; actuaban casi siempre antes del alba, de ahí su nombre genérico.

Con las bocas entreabiertas quedaron los dos niños, y las cejas alzadas por la admiración ante lo nunca visto; a sus preguntas, el padre se pasó el dorso de la mano por los labios, soltó un bufido y dijo solamente que era de un fascista y se sonrió con la boca torcida, miró a cada uno de los presentes y volvió a señalarla, sus brillos, su curvatura para adaptarse al brazo, su broche diminuto, la limpieza de su oro. ¿Cómo pensó él en joyas cuando pasaban las horas de las noches interminables a la luz de la lámpara de acetileno, ante los platos vacíos de una especie de sopa que habían sido relamidos con ansia? ¿Cómo pensaría en cosa tan ajena a las manos mal lavadas, al trabajo en la tejería del Campo de los Hornos, a la espera de conseguir en las colas un trozo de bacalao?

El hermano pequeño preguntaba si era de mujer, y el padre contestó que, naturalmente, lo era, y para una mujer sería, y lo dijo tan claro que se vio su firme y oscura y callosa mano poner la joya en un brazo de mujer, colocarla en el brazo blanco y carnoso donde luciría en todo su valor. La pulsera habría de seguir allí, sobre la mesa, siempre en su memoria, tan dolorida que al verla, aun pasados muchos años, en el escaparate de una joyería, experimentaba un especial rechazo.

El padre se la guardó en el bolsillo; llevaba entonces una cazadora de cuero que todos envidiaban, la pistola en su funda, colgada a la cintura, un pañuelo rojo anudado a la garganta para protegerla del frío o para mostrar su filiación política, y en la comisura de los labios, el pitillo que parecía no consumirse nunca: producía admiración y cierto recelo por el empaque de su constitución musculosa, y temor si sumía los labios, los apretaba, y las narices se dilataban, aspirando aire que sería devuelto en un insulto; una figura de hombría en el barrio pobre, pasado Tetuán de las Victorias, con un andar desafiando a quien fuera, padre admirado, temido en el incómodo recuerdo de los regaños, los golpes, desconcertantes silencios, y aun otro recuerdo intacto. Los dos niños marchan por el barrio desolado, llegan al talud de la tapia antigua, peligrosa para los que en ella se suben, jugando, y más allá se ve el perfil de las altas casas de la avenida de Reina Victoria, y encima, el cielo, tan lejano, las nubes. En una callecita vive la mujer a la que el padre llama Rosario: una puerta y a cada lado una ventana con geranios, y los dos hermanos pasan por allí y desde lejos la contemplan, se detienen un momento para esperar a que la puerta se abra y ella salga y los vea. Uno dice al otro que ojalá salga y tropiece y se caiga y se rompa la crisma, y los dos se ríen, pero al alejarse no van contentos, están solos porque su tía apenas se ocupa de ellos, todo el día en el tejar haciendo ladrillos, y el padre, en el sindicato, yendo al frente en una camioneta por saber conducir y trae cosas de comer que no son suficientes, y cuando esperaban el queso que había anunciado que traería, un queso entero, él sólo puso en la mesa la dorada pulsera.

¿Qué hacer con ella en aquel tiempo de armas y explosiones? ¿Quiso venderla, cambiarla por dinero? Pero entonces no había mujeres elegantes que las compraran para lucirlas en bailes o en teatros resplandecientes de luces y vestidos fastuosos. La llevaba en la mano una mujer que entró de pronto, sin llamar a la puerta, y gritó al padre que no la quería, que no le gustaba, que cómo la había conseguido, que si era de un muerto, que le daba miedo, y la echó sobre la mesa delante del padre, que estaba sentado con un vaso en la mano y la mirada fija en la que debía de ser Rosario.

En aquel tiempo, con tan pocos años, el hijo no podía saber lo que luego, a los quince, a los diecisiete supo, y tuvo en su mente con toda nitidez quién era la mujer, joven aún, pequeña de estatura y gruesa, con el pelo negro, largo, echado por detrás de las orejas enmarcando el gesto airado, trayendo de la calle una amenaza parecida a la que tía Pilar había anunciado vagamente, que si vencían los de Franco, al padre le iban a pegar cuatro tiros.

Un golpe en el alma fue un día en el que uno de los amigos, charlando en el bar, le había contado que los «rojos» robaron a su madre todas las alhajas en el año 36, y que eso había pasado a muchas personas; su respuesta fue una mezcla de condolencia, de confusión, de inquietud que el otro interpretaría como indignación pero que era la sacudida por el súbito aparecer en su conciencia, bajo una luz potente, del hule desgastado y la pulsera brillando y denunciando su riqueza en la hosquedad y el vacío de la pobre casa, helada aquel invierno, de camastros sucios, de cocina que nadie encendía. Allí había brillado la pieza de oro como el engaño que intenta adornar la triste fealdad, sin comprender nada hasta que en el titular de una hoja de periódico leyó unas palabras cuyo significado sólo entendió al acabar la época terrible: «Los Linces del Amanecer»[150], y vuelve a estar su padre erguido, airoso, el pecho abombado por la petulancia, días y días sin aparecer por casa y, lejos, un gran peligro que se acercaba, la guerra poniendo cerco a su arrogancia, a su pistola, la consumación de su destino difícil, de realizar míseros oficios que odiaba, de penalidades habituales en un barrio de casuchas y carencias.

Algún compañero le preguntó qué era su padre; él dio la respuesta preparada, que trabajaba en Cataluña en la industria del coche, y a continuación hacía el gesto del que no da importancia a los recuerdos de familia. Mas no era cierto: las palabras, los ademanes, los golpes y gritos, la avidez con que comía, el mechón de pelo en la frente, igual a un gitano, todo era actual al cabo de los años, y de ellos buscaba explicación que consolara.

La mujer aquella se fue y dio un portazo contra la sorprendida cara del padre que no se había movido mientras la escuchaba; cara más adusta, más rígida cuando bajó los ojos a la joya, luego los miró a todos y vieron no sólo la cólera contenida, sino que los labios se movían, sin duda hablando para sí, respondiendo lo que no pudo decir a la joven: por primera vez no maldijo, no soltó la sarta de palabrotas constantes, siguió sentado y como si su cuerpo recibiera un gran peso, quedó sujeto a la silla y fue intensa la sensación de que no podía moverse, quieto allí por un fallo de su voluntad: empezó con aquel portazo la marcha del padre hacia su final.

Las patrullas que hacían registros con pretexto de detener fascistas buscaban alhajas y se las llevaban, y también a algún hombre de la casa que a la mañana se le encontraba

---

[150] *Los Linces del Amanecer:* uno de los grupos de las patrullas mencionadas arriba.

en un solar del extrarradio, tendido en el suelo, con los ojos alucinadamente abiertos, sin haber entendido lo que pasaba. Ya casi hombres, fueron los dos hermanos a ver a Rosario, necesitados de ello, para hablar de tales patrullas; con pocas palabras se miraron, comprendiendo algo, queriendo asirse a una justificación que fuera razonable, y los tres se miraban, afirmaban con la cabeza, y nada borraba la evidencia de lo ocurrido porque la historia de los registros al amanecer se sabía, se denunció entre acusaciones y calladas explicaciones que no servían para nada: los que tal hacían buscaban vengarse oscuramente de largas generaciones de vejación y satisfacer su odio de sometidos, desear tener lo que tenían los señores. Las manos no se tendían hacia los estuches de piel donde se suelen guardar las riquezas, se tendían hacia una esperanza vaga de comer dos veces al día, de comprar ropa y lucirla, de adquirir el empaque del señorito fumando un habano, de usar buenos zapatos bien brillantes, ilusión que escapaba, inalcanzable desde los pocos años con las primeras frustraciones. Quizá el padre creyó que podía cambiar la joya en felicidad y no sabía que el oro está maldito por el uso que hacen la vanidad y la codicia.

Gira la conciencia del hijo en torno a una sospecha, una muerte, siempre lo que ha de ocultarse y que no acaba nunca de desvanecerse persiste en un círculo obsesivo, un aro de oro con su insistente dolor íntimo, certidumbre difusa tan difícil de aceptar, que el padre, en la patrulla Los Linces del Amanecer, fuese un asesino.

4

El amigo Julio

Pensó Antonio que solamente a mí podía hablarme de su amigo Julio, que Dios sabe dónde andaría, porque yo le hubiese conocido o visto, pálido de frío, en la ofensiva de Guadalajara, bajo el aguanieve, o acaso en el sector de Villaverde, una tarde tranquila. Él, a otras personas, intentó contar algo de Julio pero se había encontrado con la indiferencia y calló, aunque en ciertos momentos se habla, sin atender a que nos escuchen o no, por necesidad de reducir los recuerdos a palabras. Más tarde, es verdad que en alguna casa de amigos de confianza, en Vallecas o en Peña Grande, Antonio habló del pasado, de los años de la guerra, y quiso referirse a Julio pero fue igual que si una mano invisible le arrancara las ideas cuando iban a convenirse en sonidos.

Cómo no le conocería yo si éramos del mismo barrio, si sabía todo mejor que nadie, pero permanecí callado, fingiendo distraerme para no echar abajo su última esperanza, soplar la llamita que a través de los meses daba ligero calor a su ánimo. Mejor no mostrarle cómo el destino desprecia a quienes no reconocen el derecho a ser algo, los que pasan anónimos, ignorados, y de cuya existencia de anhelos y contrariedades no queda ni rastro.

Pensó que yo sabía la historia, que habría tratado a muchos como Julio y que no me descubría nada nuevo, pero vacilaba en elogiar su simpatía, su talante que nadie más que él tendría presente, aventados en el olvido como se olvida a cualquier hombre de su clase y de su suerte, porque las crónicas, la historia, no ensalzan y guardan sino a los encumbrados por la cambiante fortuna o por el dinero, la bajeza o la fuerza bruta, y nada de esto era lo suyo.

Y pensar que la pasión que yo percibí en Antonio, un gesto de la boca, casi una sonrisa confidente, cuando salió a relucir el nombre de Julio, si se hubiera sorprendido hacía treinta o cincuenta años antes habría dado lugar a vejaciones, y dos siglos antes, quizá le habría llevado al patíbulo o a galeras por ser algo tan perseguido; y por ese secular temor, Antonio contenía sus palabras cuando iba a explicar lo que sintió cuando vio por primera vez a Julio y, luego, lo que éste vino a ser para él.

El padre de Julio fue fontanero toda la vida; formó una familia en una casa de la calle de San Bernabé: dos habitaciones y una cocina, fría en invierno, con ventanas que daban a un patio. El hombre era muy entendido en política, había conocido a Pablo Iglesias, a Jaime Vera[151], daba una peseta a la caja de ayuda a huelguistas, trabajó mucho y se murió. Dejó detrás a la mujer, que trajinaba sin parar, y dos chicos que ya estaban empleados: la muchacha haciendo flores artificiales y él, Julio, fontanero como fue su padre. Tenía quince años cuando quedó huérfano, era aprendiz pero prometía, y se espabilaba y ganaba un pequeño jornal en el taller en el que estaba contratado. Fue creciendo y haciéndose hombre: iba con la caja de herramientas hasta Puerta de Moros, hasta Progreso, hasta donde fuera, para arreglar grifos y desagües. Tenía buen carácter y todos en aquella casa de corredores le conocían y simpatizaban con él, y lograba éxito entre las vecinas porque era guapo, con la buena facha propia de los veinte años.

Y así llegó la guerra. Cuando se fue aquella tarde calurosa a reducir la sublevación en los cuarteles de Cuatro Vien-

---

[151] *Jaime Vera* (Salamanca, 1859-Madrid, 1918), médico y político, perteneció al grupo prefundacional del PSOE. Teórico del marxismo, fue el primero en promover la colaboración de su partido con los republicanos y alentó la cooperación entre los trabajadores intelectuales y los manuales.

tos[152], embotellado con veinte más en una camioneta coronada de gritos, de canciones:

Joven guardia, joven guardia[153],

y banderolas rojas, él no sabía bien qué hacía desde la madrugada, ya que Julio era más aficionado a los bailes de los domingos que a la política de la que hablaba el padre.

Pero, no obstante, por la mañana él estuvo en la calle de Ventura Rodríguez, al lado de los que disparaban contra el Cuartel de la Montaña donde se habían reunido los militares sublevados. Luego, a las doce, cuando el edificio se rindió, entró allí y vio rostros asustados y sangre en el comedor de la tropa, y muchos cuerpos sin vida en el patio, y el reparto de los fusiles, de los que le dieron uno que no sabía manejar.

Días después fue a Somosierra, donde habían empezado combates, siendo el mismo muchacho desenfadado, alegre, sin rencores, entonces movido ya, y sólo entonces, por una fuerza generalizada en la que estaba su padre hablando de la cuestión social y de la explotación del hombre por el hombre.

Estuvo en el frente de la sierra y perdí su pista, y un día supe que había venido a ver a la madre con una cazadora nueva que entusiasmó a la pobre mujer: tenía la piel tostada por el sol y parecía haber aprendido mucho de todo lo que ocurría en el país. Luego, coincidí con él en el Quinto Regimiento, charlábamos de la organización, me contaba sus impresiones, hablaba de sí mismo; de mí, apenas sabía nada, pero éramos amigos. Mientras, el frente se iba acercando como una amenaza inevitable.

La vida de Julio en el frente fue igual a la de tantos jóvenes que dejaron sus modestos oficios y fueron allí, saliendo de «los barrios bajos», que así se llamaban no sólo porque

---

[152] *Cuatro Vientos:* el aeródromo de Cuatro Vientos es el aeropuerto más antiguo de España; en febrero de 1936 se había autorizado su uso como aeropuerto nacional.
[153] Es parte del estribillo de la canción revolucionaria «La joven guardia».

estaban hacia la parte del río. Supongo cómo sería su primera guardia de noche en una posición avanzada, cuando se quiere descubrir, entre la oscuridad y el silencio, al enemigo, que estamos seguros avanza; supongo su llegada a cualquier pueblo medio destruido y su mirada recelosa cuando sonaban aviones. Le veo en el fondo de una trinchera tomando el sol, un día de calma, charlando con los compañeros, aburrido y al mismo tiempo de buen humor. Es probable que estuviera en golpes de mano y oyera el estampido sordo del morterazo o que en alguna retirada cargara con un herido, que no quería dejar entre las matas, y que pesaba como si ya estuviera muerto.

Un día me contó que se iba a casar, que tenía novia hacía tiempo, y me extrañó porque era la primera noticia. Me lo dijo una tarde de viento furioso en la estación de un pueblecillo de Córdoba, llena de gente huida y asustada porque había habido por aquella zona unos ataques fuertes. Apoyados en un montón de vigas, mirábamos a nuestro alrededor mientras fumábamos, me decía que ella era morena, con un buen cuerpo y muy alegre, y él se sentía feliz ante la perspectiva del casorio con la chica, que al parecer era vecina suya. Y efectivamente, al poco tiempo se casó. Estas cosas se hacían así entonces porque se desdeñaba el futuro y por desprecio de toda prevención. Tuvo que continuar en el frente y la muchacha fue a vivir con la madre de él. Todos estaban contentos y, cuando ella se reía, nadie hubiera podido adivinar la ruina que llevaría a la casa en la que entraba y en la que estaban las dos mujeres solas.

La boda fue igual que otras de entonces. Hubo los compañeros de trabajo de Julio, casi todos de uniforme, bastantes muchachas reidoras amigas de la novia, unos cuantos familiares. La madre del novio, vestida de oscuro, con un pañuelo en la mano, estaba seria y atenta a lo que pasaba en el despacho de la División donde firmaron delante de un comandante calvo. Allí mismo había botellas de vino y, terminado todo, los más allegados fuimos a la casa de Julio, que se llenó, donde habían preparado tortilla y estuvimos bromeando hasta el mediodía. Veía a Julio con el pelo cortado al rape, riendo por todo, con la guerrera reluciente, sus buenas botas, y pensé que la boda le haría más firme, como hombre ya formado. Después, pasó lo que era corriente en aquella época: al acabar los días de permiso, se reintegró a su sector y sólo de vez en cuando volvió, lo que era como un día de fiesta para ellos. Les veía tan iguales en su juventud, bulliciosos en la pequeña cocina preparando algo especial para comer en medio de tantas privaciones, flotando en un aire de felicidad que se merecían por una ley poderosa superior a las circunstancias. Él había logrado lo que a muchos hombres les está negado toda la vida.

Parece que fue entonces cuando Antonio le conoció, y cuanto tenía Julio de posible atractivo para otro hombre se revelaba, pese a las retiradas, las derrotas, la suciedad, el cansancio que hacía inútiles los esfuerzos. Serían quizá los mohines de indiferencia, el blanco de los dientes, la camisa que se abría sobre el pecho, quién sabe las razones del atractivo que forma parte del instinto que suscita profundas apetencias, quizá modelo impuesto por el ideal del hombre hecho y derecho para los admiradores de la valentía, de la fuerza, y Antonio no se cansaba de estar amable con él, distinguirse, hacerle algún favor; otras veces, se mostraba como enfadado y le reprendía a Julio por cualquier nimiedad.

Una tarde que, con dos días de permiso, estaba yo en la pensión donde me alojaba, oí estampidos lejanos de obuses y poco después la madre de Julio me telefoneó y me dijo, con voz que apenas se entendía, que le había pasado algo a la chica y que fuera. Lo más pronto que pude fui allá y me encontré con que un proyectil había estallado en la calle cuando la mujer de Julio pasaba cerca y que la había arrojado contra la pared. Se la habían llevado al hospital de O'Donnell en un coche; y me contaba esto llorando, como si hubiera muerto.

Fuimos al hospital y en la puerta había un grupo de personas excitadas esperando noticias de familiares ingresados, pero por medio de un enfermero conocido pude entrar en el gran vestíbulo y buscar a la joven. En las camillas que esperaban turno, los heridos se movían, gemían o estaban inmóviles mirando al techo, cubiertos a medias por mantas que dejaban al descubierto ropas revueltas. En el ascensor subían a los más urgentes y había enfermeras inclinadas sobre alguna camilla pugnando por contener una hemorragia; los camilleros pasaban con gesto contrito y cansado.

Ayudado por el conocido, pude encontrarla y reconocer la fisonomía de la chica que había visto hacía unos días y que estaba cambiada totalmente, como si en aquella hora escasa hubieran pasado varios años y hondos sufrimientos la hubieran envejecido. El pelo le cubría media cara hinchada, con rasguños oscuros, y los ojos tan fijos y tan abiertos que comprendí que todo había terminado. Debajo de la camilla se formaba un charco oscuro.

Salí a la calle y dije a la madre, llorosa y atolondrada, que estaban curándola, pero no quise mentirle y al día siguiente fui a su casa y le expliqué claramente lo que había ocurrido. No lo creía; oponía a la verdad una resistencia desesperada, mas poco a poco, las manos abandonadas sobre la falda me hicieron comprender que iba aceptando cuanto le dije. Se horrorizaba de tener que informar al hijo, y peor por carta, que apenas sabría escribir. Lo discutimos y se negó, de principio, a decírselo en seguida; no comprendía que era necesario, y así pasaron unos días y yo tuve que salir para Aragón, y al regresar me enteré de que Julio había escrito, alarmado de no recibir noticias de la chica, y preguntaba qué ocurría. A la madre, una vecina le escribió cartas en las que daba disculpas absurdas, se contradecía, y las de Julio ya eran apremiantes y mostraban toda clase de sospechas; se creyó que la muchacha se había marchado porque antes ella le mandaba cartas de letra grande y redonda, escritas en la mesa de la cocina por las noches; él las echaría de menos en los días interminables del frente, a la espera de una ofensiva. En aquella época Julio debió de sufrir y no pensó en la muerte de ella. Varias veces estuve a punto de escribirle, pero la madre me pedía tanto que no lo hiciera, que sería mejor decírselo cuando viniese, que dejé pasar las semanas sin contestar dos cartas que él me puso pidiendo noticias.

Y un día llegó, cuando estaba yo en su casa, por la tarde. Oí que se abría la puerta y la voz de Julio resonó en el piso. Entró en la cocina a grandes pasos, preguntando lo que tenía que preguntar, alterado, envejecido como si hubiera sufrido él también un atentado a su cuerpo; atravesó el aire templado de la cocina donde yo estaba, sin prever que iba a presenciar el final de aquella historia. Pasó, sin verme, al cuartito donde había entrado la madre en aquel momento, y cuando le oí que en vez del nombre de ella preguntaba por ésa, entendí que había sospechado lo peor, un abandono, un engaño.

La voz atropellada de la mujer balbuceó algo entre las palabrotas de él, y aunque ella le decía la verdad, asustada al verle descompuesto, Julio no la oyó o no la comprendía, y debió de interpretar la actitud desolada de ella como confirmación de sus temores. Probablemente no tenía gran confianza en la muchacha, se habían casado sin conocerse apenas, y su cabeza no podía admitir otra razón que la ausencia.

Salió de la cocina y se me quedó mirando; la indignación y el asombro le transfiguraban el rostro, más enjuto, enfurecido por la desaparición y por saber que la había perdido; acaso sentía la crueldad de un destino inesperado sin posibilidad de reconquistar la felicidad de los últimos meses. Apretados los labios, hizo un ronquido con la garganta, un lamento raro, y pareció pasarle por la cabeza una escena terrible. Sin duda, no tuvo tiempo de lograr la experiencia de la fatalidad, que precisamente era en el frente donde se creaba, de que todo se cumple por encima de lo que nosotros deseamos, y por esa razón me miró estupefacto, sin hablarme ni darse cuenta de que era yo, sorprendido por el golpe de su desventura.

Entonces se oyó que una voz de hombre le llamaba a gritos desde abajo de la escalera; dio media vuelta y se marchó, seguido por la madre, que le decía cosas ininteligibles, y yo no tuve rapidez para explicarle, para sujetarle a la realidad y que la tragase, quisiera o no.

Le escribí una carta al día siguiente, detallándole el fin de la muchacha, y repetí la carta a los ocho días pero entonces su sector del frente se deshacía y es probable que ni las recibiera.

Antonio hizo suyo lo que yo había dicho: «Así es la vida». Y añadió: «Como un tallo de hierba fresca al que se aplasta

entre los dedos y se percibe su aroma que pronto se disipa».
Se miró las manos entristecido, o ligeramente cansado, o
frustrado con tantas amarguras por las que pasó en los últimos años. Aún se conservaba joven, con una piel sana y en
los labios un poquito de carmín que sólo yo descubría.

«No he sabido más de él», y volvió la cara y miró por el
ventanal junto al que estábamos sentados, en el café Universal[154], y pareció seguir el movimiento de la gente en la Puerta del Sol, pero así me ocultó que la desolación, a punto de
ser un sollozo, le subía del alma y hacía de su cara un libro
destrozado en el que podía leerse una tragedia.

Y no estaba enterado de nada, ni de que en la unidad de
Julio integraron a un grupo de extranjeros de las Brigadas Internacionales, de los que se negaron a marcharse. Todos allí
procuraron acogerlos y facilitarles en lo posible cumplir las
órdenes y rutinas. Entre ellos había un francés del que Julio
se hizo amigo: eran de la misma edad, poco hablador en
parte por conocer escasamente el español, y Julio se encontraba con que más allá del lenguaje propio del frente, aquél
no sabía nada. Pero lo que le había pasado era tan grave que
el ánimo de Julio estaba perturbado, unas veces por odio a
ella, otras, por dolor de perderla, pero a nadie podía confiarse ni buscar apoyo ni consejo. De hablar, sólo temía recibir
burlas, aún más en aquellos días en que cada hombre llevaba en sí la vergüenza de sucesivas derrotas y deseaba reírse
de las ajenas.

Y acabó contándoselo al francés cuando los otros no le
oían; le explicó lo que le había ocurrido sin medir cuánto
captaba de su desgracia aquel hombre que le escuchaba circunspecto. Y acaso por oír la historia una vez y otra pareció
entenderla, y entonces, ante la señal de la perplejidad en el
rostro de Julio, él murmuraba algo y hacía ademanes de aprobación y ponía su mano en el brazo del que le hablaba en
voz baja.

Y aquello vino a terminar como en tantas ocasiones: el
proyectil de mortero cayó en el centro de la trinchera donde
estaban ellos y parece que cuando la ocuparon los moros,

---

[154] *café Universal:* estaba en la calle de Alcalá, junto a la Puerta del Sol.

poco después, les echaron con otros dos en un foso que había cerca, y aplastaron bien la tierra, no sin antes haberles registrado los bolsillos y quitado las botas.

Antonio me miró, aún dudoso ante mis comentarios ambiguos, queriendo descubrir en ellos la verdad porque si amargo es conocerla, aún es más presentirla no queriendo atender lo que guardan los indicios. Acaso prefirió mantener la esperanza de que la maldita guerra, no la muerte, hubiera rozado tan sólo el tallo de frescor y lozanía que fue la vida de Julio.

Las huidas

En aquel lejano barrio de las afueras estaba la calle que ahora recuerdo formada por chalés antiguos con sus verjas cubiertas de madreselva, con estrechas aceras, tres o cuatro farolas, los macizos de flores, sus aromas en las lluvias primaverales; de noche, sombras que la cruzaban, su silencio, tan silenciosa era que parecía deshabitada. Únicamente el maullido de un gato o una cancela al cerrarse o ruidos vagos que nadie hacía.

Así, silenciosamente, Clara limpiaba cuchillos y tenedores extendidos sobre la mesa, alineados encima de unas gamuzas, que recogían en sus reflejos los movimientos de ella al inclinarse para mojar la muñequilla[155] en el líquido limpiador, y un mechón de pelo le caía sobre la frente y su gesto era de estar absorta: ajena a todo lo que una mujer joven puede maquinar en su mente llevada por sentimientos o ilusiones; acaso obedecía quién sabe qué orden imperiosa de una lejana voz.

No atendía a las palabras de su hermana; la voz de Amalia, algo destemplada, explicaba por qué era preciso que le dieran el volante solicitado para ser evacuada a Valencia y poder salir del angustioso espacio de la ciudad sitiada, del absurdo círculo de trincheras y alambradas que la ahogaba con sus prohibiciones, en la inseguridad de las balas perdidas o los obuses que estallaban en las fachadas de las casas.

---

[155] *muñequilla:* trozo de tela o trapo que se utiliza para barnizar o para estarcir.

434

Ella quería ser una gran artista y para ello habría de alejarse de una revolución y de una guerra que no entendía.

Era miércoles y las dos hermanas esperaban la llegada de una anciana que les vendía tabaco, legumbres, arroz, robados sin duda en algún sitio, y que se anunciaba por su persistente tos, y Clara acudía a la verja para abrir y recoger lo que trajera y darle el precio convenido y oírle decir incoherencias; apenas las pisadas de la anciana se alejaban, las dos, apresuradamente, rompían el envoltorio de las cajetillas de Navy Cut, sacaban pitillos y se ponían a fumar con hondas aspiraciones, sin hablar, siguiendo las volutas del humo. Como un sortilegio que entregaba a cada una de ellas ensoñaciones muy queridas, el sutil olor del tabaco las embargaba hasta el punto de que, abstraídas, aparecía en sus labios una sonrisa o un mohín de aprobación, y los ojos se entornaban. Y en seguida Clara volvía a su tarea de limpiar los cubiertos de plata, lo que hacía con atención, frotando las señales de no haber sido usados en mucho tiempo.

Amalia rozó la punta de uno de los cuchillos, punta afilada que podía herirla; ella se sabía herida de desasosiego por su rechazo a la casa donde había vivido siempre, en el aislamiento, desde niña, casa demasiado grande para tres mujeres solas. Detestaba la sujeción a rutinas domésticas, sólo la animaba el deseo de marcharse, gozar de total independencia para realizar su vocación. Dio unos pasos por la habitación de paredes empapeladas en tono oscuro, con láminas enmarcadas y un alto aparador cargado de vajilla. La vieja madera del parquet crujía al acercarse al balcón cuyo visillo de tul comprobó que estaba recién lavado, limpio de polvo. Contra el cristal un moscardón revoloteaba y chocaba, obstinándose en atravesar el obstáculo de la transparencia del vidrio.

Miró el jardín, su vulgar aspecto de siempre que ella había querido transformar con los tonos alegres del dibujo al pastel y luego con el óleo, pero más allá de la verja de hierro la calle no era posible cambiarla; sus modestos chalés que ocultaban tras sus muros sordas contiendas en la intimidad de los caracteres enfrentados; los jardines con macizos de hortensias, y en su centro, estatuas de escayola vestidas de antiguos romanos o fríamente desnudas, que la intemperie iba manchando de moho.

Se volvió hacia Clara y la contempló: tan dedicada a los cubiertos que no había apagado la colilla en el cenicero, pero, de pronto, oyó que le hablaba, sin poner en ella los ojos, para explicarle que lo más conveniente hasta que terminase la guerra era permanecer en casa, defender lo que tenían, la herencia de su padre y los recuerdos de tantos años: era una obligación moral. El barrio en que vivían era seguro, no caían bombas y nadie las molestaba. Si se marchaba a Valencia, aunque viviese con las primas, tendría que trabajar corno una obrera y sería no una artista, sino una evacuada molesta. Sólo entre las paredes de la casa el destino de ellas se cumpliría como habría de ser.

Calló Clara y volvió el silencio que había en la casa y en la calle. En otros barrios lo que sonaba era un fragor de hundimientos y explosiones, de sirenas de alarma cuando la aviación enemiga llegaba, fragor de imprecaciones y disparos, de altavoces que radiaban marchas y consignas. Pero en la calle de los chalés, la calma no sólo era de noche cuando ningún ruido llegaba de la oscuridad que convertía los alrededores en desierto, sino que a lo largo del día apenas se oía el chorro de agua al regar las plantas o una voz que llamaba, todo sin eco, amortiguado por el calor.

Sonó la campanilla de la verja y, a través del visillo y de las ramas de una adelfa, Amalia vio que quien llamaba era Santiago, el vecino, pero no hizo movimiento de ir a abrirle. Esperó y fue la madre quien cruzó el jardincillo y le hizo pasar.

En la habitación donde entraron había butacas cómodas, en las paredes de color claro, cuadros con fotos de familia, y junto a una máquina de coser, un reloj de pie cuyo péndulo estaba parado. En la mesa cubierta por un tapete azul se extendían las cartas de una baraja con las que la madre hacía solitarios; al sentarse ante la mesa, el vecino tuvo en el pensamiento que en bastantes años de amistad siempre se había sentado allí para charlar con aquella señora y con las hijas, jugar al parchís y saborear un excelente arroz con leche que Clara sabía hacer, una atención quizá debida a que él era el único hombre que entraba en la casa.

436

La madre recogió las cartas, las acarició y mostró a Santiago con un gesto de muda explicación: los días eran largos, se aburría. Decían las gitanas que en las cartas se podía leer la suerte de quien las tocase, suerte negra o felicidad, pero ella no creía en eso y nunca le interesó lo que dijeran de su futuro.

Santiago le sonreía y se fijaba en las arrugas de la cara que llegaban hasta el cuello; bajó la vista a las manos, que había apoyado sobre la mesa, y en ellas estaba marcada, más que en una carta de baraja, la señal blanquecina de la ociosidad y del tiempo.

Los solitarios eran para entretenerse, y para recordar tenía mucho tiempo y sentía que el alma se le escapaba a los años de juventud, a una época de alegrías y diversiones, las que no se repitieron tras su matrimonio, y luego... las hijas. Hubo épocas de problemas, disgustos en la familia, aunque también satisfacciones: los estrenos en el Eslava[156], los veraneos, algún baile, y una especialmente: que se parecían a los reyes. Su marido era igual que Alfonso XIII y a ella la equivocaban con la reina Victoria Eugenia[157], tan parecida era, igual de rubia, con ojos idénticos y el aspecto de la figura; en los veraneos, en El Sardinero[158] de Santander, la gente se volvía, asombrada de ver tanta semejanza.

La reina estaba siempre seria, alejada de todos, acaso se veía encerrada en unas costumbres que no eran las inglesas. Ella también estuvo muy sujeta y alguna vez anheló dejar la casa pero no tuvo valor, o no sabría adónde marchar.

Quedaron los dos callados, en el ritmo pausado de la respiración; cada uno miraba a un sitio distinto y la madre musitó que vivir en el chalé las aislaba de relaciones y de posibles novios para las hijas.

---

[156] *Eslava:* teatro de Madrid inaugurado en 1871; en la actualidad alberga una sala de fiestas.
[157] *Alfonso XIII* de Borbón (1886-1941), rey de España (1886-1931); *Victoria Eugenia* de Battenberg (1887-1969), reina de España (1906-1931).
[158] *El Sardinero:* zona de la capital cántabra famosa por sus playas y balnearios; el rey Alfonso XIII la eligió como enclave predilecto de sus vacaciones estivales.

También él, en su casa vacía, en aquel chalé grande, sólo habitado por recuerdos, pues todos los suyos habían ido muriendo, no sabía qué hacer, no hablaba sino consigo mismo.

La verdad era que las familias se desgastaban o se dispersaban con el paso de los años porque se acentuaban las diferencias de carácter, y tanto se cambiaba, que padres e hijos llegaban a ser extraños; sus hijas eran muy distintas a ella, como si fueran de otra madre. Clara no quiso hacer nada sino estar en casa consagrada a cuidar y a limpiar, igual que si el chalé fuese su propio cuerpo, y le daba importancia a todo lo que era antiguo, y así parecía feliz. Amalia, por el contrario, siempre soñó con viajar, ir a París, ser una pintora y ganar dinero. Últimamente quería escapar de la guerra, establecerse en Valencia y allí, dibujar.

A veces él había tenido una idea parecida: romper con la vida que llevaba, abandonar todo y marcharse a donde fuera, quizá al extranjero, y abrirse camino, no sabía bien cómo. Tras decir esto y con tono de voz más apagado, se inclinó ligeramente hacia la madre y murmuró, como un resoplido: «Pero a mí Amalia no me quiere».

La madre afirmó con la cabeza, parpadeando, apretando los labios, con una mueca de que estaba enterada de lo que él decía.

No podía seguir así, viviendo solo, aparte de que en cualquier momento le movilizarían en un batallón de los que iban al frente porque él pertenecía a un sindicato desde que trabajó en Correos.

Después de conversar un rato, Santiago se levantó para irse y la madre le acompañó hasta la puerta de la verja, y allí él comentó cómo el calor agostaba todas las plantas. Ella dijo que los jardines estaban sin cuidar porque había otras preocupaciones, pero mejor era callarlas.

Santiago asintió y salió a la calle. Empezaba a atardecer, los arreboles en el alto cielo encendían en las nubes sus granates y cobaltos; por encima de los tejados volaban unas golondrinas en el aire caluroso. Caminó despacio, mirando las verjas con sus enredaderas, sujeto a los pensamientos repetidos miles de veces. Coincidió con el médico Suárez que salía de su casa. En la camisa caqui llevaba cosida, en el lado izquierdo, una estrella roja de cinco puntas, y debajo, la cruz verde de la Medicina; seguramente habría logrado un puesto en algún hospital de sangre. Se saludaron fríamente al pasar. Había sido amante de Amalia, de lo que Santiago se enteró por casualidad, y se asombró pues no lo hubiera sospechado en ella y en un hombre casado con dos hijos. Supo que se encontraban en una casa de la calle de Cartagena que alquilaba habitaciones a parejas, y luego, también supo que habían roto.

En el momento de entrar Santiago en su jardín escuchó, muy lejos, un rumor que comprendió en seguida era de un bombardeo en algún barrio distante. Entonces pensó en la ofensiva que hacía un par de semanas hubo, en las estribaciones de la sierra, para conquistar Brunete y en la que habían muerto miles de combatientes, y la cual Damián, el jardinero, le había comentado el día anterior. Le miraba fijamente y le habló de las unidades que participaron en los combates y que no habían logrado la victoria aunque el Ejército Popular disponía de mucho material y, por supuesto, de la ayuda de las Brigadas Internacionales, que eran gente entrenada en los enfrentamientos en la Casa de Campo y en la Cuesta de las Perdices.

Durante unos segundos, el jardinero hizo muecas que mostraban su contrariedad por el fracaso en Brunete y, aunque la cara de Santiago no cambió y se limitó a alzar las cejas y a mecer la cabeza, le siguió hablando con exaltación.

Los muchos años que fue jardinero de la casa le llevaron a creerse parte de la familia que allí vivió y no dudaba de que Santiago pensaba como él en política porque sabía que estaba afiliado a un sindicato y hasta le había preguntado cuándo se iba a incorporar a un batallón.

Santiago esperó en la calle unos minutos; dejó de oír el bombardeo y el silencio que hubo después distanciaba más lo que estaba ocurriendo en el país, en ciudades y campos.

En la casa, por haber estado cerrada un par de horas, había un olor denso, caluroso, de las viejas maderas, de las alfombras y cortinas polvorientas. Santiago abrió balcones,

439

subió al primer piso y se asomó a un antepecho: el jardín estaba limpio pero seco por los calores de finales de julio. Encendió un cigarrillo y a través del humo echó una larga mirada a los chalés vecinos, con sus jardines soñolientos y un aspecto pacífico y, no obstante, el secreto de atormentadas historias persistía tras las fachadas mudas y él estaba enterado de los afanes de sus dueños, celosamente ocultados. Conocía a cuantos vivieron en la calle; algunos maduraron y desaparecieron, yendo en busca de mejor suerte; los más quedaron, como él, sujetos a esperar algo, a pasear por el jardín, y al atardecer, en verano, sentarse junto a algún familiar en butacas de mimbre, en el frescor del suelo regado, cruzando monosílabos y miradas como si no se conocieran.

Pensaba todo esto y se dijo a sí mismo: ¿por qué me he condenado a vivir en un sitio tan triste? Una historia invisible le absorbía y le adhería a muebles, a objetos, a costumbres, ruidos o frases que se dijeron en aquellas habitaciones y que sólo él oía y reconocía.

Bajó al vestíbulo y se sentó para terminar de fumar.

Hacía un mes, allí había estado Amalia cuando le propuso que fuera a juzgar unos grabados que guardaba de su padre, y mientras ella los veía y comentaba con el habitual pitillo en la mano, él le había repetido, una vez más, su declaración de enamorado, y la joven al principio no le contestó, pero según Santiago le hablaba, con mayor vehemencia, de que hacía años la quería y la esperaba, Amalia le pidió que se callara, que ya se lo había dicho en otras ocasiones. Él continuó porque le interesaba que no interpretara como imposición su deseo, ni coacción alguna, sino sólo un verdadero afecto desde que se conocieron de adolescentes.

A la nueva respuesta negativa y a la afirmación de que no podía quererle como él pedía, a Santiago se le ocurrió pensar que no hablaba a una muchacha ingenua, por cuanto sabía de la relación que mantuvo con el médico, y acaso con compañeros de las clases de dibujo en el Círculo, y decidió no insistir en sentimientos respetuosos sino en demandas carnales, de puro sexo.

Empezó con voz insinuante: quería conocer su cuerpo y amarlo, se arrodillaría junto a ella y desabrocharía los dos

440

botones que cerraban la falda y la dejaría caer hasta el suelo y, como tenía detrás la luz de la puerta, vería, a través de la combinación, transparentarse las piernas y la ilusión al presentir la redondez de los muslos, y entonces subiría las manos por debajo de la combinación y bajaría las medias y las ligas y, por primera vez, pondría los dedos en su carne, y, despacio, haría que quedaran enrolladas en los tobillos. Volvería a subir las manos y tantearía la braga, y sin que ella lo notase apenas la iría bajando y así podría, al fin, acariciarle las caderas y el vientre y pasar la palma de la mano por el vello del pubis, y entonces ya, tiraría de la combinación, sujeta por un elástico, y vería medio cuerpo desnudo, tan blanco como debía de ser, y ese sueño que es para los hombres tocar el sexo y besar las ingles, en las que, estaba seguro, ella sentiría sus labios calientes. Y cuando estuviera así, trabada en los pies por las prendas, le desabrocharía la blusa y tendría que quitarle la camisa, y sabría hacerlo de forma que ella, riéndose, levantara los brazos para sacar las hombreras, y ése era el último velo que la ocultaba, y cuando el sostén se deslizase a lo largo de los brazos, él comprendería que le aceptaba y le entregaba su cuerpo.

Ella no le había interrumpido y pareció que escuchaba con curiosidad lo que podía ser vacilación, pero dejó los grabados y sin mirarle ni hablarle se fue hacia la puerta, pero antes de que saliera, Santiago la siguió y le dijo que a él le era fácil obtener un salvoconducto para Valencia y si ella aceptaba podrían los dos marcharse juntos; que nadie mejor que él la comprendía porque también deseaba escapar y no volver allí, pero Amalia, sin responder, cruzó el jardín y de golpe cerró la puerta de la verja.

Desde entonces Santiago reconoció que no cabía esperar nada de Amalia, y cuanto dijo, en el acaloramiento de intentar convencerla, después le avergonzó.

Tiró el pitillo, vagó de habitación en habitación casi a oscuras porque la tarde ya declinaba, entró en la cocina y contempló lo que la asistenta le había preparado de comida pero no sintió hambre, fue de nuevo a mirar el jardín; en el de al lado, una voz airada de mujer gritaba:

«¡Dámelo, dámelo!». En el cielo iban apareciendo estrellas. Pasó los ojos por el aparato de radio y sin darse cuenta hizo girar el conmutador y una música de zarzuela le siguió según iba al vestíbulo, y de nuevo miraba los jazmines trepadores florecidos. Oyó que el locutor daba noticias pero no prestó atención hasta que al ir a encender un cigarrillo se detuvo cerca del aparato. Hablaban de alguien que había caído en el frente: un joven periodista inglés que colaboraba con las Brigadas Internacionales, conducía una ambulancia y en la carretera de Villanueva de la Cañada una bomba de aviación le había alcanzado y le llevaron, malherido, al hospital de sangre en El Escorial, pero murió a las pocas horas. Era miembro de una conocida familia inglesa, se llamaba Julien Bell[159] y tenía veintinueve años.

Santiago se extrañó al oír aquello y lo escuchó, pero el noticiario ya terminaba; el que fuese un periodista inglés que condujera una ambulancia haciendo de chófer y que hubiera muerto le inquietó como todo lo que no entendía bien. Dio unos pasos, «Julien Bell», se dijo, «¿por qué vendría a España y por qué estaba en el frente si era un profesional inglés al que no le faltaría nada?».

Amalia aquel día volvió a su casa irritada y nerviosa porque Santiago ya otras veces le había hecho parecida declaración que ella siempre rechazó: no podía ser amor una mera amistad de vecinos jóvenes. Pasaron dos semanas, acaso tres, y una tarde escuchó por radio que las autoridades consideraban finalizada la evacuación de la población civil a ciudades de Levante y que ya no se atenderían las solicitudes con ese fin.

Dejó de fumar, se le contrajo la garganta como a punto de dar un grito, se precipitó la respiración: toda esperanza de libertad se perdía, no había otro medio para huir a Valencia que aquél.

Corrió por la calle hasta el chalé de Santiago y ante la verja alzó la mano para tirar del cordel que hacía sonar la campanilla, pero no lo encontró, faltaba de su sitio, y entonces,

---

[159] *Julien Bell* (1908-1937) era hijo del crítico Clive Bell y de la pintora Vanesa Bell, y sobrino de la escritora Virginia Woolf.

sorprendida, se agarró a los barrotes de la puerta y llamó una vez y otra: «¡Santiago, Santiago!».

En el jardín no había nadie y los balcones de la casa estaban cerrados. Apretando la cara contra el hierro de los barrotes, con voz menos fuerte gritó: «¡Santiago, soy yo!», pero tampoco tuvo respuesta. En la duda de lo que le podía haber ocurrido a Santiago, miró a un lado y a otro: la calle, su eterna fila de verjas iguales, inmovilizada en el calor sofocante, era un túnel opresivo con el aborrecido perfume de los jazmines.

A esta calle de los chalés yo no volví: no supe más de su silencio y de quienes la habitaron tan sumidos en la ociosidad de las pasiones frustradas. Reducto íntimo, prisión odiada, paraíso imaginado, en él todo se marchitaba y los oídos sólo escuchaban el tictac del tiempo inútil.

Anillo de traición

Igual a escuchar la explosión que desgarra los oídos y ver la densa masa de humo, casi negro, que cubre todo el sitio donde brilló el fogonazo, y luego se eleva y empieza a disiparse y si un vientecillo sopla lo empuja, se lo lleva, convertido en nada, y nada queda sino, en el fondo del alma, una incómoda llaga por el rastro de sangre o de dolor que dejó la metralla. Nada quedó sino el recuerdo, cada vez más desvaído, de una mano rígida, endurecida, y en ella, el leve brillo de una sortija dorada.

En aquel tiempo podía sobrevenir todo, desde la gloria de una gran conquista a la mayor traición, y si ésta era cierta, cómo hería, y no tan sólo por caer directa y cruelmente sobre uno, sino por la imposibilidad de volver para atrás lo ya inmutable, alterar lo ocurrido; y la evidencia de los hechos, que descubrían lo inesperado, ponía su tormento de tener que aceptar las razones del infortunio, en el que estaba la sortija con una piedra verde.

Oyó Triana, entre los ruidos y los tableteos que le rodeaban, como un suspiro fuerte, un borboteo de torpes palabras que dan un único sonido, parecido al gruñido de una bestia, pero tan cerca era que hubo de volver la cabeza; bastó que girara unos centímetros para ver que el brazo de Leoncio trazaba un movimiento y sacaba el fusil de la tronera[160], mas no

---

[160] *tronera:* en este contexto, abertura que se hace en una fortaleza o en un parapeto para disparar con seguridad y firmeza.

del todo sino hasta el cargador sólo, y sujetando el arma la mano blanca sobre el acero oscuro.

Su mirada volvió, entre los dos sacos terreros, hacia la casita de labor, donde sonaba una ametralladora, y disparó tres veces hacia allí apuntando bien a los restos del tejado de madera y a la puerta destrozada, y temió no haber acertado, y al separar la mejilla del visor descubrió que por la carretera avanzaban dos tanques con su infernal ruido de hierros viejos.

Todo el cuerpo del otro se deslizó por la inclinación del parapeto y la cara se ocultó tras el brazo que siguió sosteniendo el fusil, pero, al quedarse quieto, con el torso pegado a los sacos y a los adoquines en que descansaban, le hizo pensar a Triana que el tiroteo anterior le había alcanzado, y para comprobarlo le tocó en el hombro, sólo le empujó un poco y el cuerpo no se movía y la mano seguía en el arma.

Gritó algo y sintió otro miedo del que le producía el ataque y le llamó dos veces por su nombre, aunque la voz sonó tan débil entre tanto estruendo de los disparos y de los dos tanques, que no la oiría, y él tuvo que atender a lo que se les venía encima, pero los carros se desviaron hacia su izquierda y presentaron la parte lateral: era un momento tan oportuno que dejó el fusil, sacó la última granada que tenía y echó una mirada fugaz a Leoncio: seguía quieto.

Encaramado en el parapeto, tocó el anillo del seguro, una pequeña anilla de plomo al final de la cinta, igual a un adorno femenino puesto sobre la piña que se abriría en la explosión como un surtidor de materia incendiaria. La mordió y tiró con fuerza y rápido arrojó aquella bola metálica contra el tanque más cercano: si le alcanzaba, todo desaparecería en una llamarada.

Dejó caer el cuerpo sobre Leoncio; pegó la cara a la manga de su camisa hasta oír el estampido de la explosión y se incorporó para mirar por la tronera el resultado: el tanque, medio cubierto por la nube de humo, seguía avanzando hacia la izquierda, junto al otro, pero aminoró la marcha y se detuvo.

Él también quedó inmóvil; bajó los ojos hacia el amigo y comprendió que había sido fulminante: a la altura de las rodillas una mancha líquida se remansaba en la tierra de la trinchera, y le llamó de nuevo y al coger el inerte brazo la mano se separó del fusil y entonces notó una raya en un dedo y era una sortija, que le hizo pensar en otra muy parecida y en seguida gritar en voz alta juramentos desolado.

Una piedra verde igual, cuadrada y minúscula, que daba destellos si la luz le rozaba, y a los lados un fino anillo dorado, estuvo en la palma de la mano de su madre cuando volvió del Monte de Piedad[161] y la mostró con una sonrisa satisfecha porque la había recuperado al pagar el empeño de hacía muchos meses.

La contemplaban con cariño porque era la única que tenía la madre y siguieron la operación de colocarla en el dedo corazón de la mano izquierda, y luego la miraron a ella contentos, como si la felicitaran, porque antes la había hecho brillar levantándola en el aire para que los hijos la viesen.

Era tan igual, pero no la vio allí, en el dedo de una mano que pronto se endurecería sobre un fusil, sino en otro dedo, y delante tuvo la mano carnosa, almohadillada, limpia, de María, una mano en la que él puso besos al colocársela en el dedo, bromeando y riendo, y lo que pensaba cambió de pronto en voces de mando: «¡Desalojar rápido! ¡Pasar a la trinchera de atrás!», y al oírlo quiso levantar a Leoncio y llevarlo pero su peso era infinito, y los que estaban cerca le empujaron pasando pegados a ellos, y Triana, fijo en la mano, en el dedo meñique, gritaba que había un herido, que había que evacuarlo, pero todo dentro de él se precipitó y con dificultad le sacó la sortija, se la metió en la boca y corrió por el hueco que era la trinchera de evacuación. No bien se quedó un poco apartado de todos en la nueva posición, la alzó delante de los ojos. Sintió una ráfaga de extrañeza y de descontento al observar sus detalles, que conocía bien, y ya, sin lugar a dudas, reapareció lo que decía el teniente aquella ma-

---

[161] *Monte de Piedad:* institución benéfica fundada por el capellán Francisco Piquer para prestar créditos a bajo interés a las personas más necesitadas, que empeñaban a cambio joyas u otros objetos de valor. Se abrió al público en 1724 y en 1838 se creó en su sede de la Plaza de las Descalzas, para la que Pedro de Ribera había hecho una hermosa portada, la Caja de Ahorros de Madrid.

ñana, entre blasfemias: «Todo lo que me pasa estos días es para volverse loco. No entiendo nada». No entendía por qué estaba en aquel dedo y cómo tan rápidamente su amigo Leoncio había desaparecido de entre los vivos, pues tal le dijeron los sanitarios cuando lo evacuaron con otros muertos y heridos que se quejaban, que no había nada que hacer, y eso vino a darle un golpe en la cabeza, en el centro del cuerpo, y sintió apretar la garganta, era lo irremediable.

Hubieron de pasar bastantes años hasta que un día su hermano le tendió la sortija, como aquella vez, en la palma de la mano, para que la tuviera, recuerdo último de una madre que siempre vieron con tan pequeña joya de no mucho valor, y él la había guardado con otros objetos de familia, cartas, una medalla de la abuela, llaves, todo lo destinado al olvido y, en fin, los inútiles recibos del enterramiento, pero si pensaba en la madre, se imaginaba la sortija con su verde piedra.

Un momento que coincidió con el teniente —estaba desfigurado, un brazo en cabestrillo, sin gorro— le dijo que pasaban cosas que no se entendían, y el otro creyó que era porque el batallón había quedado en cuadro y murmuró que mandaban refuerzos, pero Triana se consoló por haber dicho lo mismo que le oyó decir, confuso y dado a todos los demonios: para volverse locos, aunque aquello podía tener una aclaración y dependía de querer o no aceptarla tal cual era.

La sortija había salido de un dedo, deslizándose por nudillos suavizados y entrando en un dedo meñique de hombre, eso era lo innegable, mas la incógnita permanecía en las voluntades que motivaron tal intercambio, en el desconocido periodo de tiempo de la decisión, en las palabras que la acompañarían necesariamente, y llegando a este punto de su cálculo Triana entendió con claridad que haber ido la joya a poder de Leoncio no podía ser sino por pura determinación de María, ya que era imposible una sustracción o una broma, sabiendo que el batallón iba a Villaverde a intentar detener una ofensiva que dejaría regueros de muertos.

Se trasladaron todos los hombres de noche, a través de campos de hondonadas y de matas secas y espinosas que se prendían a los pantalones, y Leoncio iba a su lado, hacían comentarios sobre los tropezones y la oscuridad, y como ocurrió en varios años de amistad, sabía uno lo que pensaba el otro y se confirmaban en ese entendimiento, igual en las excursiones de los domingos, viendo las sesiones de boxeo del Campo del Gas, en los bailes de las Vistillas, Leoncio bailando con María en la quermés de Atocha[162], y deseó que se muriera allí mismo, de rabia al ver que la llevaba muy apretada, se reían, se miraban muy cerca, pero aquello pasó y ella bailó toda la tarde con él y no se repitió lo ocurrido, y Leoncio se dedicó a una rubia que conoció allí, y al representarse el bailongo y la música y María con vestido de seda, muy ceñido, le acometió un desasosiego de muerte ahogándole y los labios se apretaron para soltar un hipo, a punto de llorar. No pudo haber salido del dedo en el que se puso la tarde de las caricias y promesas: un aro de metal, redondeado y pulido, que pese a permanecer años en contacto con la carne no deja mancha, adorna la mano, es muestra de elegancia, y allí donde estuviera, ya alumbrase una bombilla o una llama de acetileno, daba suaves reflejos.

Tan mínimo objeto llevaba su carga de dolor, cual un arma concebida para ahondar y socavar las entrañas más profundas, cuando voluntades caprichosas o traidoras lo convertían en testimonio de una nueva pasión, y esa pasión con sus arrebatos de cuerpos desnudos y entregados le hizo a Triana respirar hondo, morderse los labios al recordar que mientras iban hacia la posición él le había hablado de María, y el otro escuchaba y no dijo nada, ni una maldita palabra.

Tras cuatro días de cavilaciones, entre avances y repliegues, una esquirla en el brazo izquierdo le permitió un permiso, y hecha la cura en el hospitalillo de San Carlos[163] se

---

[162] *boxeo del Campo del Gas; bailes de las Vistillas; quermés de Atocha:* actividades lúdicas populares en la época; el Campo del Gas era un solar ubicado junto a la antigua Fábrica de Gas, sita en la Ronda de Toledo.

[163] *hospitalillo de San Carlos:* se refiere al Real Hospital de San Carlos, que fue mandado construir por Carlos III a Francisco Sabatini; el proyecto inicial, que no se llevó a término, preveía un edificio de dimensiones colosales. En las dependencias del antiguo hospital se encuentra hoy el Museo Nacional Centro de Arte Reina Sofía.

fue a verla, porque sólo viéndola no le haría falta hablar; iba a comprender lo que más temía, algo que era imprescindible enfrentar.

En la casa había estallado un obús que deshizo el tejado y desde el patio se veía la armazón de madera contra las nubes y el claro cielo, unas vigas verticales y los restos de las buhardillas destruidas como si un castigo hubiera caído sobre los que sólo podían ser castigados por su pobreza.

Al llamar en la puerta oyó voces dentro, ruido de conversaciones, y cuando le abrieron vio que había varias personas entre las que se destacó la hermana de María, que fue hacia él, y en seguida percibió que la joven tenía un apósito grande en el lado izquierdo de la cabeza, ante lo cual, sin preguntarle nada, se lo señaló. Ella le dijo que unos ladrillos le cayeron cerca y estuvieron a punto de matarla, y a continuación bisbiseó unas palabras: el abuelo había muerto porque se le vino encima un trozo de pared.

Triana recordó al anciano con quien María había vivido de niña, le cruzó por la mente la imagen fatigada que se apoyaba en un bastón y tomaba el sol en el patio, al que saludó las veces que fue a buscarla a la casa. Murmuró unas condolencias, preguntó por María y la hermana dijo que estaba todo el día en el trabajo, que allí podía encontrarla. Triana sentía la sortija en la mano dentro del bolsillo y deseaba sacarla y mostrarla para que nadie pudiera negarle de dónde la cogió, y quería hablar de lo ocurrido sin esperar más, y cuando estaba a punto de contar a la hermana por qué había venido, ésta cambió su cara en la mueca del llanto y fue una niña que gimoteaba por algo más doloroso que su asunto, le temblaban las mejillas y no hubiera podido responderle; entendió que nada cabía hacer allí y las personas detrás de ella le contemplaban pero con mirada ausente, contemplando quizá un cadáver o la parte alta de la casa que amenazaba aún más con caer sobre cualquiera que cruzara el patio.

Casi temblaba cuando llegó a la puerta del edificio donde estaba la oficina de información de evacuados e ingresos en hospitales. La gente allí se empujaba, las mujeres con niños que entraban y salían discutían en voz alta, y al pie de la escalera Triana levantó los ojos como esperando verla a ella, pero sólo había un incesante movimiento de personas que intentaban obtener noticias de familiares desaparecidos. Movidos por una desazón tan igual a la suya, la tensión de conversaciones rotas y denuestos le daban idea de que la tragedia a todos igualaba.

En el primer piso, entre las cabezas de los que se agolpaban y levantaban papeles para mostrar un nombre, vislumbró la cara de María y él no tuvo que hacer sino dejarse empujar por otros del grupo e ir avanzando hacia una especie de mostrador donde ella atendía y recogía demandas, hasta que le vio; contuvo un gesto al descubrirle pero no inició un saludo. Fue como si negara ligeramente con la cabeza, cambió la vista hacia la persona que tenía delante, y los ojos, en seguida, volvieron a pasar por el recién llegado, le barrieron la cara pero dejó de mirarle, y este movimiento fue lo bastante claro para Triana; siguió allí entre las mujeres que pedían las listas de los hospitales, y al aproximarse, cuando estuvo cerca, vio que María se ponía tensa, fruncía cejas y labios, y él le dijo sin reparar en que le oyeran los que tenía al lado:

—¿Qué has hecho, María, pero qué has hecho?

Oír disparos cerca, en la total oscuridad de la noche y no saber qué hacer: eso era igual a la confusa incertidumbre ante los ojos de ella, tan bellos y expresivos, bien abiertos y sin pestañear, firmes en su fijeza, imponiéndole un silencio o una discreción, pero cuando ya logró, con aquella orden muda, que Triana no dijese más, los ojos tuvieron un fino reflejo, el borde del párpado inferior se inundó de agua y ésta corrió en reguero por las mejillas.

Siempre las caras se contraen con la mueca de atender la orden que viene de muy dentro, orden de desahogar en sollozos el contenido sufrir. Así fue entonces, y la cara conturbada habló un lenguaje preciso y sin palabras ante el atento corazón ajeno. Las voces junto a ellos seguían igual porque eran meses en los que llorar era actitud frecuente, no se ocultaba y no como asunto personal, sino como respuesta generalizada a cuanto sucedía, sometidos el día y la noche a la barbarie de las destrucciones de casas, de cuerpos, de sentimientos.

Los dos se miraban quietos; sostuvieron una muda explicación dolorosa, imprevisible, y cada cual daba al otro sus razones y sus exigencias, obligadas porque entre ambos había un acuerdo, roto. El único movimiento de Triana fue sacar la mano del bolsillo y mostrar, en la palma extendida, la sortija con piedra verde cual una prueba indiscutible, y ambos la contemplaron: se resumía en ella la triste historia, era un eje de culpa, o de libre afirmación, y de acusaciones, pero sus brillos diminutos, el destello insignificante del oro, era nada en medio de aquel grupo de mujeres angustiadas que preguntaban por heridos o por cuerpos medio hundidos en el barro y abandonados en las retiradas.

Parecía que ella iba a coger la joya pero no lo hizo, y la mano se detuvo en el aire y fue otra la que Triana vio apoyarse en el parapeto y resbalar, cual mano al sueño abandonada teniendo en su dedo la razón de aquel íntimo y perturbador fracaso.

Ni los bombardeos, ni las minas que todo deshacen, ni el hambre que tortura, ni las muertes sangrientas que los odios arrastran: una modesta joya anticuada fue lo que me atravesó el alma como una bala, la certeza de que algo de juventud en mí acababa al acabar la seguridad que el amor me daba.

Sí, el amor: una explosión muy dentro estalla, su luz deslumbra pero en seguida deja sólo un humo, triste humo gris —como el de una granada—, al cual, sin tardar, el viento, incluso el más suave, se lo lleva y a poco se esfuma, y nada queda, de él nada queda.

Ruinas, el trayecto: Guerda Taro

—Pasarán años y olvidaremos todo, y lo que hemos vivido nos parecerá un sueño, y será un tiempo del que no convendrá acordarse.

Miguel estaba junto a la ventana, terminada la destrucción de los documentos comprometedores, y escuchaba al teniente, quien, inclinado en el suelo, echaba a las llamas papeles que se convertían en finas láminas carbonizadas, a la vez que le preguntaba si pensaba guardar la fotografía; no era aconsejable llevar fotos porque en un registro las podían encontrar y reconocer a los que allí aparecían.

Miguel miró con atención la fotografía que había sacado del compartimento interior de la cartera y se preguntó por qué la conservó y quiénes eran las personas retratadas. Nadie se iba a ocupar de mirarla, pero el teniente le replicó que mejor sería quemar todo, no dejar nada de lo ocurrido aquellos años, ni personas ni nada, que todo quedara atrás como hundido en un pozo, pero él arqueó la boca, negando, y entonces el teniente le miró y movió las cejas para hacerle la pregunta de si era de una amiguita, y, oyendo un no, carraspeó, se puso de pie y salió de la habitación dejando atrás el áspero humo que desprendía la palangana de loza en la que habían quemado los documentos que podían comprometer: los carnés políticos, los salvoconductos, las hojas de control, todo lo cual era ya una masa de ceniza en la que terminaba una época.

Al quedar solo, Miguel terminó de arrancarse, con las tijeras, los galones de la guerrera; dio un golpe con el puño cerrado en la mesa renegrida por mil manchas y quedó en una postura rígida, contemplando algo lejos. Luego volvió a colocar la fotografía en uno de los lados de la cartera y puso ésta en el bolsillo alto de la camisa, cerca de donde el corazón se mueve. Tomó por el gollete la botella y la alzó hasta la boca y la volcó en los labios entreabiertos, pero no sintió en la lengua la benéfica quemadura del alcohol ni en el pecho renacer la energía, y la dejó caer.

En el despacho había cuadernos, hojas blancas, talonarios, tirados por el suelo, y en un armario de puertas arrancadas, botes de tinta, impresos, plumas, todo lo necesario para la buena organización del servicio que ahora terminaba en el desorden, que él fue mirando según se levantaba e iba hacia la salida de aquella oficina rozando con mesas y sillas; era el momento de ir hacia algo nuevo y desconocido, y lo pasado, igual a ropa usada, arrojarlo lejos, de un manotazo.

El palacio de escaleras de mármol, de cortinas, de lámparas derramando mil luces sobre muebles ingleses hasta ser requisado en julio del 36 para cuartel de dos regimientos, estaba quedando vacío y sólo lo cruzaban siluetas que iban de un lado a otro en busca de instrucciones que aún algún jefe podía dictar, por lo que de vez en cuando se escuchaba en los pasillos una llamada que nadie contestaba; luego se oía el roce de pasos en los pavimentos que antes estuvieron encerados y ahora crujían, arañados y sucios por las botas con barro de los frentes.

Pasó por el corredor, entre las filas de camastros que ya no ocuparían cuerpos fatigados, hasta la nave donde estaba su cama, y en un rincón, colgado de un clavo, su capote, casi invisible en la falta de luz porque alguien había hecho saltar los interruptores.

Se embutió en aquella prenda tan usada y levantó el macuto para comprobar que seguía cerrado por las dos correítas y que iba lleno de lo que se propuso llevar; se pasó la brida en bandolera, dio dos pasos y se volvió hacia la cama donde venció cansancios y sueño, pero la inquietud le distanciaba de aquel sitio. Bajó por la estrecha escalera de servicio y a través de un ventanuco que daba hacia poniente vio el cielo que había contemplado muchos días en el frente de la Ciudad Universitaria con los resplandores del crepúsculo tras las ruinas del Instituto Rubio, pero ahora el cielo era gris.

Desde la escalera oyó gritar una voz ronca en el gran patio donde aparcaban dos furgonetas junto a restos de embalajes y objetos de imprecisa aplicación, y allí vio a un grupo de soldados que hacían algo formando un corro.

—Estamos terminando —le dijo uno, y las cabezas se movieron, pero en seguida atendieron hacia una gran lata que abría con dificultad, una lata de arenques, y en torno suyo una serie de «chuscos» abiertos esperaban, en los que el soldado que la abrió, con la misma herramienta, iba sacando trozos y los echaba sobre los panes.

Fuera, la calle, con el perfil de sus casas recortado en el cielo nublado y frío, de donde venía un aire con fuerte olor a campo, a lluvia, a madera mojada; Miguel recorrió con la mirada el amplio espacio, el edificio que tenía a su espalda, y se dijo: «Pronto estarán aquí los de Casado»[164]. Dio unos pasos cerca de la garita de cemento en la que no había centinela: la guerra había terminado.

Unos hombres salieron detrás de él y se le acercaron. A una broma de si pasaban tranvías, alguien exclamó que como les cogieran los de Cipriano Mera les harían preguntas y les molerían a palos.

Miguel comprendió que eran los restos de un ejército vencido: sucios, demacrados, con el desconcierto de lo que acababa de suceder. Pero él intentaría salvarse, iría a buscar la documentación de Eloy, que Casariego había guardado por si algún día podía entregársela a la familia, y se la pediría y mediante ella tomaría otro nombre, y de lo hecho por él aquellos tres años nadie sabría nada, e incluso él mismo tendría que olvidarlo para escapar del círculo de temores, de responsabilidades, de palabras dichas.

Alguien gritó:

—¿Qué hacemos? ¿Hacia dónde vamos?

—Esto se ha terminado —fue la respuesta, y había que marcharse antes de que las fuerzas del coronel Casado llega-

---

[164] *los de Casado:* véase nota 102.

ran para ocupar el cuartel; entonces uno preguntó qué les pasaría a ellos, y junto a él unas palabras confusas:

—Madrid se ha rendido. Hay que largarse cuanto antes.

Miguel sabía que el camino a Valencia estaba cortado por controles que nadie pasaría sin avales del ejército vencedor, y abandonar Madrid sería como renunciar a toda esperanza de posible dignidad, a lo que representó, para su propia madurez, la explosión de una guerra total, precisamente en tiempo de verano, cuando parece más fácil vivir aunque nada se tenga.

Bajó la mano y palpó el macuto, sopesando su contenido, las cosas que llevaba, sólo lo más imprescindible, y aun así le pesaba igual que un rencor; repasó cuanto allí había metido, ropas, un peine, las pitilleras, la cuchara, unas botas, lo que sólo obtuvo de tres años de esfuerzos y durezas. Tocó el bolsillo alto donde iba la cartera con la foto en la que estaba la extranjera; no recordaba quién se la dio, era de tamaño pequeño, de 6 x 9, con los bordes desgastados, pero a ella se la distinguía bien, junto a una mujer y un hombre vestidos con cazadoras claras; detrás, aparecía parte de la fachada de una casa con las ventanas abiertas, y daba el sol. Días de mucho calor, el bochorno de julio, y su pensamiento, al esforzarse, encontró un campo de retamas y piedras que parecían arder bajo los rayos del sol. Era Brunete: claramente recordó que ella estuvo en aquel frente.

Levantó los ojos y vio la gris bóveda que cubría la ciudad y aplastaba y daba su tristeza a la calle tan fría, tan desierta, un páramo en invierno, y pensó en el verano al sol, el que iluminaba la foto que quiso conservar y llevar consigo, no sabía por qué. Se volvió hacia el grupo:

—¿Alguno de vosotros estuvo en la ofensiva de Brunete? —habló con voz fuerte a la vez que les miraba uno a uno.

—Yo estuve en Brunete, allí me hirieron.

—¿De verdad? ¿En Brunete?

—Era como un infierno. Lo aguanté todo.

La extranjera había estado en Brunete. Le sonaba aquel nombre pero no el de otros pueblos en donde miles de hombres se mataron como fieras, y sin embargo despertaban dentro de él palabras conocidas: el verano del 37. Velozmente retrocedió a unas carreteras, a nubes de polvo cuando al atardecer empezaba a soplar el viento ardiente que secaba las bocas, siempre sedientas.

Una voz más alta interrumpió:

—¿Por qué vamos a irnos? Podemos esperar aquí.

—¿No te has enterado de lo que pasa? —explicó otro—. Se ha formado una Junta para rendirse, han tomado el poder, quieren terminar la guerra pero otras unidades se niegan y hay combates en Ventas y en los Nuevos Ministerios.

Él debía esquivar esos puntos de enfrentamiento que habría entre los comunistas y los regimientos de anarquistas, e ir en busca de un nombre nuevo, la única opción: atravesar un laberinto de calles ensombrecidas, plazas destartaladas; le asustó tener que penetrar entre farolas caídas, alcantarillas abiertas, escombros amontonados ante las casas que fueron bombardeadas, y posibles sombras humanas que se le acercarían para amenazar o pedir ayuda.

Interrumpió su pensamiento una voz diciendo que vendía un jersey de lana, que estaba nuevo. Todos se volvieron hacia una mujer recubierta de negras ropas, apenas se veía la cara, y a su lado, otra mujer, también igual a una sombra, y sus voces se unían para ofrecer la venta de la prenda: jersey de mucho abrigo, lo darían a buen precio.

Las escuchó sin mirarlas y se imaginó un jersey que él usó hacía años, y entonces se volvió un poco hacia el bulto que formaban las dos mujeres y rozó el grueso tejido hecho a mano, pero apenas vio cómo era, pues observó dos manchas en la parte más clara de su color gris.

—¿Es sangre? —murmuró, y el soldado que estaba a su lado repitió:

—Sangre, sí.

Pero ellas afirmaron humildemente que eran de óxido y él detuvo un instante los dedos en la prenda y vio en ella su propia juventud herida, y todo el país, herido por una contienda atroz, y en su centro una mancha de sangre.

Retiró la mano, dijo no, pero a lo que se negaba era a ser joven de nuevo y sufrir la incertidumbre de no tener trabajo, de no saber defenderse, de elaborar su destino; precisamente era igual ahora la busca de Casariego para lograr otra personalidad. Y podría ocurrir que éste hubiera perdido los documentos de Eloy al cabo de tantos meses como habían pasado desde su muerte; pasan años y las muertes se olvidan. Pero volvió a preguntar:

—¿Oíste hablar de una extranjera, allí, en Brunete?

—Pero ¿quién era esa que dices?

—Una extranjera, una periodista; hacía fotos —y se le representó con toda claridad la brillante cámara Leica[165] que ella tenía en el *hall* del hotel Florida.

—En Brunete, cuando la ofensiva, no se salvaba ninguno —el soldado se ajustó mejor el macuto que le colgaba de un hombro y acercó su cara a la de Miguel—. A docenas quedaban tendidos en los matorrales o en los parapetos; teníamos encima la artillería, la aviación, no había escapatoria.

—Creo que ella estuvo en el frente.

—Había muchos extranjeros. Un infierno para todos.

Otro soldado que estaba escuchando se aproximó más y rozó con un brazo a Miguel.

—¿Por qué venían ésos, los extranjeros?

—A un inglés —dijo el que hablaba— en la carretera le destruyeron la ambulancia que conducía y le sacaron medio muerto de entre los hierros.

—Venían a unirse a las milicias, a combatir. Eran los de las Brigadas Internacionales. Sí, de muchos países, unos huían de las cárceles fascistas, otros sólo buscaban aventuras, pero los más traían ideas claras de contra qué tenían que luchar.

—Era un tío como un castillo, rubio, enorme —siguió diciendo aquél—. Le llevaron en un coche a El Escorial.

—Tuvieron muchas bajas, eso es cierto.

—Y en el Alto del Mosquito[166], un negro...

—Bueno —intervino uno que estaba al lado—, a los Internacionales yo los he conocido: algunos eran mala gente

---

[165] *Leica:* prestigiosa marca de máquina fotográfica que apareció en el mercado en 1923.

[166] *Alto del Mosquito:* en julio de 1937, durante la batalla de Brunete, en el asalto al Cerro del Mosquito (a las afueras de Boadilla del Monte), fueron baja muchos brigadistas internacionales.

pero otros eran obreros, y también los que tenían estudios vinieron a esta guerra para defender a la República.

—... dirigía la Segunda Compañía y dijo que por vez primera un negro mandaba un batallón de hombres blancos[167]. Pero una esquirla le dejó tieso, era de noche.

Se apartó a un lado y quiso recordar con más exactitud el camino hasta la calle de Santa Isabel para cumplir el plan previsto de buscar una documentación falsa y adaptarse a ella, y dejar de ser quien había sido y convertirse en otro, sin pasado responsable, sin antecedentes, vaciarse de las convicciones que le habían impregnado los últimos años. Ser Eloy.

Un relámpago de vida fue la de éste, un destino breve pero equivalente al de la totalidad de los hombres y mujeres de su clase. Hijo de obreros, creció en la dificultad y se hizo hombre con esfuerzo, triunfó de las carencias. Entró en la historia anónima como cientos de muchachos de las barriadas obreras que una mañana calurosa fueron convocados por los sindicatos con palabras que podían ser órdenes que daban desde antiguos tiempos sus antepasados. Salieron de los talleres, de las casas de corredores, de panaderías o garajes, de fontanerías, de tiendas de comestibles; se levantaron de bancos de zapatero o de la banqueta de los limpiabotas, dejaron los andamios, dejaron de vocear periódicos, de repartir cántaras de leche y de fregar suelos de tabernas; los que pintaban paredes, los que cargaban bultos en las estaciones, e igualmente, los que tenían las manos negras de tinta de imprenta y los que se sentaban en oficinas... fueron convocados a coger un arma que nunca habían manejado: no sabían lanzar granadas, cargar una ametralladora, conducir una tanqueta, clavar alambradas, apenas sabían leer y escribir. Fueron así llamados a ser protagonistas de un episodio excepcionalmente grave en la crónica del país, de España. Embotellado Eloy con otros en una camioneta, cruzó calles llenas de gente y enfiló hacia los montes de la sierra donde

---

[167] *un negro...:* se trata de Oliver Law (Texas, 1899-Brunete, 1937), comandante del Batallón Lincoln, de la XV Brigada Internacional. Fue, en efecto, el primer afroamericano de la historia que estuvo al mando de una fuerza militar estadounidense formada por soldados de todas las razas.

458

disparó por vez primera después de recibir rápidas instrucciones, pero él no sabía bien lo que habría que hacer ante un enemigo y si podría ir lejos con las alpargatas y un mono azul que le dieron que pronto quedó hecho jirones. Contempló luego lo que era mejor no ver nunca: las explosiones, las caras destrozadas, las heridas abiertas en el vientre, el miedo, pero Eloy siguió siendo el joven tranquilo, decidido, que aprendió en días lo que hubiese tardado años en saber: recordó la boca de su padre, casi oculta por espeso bigote, hablando de la cuestión social y la explotación del hombre por el hombre.

De esta manera le conoció el fotógrafo Casariego en el barrio; se hicieron más amigos, hablaban de la lucha que lentamente se acercaba a Madrid. Un día de noviembre bajaron juntos hacia el río porque Casariego iba a hacer unas fotos de los combates en Carabanchel Alto. Casi pasado el puente, vio cómo de pronto Eloy doblaba las rodillas, daba un breve grito y caía de espaldas al suelo: una traicionera bala perdida le alcanzó precisamente en la ceja derecha y por un desgarrón de tejidos y de sangre se le fue la vida tan fácilmente como a tantos otros que no volvieron al barrio del que salieron; de esa forma tan callada e insignificante. Inútil llevarle al quirófano de San Carlos: a las dos horas, Casariego iba por la calle de Atocha con sus pertenencias: el reloj, los cigarrillos, la cartera, que le dio una enfermera, y como la familia estaba evacuada en Valencia el fotógrafo guardó aquellos restos para dárselos un día, pero ese día no llegó. Nadie se ocuparía del final de Eloy, acaso no se notaría mucho su falta, pero dejó un hueco vacío en el patio de la casa de vecinos, hueco que más tarde, tiempo después, sería ocupado por otro joven semejante a él, y la vida proseguiría.

El asunto era ir a buscar a Casariego a pesar de que vivía lejos y, andando, tardaría dos horas en llegar; en aquella documentación puso su esperanza, y también en un traje para substituir al uniforme. Le costaría atravesar todo Madrid, del que habían desaparecido los signos de la antigua normalidad —los sosegados transeúntes, las tiendas iluminadas, el pavimento limpio—, ahora era una ciudad de silencio, expectante de lo que iba a ocurrir, igual a todo el país que él había visto, de casas y pajares ardiendo, fusilamientos ante blancas tapias, los sembrados cruzados por hondas trincheras, y las cosechas, perdidas.

En la puerta del cuartel abandonado, volvió hacia atrás la mirada, a la fachada del palacio que los milicianos habían requisado y en el que entró y salió durante meses y donde se acumularon las peripecias del Servicio de Extranjeros, que día tras día fue clavando sus hirientes perfiles, y el último, tener que destruir los documentos personales.

Sin despedirse de los soldados, emprendió el camino bajo los pelados árboles del paseo central que parecía interminable en el silencio en el que oía sus propias pisadas; los habitantes de aquel barrio probablemente estaban recluidos en sus casas, temerosos de los enfrentamientos que comunicaba la radio.

Tendría que atravesar la plaza de Colón, desde donde se oirían los disparos, si aún se combatía en los Nuevos Ministerios, y como más seguro se decidió a ir por Cibeles, así que avanzó hasta la calle de Serrano[168], la calle de las familias acomodadas, de comercio elegante, amplias aceras y altos portales para que entraran los coches de caballos; ahora la veía desierta. Pero cuando iba a cruzar la calle de Lista le extrañó un grupo de soldados que en la acera izquierda rodeaban algo: eran tres cuerpos oscuros tendidos en el suelo e inmóviles. Uno aún tenía en la mano el viejo Mauser y, pegada al arma, la cara era una masa de sangre negra y seca.

Los de la patrulla les rodeaban y les contemplaban.

—¿Adónde los llevamos? —oyó que decían.

—No es cosa nuestra. Ahí se quedan.

Unos metros más allá, había otros dos cadáveres, y en torno a los cuerpos vio siniestras manchas. Miguel comprendió que era inútil detenerse, compadecer y preguntar: aquellos

---

[168] *Serrano:* calle céntrica del elegante barrio de Salamanca, lugar de residencia de gran parte de la alta burguesía madrileña. Franco propuso declarar la zona territorio neutral durante el asedio a Madrid, coyuntura que aprovecharon algunos partidos políticos, organizaciones o familias, así como miembros de la quinta columna, para emplazar allí sus sedes o sus lugares de residencia.

momentos no lo permitían y sería conservar normas de una época anterior.

Siguió adelante mientras pensaba cómo atravesar la plaza de la Independencia, un cruce de calles peligroso, y al acercarse a ésta, ante el número 6 de Serrano[169], vio un coche parado y hombres que sacaban de la casa un fardo, pero según dio unos pasos más, comprendió que era un féretro, de madera blanca, como entonces se hacían.

Un pequeño grupo de hombres, vestidos con prendas militares, miraban cómo introducían el féretro en la furgoneta que en muchos puntos de la carrocería tenía señales de balazos. La operación no era fácil porque un obstáculo impedía deslizar el féretro dentro del vehículo, y en ese tiempo, los que estaban allí de pie, rígidos, en posición de firmes, rompieron a cantar en voz baja; al principio eran dos los que cantaban, luego otros dos:

> *Valiente, caíste en la lucha fatal*
> *amigo sincero del pueblo...*

Las voces del grupo se alzaron, sonaron con más energía:

> *por él renunciaste a la libertad*
> *por él diste el último aliento...*[170].

Las palabras se hicieron confusas y la melodía vacilaba y ninguno más unió su voz, y los que habían sacado el féretro permanecían callados y se volvían y miraban con extrañeza a los que cantaban, los cuales erguían la cabeza dirigiendo sus palabras al cielo de nubes plomizas, y la canción de compases lentos sonaba tristemente, acaso era la despedida a quien habría estado allí, expuesto en su ataúd, entre unas pobres flores según era costumbre con los importantes que morían en el frente.

---

[169] *número 6 de Serrano:* son las señas que tuvo durante la guerra la sede del Comité Central del Partido Comunista de España.
[170] Son estrofas de la «Marcha fúnebre», treno entonado en la Revolución Rusa.

La canción terminó cuando la furgoneta se puso en marcha y los hombres despacio volvieron al edificio, y uno de los que habían cantado miró a Miguel, que estaba cerca del portal.

—Miguel, ¿qué haces por aquí?

No reconoció a quien le hablaba: era un tipo bajo, de cara delgada, grandes orejas, y llevaba un gorro de lana.

—Voy hacia el centro.

El desconocido negó con un gesto:

—No puedes pasar por Cibeles. Hay allí un destacamento de Casado y si te detienen y te reconocen pueden pegarte cuatro tiros.

—Voy a Antón Martín —en seguida se dio cuenta de que no debía revelar adónde iba.

—Tienes que dar un rodeo, forzosamente. Lo mejor, ir hasta la calle de Martínez de la Rosa. ¿Sabes dónde es? —y al observar su duda prosiguió—. Yo te acompañaré. Espera un momento —entró en el portal y sin tardar salió colgándose del hombro un macuto—. Ven conmigo.

—¿Por qué me vas a acompañar? Dime dónde es.

Le pareció un mendigo, tan roto y usado era el capote que llevaba, una especie de tabardo con manchas y desgarrones por los bordes. Miguel le preguntó:

—¿Está muy lejos esa calle?

—Es la que debes seguir. Yo tengo que ir allí cerca.

Pegados a la verja del museo[171] y a la tapia de la Casa de la Moneda[172], cruzaron la calle de Goya y Miguel desanduvo lo que había recorrido hacía un rato. El que llevaba al lado resoplaba y murmuraba por lo bajo palabras que no se entendían y que parecían maldiciones, y las zancadas que daba hacían pensar en una energía que precisamente a aquellas horas era lo opuesto al desánimo de Miguel, aún más cuando empezó a caer una llovizna helada. Rompió a hablar para decirle que el que habían metido en la furgoneta era un Internacional, de los que se habían quedado negán-

---

[171] *museo:* se trata del Museo Arqueológico.
[172] *Casa de la Moneda:* la antigua sede de la Casa de la Moneda se encontraba entre las calles de Jorge Juan y de Goya.

dose a marchar, pero su valentía no le salvó de un balazo, en los altos del Hipódromo. Había venido para combatir al lado del pueblo y no para alcanzar honores sino para sacrificarse, y así había ocurrido. Luego murmuró que hubo una serie de errores, como viene a ser la historia de cada cual, pero el paso del tiempo borra el fracaso y se vuelve a tener esperanzas y a tomar iniciativas.

Miguel escuchaba y sentía hambre: por la mañana había comido pan y unas sardinas de lata y ni agua había podido beber, y con lo que andaban notaba mayor cansancio.

Pasaron por delante del edificio que fue de un diario[173] cuyas paredes estaban casi cubiertas por carteles convocando a la defensa de Madrid; a medias desprendidos, sus bordes despegados se movían con el ligero viento. El que le acompañaba se detuvo, rozó con los dedos uno de aquellos papeles, se volvió un poco y se lo señaló:

—Fíjate, camarada, este cartel mojado y roto ya nadie lo lee pero dentro de cien años será una reliquia, se mirará con respeto como un recuerdo de estos años tan llenos de sacrificios. Acaso alguien querrá haber estado aquí esta tarde, le parecerá digno y noble ser un soldado, como nosotros. Ahora ya no vale nada lo que dice este cartel, pero cuando pasen años alguien se preguntará qué sucedió en aquellos meses.

Tras estas palabras, aceleró el paso porque la lluvia arreció y tuvieron que buscar refugio en un gran portalón que estaba cerrado.

Súbitamente, Miguel reconoció al que tenía delante.

—Oye, ¿tú eres Alonso, verdad?

—Sí, lo soy, pero no sé por cuánto tiempo —y soltó una carcajada.

Había coincidido con él en un comité y se fijó en su cara huesuda, su aspecto enfermizo, pero cuando tomaba la palabra se percibía el vigor y el entusiasmo de sus opiniones.

—Bueno, ahora, lo que debemos hacer es ponernos a salvo.

—Sí, terminar con dignidad.

---

[173] *edificio que fue de un diario:* se refiere a la antigua sede del diario *ABC*, en la calle de Serrano.

—Oye, ¿tú te acuerdas de una extranjera fotógrafa que estuvo por los frentes? —y al decir esto, una brusca claridad de la memoria le dio su nombre—. Se llamaba Guerda[174].

—¿Una mujer? ¿Fotógrafa?

—Estuvo en varios frentes, creo yo.

—¿En los frentes? ¿Guerda? Bueno, sí, una Guerda que era alemana, me parece que fue a Brunete, y allí la mataron.

—¿Que la mataron?

—Yo recuerdo que allí le pasó algo a esta Guerda, si es la que tú dices: murió en la ofensiva. Y el cadáver lo llevaron a Francia para enterrarlo en París.

—¿Murió en la ofensiva de Brunete?

Giró en torno suyo la mirada, buscó algo que aliviase su cansancio y la sorpresa de la noticia que oía, pero en la calle sólo había fría humedad. Pensó en voz alta:

—Se llamaba Guerda, sin duda, pero ¿es seguro que murió?

El otro le cogió de un brazo.

—Por esa calle tienes que entrar, y sales a la Castellana, casi enfrente está el paseo del Cisne[175], sigue todo recto hasta la glorieta de Bilbao: hay que andar bastante. ¿Sabrás llegar? —Miguel se encogió de hombros y su compañero añadió—: Ten precaución, quítate cuanto antes ese capote. Yo luego volveré al 6, acaso tendremos que defender el edificio.

Sin decir adiós se alejó haciendo sonar sus pisadas y Miguel le siguió con la vista: no comprendía bien el motivo de haberle acompañado.

Se adentró por la calle de chalés y en la primera curva que ésta hacía vio en la acera a tres mujeres que formaban un grupo; aminoró el paso y se fijó en las caras que apenas se veían entre los pañuelos de cabeza y las bufandas, y al comprender quiénes eran no sintió ningún deseo ni la llamada del cuerpo desnudo y la risa de una boca pintada. No obs-

---

[174] A lo largo del cuento se da noticia de los rasgos más sobresalientes de la vida de *Gerda Taro* (Gerda Pohorylle, Alemania, 1910-España, 1937); su nombre aparece castellanizado.

[175] *paseo del Cisne:* en la actualidad, calle de Eduardo Dato.

tante la situación de aquellos días, en la que los hombres se estremecían no de placer sino de miedo, ellas esperaban dar lo que aún podían ofrecer.

Desembocó en el ancho paseo que mostraba las señales de un reciente enfrentamiento: árboles tronchados y caídos en la calzada, el pavimento a trechos levantado, los renegridos esqueletos de dos coches que habían ardido; junto a una bota abandonada, las ráfagas de viento movían papeles y basura. Muy lejos se escuchaba, de vez en cuando, un trac trac bien conocido que sugería amenazas.

Cruzó casi corriendo a la acera opuesta y a la calle que tenía enfrente, una calle espaciosa, bordeada por casas elegantes con jardín, cuyas puertas y ventanas estaban cerradas y donde no se veía a una sola persona.

Dejó atrás una plazoleta y se detuvo ante la calle que la cruzaba y por donde circulaba algún coche a gran velocidad; tuvo delante una perspectiva que reconoció y siguió todo derecho, con las piernas cansadas y una noción de desagrado: nunca la vio reír a ella, ni sonreír, con un mutismo que la hacía antipática; habló con él poco y nada le dijo de importancia. Pero le pidió un lápiz. Sí, fue raro que se lo pidiera.

Del grupo de los extranjeros que estaban reunidos en el *hall* del hotel Florida se destacó una mujer que dio unos pasos hacia los divanes de la izquierda, se dirigió a él y, en francés, le pidió un lápiz y tendía la mano, como segura de que se lo daría, y cuando lo cogió sólo hizo un movimiento de aprobación con la cabeza: era rubia, con pelo muy corto.

Miguel tardó unos segundos en comprender lo que la mujer pedía pero se puso de pie con un movimiento rápido, le entregó el lápiz de metal dorado que sacó del bolsillo y su mano quedó quieta en el aire, en un ademán de amabilidad. La mujer retornó al grupo y se puso a escribir en un bloc. Al dar la vuelta, Miguel vio sus tacones altos, unas piernas finas bajo un vestido color verdoso, y esta ropa elegante le pareció inadecuada para el trabajo de fotógrafa que ella iba a hacer en los frentes, donde el calor y el polvo eran otros tantos enemigos.

Tan claro fue este recuerdo inesperado que Miguel se paró unos instantes, mirando al suelo, concentrado en tal escena, y tuvo la sensación de que estaba muy lejos de él. Se llamaba Guerda, sí, su nombre era Guerda Taro. La acompañó con otros corresponsales a visitar los barrios machacados por las bombas donde se pisaban escombros y cristales rotos, y había que atender, si hacía viento, no cayesen trozos de revoco de las fachadas medio hundidas, y si se empeñaban en acercarse a las posiciones del Hospital Clínico, oirían silbar las balas, que a veces golpeaban un muro o el parapeto que les protegía. Eran recuerdos lejanísimos, aunque apenas hacía dos años que los vivió, pero subsistían como experiencias extrañas.

Siguió caminando con cuidado para no tropezar en la escasa claridad; por donde iba había más gente y se abrían y cerraban las puertas de algunas tiendas dejando salir la luz del interior. Pasó junto a un panel abandonado donde se colocaban fotografías de propaganda, y las fotos estaban despegadas y rotas; se detuvo para fijarse en ellas. Quizá alguna la habría hecho Guerda, siempre llevaba una cámara. Una vez vio que la sacaba de la funda de cuero, abrió la tapa, colocó dentro un rollo de película e hizo funcionar el disparador, cubriendo con la mano el objetivo, todo ello con mucha rapidez. Vio los dedos delgados que se movían con agilidad como contempló mil veces las manos de una mujer que cosía pero no puestas en un aparato mecánico; coser era una tradición para la mujer, muy distinta de cargar una cámara y usarla.

Un tropezón, al chocar el pie con un adoquín levantado, rompió su recuerdo. Se encontró en una plaza conocida, la glorieta de Bilbao, y ante su amplio espacio respiró profundamente y sintió cierto sosiego, como si volviera a la normalidad y hubiera terminado para siempre el uso de las armas.

Fue hacia una taberna que recordaba de otra época, y al abrir la puerta encontró que la iluminación en el local era de velas encendidas sobre el mostrador, las cuales alumbraban a unos cuantos hombres. Miguel se acercó y al tabernero le hizo la señal de beber y éste le sirvió en una copita un líquido que era aguardiente de la peor calidad, según notó al beberlo de un trago; pidió un vaso de agua.

—¿Tienes algo de comer? No tomo nada desde ayer —y encontró una negativa malencarada, pero un hombre con uniforme que estaba a su lado le ofreció medio pan de cuartel que sacó del macuto y lo partió con un gesto amistoso.

Miguel pagó unas monedas y fue a sentarse en una mesa sobre la que también había una vela encendida puesta en el gollete de una botella. Mientras comía el trozo de pan oía al grupo que hablaba de lo que estaba ocurriendo, de que los batallones se retiraban del frente, del fin de los combates.

Estuvo en otra mesa parecida donde había ceniceros y copas en el vestíbulo del hotel, casi en penumbra porque las lámparas habían sido cubiertas de pintura azul para que no se viese luz en el exterior, aunque los ventanales que daban a la plaza del Callao los tapaban totalmente planchas de madera, y la puerta de entrada, un montón de sacos terreros. Allí había periodistas extranjeros, venidos a escribir crónicas para importantes periódicos de sus países, y que procuraban información destinada a algún departamento de espionaje, como era descubrir la fecha y el lugar por donde se iniciaría una ofensiva, o la situación de industrias de guerra. También aparecían por allí los que ofrecían stocks de armas inservibles, u otros que buscaban obras de arte a bajo precio.

Ávalos le dijo que nadie venía a jugarse la vida en un país que era un infierno si no era por loca fraternidad o porque se pagase mucho: había que desconfiar de lo que decían ser y de lo que aparentaban. Pero también estaban allí los que amaban la aventura, el riesgo de acercar su cuerpo a la muerte. Llegada la noche, buscaban refugio en el hotel: se cruzaban saludos, bromas, cigarrillos, algún dato importante; fuera había silencio, sólo el ruido de un coche que se alejaba veloz o los pasos cansinos de una patrulla de vigilancia, y en la lejanía, el eco de un disparo en el frente de la Casa de Campo.

Notó a su lado una persona que interrumpió sus pensamientos: un hombre se sentó delante de él y puso su cara junto a la llama de la vela.

—¿Tú eres de los del coronel Casado?

—Ni de unos ni de otros. Estoy desmovilizado.

—¿Se sabe cuándo entrarán los de Franco?

—No sé. Madrid se ha entregado.

Hubo un silencio.

—Entonces, tantos esfuerzos, tantas penalidades, ¿para qué han servido? Todo ha de tener una explicación, también el sufrimiento.

—Acaso sufrir no sirve para nada: es algo inevitable.

—No se podrán olvidar las muertes, las destrucciones, si no sabemos por qué fueron.

—Pues quizá convendrá olvidar y seguir adelante.

Había contestado como si estuviera solo porque no quería mirar al otro, que probablemente era un hombre que no entendía los acontecimientos. Seguía hablando:

—Escucha: hace poco más de dos años presencié un bombardeo al norte de Madrid, más allá de Tetuán. Era la aviación alemana, veinte Junkers y dieciséis cazas. Las calles quedaban deshechas, las casas se venían al suelo como de papel, muchas personas murieron bajo los escombros, las mujeres veían sacar de entre los cascotes y las tejas a los niños aplastados, con las caras destrozadas... ¿Qué explicación habrá para estas familias? ¿Por qué les pasó eso?

Había terminado de comer el trozo de pan, bebió el vaso de agua y sentía el peso de las palabras que oía pero no encontraba ninguna respuesta porque aquellas calamidades las sufrió todo el país, igual a una maldición.

El hombre que tenía delante dio un golpe en la mesa:

—Es terrible lo ocurrido, no se comprende, a no ser que esta guerra, para algunos, sea el final de una época.

Miguel se levantó y cogió su macuto.

—Probablemente tendrás razón pero ahora sólo queda salvarse cada cual.

Esto último lo dijo con voz apenas audible; fue a la puerta, echó un vistazo a los que hablaban en el mostrador y salió fuera. En la calle había cesado la lluvia, y en el cielo, al fondo de la glorieta, vio unas ráfagas de arrebol que anunciaban el final del día. De nuevo sintió estar rodeado de peligros entre los que debía abrirse paso. Se orientó de qué camino tomar y entró por la calle de Fuencarral, que era un pasaje de penumbra con las casas dañadas por el tiempo; en algunos portales había grupos de personas que estarían comentando las últimas noticias que daba la radio.

Debía extremar las precauciones hasta llegar a la casa de su amigo y allí se pondría otro traje, escondería el capote y la guerrera, los tiraría y vendría a ser otra persona.

Recordó el consejo del capitán Ávalos unos días antes: «Aunque te sea doloroso procura ocultar que defendiste la República. Evita los riesgos que nos amenazan, y mantén tus ideas».

Siempre Ávalos parecía preocupado cuando estaba en el Florida junto al mostrador de recepción, iluminada su cara por la vela que los conserjes tenían encendida; con el gesto de estar pensando, y sin que mediasen palabras, señaló a un lado con el cigarrillo y Miguel miró de soslayo y comprendió que le indicaba a varios corresponsales que, en el centro del *hall*, rodeaban a uno que leía algo en voz alta, y entre ellos había una mujer rubia. Cuando se iban hacia la escalera, Ávalos tocó en un brazo a Miguel y le llevó ante ella y se lo presentó, diciéndole que iba a ser su acompañante e intérprete, que la atendería para facilitarle su trabajo. A estas palabras, ella sólo contestó tendiendo la mano y estrechando apenas la de Miguel: aquella mano era la misma que hacía tres días cogió el lápiz que no le había devuelto.

En la esquina de Palma giró la cabeza porque, de pronto, dos mujeres se le acercaron mucho, quizá para pedirle información, pero no llegaron a preguntarle. Unos pasos más adelante encontró a su lado a un tipo que le dijo:

—¿De qué unidad eres?

—De ninguna. Todo ha terminado.

Se detuvo porque le tendía medio cigarrillo y hasta le acercaba el mechero encendido; llevaba un gorro militar en la coronilla y se veía el pelo bajar por la frente; aquella cabeza negó:

—Nada ha terminado, compañero, todo sigue, si es que queremos que siga.

—Madrid se ha rendido —respiró el agradable humo del tabaco negro y con la mirada interrogó a aquel hombre.

—Ahora aguantaremos lo que sea, pero esta lucha seguirá, y ya veremos lo que pasa.

—Harán falta muchos años antes de que eso ocurra.

—Se aprende con los fracasos, así fue siempre.

—Aquí sólo queda salvarse uno.

—¿Cómo puedes decir tal cosa si has combatido por la República? Al final, el triunfo será del proletariado.

—¿El proletariado? Ah, sí, bien, bien.

Y echó a andar sin responderle más. Aunque no llevaba gorro, el capote descubría que era un soldado; cuanto antes debía cambiar de ropas y de nombre para enfrentarse a la nueva situación. Caminaba preocupado por ideas sombrías y decidió desviarse por Pérez Galdós, y allí un hombre que se separó de los que estaban en un portal le chistó; le pareció que iba bien vestido, con corbata.

—Oye, ¿han entrado ya los nacionales?

Pero Miguel no le hizo caso porque tomó la decisión de no hablar con nadie, evitar preguntas que le comprometieran: él sólo debía ser Eloy, adoptar su nombre, ponerse un traje de civil. Lo más urgente era llegar sano y salvo hasta la casa de Santa Isabel: allí se sentiría seguro. Apresuró la marcha y en la esquina de San Marcos vio dos cuerpos tendidos en el suelo, igual a fardos de ropa oscura, y oscuros eran los regueros de sangre que había en la acera.

Esta mancha era igual a otra que se extendía junto a unas hojas de papel que salieron de una cartera, y un lápiz dorado, y polvo en el aire que ahogaba.

Hacía un año, lo que nunca le ocurrió en tantos meses le sucedió al ir por Bravo Murillo, y allí, delante de él, a cierta distancia, vio un relámpago sobre el empedrado y un enorme estampido y una bola de humo denso que se alzó y se extendió casi tapando media calle, y siguió un ruido de cristales rotos y gritos, y comprendió que si hubiera ido más deprisa él hubiera estado en el lugar donde había caído el proyectil. Vio gente que corría y que entraba en la nube de humo y él corrió también hacia allí y encontró en el suelo a un militar tendido, inmóvil, en una postura forzada, con las piernas encogidas, que daba un suave quejido: habían acertado bien las baterías que disparaban sobre la capital desde el Cerro Garabitas[176].

---

[176] *Cerro Garabitas:* en noviembre de 1936, el ejército sublevado tomó esta elevación de la Casa de Campo, junto al río Manzanares, y durante los

Llegaron unos hombres, varias voces pidieron un coche pero nadie se atrevía a tocar al herido hasta que pararon una furgoneta que iba hacia Quevedo, y entre varios lo alzaron y metieron dentro con mucha dificultad, dejando una estela de sangre en el suelo. En éste, cerca de donde el obús levantó la capa de asfalto e hizo un hoyo, había papeles, hojas escritas y una cartera, todo lo recogió y se lo entregó a un soldado del cuartel próximo, pero lo que no le dio fue un lápiz que brillaba junto al charco de sangre: dorado, parecía nuevo, de esos que se ven en los escaparates y que él siempre había deseado; así que lo retuvo y se lo metió en el bolsillo, seguro de que nadie, en medio de la confusión, lo advertiría, y sólo cuando dobló la primera esquina lo miró despacio e hizo salir la mina. Pero este lápiz ya no lo tenía él.

Pasó al lado de los dos cuerpos y siguió sin detenerse hasta el jardincillo de la plaza de Bilbao donde se alzaban unos pelados árboles.

Cruzaba por Infantas un grupo de personas cargadas con bultos y sacos; venían, sin duda, de saquear algún cuartel abandonado, y percatarse de que aquello representaba el final de todo hizo que aumentase su cansancio y su desaliento.

Al llegar a la Gran Vía miró hacia la derecha y observó cómo se perfilaban los grandes edificios a cada lado de la avenida, al fondo de la cual estaba el hotel Florida. Lo habrían abandonado ya los periodistas y los agentes extranjeros y el *hall* estaría silencioso, y su persistente olor a tabaco rubio permanecería en su memoria como otras impresiones insignificantes de los meses pasados. La extranjera fotógrafa estuvo allí, en aquel *hall*, sentada enfrente de él; hablaba con un periodista francés empleando un acento parisiense que él captaba con dificultad. Comprendió qué ingrato iba a ser su trabajo al tener que acompañarla y hasta se le ocurrió que habría venido a cumplir alguna misión secreta a una ciudad sitiada, a un país asolado, poco tentador, y eso explicaría su adusta acogida cuando el capitán Ávalos se la presentó.

---

años siguientes se lanzaron desde allí numerosos ataques de artillería contra el casco urbano.

—Se llama Guerda Taro, pero probablemente será un nombre falso —le aclaró Ávalos e hizo la mueca de duda que era tan corriente refiriéndose a los que andaban por el *hall*.

Al cruzar delante del Casino Militar[177], su elegante fachada le recordó a la del edificio que se veía en la foto; era aquél el palacete donde estaba instalada la Alianza de Intelectuales[178], lugar adonde acudían personas relacionadas con la cultura, e incluso brigadistas, para charlar, abrir una botella de vino y cantar las canciones *Quinto Regimiento*[179] e *Hijo del pueblo* desafinando las voces entre risas.

Había ido allí con Guerda por algún motivo, y ella debió de recorrer los lujosos salones y la amplia biblioteca y quizá saludaría a María Teresa León[180]. Hojeó periódicos y revistas que había en una larga mesa de un improvisado comedor; miraba despacio sus ilustraciones y ante alguna hacía un mohín de atención. Entonces, se acercaron dos franceses que trabajaban para agencias de París y pusieron sobre la mesa fotografías que sacaron de un sobre. En ellas vieron

---

[177] *Casino Militar:* sito en Gran Vía, 13, fue construido entre 1916 y 1918 por Eduardo Sánchez Eznarriaga para sustituir al antiguo casino militar, ubicado en la Plaza de Santa Ana.

[178] *Alianza de Intelectuales:* la Alianza de Escritores Antifascistas se creó a finales de julio de 1936, como sección española de la Asociación Internacional de Escritores en Defensa de la Cultura, constituida durante el I Congreso de Escritores, celebrado en París en 1935. Una de sus aportaciones más importantes fue la organización y el desarrollo del II Congreso Internacional de Escritores (al que se alude más adelante) que se celebró en Valencia en julio de 1937 y que puso de relieve a los intelectuales de todo el mundo la dimensión de la guerra civil española. La Alianza tuvo su sede en Madrid en el palacete de los Heredia-Spínola, sito en la calle del Marqués del Duero.

[179] *Quinto Regimiento:* adaptando el tema popular «El Vito» y utilizando el estribillo de «Los contrabandistas de Ronda», esta canción celebraba la formación del Quinto Regimiento (véase nota 142).

[180] La escritora *María Teresa León* (Logroño, 1903-Madrid, 1988) fue secretaria de la Alianza de Escritores Antifascistas y participó muy activamente en la Junta de Defensa y Protección del Tesoro Artístico. Tras la victoria militar de Franco vivió el exilio, junto a Rafael Alberti, en Francia, Argentina e Italia. En su libro *Memoria de la melancolía* son muchos los pasajes que recuerdan las experiencias vividas en la Alianza, entre ellas la del conocimiento de la fotógrafa Gerda Taro (también Rafael Alberti, en *La arboleda perdida*, recordó a la alemana).

tristes escenas de lo que ocurría en campos y ciudades. Miguel preguntó de quién eran aquellas fotos y uno de los franceses la señaló a ella; Guerda las cogió y se puso a mirarlas con detenimiento y ante algunas movía la cabeza negando, cual si no hubiera quedado satisfecha de lo que ella misma había hecho.

Se acercó a la mesa un hombre, pequeño y enjuto, con gafas de miope, peinado con raya a un lado como se peinan los escolares, y vestido con una mezcla de ropa civil y militar. Miguel reconoció a José Luis Gallego[181], un joven periodista de *Ahora*[182] que andaba por los frentes haciendo reportajes. Alguien elogió la fotografía como el procedimiento mejor para conservar los hechos diarios, y entonces el recién llegado intervino diciendo, en un francés vacilante, que, como documento, la fotografía resultaba pobre por sólo reproducir un instante de una realidad inmensa, que cambiaba sin cesar.

La extranjera le miró con un fugaz fruncir de cejas y le respondió que todos los sistemas de información daban la realidad parcialmente pero que, no obstante, eran útiles.

Fue la primera vez que Miguel la oyó hablar seguido, con entonación enérgica; y ella continuó diciendo que la fotografía no era un puro hecho mecánico: precisaba una conciencia formada para elegir lo que se debía captar y que así quedaría registrado como el momento equivalente a lo que los ojos ven en un instante, y por lo que se consideran informados.

Los franceses escuchaban en silencio pero el joven levantó la cabeza y sin mirar a Guerda dijo algo como que nunca una foto informaría de un suceso como lo había conseguido la palabra escrita; por lo cual la historia la habían hecho en el pasado los escribas, los cronistas y no los pintores que

---

[181] *José Luis Gallego* (Valladolid, 1913-?), fue periodista (cronista del diario *Ahora*) y poeta y luchó en las Milicias Populares durante la Guerra Civil. Finalizada ésta, fue condenado a doce años y un día de prisión; poco después, fue condenado a muerte por actividades políticas clandestinas, pena que fue conmutada por treinta años de prisión. Durante su condena siguió escribiendo y publicando poesía.

[182] *Ahora:* diario de la época, fundado en 1930.

reproducían sólo la presencia de lo instantáneo. La respuesta de Guerda debió de ser que aquellas fotos podían dar testimonio indiscutible de lo que ocurrió, aunque fueran escenas aisladas. También vino a decir que pasarían años y todo quedaría olvidado, lo sucedido sería un confuso recuerdo, pero un día aquellas fotografías habrían de servir para juzgar la barbarie y la crueldad de unos años sangrientos.

Miguel se había sorprendido de la claridad con que ella habló y estuvo de acuerdo con su opinión sobre la utilidad de la fotografía e intuyó una mayor seriedad en la joven, a la que conoció con vestidos elegantes, fumando cigarrillos caros y haciendo un trabajo que, para él, era impropio de una mujer.

Pudo entonces recordar nítidamente: Guerda Taro había venido con otro fotógrafo, acaso su compañero, Robert Capa[183], y habían estado en el frente de Aragón, y luego en el de Córdoba, y enviaban sus fotos a una revista de París[184], y cuando Capa regresó a la capital francesa ella se quedó aquí.

Miguel la había acompañado a visitar el barrio de Argüelles, tan destruido por los bombardeos aéreos del mes de noviembre.

No bien se pasaba al otro lado del parapeto que de una casa a otra cruzaba la calle de Benito Gutiérrez, parecía que se entraba en una ciudad distinta, sin habitantes y sin ruidos, sólo el roce de los pasos porque el suelo estaba cubierto de trozos de ladrillo y de revoco de las fachadas, cristales rotos y tejas. Las bombas habían abierto de arriba abajo las casas de varios pisos y su interior aún mostraba los muebles y enseres de las viviendas. Guerda disparaba continuamente

---

[183] El más célebre reportero de guerra, *Robert Capa* (pseudónimo de A. Friedman, Hungría, 1913-Vietnam, 1954), acudió a España acompañado de Gerda Taro para cubrir la Guerra Civil (después cubrió la Segunda Guerra Mundial y la de Indochina, en la que pereció). Tras la muerte de su compañera le dedicó el libro *Death in the making* (1938), en el que aparecían confundidas las fotografías de ambos. En 1947 fundó, junto con otros compañeros, la agencia «Magnum Photos».

[184] *una revista de París:* Gerda Taro cubrió la Guerra Civil española como corresponsal de *Ce Soir*.

su Leica, miraba toda aquella destrucción sin decir nada, ni hacer comentarios, lo que llevó a Miguel a pensar que ella conocía ya tales escenas y que la atención que mostraba era un interés por el país adonde había venido, bien enterada de lo que significaba la lucha que sostenía el pueblo. Ella no sólo estuvo en los frentes, sino que fue a Almería cuando la escuadra alemana bombardeó esta ciudad, y vería las casas destrozadas y los incendios, y también acompañó a los escritores extranjeros que venían del Congreso de Valencia en su visita al frente del parque del Oeste o de la Ciudad Universitaria, y también recorrió los barrios donde las mujeres formaban largas colas ante los economatos que distribuían los alimentos. Efectivamente, para Guerda no eran nuevas las huellas del desastre que sufría España.

Otra vez comprobó que ella tenía un mayor conocimiento de cosas de la actualidad: subieron al torreón del Círculo de Bellas Artes, desde donde ella quería tomar unas fotos panorámicas, pero el sol daba una luz tan deslumbrante que dudaron de poder hacerlas. Guerda sacó del bolso tabaco y le tendió a él un cigarrillo mientras miraba el panorama de tejados y torres. Él aceptó el cigarrillo y encendió el de ella y por primera vez le sonrió y le señaló en dirección a los altos edificios del centro entre los que sobresalía el de la Telefónica; en su fachada se veían nubes de humo, señal de que estaba siendo cañoneada. Y también, de negro humo, tres columnas cerca de las cúpulas de San Francisco[185]. Ella contemplaba la perspectiva de la ciudad y de pronto dijo en español, con un marcado acento: «La capital de la gloria, cubierta de juventudes la frente»[186], y meció la cabeza con un gesto de duda y miró a Miguel. Éste quedó perplejo de oírle decir el verso de Rafael Alberti[187], pues no pudo prever que lo hubiese aprendido, y descubrirlo le hizo tener, en un momento, otra idea de cómo

---

[185] *San Francisco:* se refiere a la basílica de San Francisco el Grande.

[186] Los versos pertenecen al poema de Rafael Alberti «Madrid por Cataluña», recogido en su libro *Capital de la gloria* (1938).

[187] *Rafael Alberti* (El Puerto de Santa María, Cádiz, 1902-1999), a quien se ha recordado de forma más o menos velada en diversos lugares del libro, entabló amistad con Gerda Taro en la Alianza de Intelectuales; junto con

podía ser aquella mujer: la miró fijamente, con mayor atención, y hubo de admitir que el claro azul de sus ojos daba a su fisonomía una serenidad que, al mismo tiempo, parecía una reserva de sus sentimientos, que se confundía con altivez.

Avanzó por la calle de Peligros[188], cruzó Alcalá y dudó si tomar la calle de Sevilla, mientras ella iba brotando poco a poco de su olvido, y llegó a reconocer que la había rechazado y apartado de sus ideas en aquellos meses de intranquilidades y tensiones. Y esta certidumbre aumentó su malestar y se apoyó en la pared, como vencido por el peso del macuto, y esperó unos minutos para recuperar fuerzas, pero el temor a atraer las miradas le puso en marcha con la sensación de un ligero ahogo.

Más adelante, ya en las Cuatro Calles[189], decidió desviarse e ir al hotel Inglés[190], y si tenía la suerte de encontrar a Iriarte, con su ayuda sabría lo que el olvido le ocultó de la fotógrafa y recuperaría los sucesos de hacía dos años.

Ante él se puso un hombrecillo y le dijo que podía venderle algo que le iba a interesar y que se lo daba por lo que quisiera. Le mostró una navaja grande y, aunque a la luz del mechero que encendió no la veía bien, le pareció antigua cuando hizo salir la hoja. Dijo que la quería vender para no llevarla más en el bolsillo interior del chaleco y no empuñarla con ira.

—Yo no quiero matar a nadie —murmuró Miguel, y le volvió la espalda.

Encontró la puerta del hotel abierta aunque protegida por tablas de madera, y al entrar vio detrás del mostrador de recepción, bajo una tenue bombilla, a un hombre que se alar-

---

María Teresa León, acudió a recoger el cadáver de la fotógrafa a El Escorial, para velarla después en el jardín de invierno de la Alianza.

[188] *calle de Peligros:* estuvo la sede clandestina del PCE.

[189] *Cuatro Calles:* nombre que tenía la confluencia de calles ocupada hoy por la Plaza de Canalejas, a la que todavía se conoce popularmente con la antigua denominación.

[190] *hotel Inglés:* hotel de Madrid en el que se albergaron durante la guerra, como en el Hotel Florida (véase nota 14), periodistas, corresponsales extranjeros, etc.

mó y le preguntó qué deseaba. Al oír que buscaba a Iriarte llamó a éste a voces, que resonaron en el vacío *hall*, y una cabeza asomó por la puerta entreabierta de gerencia, unos ojos contraídos que miraron a quien le llamaba y a continuación de la mirada temerosa salió y avanzó hacia Miguel y medio le abrazó, sorprendido de su llegada.

Vestía una especie de uniforme, envejecido como era su rostro de hombre maduro que sin hablar inquiría para qué le buscaba. Escuchó muy atento lo que Miguel le preguntaba sobre la documentación de Eloy, si la guardaría aún Casariego, pero Iriarte no sabía nada: sólo le preocupaba dónde esconderse, y bajó la voz, como si temiera que le oyesen, aunque en el *hall* no había nadie, para decirle que muchos compañeros habían sido detenidos y estaban en el edificio de Marina[191], sin saber lo que sería de ellos.

Miguel hizo el ademán evasivo de entregarse a la fatalidad y la siguiente pregunta fue sobre la fotógrafa alemana Guerda Taro a la que Iriarte conoció y de la que deseaba saber algo; la había olvidado completamente aunque él la acompañó algunas veces.

Hubo un silencio de unos segundos, Iriarte dio un paso atrás y le preguntó en razón de qué se interesaba por aquella alemana, precisamente en unas horas llenas de amenazas.

Dijo que últimamente le venía al pensamiento, acaso porque le dijeron que había muerto; cuando quemó la documentación encontró una foto de ella y la conservaba.

Iriarte le puso una mano en un brazo y le pidió que se la mostrase, le gustaría verla, porque no había fotos de Guerda, y él la consideraba una persona interesante. Por el hotel pasaron muchos extranjeros, pero ésta se diferenció de otras mujeres periodistas.

Era una foto pequeña, no se la distinguía bien, estaba con otras personas. Pero la insistencia de Iriarte siguió, le rogaba que se la dejara ver para saber dónde fue hecha.

Por fin, consintió en sacarla de donde la guardaba y se la entregó, pero lo hizo con movimientos lentos y se fijó en

---

[191] *edificio de Marina:* se refiere al Ministerio de Marina.

un gesto contenido del otro al tenerla en la mano y contemplar detenidamente lo que aparecía en la desgastada cartulina.

Sí, era ella, tal como en la realidad, con el peinado y el vestido que llevaba aquel verano, con su gesto serio, los ojos claros, inteligentes. Por primera vez veía una foto suya y le parecía igual que viva; era doloroso recordarla, con un final tan absurdo.

Iriarte contrajo la boca y dirigió su mirada hacia la puerta de la calle, como si esperase la llegada de alguien o presintiera la fría noche en el exterior.

Había venido con aquel fotógrafo extranjero, Robert Capa, que hizo también reportajes en los frentes; pararon en el hotel, una pareja muy simpática, muy activa; nada hacía prever para ellos la muerte. Pero aquello ocurrió cuando ya estaba terminando la ofensiva en Brunete, cuando la gente se retiraba después de sufrir muchas bajas, y un tanque la atropelló. El error fue quedarse donde había tanto riesgo; sin duda quiso seguir haciendo fotografías, sin importarle el peligro. Guerda era alemana y huyó del régimen nazi y en París se relacionó con el grupo de alemanes allí también refugiados; algunos se ocupaban de fotografía y ella aprendió a manejar una cámara. Llegó con Robert a Barcelona en los primeros días de la sublevación y luego estuvieron por muchos sitios; su compañero se fue a Francia y Guerda no quiso faltar en Brunete. Fue atropellada en la carretera a Villanueva de la Cañada, precisamente donde tenía sus posiciones la Quince Brigada de los Internacionales, en la que había muchos alemanes antifascistas. Parece que Guerda iba subida en el estribo de un camión, sosteniendo el trípode de la cámara y con la otra mano se sujetaba a la ventanilla abierta. Un tanque venía en dirección contraria, se ladeó y la golpeó y la hizo caer al suelo, y el mismo vehículo en el que iba, o el tanque, le aplastó una pierna y parte del vientre. Quedó muy destrozada, perdió el conocimiento, la llevaron en un coche al hospital de sangre que tenían los ingleses en el monasterio de El Escorial pero los médicos no pudieron salvarla. Fue terrible que terminara así su vida, siendo tan joven, con tantas posibilidades, porque las fotos que hizo eran espléndidas: sabía coger los momentos más emocionantes allí donde iba y era de admirar que tuviera el valor de aguantar aquellos días en una zona bombardeada constantemente y en medio del desorden de una retirada.

Ya no cabía duda, había muerto; atropellado y roto su cuerpo, en el frente, en un campo de malezas y piedras, entre los surtidores de tierra que levantaban los obuses al explotar, bajo el sol abrasador del verano. Su muerte debió de pasar desapercibida porque nadie lo comentó ni lo leyó en ningún periódico; y él mismo, que fue su guía e intérprete, en tanto tiempo no pensó en ella.

Iriarte seguía con la foto en la mano, la miraba, sus ojos no se volvieron a Miguel cuando insistió en preguntarle el motivo de venir a hablarle ahora de aquel asunto, que le extrañaba.

Le respondió que no le interesaba especialmente pero recurría a él por curiosidad, y se enteraba de un final desastroso. Iriarte añadió que su muerte debió de ser, al terminar la ofensiva, entre el 20 y el 25 de julio[192], cuando toda esperanza de triunfo se había perdido.

Parpadeó la luz mortecina del vestíbulo y Miguel pensó en una cámara de fotos aplastada, y quizá el lápiz que le dio, manchado de sangre. Debían terminar la conversación. Iriarte le pidió la fotografía, que se la diese, sería como un recuerdo de aquel tiempo, del trabajo con los extranjeros en el hotel; para él era importante tenerla.

Miguel negó con la cabeza y por unos segundos sostuvo la negativa en silencio, pero la cara de Iriarte comenzó a reflejar tal aflicción que Miguel se encogió de hombros e hizo un movimiento entreabriendo los brazos: era la señal de que accedía a dársela.

Pensó que en los tiempos que iban a venir quizá sería conveniente no recordar a aquella extranjera como tampoco a otros que acudieron a ponerse al lado de la República, a todos los cuales habría que olvidar.

Iriarte se guardó cuidadosamente la foto en el bolsillo alto de la especie de chaquetón que llevaba, tendió la mano

---

[192] Gerda Taro murió en la madrugada del 26 de julio de 1937.

a Miguel y la sacudió para expresarle las gracias, pero ambos, como concentrados en un único pensamiento, sin cambiar más palabras, se separaron.

Salió a la calle y las sombras en torno suyo aumentaron su desconcierto por la conversación que acababa de tener y por la escena que se imaginó: ella muriéndose sola, en el sitio más frío e inhóspito como era el monasterio. Y a la vez, se asombraba de que un suceso tan distante le hubiese atraído desde que dejó el cuartel y ahora tenía un final sin continuidad posible, arañándole el remordimiento de su olvido total. Por alguna razón había querido retirar de su mente la figura de Guerda, su aspecto físico, la entonación de la voz, y también lo que podía deducir de su venida a la guerra, su audacia en tarea tan peligrosa.

Sin embargo, se le planteaba igualmente entregarse al nuevo olvido de toda su experiencia de tres años de lucha, de lo que él fue entonces; habría de inventar falsedades cual un traidor cualquiera y renegar, ya en su nueva personalidad como Eloy, de los mil hechos importantes que vivió; todo se esfumaría en la voluntad de no ser responsable de nada.

Era noche cerrada; cruzó las calles vacías de un barrio que creía conocer de años atrás, le pareció más lóbrego aunque en algunas tiendas se vislumbraban luces. En la glorieta de Matute notó en la cara las primeras gotas de lluvia que de nuevo caía del frío y de la noche, y como, al cruzar Atocha, aumentase, se guareció en un portal abierto donde había varios hombres. Pasados unos minutos se dio cuenta de que, cerca, dos de ellos discutían en voz baja y sin esfuerzo oyó a uno afirmando que él no había matado a nadie aunque hubiese disparado de día y de noche en el Jarama, en Teruel, en el paso del Ebro.

El otro murmuraba que sólo en los meses en los que estuvo en el frente se sintió un hombre de verdad porque nadie antes tuvo confianza en él, ni le trató como un igual, ni le respetó en sus opiniones.

Su compañero insistía en que no se le podía acusar de nada por haber estado en el frente: a él le pusieron un arma en la mano, vio a su alrededor cómo se mataban pero él no era un asesino, no había provocado la guerra ni sacado provecho de ella.

Escuchando lo que decían aquellos dos, comprendió cómo la maldita Guerra Civil había alterado la conciencia a miles de hombres, y a él mismo en su propósito de cambio.

El cansancio y la inquietud, por lo que debía hacer, le detuvieron al llegar a Antón Martín, cerca ya de la casa en la que se desprendería de la ropa militar y cambiaría por la que seguramente le proporcionaría Casariego, aunque le quedara estrecha o ancha; lo fundamental era hablar con él y coger la documentación que guardaba, se aprendería de memoria sus datos personales, se adaptaría al previsible comportamiento de Eloy. Cubierto tras la máscara de un hombre que debió de ser muy parecido a él, lograría salvarse en la catástrofe guardando silencio de lo pasado y así nadie le descubriría, aunque siguiera siendo él mismo, y no precisaría la falsedad de nuevas palabras sino que en secreto conservaría la memoria de cuanto le fortaleció y le hizo madurar. No debía hundir en otro olvido, ahora se lo dijo muy claramente, lo que denunciaban las fotografías que se hicieron, lo que se leería, tiempo después, en un periódico de envejecido papel, lo que reaparecía en obsesivos sueños de madrugada.

En la esquina de la calle de Santa Isabel había una casa bombardeada: en la oscuridad se imaginó la fachada, abierta de arriba abajo al derrumbarse, y por un instante vio allí el cuerpo de Guerda y en seguida una mancha roja desgarró el vientre, y las entrañas quedaron derramadas a la luz del potente sol de julio.

Así terminó Guerda Taro, al no querer abandonar el frente cuando no había esperanza alguna, y quedó herida de muerte como tantos otros, en una carretera polvorienta. Junto a David Seymour, Robert Capa, Román Karmén, Georg Reisner, Hans Namuth[193], fotógrafos que también vi-

---

[193] *David Seymour* (Polonia, 1911-Egipto, 1956); *Román Karmén* (Rusia, 1906-URSS, 1978); *Georg Reisner* (Alemania, 1911-1940); *Hans Namuth* (Alemania, 1915-EE.UU.,1990).

nieron a España, ella dejó en sus fotos, tomadas en ciudades y campos de batalla, un testimonio del gran delito que había sido la guerra. Pero esta joven fotógrafa alemana pronto fue olvidada aunque hizo más que ninguno: entregó su hermosa vida a una digna tarea, a una justa causa perdida.

Las enseñanzas

Arreciaba el frío en las calles vacías, se pegaba a las ropas y ponía en la cara agudos pinchitos que hacían lagrimear los ojos; sin embargo, la madre y el hijo seguían adelante, sujetando en el cuello el cierre de los abrigos y protegiéndose de que un mal aire no llegara donde los latidos fuertes descubrían cierta incertidumbre de encontrar o no la casa del profesor que les habían dicho estaba en la calle de Blasco Ibáñez.

Delante de una casa que se destacaba por ser más alta que las demás del barrio y por tener unos carteles en los balcones, había un grupo grande de hombres y mujeres, parecían muy jóvenes, con caras sonrientes casi tapadas por los gorros y las bufandas y las chicas con pañuelos a la cabeza, y entre ellos, alguno con ropa de soldado, y todos miraban hacia el portal y hablaban entre sí con voces fuertes, y en seguida gritaron vivas y hubo aplausos y se oyó un «Viva Rusia» que fue coreado y que la madre y el niño escucharon sin comprender lo que era aquello; se habían parado cerca porque les pareció que repartían algo de comida, un suministro espontáneo de los que a veces organizaba el Socorro Rojo si les llegaban unos sacos de arroz o lentejas, pero pronto vieron que no daban nada y el niño miró a la madre preguntándole con los ojos y ella hizo un gesto de no saber.

Cruzaron tres calles y, por fin, encontraron la casa y, efectivamente, a un lado de la puerta había el letrero «Escuela», pero no aparecía la palabra «Gratuita»; le habían dicho a la madre que así era y ante la duda vaciló en llamar, siguió con

483

los ojos los bordes de la puerta maltratados, calculando lo que le podrían pedir por las clases, pero acabó por apretar el timbre y esperó hasta que abrió un hombre alto, de bastante edad pero no viejo, aunque tenía el pelo blanco, y vestía un mandilón de color azul marino.

La madre le preguntó con timidez, sin decir claramente lo que deseaba, pero el hombre les hizo pasar y cerró la puerta cuando entraron. Escuchó a la madre y miró al niño, que, a su vez, le miraba, atento e intimidado, y éste luego pasó sus ojos por la clase vacía, con unas filas de pupitres oscuros, sucios, sobre los que había clavados en las paredes mapas y un cartelón con letras, y encima de la mesa, en la que se apoyaba de espaldas el profesor, veía el retrato de un hombre con barba blanca[194].

No había que pagar nada, sólo que el niño debía acudir con un delantalito que se pondría encima de la ropa de abrigo porque la clase era muy fría y todos tenían sabañones[195] en las manos, que bien se veían cuando cogían el lápiz para ir escribiendo. Al oír lo cual ella dijo que iba bien abrigado con un abrigo nuevo y calcetines de lana que le habían regalado, y entonces el niño bajó la vista a los calcetines y a los zapatos negros, desgastados, y volvió la cabeza hacia su madre cuando ésta decía que él sabía leer y escribir pero que tenía que aprender y estudiar más cosas.

El profesor daba clase de todo lo necesario y también les enseñaba a que se llevaran bien entre sí, que fueran amigos, que no se pegaran, que si era necesario ayudaran a la familia en lo que un niño podía ayudar, que supieran lo que era el trabajo que les esperaba de mayores; también les enseñaba a odiar aquella guerra que sufrían, con tanto como estaba ocurriendo.

Lo malo era que la guerra se había metido en casa, tan cerca el frente, y los aviones causando muertos y casas hundi-

---

[194] Por el contexto (se trata de una escuela anarquista) y por la escueta descripción física, debe de tratarse de Mijaíl Bakunin, aunque el autor parece haber querido mantener la identidad del retratado en el terreno de la ambigüedad.

[195] *sabañón:* irritación o ulceración de la piel que se suele producir en las manos, en los pies o en las orejas por el frío intenso; provoca ardor y picores.

das, cada día todo empeorando, sin apenas qué comer y un diciembre tan frío, sin leña para encender un poco la lumbre: pues claro que así se llenaban de sabañones los dedos, la madre repetía lo que oía decir a todas horas y accionaba, de pie ante el profesor, el cual movía la cabeza, afirmando, y llevaba sus ojos hacia una de las ventanas por las que se veían las casitas del otro lado de la calle.

El niño, al fijarse en un mapa, deletreó la palabra «Rusia», y entonces tiró de la manga a la madre y cuando ésta se volvió hacia él le señaló el mapa en la pared y murmuró:

—Rusia.

Y esa palabra la oyó el profesor y alzó la cabeza hacia los distintos colores que tenía aquel gran dibujo: en el centro de una mancha verde se leían cinco letras: RUSIA. Encogió los hombros y dijo, sin que apenas se le oyese:

—No me interesa eso.

Y la madre, que se había dado cuenta de lo que el niño señalaba, respondió a aquel gesto:

—Es que ahí fuera estaban gritando «Viva Rusia» —el profesor negó con la cabeza y a continuación afirmó que podía llevar al niño en cuanto preparase el delantal, pero la madre repitió—: Ahí fuera, eran chicos, gritaban eso, sí, gente joven.

El profesor frunció los labios y dijo:

—Nada tengo que ver con ésos. Ésta es una escuela libertaria[196].

Salieron del colegio y emprendieron la marcha, callados ambos, como preocupados, y a la madre le pareció que muy lejos se oían las sirenas de la alarma antiaérea, pero al cabo de unos minutos lo que oyó fue el estruendo que se acercaba de muchos aviones volando muy bajo y, en seguida, un terrible estampido que les sacudió, seguido del trueno del bombardeo allí mismo, que hacía temblar el aire y el suelo, que atontaba y ensordecía, e hizo a la madre dar una carrera casi arrastrando al niño y cobijarse en el quicio de una puerta cerrada.

De las casas salían mujeres dando gritos, y aunque se oían voces que decían ¡Al refugio!, se quedaban unos instantes

---

[196] *escuela libertaria:* escuela anarquista.

mirando al cielo y señalándolo para luego correr y perderse en el estruendo que había en calles próximas.

Abrazaba al niño, apretándole contra la puerta de madera, protegiéndole con su cuerpo, diciéndole palabras de consuelo para que no se asustase, y contra ellos se agolparon otras dos mujeres, sollozando y gritando cuando se empezaron a oír los primeros disparos de los antiaéreos que estaban en un descampado de Francos Rodríguez.

Todo lo invadió un humo irrespirable como una niebla espesa y áspera que les obligó a taparse las narices con los pañuelos, y tenían que toser para no ahogarse y así esperaron hasta que cesó el estruendo, y entonces la madre y el niño corrieron hacia la parte que parecía más despejada de humo pero sin saber qué hacer, retrocedieron un par de calles, ante ellos los muros se desplomaban y las tejas venían a caer al centro de la calzada. Entonces el niño rompió a llorar desesperadamente, agarrado a la falda de la madre, sin querer andar, y ella le apretaba contra sí, temblorosas las manos.

Entre la nube de polvo, rojizo por los ladrillos rotos, vio que las casitas de Blasco Ibáñez se habían hundido y quedaban sólo algunas paredes en pie con largas grietas y por encima, las maderas del tejado, y hacia allí corrían varias personas, llamando a los que probablemente habían quedado bajo los escombros, y aparecieron otras, desfiguradas, blancas de cal, con heridas en la cabeza y la cara cubierta de sangre.

Señalaban al cielo y gritaban que eran aviones alemanes, veinte aviones enormes que volaban muy bajo; vociferaba un hombre en medio de la calle.

—¡Alemanes, canallas!

Los dos dieron unos pasos, estrechados en un abrazo que les entorpecía el andar, y los dos tosían y decían algo sin saber lo que era y se detuvieron para contemplar los hundimientos sobre los que se cernían nuevas nubes de polvo.

Llegaban hombres corriendo e iban de un sitio a otro, desorientados, pero en seguida empezaron a levantar vigas de madera y cascotes porque debajo se veían un brazo o medio cuerpo, los cuales había que sacarlos tirando de ellos, tan blandos que parecía no haber carne ni huesos bajo las ropas; brazos y piernas se doblaban, igual que si estuvieran desprendidos, y las caras aplastadas no eran ya de persona. Entre dos o tres los transportaban a un lado de la acera y en el suelo los alineaban; si era un niño, sólo uno lo llevaba en brazos y levantaba la cara para no mirar en lo que estaba convertido: todos con las ropas desgarradas, sin calzar, cubiertos de polvo.

En su aturdimiento, la madre quería tapar la cara del niño, taparle los ojos para que no viera aquello, pero no se movían de allí, estaban paralizados, les rodeaban voces, llamadas, nombres que se gritaban una vez y otra.

Llegaron dos coches y en ellos se colocaron a heridos aún con vida y los llantos de las mujeres aumentaban al verlos partir, no se sabía adónde, y a algunas tenían que sujetarlas para que no se acercasen a los sitios en los que se desescombraba porque de vez en cuando un lienzo de pared aún caía o se venía abajo una fila de tejas. Y los hombres del barrio, ya maduros —los jóvenes estaban movilizados—, separaban escombros y resoplaban, impotentes ante montañas de materiales destruidos bajo las que había personas.

—Vámonos, vámonos —dijo por fin la madre, estremecida del frío que aumentaba, y empujó al niño y le forzó a andar, y cuando habían cruzado unas calles, le miró y vio que tenía cal en el pelo y se lo sacudió con el pañuelo y luego le besó; el niño ya no lloraba, pero tenía los ojos muy abiertos, asustados. Pasaron por delante de la casa alta donde hacía un rato vieron a tanta gente frente al portal: ahora no había nadie, los carteles seguían colgando de los balcones pero se habían desgarrado con las explosiones.

Estrechó la mano del niño que llevaba cogida y le dijo:

—No te asustes, ya ha terminado todo, han tirado bombas pero no nos ha pasado nada, vámonos a casa.

Le miró otra vez, le vio muy pequeño, pálido, con su abriguillo nuevo y el pelo revuelto, y exclamó:

—Esto es la guerra, hijo, para que no lo olvides.